W9-AWG-534

FOUNDATION COURSE IN FRENCH

Fraser and Squair French Grammar Series

A FRENCH GRAMMAR FOR SCHOOLS AND COLLEGES
Fraser and Squair

SHORTER FRENCH COURSE
Fraser and Squair

NEW COMPLETE FRENCH GRAMMAR
Fraser, Squair, and Coleman

BRIEF FRENCH GRAMMAR
Fraser, Squair, and Carnahan

STANDARD FRENCH GRAMMAR
Fraser, Squair, and Carnahan

REVISED ELEMENTARY FRENCH GRAMMAR
Fraser, Squair, and Parker

FRENCH COMPOSITION AND REFERENCE GRAMMAR
Fraser, Squair, and Parker

MODERN COMPLETE FRENCH GRAMMAR
Fraser, Squair, and Parker

FOUNDATION COURSE IN FRENCH
Fraser, Squair, and Parker

W. H. FRASER

J. SQUAIR

and

CLIFFORD S. PARKER

Professor of Languages
University of New Hampshire

D. C. HEATH AND COMPANY BOSTON

FOUNDATION COURSE IN

FRENCH

Cover, endleaves, and illustrations by **JASON BERGER**

Copyright, 1957, by **D. C. HEATH AND COMPANY**

*No part of the material covered by this copyright may be repro-
duced in any form without written permission of the publisher.
Printed in the United States of America* (6 D 3)

Library of Congress Catalog Card No. 57–5725

PREFACE

In this new addition to the famous Fraser & Squair French Grammar Series one will find the following outstanding features:

(1) In the Phonetic Introduction there have been introduced at logical intervals four Drills in Pronunciation. These consist of words which illustrate sounds just explained. All words used are cognates, so that students will not think that they are merely making queer and incomprehensible sounds but will understand the meaning and value of what they are saying.

(2) In the first ten lessons, irregularities and exceptions to rules have been kept at a minimum. (Forms of *avoir* and *être* are, of course, given.) Students can be confused and discouraged if they find that exceptions seem to be as frequent as basic principles and if they are expected to learn irregular verbs before regular ones.

(3) The most important tenses of regular verbs, of *avoir*, and of *être* have been introduced in the first 19 lessons. In the *Revised Elementary French Grammar*, the future, imperfect, conditional, and past definite tenses did not come until lessons 21, 23, 24, and 27 respectively. The new arrangement will enable students to read standard French much earlier in a course.

(4) Each lesson begins with an Oral Introduction, Dialogue, or Anecdote, in both French and English. When the French versions are repeated by students after a teacher, they provide an oral approach to the lessons. Analyzed, they lend themselves to the inductive presentation of some grammatical principles. Memorized and recited, they lay a foundation for conditioned responses and oral fluency.

(5) The exercises are new. Students should find them lively, varied, challenging, and enjoyable.

(6) The selections for reading have been kept within the progressive grammatical limits of successive lessons, show much diversity of subject matter, contain many cognates, and are sometimes serious, sometimes humorous. Two methods of using them are suggested in the book. One is to have students translate a selection into English, in order to insure accuracy of comprehension, and then read it again, mentally pronouncing the French, without translating, so that direct comprehension may be achieved. The other is to omit the first step, translation, and aim for immediate direct comprehension. For most of the lessons from no. 13 on, no directions are given, so that teachers may tell students how the reading selections should be used.

(7) Each lesson has a passage for written translation, usually one of connected prose. (All through the book, the use of disconnected, dull, lifeless sentences has been as much as possible avoided.) Such written work is a valuable aid to learning for all students at all levels. The mechanical act of writing aids memory. Writing is almost the only good device for teaching correct spelling. Writing is slow-motion speaking. In the midst of conversation at normal speed, a pause for thinking is embarrassing. When one is writing, a pause for thought is natural. Students instinctively want to write out even conversational material. Recognition of this natural desire helps students to avoid constant stumbling and falling and the consequent frustration and discouragement. — It goes without saying that writing is only one part of the total process of learning.

(8) Lesson vocabularies have been placed at the end of each lesson, just as the general vocabularies have been placed at the end of the book. Words should be learned, not in lists, but in contexts — in the oral introductions or dialogues, the examples, the exercises. Each vocabulary has two parts. In each lesson the "Vocabulary for Exercises" is to be consulted when students are preparing the exercises. The "Vocabulary for Reference" contains words already translated in the lesson, cognates, some proper nouns, etc. Students who do not use phonetic symbols will have little occasion to consult these sections, whose main function is to indicate correct pronunciations.

(9) The four pronunciation drills in the Phonetic Introduction and one passage in each of the first 20 lessons have been recorded on six double-sided LP ($33\frac{1}{3}$ rpm) records. These recordings should

by all means be made available to students. They are divided into 24 exercises. Most of them offer the common pattern of "listen and repeat." However, in two cases (lessons 8 and 19), students listen to French spoken at normal speed for comprehension only. In two other cases (lessons 10 and 18), students are led to converse with the invisible speakers whose voices they hear. In lesson 20, students are tested orally on their knowledge of cultural material.

(10) After every fifth lesson there is a Cultural Dialogue accompanied by pictures. These dialogues, complemented by a few of the reading selections in the lessons, aim at the generally accepted objective of having students of French learn something worth while about France.

(11) Each lesson contains Optional as well as regular exercises so that the book may be conveniently used in classes which meet three times a week or in those which meet more than three times.

(12) The general French-English Vocabulary contains about 2200 words, which is 500 more than that of the *Revised Elementary French Grammar*. The increase is due largely to an intentionally greater use of cognates. Of the 2200 items, 850 or 38.6% are close cognates; the inclusion of near-cognates would bring the figure up to 40%. Some of the non-cognates, moreover, are used in the Cultural Dialogues and translated in notes. The English-French Vocabulary contains almost exactly the same number of items (approximately 1060) as that of the *Revised Elementary French Grammar*.

*   *   *

The author is happy to have this opportunity to express his gratitude to Dr. Vincenzo Cioffari and Dr. Frank M. Chambers of D. C. Heath and Company for their friendly, unstinted, and expert assistance in the preparation and publication of this book.

C.S.P.

CONTENTS

FOUNDATION COURSE IN FRENCH

II. ACCENTS

1. Accent marks have nothing to do with stress; their usual function is to determine the sound of the vowel over which they appear or else to distinguish one word from another; e.g., **a** = *has*, **à** = *to;* **ou** = *or*, **où** = *where*.

2. The acute accent (Fr. *accent aigu*) = ´. It may be used only over **e**: **é**.

3. The grave accent (Fr. *accent grave*) = `. It may be used over **a, e**, or **u**: **à, è, ù**.

4. The circumflex accent (Fr. *accent circonflexe*) = ^. It may be used over any vowel: **â, ê, î, ô, û**.

5. The accent is an essential part of the spelling of a French word; it must be written when correct spelling requires it.

III. OTHER ORTHOGRAPHIC SIGNS

1. The cedilla (Fr. *cédille*) is used under **c** to give it the soft sound of **s** before **a, o,** or **u**: **façade, leçon, reçu**. (Without the cedilla, **c** before **a, o,** or **u** would have the hard sound of **k**.)

2. The diaeresis (Fr. *tréma*): ¨ shows that the vowel bearing it is divided in pronunciation from the preceding vowel, i.e., that each vowel belongs to a separate syllable. **Noël = No/ël**.

3. The apostrophe (Fr. *apostrophe*) shows omission of a final vowel sound: **l'ami** (= le ami); **l'amie** (= la amie); **l'homme** (= le homme); **j'ai** (= je ai).

IV. ELISION

The letters **a** and **e** are replaced by an apostrophe in **la, le, je, te, me, se, de, ne, que** (and some of its compounds) before initial vowel or mute **h** (silent **h**); the letter **i** is replaced by an apostrophe in **si** before **il** or **ils**. Ex.: **l'ami, l'homme, m'a, n'est, qu'à, s'il, s'ils**, etc.

V. SYLLABICATION

1. So far as possible, a syllable of a French word begins with a consonant. Compare:

PHONETIC INTRODUCTION

I. GENERAL DISTINCTIONS

1. The sounds of French and English rarely correspond exactly. When, for convenience, a French sound is explained by comparing it to an English sound, it must be understood that the explanation gives only a close approximation.

2. English has strong stress on one or more syllables of a word (agree'able, nec'essary), French has weak stress. Each syllable of a French word, therefore, is uttered with almost equal force, though with a tendency to give a rising inflection to the last syllable of a word of two or more syllables. For example:

$$\nearrow \qquad \nearrow \qquad \nearrow$$
cui-sine, Pa-ris, hô-tel

3. When French is pronounced, the organs of speech (tongue, lips, vocal cords) are used more energetically than in English. In other words, the French articulate more distinctly and sharply than English-speaking persons, especially Americans. Compare:

ENGLISH	FRENCH	ENGLISH	FRENCH
gen(e)ral	général	village	village
grammar	grammaire	telephone	téléphone

4. In English there is a tendency to prolong vowel sounds; in French, sounds are sharp, quick, tense. English vowels tend to glide off into double sounds; French vowels remain uniform throughout their brief duration. Compare:

ENGLISH	FRENCH
phrase	phrase
throw	trop
too	tout

3

ENGLISH	FRENCH
an-i-mal	a-ni-mal
lib-er-ty	li-ber-té
choc-o-late	cho-co-lat
Rob-ert	Ro-bert

2. Two consonants, of which the second is **l** or **r** (but not the combinations **rl** or **lr**), both belong to the following syllable.

é-cri-vain   ta-bleau   cé-lé-brer

3. Other combinations of consonants representing two or more sounds are divided.

par-ler   per-dre   ar-tiste

VI. SOUNDS AND SYMBOLS

The French language has thirty-seven sounds, and (as in English) twenty-six letters. Obviously some letters have more than one sound. Furthermore, spelling (again as in English) is irregular and inconsistent. Because the spelling of a French word does not accurately indicate its pronunciation, it is convenient to use a phonetic alphabet (that of the *Association Phonétique Internationale*) in which each sound is represented by but one symbol and each symbol has but one sound. The following tables give the French letters, their phonetic symbols in brackets, their *approximate* sounds, and illustrative French words. Students should first pronounce these French words only under the guidance of a teacher. Hereafter, in this book, phonetic symbols, which show accurately the correct sounds, are given in brackets.

A. SIMPLE VOWELS

FRENCH LETTER	PHONETIC SYMBOL	DESCRIPTION OF SOUND	ILLUSTRATIVE FRENCH WORDS
a	[a]	Between the *a* of bar or *far* and the *a* of cat or fat	a; à; la; table
a, â	[ɑ]	Like *a* in bar or car (Common before *s*)	classe; pas; âge
e, é	[e]	Like *a* in *date*	et; les; nez; été
e, è, ê	[ɛ]	Like *e* in *let*	père; mère; même; est
e	[ə]	Like *e* in *the man*	de; le; me
e	————	Mute (silent) at end of words, in **–es** and **–ent** of verb endings	table; classe; père; donnes; donnent

FRENCH LETTER	PHONETIC SYMBOL	DESCRIPTION OF SOUND	ILLUSTRATIVE FRENCH WORDS
i, î	[i]	Like *i* in *machine* (Never like *i* in *sit*)	ici; mari; midi; il; ils; île; lit
o, ô	[o]	Like *o* in *go*	nôtre; vôtre; nos; vos
o	[ɔ]	Like *o* in *knot*	homme; notre; porte
u	[y]	No counterpart in English, but something like a blending of *e* and *u*. Round lips to pronounce *oo* (*moon*), then try to pronounce *ee* (*feet*).	une; du; mur; sud; sur; utile

FIRST DRILL IN PRONUNCIATION

VOWEL SOUNDS

1. Suggested procedure in class. (1) *The teacher explains and pronounces each vowel sound separately; the class repeats each sound in chorus.* (2) *The teacher pronounces each word twice; the first time the students listen, the second time they pronounce the word silently; then the class pronounces the word aloud in chorus.* (3) *Individual students pronounce the words aloud in rotation, until each student has pronounced at least three or four words, the teacher correcting any mistakes.*

Sounds of consonants, division of words into syllables, and intonation should be correct in this very first drill but attention should be principally focussed upon the vowels.

All words provided here for drill are cognates.[1] *They are all useful words of frequent occurrence in French.*

2. Outside of class. *Students should listen to and repeat the Recording of this exercise.* (*Disk* 1, *Side* 1, *Section* 1.)

1. [a]: balle, brave, camarade, date, table
2. [ɑ]: âge, grâce, pâle, classe, vase
3. [e]: agréable, général, célébrer, préparer
4. [ɛ]: célèbre, chef, nécessaire, reste, scène, aide, plaine
5. [i]: difficile, riche, visible, visite, active, artiste, machine, rapide, activité, rapidité, liberté
6. [o]: héros, hôtel, zéro, beauté, Bordeaux
7. [ɔ]: chocolat, comédie, possible
8. [y]: accuse, amuse, brutal, justice, minute, musique, nature, refuser, université
9. *Mute* **e** (*e muet*) *within or at end of words:* avenue, boulevard, carotte, omelette, salade, tomate

---

[1] "Cognates" are words which have the same, or nearly the same, spelling and meaning in both English and French.

B. VOWEL COMBINATIONS

French Letter	Phonetic Symbol	Description of Sound	Illustrative French Words
ai	[e]	Like *a* in *date*	donnerai; finirai; serai
ai	[ɛ]	Like *e* in *let*	mais; vrai; avais
au, eau	[o]	Like *o* in *go*	au; autre; tableau
au	[ɔ]	Like *o* in *knot*	Paul; aurai; restaurant
ei	[ɛ]	Like *e* in *let*	reine; Seine
eu	[ø]	Something like *u* in *fur;* round lips to pronounce *o* (as in *note*) and pronounce [e] (as in *day*)	deux; eux; feu
eu, œu	[œ]	Something like *u* in *fur;* but the mouth is more open than for [ø]; round lips to pronounce *o* (*note*) and pronounce [ɛ] (*let*)	sœur; neuf; neuve
ou, où, oû	[u]	Like *oo* in *moon*	ou; où; nous; tout; goût
ou	[w]	Like *w* in *we*	oui; ouest

C. NASAL VOWELS

The nasal vowels of French have no counterparts in English. They are formed by causing the air to escape through both nose and mouth at the same time. Vowels and diphthongs are nasalized when they precede and form a syllable with a single **m** or **n**. (If **m** or **n** is followed by a vowel, it begins a new syllable; hence the preceding vowel is not nasalized. If **m** or **n** is doubled, there is usually no nasalization. The **m** and **n** after nasalized vowels are not sounded at all.)

French Letter	Phonetic Symbol	Description of Sound	Illustrative French Words
am, an em, en	[ã]	Pronounce the *a* of *far* through both mouth and nose. Result should be something like *on* in *pond*. (Note that **am, an, em,** and **en** are all identical in sound.)	dans; enfant; lampe; membre
im, in aim, ain eim, ein ym, yn	[ɛ̃]	The [ɛ] sound nasalized, but slightly more open. Like *an* in *bank*.	fin; pain; vin; faim; prince; symbole
om, on	[ɔ̃]	The [ɔ] sound nasalized, but slightly more closed. Like *on* in *long*.	nom; non; maison; mon; son; salon

French Letter	Phonetic Symbol	Description of Sound	Illustrative French Words
um, un	[œ̃]	The [œ] sound nasalized, but slightly more open. Like *un* in *grunt*.	un; brun; humble; parfum

D. SEMI–VOWELS

French Letter	Phonetic Symbol	Description of Sound	Illustrative French Words
i, y	[j]	Like *y* in *yes* (i before a vowel sound)	bien; rien; viande
oi	[wa]	Like *w* in *we* plus [a]	moi; toi; avoir
oi	[wɑ]	Like *w* in *we* plus [ɑ]	mois; trois
u	[ɥ]	Pronounce [y] merged with the following vowel	lui; huit; puis

SECOND DRILL IN PRONUNCIATION

VOWEL COMBINATIONS, NASAL VOWELS, SEMI-VOWELS

Same procedure as in First Drill. (*Recording = Disk* 1, *Side* 1, *Section* 2.)

1. **au** = [o]: automne, cause, pause, sauvage
2. **au** = [ɔ]: restaurant, Maurice, Paul
3. **eu** = [ø]: fameux, joyeux
4. **eu** = [œ]: acteur, aviateur, docteur, professeur
5. **ou** = [u]: courage, journal, soupe, touriste
6. **am, an, em, en** = [ɑ̃]: absence, absent, accent, branche, centre, central, commencement, danger, distance, différent, différence, moment, restaurant, silence
7. **ain, im, in** = [ɛ̃]: certain, train, vain; important, impossible; prince, princesse, province; indépendance, intelligence, intelligent, principal
8. **om, on** = [ɔ̃]: compliment; blond, concert, constant, long, leçon
9. **um, un** = [œ̃]: commun, humble, parfum (*perfume*)
10. **oi** = [wa]: gloire, mémoire, victoire
11. **i** = [j]: patience, impatience; radiateur, radio; violent, violence; Versailles; curieux, délicieux, glorieux
12. **u** = [ɥ]: cuisine, fruit

E. CONSONANTS

Most consonants are silent at the end of words.

French Letter	Phonetic Symbol	Description of Sound	Illustrative French Words
b	[b]	Like *b* in *barb*	bon; beau; table
c	[k]	Like *k* in *kick* (c has this sound when final or before **a, o,** or **u**)	avec; café; car; parc; école; calme; vécu

FRENCH LETTER	PHONETIC SYMBOL	DESCRIPTION OF SOUND	ILLUSTRATIVE FRENCH WORDS
c, ç	[s]	Like *s* in *see* (**c** has this sound before **e, i,** or **y** or when written with a cedilla)	ici; ce; cela; ça; France; français; Nancy
ch	[ʃ]	Like *sh* in *shoe*	chaise; chaud; chambre; riche
d	[d]	Like *d* in *did*	dans; deux; dame
f	[f]	Like *f* in *fat*	frère; femme [fam]; fenêtre [fənɛːtr]
g	[g]	Like *g* in *go* (**g** has this sound before **a, o, u,** or a consonant)	garçon; gare; gauche; gris; grand; gros; guerre
g	[ʒ]	Like *s* in *pleasure* (**g** has this sound before **e, i,** or **y**)	argent; rouge; gorge
h	————	Never pronounced; mute **h** has no effect upon pronunciation; before aspirate **h,** there is no elision and no liaison	l'homme; l'heure; le héros; la hauteur
j	[ʒ]	Like *s* in *pleasure*	je; Jean; jardin; jeune; joli; jour
k	[k]	Like *k* in *kick*	kilomètre
l	[l]	Like *l* in *law*	le; la; lampe; les; lit; salon
l, ll	[j]	Like *y* in *yes* (**l** has this sound often after **i** at end of word; **ll** has this sound when between **i** and another vowel. The sound is known as liquid **l;** Fr. *l mouillée.*)	famille; fille; fauteuil; soleil; travail
m, mm	[m]	Like *m* in *man.* (Do not sound **m** when preceding vowel is nasalized.)	mari; mère; homme; femme [fam]
n, nn	[n]	Like *n* in *not.* (Do not sound **n** when preceding vowel is nasalized.)	une; nous; Jeanne; neuf; bonne; nom; non
p	[p]	Like *p* in *pop*	père; porte; pas; papier; puis
q	[k]	Like *k* in *kick*	qui; que; cinq; quoi; quelque
r	[r]	No counterpart in English. French **r** is formed by *trilling* either the tip of the tongue or the uvula.	père; mère; frère; mari; rapide; roi; rien; rue
s, ss	[s]	Like *s* in *see.* (Double **s** has a single [s] sound.)	sœur; salle; classe; aussi

French Letter	Phonetic Symbol	Description of Sound	Illustrative French Words
s	[z]	Like *z* in *zone*. (s has this sound when between two vowels.)	chaise; rose; maison
t	[t]	Like *t* in *tall*	table; porte
v	[v]	Like *v* in *vine* and *cave*	avec; va; vendre; vie; élève
x	[k]	Like *k* in *kick*	excellent
x	[ks]	A combination of *k* and *s*	extrême
x	[gz]	A combination of *g* and *z*	exemple
x	[s]	Like *s* in *class*	dix; six; soixante
z	[z]	Like *z* in *zone*	zéro

THIRD DRILL IN PRONUNCIATION

CONSONANTS

(*Recording = Disk 1, Side 2, Section 1.*)

1. **c** = [k]:   café, capable, capitale, costume, cousin, parc
2. **c** = [s]:   célèbre, central, difficile, France
3. **ch** = [ʃ]:   architecture, chambre, riche
4. **g** = [g]:   gai, garde, guide
5. **g** = [ʒ]:   âge, page, rage, rouge, tragédie, général, généreux
6. **j** = [ʒ]:   Jean, Jeanne, Jacques, juge, jugement, justice
7. **qu** = [k]:   qualité, quantité, question, quitter
8. **s** = [s]:   saint, secret, service, sévère, signe, silence, sincère, société
9. **s** = [z]:   rose, vase, visage, visite, présence, président
10. **x** = [k]:   excellence, excellent, exception
11. **x** = [ks]:   exclamation, excuse, expérience, expression, exquis, extrême
12. **x** = [gz]:   exact, exemple, exercice, existence

F. SPECIAL COMBINATIONS OF LETTERS

French Letter	Phonetic Symbol	Description of Sound	Illustrative French Words
gn	[ɲ]	Like *ny* in *canyon*	campagne, montagne
ph	[f]	Like *f* in *fat*	phrase, téléphone
ti	[s]	Sometimes like *s* in *see*. If initial, **ti** = [ti].	nation, patience; titre
th	[t]	Like *t* in *top*	thé, théorie, théâtre

G. OBSERVATIONS

1. Note that the same sound may be expressed by various letters or combinations of letters.

> [o]   nôtre; au; beau
> [j]   viande; rien; ciel; fauteuil; famille; travailler
> [s]   salle; classe; dix; ici; place

2. French vowel sounds are slightly longer in some cases than in other cases. In phonetic symbols, length is indicated by the sign ɪ after a vowel sound.

> maître [mɛɪtr] *teacher* (*masc.*)
> maîtresse [mɛtrɛs] *teacher* (*fem.*)

VII. THE ALPHABET

The French names and sounds of the letters of the alphabet are as follows:

a	a [ɑ]		**j**	ji [ʒi]		**s**	esse [ɛs]
b	bé [be]		**k**	ka [ka]		**t**	té [te]
c	cé [se]		**l**	elle [ɛl]		**u**	u [y]
d	dé [de]		**m**	emme [ɛm]		**v**	vé [ve]
e	e [ə]		**n**	enne [ɛn]		**w**	double vé [dublǝve]
f	effe [ɛf]		**o**	o [o]		**x**	iks [iks]
g	gé [ʒe]		**p**	pé [pe]		**y**	i grec [igrɛk]
h	ache [aʃ]		**q**	qu [ky]		**z**	zède [zɛd]
i	i [i]		**r**	erre [ɛr]			

NOTE

Words are commonly spelled by naming their letters, as above, together with the other orthographic signs, if any.

VIII. FINAL CONSONANTS

Though most consonants are silent at the end of words, **c, f, l,** and **r** are sometimes pronounced. No rules can be given to tell when or when not to pronounce these final consonants.

Pronounced	Not Pronounced
avec [avɛk]	banc [bɑ̃]
œuf [œf]	clef [kle]
ciel [sjɛl]	fusil [fyzi]
mer [mɛɪr]	donner [dɔne]

IX. LINKING (*LIAISON*)

1. Within a group of words closely connected logically, a final consonant (whether usually sounded or not) is regularly sounded and forms a syllable with an initial vowel of a following word.

un petit enfant [œ̃ pətitãfã]
C'est une belle maison. [sɛtyn bɛl mɛzɔ̃]

2. A few of the consonants change their sound in *liaison:* **s** and **x** become **z; d** becomes **t; f** often becomes **v; g** becomes **k.**

les‿hommes [lezɔm]   neuf‿heures [nœvœːr]
six‿amis [sizami]   un sang‿impur [œ̃ sãkɛ̃pyːr]
un grand‿homme [œ̃ grãtɔm]

3. The **n** of a nasal is carried on, and the nasal vowel loses its nasality in part, or even wholly.

un bon ami [œ̃ bɔ̃nami]   *or*   [œ̃ bɔnami]

NOTE

The sounds carried over belong in pronunciation to the initial syllable of the following word.

4. The **t** of **et** (*and*) is always silent.

lui et elle [lɥi e ɛl]   un homme et une femme [œ̃nɔm e yn fam]

5. *Liaison* is rarely if ever made between a noun subject and a verb in normal affirmative word order.

Les élèves ont étudié. [lezelɛːv ɔ̃tetydje]

FOURTH DRILL IN PRONUNCIATION

COMBINATIONS OF LETTERS; SYLLABLES; COGNATES; THE ALPHABET
(*Recording = Disk* 1, *Side* 2, *Section* 2.)

1. *The ending* –**tion** = [sjɔ̃]: action, admiration, ambition, attention, condition, conversation, invitation, nation, occupation, préparation, sensation, situation
2. **th** = [t]: cathédrale, théâtre, théorie, sympathie
3. *Syllabication:* animal, général, populaire, mélancolie, difficile, comédie, moderne, liberté, président, nécessaire, rapide, éducation, civilisation, américain, américaine

NOTE

Be especially careful of the division into syllables and the sounds of **é, i,** and **ain** in the French words **américain** (a-mé-ri-cain) and **américaine.**

4. *Proper nouns which are cognates:*

Amérique, Asie, Afrique, Europe, France, Espagne, Italie, Mexique
Berlin, Londres, Paris, Rome, New-York [nœjɔrk]
Albert, Charles, Georges, Henri, Maurice, Paul, Philippe, Richard, Robert
Hélène, Jeanne, Marcelle, Marguerite, Marianne, Marie, Pauline, Suzanne, Virginie

5. *The alphabet:*

a, b, c ——, d, e, f ——, g, h, i ——, j, k, l ——, m, n, o ——, p, q, r ——, s, t, u ——, v, w ——, x, y, z ——.

(Note to Students: If you have learned to pronounce all the words used in these four drills with reasonable accuracy, you have acquired a vocabulary of approximately two hundred and fifty French words even before you have started Lesson One. Better still, you know how to pronounce the *thousands* of French words which, by reason of their similarity to English words, will as you come upon them offer no difficulty as to meaning.)

PREMIÈRE LEÇON

I. ORAL INTRODUCTION

Students should memorize the meanings of the following words and phrases so that when the French is read aloud they can give the English instantly without looking at their books and when the English is read, they can give the French similarly:

bonjour	*good morning*	monsieur	*sir, Mr.*
bonsoir	*good evening*	madame	*madam, Mrs.*
oui	*yes*	mademoiselle	*miss, Miss*
non	*no*	à Paris	*in Paris*
au revoir	*good-bye*	en France	*in France*

la leçon, la première leçon	*the lesson, the first lesson*
La première leçon est facile.	*The first lesson is easy.*
Oui, monsieur, elle est facile.	*Yes, sir, it is easy.*

II. GRAMMAR

A. GENDER

1. All French nouns are either masculine or feminine.
2. As in English, names of male beings are masculine, names of

15

female beings are feminine. All other nouns, which in English are neuter, have in French a grammatical gender which must be either masculine or feminine. It is important to learn the gender at the same time that one learns the meaning of a noun.

Masc.		Fem.	
professeur	*professor*	femme	*woman, wife*
hôtel	*hotel*	leçon	*lesson*

B. FORMATION OF PLURAL OF NOUNS

The plural of nouns is regularly formed by adding –s to the singular.

Sing.		Plur.	
porte	*door*	portes	*doors*
fenêtre	*window*	fenêtres	*windows*

C. DEFINITE ARTICLE

1. The definite article (in English *the*) has the following forms in French:

Singular

le before a masculine noun beginning with a consonant
la before a feminine noun beginning with a consonant
l' before any noun beginning with a vowel or mute **h**

Plural

les before any noun

Sing.		Plur.	
le professeur	*the teacher*	les professeurs	*the teachers*
la femme	*the woman*	les femmes	*the women*
l'ami	*the friend*	les amis	*the friends*
l'hôtel	*the hotel*	les hôtels	*the hotels*

2. The definite article must be repeated in French before each noun to which it refers. (In English, it may or may not be repeated.)

l'homme et la femme	*the man and (the) woman*
les portes et les fenêtres	*the doors and (the) windows*

3. As the singular and the plural of a French noun are usually pronounced exactly the same (e.g., **porte, portes**), it frequently happens that one can distinguish the former from the latter only

by the sound of the preceding article.   Therefore note carefully
the difference in sound in such cases as the following:

la femme, les femmes   *the woman, the women*
l'élève, les élèves   *the student, the students*

D. PLURAL AND AGREEMENT OF ADJECTIVES

1. Adjectives, like nouns, regularly form their plural by adding
−s to the singular.

SING.	PLUR.
facile	faciles

2. When an adjective modifies or refers to a plural noun or to
more than one singular noun, it must itself be plural.

Les leçons sont faciles.   *The lessons are easy.*
Paul et Charles sont pauvres.   *Paul and Charles are poor.*

E. *ÊTRE,* "TO BE"

1. The verb **être,** *to be,* has the following forms in the present
tense:

je suis [ʒəsɥi]	*I am*	nous sommes [nusɔm]	*we are*
tu es [tyɛ]	*you are*	vous êtes [vuzɛt]	*you are*
il est [ilɛ]	*he, it is*	ils sont [ilsɔ̃]	*they are*
elle est [ɛlɛ]	*she, it is*	elles sont [ɛlsɔ̃]	*they are*

2. Observe that **être,** in French, has different forms that correspond
to the various subject pronouns: this is one reason why one should
learn, for example, **je suis** and not simply **suis, nous sommes** and
not simply **sommes,** etc.   But **est** may have either **il** or **elle** as
subject and **sont** either **ils** or **elles.**

F. MEANING AND USE OF PERSONAL PRONOUNS

1. The personal pronouns (**je, tu,** etc.) which have just been given
with **être** are used with all other verbs.
2. **Il** means either *he* or *it* (referring to a masculine singular noun);
elle means either *she* or *it* (referring to a feminine singular noun);
ils, *they,* refers to a masculine plural noun or to two or more nouns,
of which one is masculine; **elles,** *they,* refers to a feminine plural
noun or to two or more feminine nouns.

le professeur: il est	*the professor: he is*
l'hôtel: il est	*the hotel: it is*
la femme: elle est	*the woman: she is*
la chambre: elle est	*the room: it is*

les hôtels: ⎱ ils sont
l'homme et la femme: ⎰

the hotels: ⎱ *they are*
the man and woman: ⎰

les chambres: ⎱ elles sont
la porte et la fenêtre: ⎰

the rooms: ⎱ *they are*
the door and the window: ⎰

III. EXERCISES

NOTE. *In preparing these exercises, students should use so far as possible material given in sections I and II or included in this section. Only when it is really necessary should they turn to the Vocabulary at the end of the Lesson.*

A. *Place the proper form of the definite article before each of the following nouns, then pronounce the article and noun:*

—— leçon	—— professeur	—— école	—— porte
—— ami	—— homme	—— élèves	—— femme
—— hommes et ——femmes		—— porte et —— fenêtres	

B. *Examine the following models:*

(a) TEACHER: "Je suis riche." — STUDENT: "Vous êtes riche, monsieur (madame, mademoiselle)."

(b) TEACHER: "Vous êtes à Paris." — STUDENT: "Oui, monsieur (madame, mademoiselle), je suis à Paris."

(c) TEACHER: "Le professeur est à Paris." — STUDENT: "Il est à Paris."

As the teacher reads aloud each of the following sentences, students should respond in turn according to the appropriate model:

1. Je suis pauvre. 2. Je suis riche. 3. Vous êtes en France. 4. Vous êtes à la porte de l'hôtel. 5. Les élèves sont à Paris. 6. Les femmes sont en France. 7. Vous êtes dans la salle de classe. 8. Je suis dans la salle de classe. 9. Le professeur et les élèves sont dans la salle de classe. 10. M. (Monsieur) Pommier est à Paris. 11. Mme (Madame) Pommier est à Paris. 12. M. et Mme Pommier sont à Paris.

C. *Supply an appropriate form of* être *for each blank, reciting the completed sentence aloud:*

1. Le professeur —— à l'école. 2. Les élèves —— à l'école. 3. Oui, madame, ils —— à l'école. 4. Je —— riche, vous —— riche. 5. Non, monsieur, je —— pauvre. 6. Nous —— pauvres. 7. Vous —— à la maison. 8. Non, monsieur, je —— à l'école.

D. *First translate the following passages into English, then read them in French without translating:*

1. A L'ÉCOLE

— Nous sommes à l'école, nous sommes dans la salle de classe. Vous êtes le professeur, nous sommes les élèves.

— Oui, je suis M. Pommier, je suis le professeur. Georges est ici, mais Marie est à la maison.

— Non, monsieur, Georges et Marie sont ici. Georges est à la porte de la salle de classe, Marie est à la fenêtre de la salle de classe.

— Georges est le frère de Marie et Marie est la sœur de Georges.

— Non, monsieur, Georges est l'ami de Marie et Marie est l'amie de Georges.

— Où est Hélène?

— Elle est à la maison.

— Où sont Paul et Charles?

— Paul et Charles sont en France.

2. A PARIS

Monsieur et madame Lepic sont très riches; ils sont en France; ils sont à Paris. Madame Lepic est la femme de monsieur Lepic. Monsieur et madame Lepic sont à l'Hôtel de Rivoli. L'Hôtel de Rivoli est magnifique. Les chambres de l'Hôtel de Rivoli sont magnifiques. M. et Mme Lepic sont contents d'(*to*) être en France, à Paris, à l'Hôtel de Rivoli.

Paul Richard est à Paris avec Charles Sandeau. Paul est l'ami de Charles Sandeau. Paul Richard est pauvre, Charles Sandeau est pauvre. Ils sont pauvres. Paul et Charles sont à l'Hôtel de Vaugirard. L'Hôtel de Vaugirard est modeste. Les chambres de l'Hôtel de Vaugirard sont très modestes. Mais Paul et Charles sont contents d'être à l'Hôtel de Vaugirard, ils sont contents d'être en France, ils sont contents d'être à Paris.

E. *Write in French:*

1. Good morning, Mr. Lepic; good evening, Mrs. Lepic; good-bye, Miss Lepic. 2. Mr. Lepic is in France; he is in Paris. 3. Mrs. Lepic is at the Hôtel de Rivoli. 4. The hotel is magnificent. 5. The Hôtel de Vaugirard is very simple. 6. The hotel is in France, it is in Paris. 7. Paul and Charles are in Paris but we are at school. 8. We are in the classroom. 9. The professor is here. 10. Where is Miss Lepic? 11. She is in Paris. 12. Where is Marie? 13. She is at home. 14. She is with the wife of Mr. Pommier.

IV. OPTIONAL EXERCISE

Read aloud, paying particular attention to correct pronunciation, or use the Recording of this passage, repeating phrases after the speakers. (Disk 2, Side 1, Section 1.)

Monsieur et madame Pommier sont à la maison. M. Pommier est dans le salon. Hélène et Marie sont aussi dans le salon. Georges et Robert sont dans la salle à manger. Hélène et Marie

sont les sœurs de Georges et de Robert.   M. Pommier est le père, Mme Pommier est la mère d'Hélène, de Marie, de Georges et de Robert.

François Lachance est dans la salle à manger avec Georges et Robert.   Madame Lachance est à la porte de la maison.   Madame Pommier est aussi à la porte de la maison.

MME LACHANCE.   Bonjour, madame . . . Vous êtes madame Pommier?

MME POMMIER.   Oui, je suis madame Pommier.

MME LACHANCE.   Je suis madame Lachance.   Je suis la mère de François Lachance.   Où est François?

MME POMMIER.   Ah, bonjour, madame.   Vous êtes la mère de François?   François est avec Georges et Robert dans la salle à manger.

MME LACHANCE.   François!   Tu es dans la salle à manger?

FRANÇOIS.   Oui, maman, je suis avec Georges et Robert.   Où est papa?

MME LACHANCE.   Papa est à la maison.

FRANÇOIS.   Au revoir, Georges; au revoir, Robert.

GEORGES ET ROBERT.   Au revoir, François.

MME LACHANCE.   Bonsoir, madame.

MME POMMIER.   Bonsoir, madame.

VOCABULARY FOR EXERCISES

à [a] *at, to, in*
ami [ami] *m. friend*
amie [ami] *f. friend*
aussi [osi] *also*
avec [avɛk] *with*
chambre [ʃãːbr] *f. room*
content [kɔ̃tã] *glad, happy, pleased*
de [də] *of; (before verbs) to*
école [ekɔl] *f. school; à l'—, at school*
élève [elɛːv] *m. or f. pupil, student*
et [e] *and*
femme [fam] *f. woman, wife*
fenêtre [fənɛːtr] *f. window*
frère [frɛːr] *m. brother*
homme [ɔm] *m. man*

hôtel [otɛl] *m. hotel*
ici [isi] *here*
leçon [ləsɔ̃] *f. lesson*
magnifique [maɲifik] *magnificent*
mais [mɛ] *but*
maison [mɛzɔ̃] *f. house; à la —, home, at home*
mère [mɛːr] *f. mother*
modeste [mɔdɛst] *modest, simple*
où [u] *where*
pauvre [poːvr] *poor*
père [pɛːr] *m. father*
porte [pɔrt] *f. door*
professeur [prɔfɛsœːr] *m. professor, teacher*
riche [riʃ] *rich*

salle: — à manger [salamɑ̃ʒe] *f. dining room;* — de classe [saldəklɑːs] *f. class-room*

salon [salɔ̃] *m. drawing room, living room*
sœur [sœːr] *f. sister*
très [trɛ] *very*

VOCABULARY FOR REFERENCE

bonjour [bɔ̃ʒuːr] *good morning, good day*
bonsoir [bɔ̃swaːr] *good evening*
dans [dɑ̃] *in, within, into*
en [ɑ̃] *in*
être [ɛːtr] *to be*
facile [fasil] *easy*
France [frɑ̃ːs] *f. France*
François [frɑ̃swa] *Francis*
Georges [ʒɔrʒ] *George*
Hélène [elɛn] *Helen*
madame [madam] *madam, Mrs.*
mademoiselle [madmwazɛl] *Miss*
maman [mamɑ̃] *f. mama*

Marie [mari] *Marie, Mary*
monsieur [məsjø] *sir, Mr.*
non [nɔ̃] *no*
nous [nu] *we*
oui [wi] *yes*
papa [papa] *papa*
Paris [pari] *m. Paris*
premier [prəmje] *m.,* première [prəmjɛːr] *f.
first*
revoir: au — [orəvwaːr] *good-bye*
tu [ty] *you*
vous [vu] *you*

NOTES

1. The grammatical gender of **professeur** is always masculine; the word, however, may refer to either a man or a woman.
2. The grammatical gender of **élève** is masculine when it refers to a boy, feminine when it refers to a girl.
3. Translate *in* by **à** before a city (**à Paris**), by **en** before a country (**en France**), and by **dans** whenever *in* means *inside of, within,* or *into* (**dans la salle de classe**).
4. Observe these two expressions: **à l'école,** *at school;* **à la maison,** *at home.*

DEUXIÈME LEÇON 2

I. DIALOGUE

Students should memorize the meanings of the following words and phrases so that when the French is read aloud they can give the English instantly without looking at their books and when the English is read, they can give the French similarly:

— Bonjour, monsieur (madame, mademoiselle); comment allez-vous?

— Je vais bien, merci; et vous?

— Je vais bien aussi.

— Eh bien, aujourd'hui nous avons la deuxième leçon.

— *Good morning, sir (madam, miss); how are you?*

— *I'm fine, thank you; and you?*

— *I'm fine also.*

— *Well, today we have the second lesson.*

II. GRAMMAR

A. INDEFINITE ARTICLE

1. The indefinite article (*a, an*) has the following forms:

un before any masculine noun
une before any feminine noun

un homme *a man*   un livre *a book*   une femme *a woman*

22

2. The indefinite article, like the definite article, must be repeated before each noun to which it refers.

un stylo et un crayon *a pen and (a) pencil*

B. CONTRACTIONS

1. When the prepositions **à** (*at, to*) and **de** (*of, from*) precede a definite article, the following contractions are necessary:

à + le = au   **de + le = du**
à + les = aux   **de + les = des**

au garçon   *to the boy*   du garçon   *of the boy*
aux garçons *to the boys*   des garçons *of the boys*

2. **A + la, à + l', de + la,** and **de + l'** do not contract.

à la chambre   *to the room*   de la chambre *of the room*
à l'élève   *to the student*   de l'école   *of the school*

C. POSSESSION OR RELATIONSHIP

1. French does not use *'s* or *s'* to show the possession of things or the relationship of persons but instead uses the preposition **de** + a noun.

le livre de Marie   *Mary's book*
les livres des élèves   *the students' books*
la femme de M. Lepic   *Mr. Lepic's wife*

2. **De** must be repeated before each noun to which it refers.

les stylos des garçons et des   *the boys' and girls' pens*
jeunes filles [1]

D. AVOIR, "TO HAVE"

1. The verb **avoir,** *to have,* has the following forms in the present tense:

j'ai [ʒe]	*I have*	nous avons [nuzavɔ̃]	*we have*
tu as [tya]	*you have*	vous avez [vuzave]	*you have*
il a [ila]	*he, it has*	ils ont [ilzɔ̃]	*they have*
elle a [ɛla]	*she, it has*	elles ont [ɛlzɔ̃]	*they have*

2. Present-tense verb forms in French may be translated into English in three ways: e.g., **j'ai** = *I have, I do have,* or *I am having;* **vous avez** = *you have, you do have,* or *you are having.*

[1] See Vocabulary, Note 2.

E. USE OF *TU* AND *VOUS*

You is regularly **vous;** the form **tu** is used in familiar address. **Vous,** like the English *you,* may refer to one person or to more than one; in either case the verb has a plural form; e.g., **vous avez.** **Vous** should be used for *you* unless the use of **tu** is required by a specific situation; i.e., unless one is speaking to a member of one's family, to an intimate friend, or to a small child. **Tu** expresses in French somewhat the same relationship that calling a person by his first name does in English, though English usage (especially in America) is more liberal in this respect.

Vous êtes riche.	*You (one person) are rich.*
Vous êtes riches.	*You (several persons) are rich.*
Georges, tu as le livre de Marie.	*George, you have Mary's book.*

F. PARTS OF THE BODY

Learn the meanings of the following words which designate parts of the body:

la bouche	*mouth*	l'oreille (*f.*)	*ear*
le front	*forehead*	le pied	*foot*
la main	*hand*	la tête	*head*
	le visage	*face*	

III. EXERCISES

A. *Supply before each noun* (1) *the proper form of the definite article,* (2) *the proper form of the indefinite article:*

—— maison	—— école	—— père	—— tête
—— chambre	—— élève	—— mère	—— pied
—— fenêtre	—— livre	—— frère	—— oreille
—— salon	—— leçon	—— sœur	—— visage

B. *Place the French for* (1) *"to the"* and (2) *"of the" before each noun:*

—— père	—— frères	—— homme	—— élèves
—— mère	—— sœurs	—— femme	—— garçons

C. *Supply the proper form of* avoir, *reciting the completed sentence:*

1. L'homme —— un stylo. 2. La femme —— un livre. 3. Vous —— un stylo et un livre. 4. J'—— une tête. 5. Vous —— deux pieds. 6. Nous —— deux oreilles. 7. Les hommes —— deux mains. 8. Ils —— une bouche.

D. *Supply the proper form of* de *and the definite article:*

1. La porte —— salle de classe. 2. La table —— professeur. 3. Les chaises —— élèves. 4. Le livre —— élève. 5. Le stylo —— jeune fille. 6. Les mains —— jeunes filles. 7. La tête —— femme. 8. Les pieds —— homme. 9. Le visage —— garçon. 10. Les oreilles —— garçons. 11. Le front —— frère de Marie. 12. Le front —— sœur de Charles.

E. *First translate the following selection into English, next read it in French without translating, then use the Recording of it (Disk 2, Side 1, Section 2).*

UNE LEÇON DE CONVERSATION

Paul Richard et Charles Sandeau sont dans une salle de classe de l'École Bosquet. Ils sont à l'école pour une leçon de conversation.

LE PROFESSEUR. Monsieur Richard, vous êtes dans une salle de classe.

PAUL RICHARD. Oui, monsieur, je suis dans une salle de classe de l'École Bosquet.

LE PROFESSEUR. Monsieur Sandeau, je suis debout.

CHARLES SANDEAU. Oui, monsieur, vous êtes debout derrière la table.

LE PROFESSEUR. Monsieur Dumas, vous êtes debout aussi.

UN ÉLÈVE. Non, monsieur, je suis assis sur une chaise.

LE PROFESSEUR. Mademoiselle, les livres des élèves sont sur les chaises.

UNE ÉLÈVE. Non, monsieur, les élèves sont assis sur les chaises.

LE PROFESSEUR. La première leçon et la deuxième leçon sont faciles.

UNE ÉLÈVE. Pardon, monsieur! Non, monsieur! Elles sont difficiles.

LE PROFESSEUR. Mademoiselle, j'ai deux bouches, deux fronts, deux mains, deux oreilles, deux pieds, deux têtes et deux visages.

UNE ÉLÈVE. Vous avez, monsieur, deux mains, deux oreilles et deux pieds, mais vous avez une tête, un visage, un front et une bouche.

LE PROFESSEUR. Comment allez-vous, monsieur?

UN ÉLÈVE. Je vais très bien, merci.

LE PROFESSEUR. Vous êtes content d'être en France?

UN ÉLÈVE. Oui, monsieur, je suis très content d'être en France.

F. *Write in French:*

1. The boy is at the door, the girl is at the window of the classroom. The students are in the classroom. The students' books are on the chairs. The professor's books are on the table. The professor is standing, the students are seated.

2. I have one head and two hands, one forehead and two ears, one face and two feet. You have two hands and two feet. We have one mouth.

3. The professor has a wife and two daughters.[1] Mrs. Duval is the wife of the professor, Marie is the daughter of Mr. Duval and of Mrs. Duval. Helen is Marie's sister and also Mr. and Mrs. Duval's daughter.

IV. OPTIONAL EXERCISES

A. *Translate into French:*

1. Mary's book. 2. George's pencil. 3. Mr. Duval's fountain pen. 4. The student's face. 5. Helen's head. 6. The boy's ears. 7. The girl's forehead. 8. The boys' hands. 9. Paul's friend. 10. Charles's friends.

B. *With students' books closed, the teacher may read Exercise E speech by speech; the students should respond, first by repeating the French, then by giving a translation of the French. The teacher may also read the exercise speech by speech in English, the students translating orally into French.*

C. *Special drill on the sound* [ʒ] *and on liaison. Pronounce very carefully:*

1. le crayon, le garçon, la leçon, le salon.
2. ils, ont, ils ont, ils ont deux crayons.
3. elles, ont, elles ont, elles ont deux crayons.
4. nous, avons, nous avons une maison.
5. vous, avez, vous avez une maison.
6. ils sont, ils ont, elles sont, elles ont.
7. Ils sont dans le salon.
8. Elles sont dans le salon.
9. Ils sont contents d'être dans le salon.
10. Elles ont les crayons des garçons.

VOCABULARY FOR EXERCISES

assis [asi] *seated*
aujourd'hui [oʒurdɥi] *today*
chaise [ʃɛːz] *f. chair*

crayon [krɛjõ] *m. pencil*
debout [dəbu] *standing*
derrière [dɛrjɛir] *behind*

¹ See Vocabulary, Note 2.

deux [dø] *two*
difficile [difisil] *difficult, hard*
fille [fiːj] *f. daughter;* jeune —, *girl*
garçon [garsɔ̃] *m. boy, fellow, waiter*

livre [liːvr] *m. book*
pour [puːr] *for*
stylo [stilo] *m. fountain pen*
sur [syr] *on*

VOCABULARY FOR REFERENCE

aller [ale] *to go;* (*of health*) *to be*
avoir [avwaːr] *to have*
bien [bjɛ̃] *well, fine;* eh —, *well*
bouche [buʃ] *f. mouth*
comment [kɔmɑ̃] *how*
conversation [kɔ̃vɛrsasjɔ̃] *f. conversation*
deuxième [døzjɛm] *second*
front [frɔ̃] *m. forehead*
jeune [ʒœn] *young*
main [mɛ̃] *f. hand*

merci [mɛrsi] *thanks, thank you*
oreille [ɔrɛj] *f. ear*
pardon [pardɔ̃] *pardon*
pied [pje] *m. foot*
table [tabl] *f. table*
tête [tɛːt] *f. head*
un, une [œ̃, yn] *a, an; one*
vais [ve *or* vɛ] *from* aller
visage [vizaːʒ] *m. face*

NOTES
1. **Un, une** may be either the indefinite article *a, an,* or the number *one.*
2. The expression **jeune fille,** though written as two words and meaning literally *young girl,* is used currently for the single English word *girl.* **La fille** means *the daughter.*

TROISIÈME LEÇON 3

I. ORAL INTRODUCTION

Students should memorize the meanings of the following words and phrases so that when the French is read aloud they can give the English instantly without looking at their books and when the English is read, they can give the French similarly:

madame, mesdames	*madam, ladies*
monsieur, messieurs	*sir, gentlemen*
mademoiselle, mesdemoiselles	*miss, young ladies*
mesdames et messieurs	*ladies and gentlemen*
trois, troisième	*three, third*
Aujourd'hui nous avons la troisième leçon.	*Today we have the third lesson.*
Qu'est-ce que c'est que cela?	*What is that?*
Cela? C'est un livre.	*That? It's a book.*

II. GRAMMAR

A. NEGATION

1. With verbs, *not* or *no* is **ne . . . pas,** with the verb placed between them, **ne** becoming **n'** before a vowel.

28

Present Negative of **être**	Present Negative of **avoir**
I am not, etc.	*I do not have, etc.*
je ne suis pas [ʒənəsɥipɑ]	je n'ai pas [ʒənepɑ]
tu n'es pas [tynɛpɑ]	tu n'as pas [tynapɑ]
il, elle n'est pas [il, ɛlnɛpɑ]	il, elle n'a pas [il, ɛlnapɑ]
nous ne sommes pas [nunəsɔmpɑ]	nous n'avons pas [nunavɔ̃pɑ]
vous n'êtes pas [vunɛtpɑ]	vous n'avez pas [vunavepɑ]
ils, elles ne sont pas [il, ɛlnəsɔ̃pɑ]	ils, elles n'ont pas [il, ɛlnɔ̃pɑ]

2. The simple negative forms in French, like the affirmative forms, may be rendered in English in various ways: e.g., **vous n'avez pas** = *you have not, you do not have, you are not having.*

B. THE POSSESSIVE ADJECTIVES

1. The possessive adjectives, which in fact express relationship as well as actual possession, are as follows:

M. Sing.	F. Sing.	M. and F. Plural	Meaning
mon	ma	mes	*my*
ton	ta	tes	*thy, your*
son	sa	ses	*his, her, its*
notre	notre	nos	*our*
votre	votre	vos	*your*
leur	leur	leurs	*their*

2. A possessive adjective agrees in gender and number with the noun it modifies (not, as in English, with the person to whom it refers).

mon visage   *my face*   ma langue   *my tongue*

mes dents   *my teeth*

3. The forms **mon, ton, son** are used instead of **ma, ta, sa** respectively before feminine nouns beginning with a vowel or mute **h.**

mon épaule   *my shoulder*   son épaule   *his (her) shoulder*

4. Possessive adjectives (like the definite and indefinite articles) are regularly repeated before each noun in a series.

ma tête et mes mains   *my head and (my) hands*

5. Since **son, sa, ses** mean *his, her, its*, it can be known only from the context which is meant.

    ses doigts   *his* or *her fingers*

6. The second person singular forms **ton, ta, tes** correspond to the pronoun **tu,** while **votre, vos** correspond to **vous.**

    Je n'ai pas ton livre, Marie.   *I don't have your book, Mary.*
    Je ne suis pas votre frère,   *I am not your brother, you are*
    vous n'êtes pas ma sœur.   *not my sister.*

C. NUMBERS

The numbers from 1 to 10 are as follows:

1	un, une [œ̃, yn]		6	six [sis]
2	deux [dø]		7	sept [sɛt]
3	trois [trwɑ]		8	huit [ɥit]
4	quatre [katr]		9	neuf [nœf]
5	cinq [sɛ̃k]		10	dix [dis]

NOTES

1. The French for *one* is the same as the indefinite article.
2. The final consonants of **cinq, six, sept, huit, neuf, dix** are silent before a consonant, pronounced when the words stand alone or before a vowel or mute **h.**

BEFORE A CONSONANT	ALONE	BEFORE VOWEL OR MUTE h
six dents [sidɑ̃] *six teeth*	six [sis]	six élèves [sizelɛːv]
dix doigts [didwa] *ten fingers*	dix [dis]	dix hommes [dizɔm]

3. The **x** of **deux,** like that of **six** and **dix,** is, in accordance with the regular rule, pronounced [z] in liaison.

    deux épaules [døzepoːl] *two shoulders*

D. QU'EST–CE QUE C'EST, C'EST, ÇA

1. **Qu'est-ce que c'est?** = *What is it?* and **Qu'est-ce que c'est que cela?** = *What is that?* are two idioms whose forms cannot be logically explained. They are used to ask for a definition or explanation.

2. **C'est** means *It is* (before a plural, *They are*) and is commonly used when **être** is followed by a noun modified by a definite article, indefinite article, or possessive adjective.

3. In conversational French, **cela**, *that*, is often shortened to **ça.**

    Qu'est-ce que c'est que ça?   *What is that?*
    C'est le livre de mon ami.   *It's my friend's book.*

C'est un morceau de craie.	*It's a piece of chalk.*
C'est ma tête.	*It's my head.*
C'est [1] vos pieds.	*They are your feet.*

E. SOME FREQUENTLY USED NOUNS

1. Parts of the body (additional)

le cou *the neck*	l'épaule (*f.*) *the shoulder*
la dent *the tooth*	la joue *the cheek*
le doigt *the finger*	la langue *the tongue*

2. Members of the family

le père *the father*	le fils *the son*
la mère *the mother*	la fille *the daughter*
le mari *the husband*	le parent *the parent, relative*
la femme *the wife*	l'enfant (*m. or f.*) *the child*
le frère *the brother*	la famille *the family*
la sœur *the sister*	

3. Objects in the classroom (additional)

la carte *the map;* — de France *map of France*	le morceau *the piece*
	le mur *the wall*
la craie *the chalk*	la page *the page (of a book)*
la feuille *the leaf, sheet;* — de papier *sheet of paper*	le papier *the paper;* morceau de —, *piece of paper*
le tableau noir *the blackboard*	

III. EXERCISES

A. *Supply the proper form of* avoir, *present tense negative, or of* être, *present tense negative, whichever makes good sense.*

1. Marie —— deux têtes. 2. Marie —— un garçon. 3. Mon ami —— une jeune fille. 4. Nous —— à Paris. 5. Nous —— trois bouches. 6. Vous —— deux langues. 7. Je —— deux visages. 8. Je —— votre livre. 9. Je —— votre père. 10. Vous —— mon frère. 11. Mes amis —— vos amis. 12. Georges et Marie —— cinq sœurs. 13. M. et Mme Sandeau —— six filles. 14. Ils —— dix enfants.

B. *The teacher asks each student in turn:* "Qu'est-ce que c'est que ça?" *Students in turn answer:*

1. It's a book. 2. It's the window. 3. It's a sheet of paper. 4. It's a piece of paper. 5. It's a piece of chalk.

[1] In written French, **ce sont** is often used before a plural but in conversational French, **c'est** is correct.

6. It's the wall of the classroom.   7. It's the page of a book.   8. It's a map of France.

9. It's your mouth.   10. It's my neck.

11. It's his foot.   12. It's her foot. 13. They're my hands.   14. They're your hands.   15. It's your tongue. 16. They're your teeth.

C. *The teacher, asking "Qu'est-ce que c'est que cela?", points in succession to such things as a table, a chair, the wall, the door, the window, etc., and then to parts of the body (of himself or of students, within the limits of the vocabularies of the first three lessons). Students in turn reply: "C'est —," designating the object pointed to.*

So far about thirty nouns have been given for classroom objects or parts of the body. As students can place before each noun a definite article, an indefinite article, or a possessive adjective, and can combine the nouns into phrases (e.g., le livre de mon ami), the possible answers are very numerous.

Students in turn may play the role of teacher, pointing to objects and asking "Qu'est-ce que c'est que ça?" of their classmates.

D. *Read the following sentences in French, filling each blank with an appropriate French word:*

LA FAMILLE DUBOIS

1. M. Dubois est le mari de Mme Dubois.   Mme Dubois est donc la —— de M. Dubois.   2. Charles est le frère de Marie Dubois.   Marie est donc la —— de Charles.   3. M. Dubois est le père de Charles et de Marie.   Charles est donc le —— de Marie et le —— de M. Dubois.   4. Frédéric est aussi le fils de M. et de Mme Dubois.   Mme Dubois est donc la —— de Charles, de Marie et de Frédéric.   5. M. et Mme Dubois ont —— enfants; ils ont —— fils et —— fille.   6. Marie a —— frères, Charles et Frédéric ont —— sœur. 7. Charles est le frère de Marie, Frédéric est aussi le frère de Marie, Charles est donc le —— de Frédéric.   8. M. Dubois est le père de Charles.   Il est donc aussi le —— de Marie et de Frédéric.   9. Frédéric est le fils de M. Dubois.   Il est donc un ~~fils~~, il n'est pas une ~~jeune fille~~. 10. Marie est la fille de M. Dubois. Elle est donc une —— ——, elle n'est pas un ——.   11. M. Dubois a trois enfants; il n'a pas —— enfants.   12. M. et Mme Dubois ont deux fils mais ils n'ont pas deux ——.   13. Charles est le —— de Mme Dubois, le —— de Frédéric et aussi le —— de Marie. 14. Marie est la —— de Mme Dubois, la —— de Charles et aussi la —— de Frédéric.   15. M. Dubois est le —— de Charles, le —— de Marie, et le —— de Mme Dubois.   16. Le mari, la femme et les enfants sont une ——.

E. *Write in French, filling blanks with correct words (either words for members of a family or for numbers from one to ten):*

1. I am the son of Mr. and Mrs. Martin.   2. I have two brothers but I do not have two sisters.   3. Paul and Robert

are my brothers, Charlotte is my sister. 4. My sister has —— brothers, Paul, Robert, and Jacques. 5. Our father and mother have four children, —— sons and —— daughter. 6. Paul has —— brothers and —— sister, Robert has —— brothers and —— sister. 7. Charlotte is not the —— of Paul and of Robert, she is their ——. 8. The daughter of Mr. and Mrs. Martin is my ——. 9. My father and mother do not have six children, they have —— children. 10. I am the —— of Paul, of Robert, and of Charlotte; my name is Jacques Martin.

IV. OPTIONAL EXERCISES

A. *Pronounce carefully:*
1. Mon front, ma bouche, mes mains.
2. Son visage, sa langue, ses dents.
3. Votre cou, votre épaule, vos joues.
4. Leurs mains, leurs doigts, leurs pieds.
5. Un homme, une femme. 6. Un mari et sa femme. 7. Une femme et son mari. 8. Trois fils, trois filles, six enfants. 9. Cinq fils, cinq filles, dix enfants. 10. Sept garçons, sept jeunes filles.

B. *Supply appropriate French words:*
1. Je ne suis pas riche, je suis ——. 2. Je ne suis pas dans un salon, je suis dans une ——. 3. Marie n'est pas à l'école, elle est à la ——. 4. Son frère n'est pas à la porte, il est à la ——. 5. Sa sœur n'est pas dans la salle de classe, elle est dans la salle à ——. 6. J'ai —— bouche, —— oreilles, —— pieds et —— doigts.

C. *Use the Recording* [1] *(Disk 2, Side 2, Section 1) of the following exercise:*

OUI OU NÒN?

(For the first seven statements, correct responses are given; the listener should, as in previous recordings, listen and repeat both statements and responses. For the remaining seven statements (nos. 8–14), two responses are given for each statement. The listener should not repeat the statements but during the pause which follows each statement, he should choose and speak the correct *response.)*

1. Vous n'êtes pas à la maison, vous êtes à l'école. Oui ou non?
   — Oui, monsieur, je suis à l'école.
2. Vous êtes à l'Hôtel de Rivoli, à Paris. Oui ou non?
   — Non, madame, je ne suis pas à Paris.

[1] If the Recordings are not available, this passage and similar passages in subsequent lessons may of course be used for oral drill under the guidance of the teacher.

3. Paul Richard est l'ami de Charles Sandeau. Oui ou non?
    — Oui, monsieur, Paul est son ami.

4. Paul est riche, Charles est pauvre. Oui ou non?
    — Non, madame, Paul et Charles sont pauvres.

5. Paul et Charles sont à l'Hôtel de Rivoli. Oui ou non?
    — Non, mademoiselle, ils sont dans une salle de classe de l'École Bosquet.

6. Ils sont debout. Oui ou non?
    — Ils ne sont pas debout, ils sont assis.

7. Le professeur est à la fenêtre. Oui ou non?
    — Il n'est pas à la fenêtre, il est derrière sa table.

8. Vous êtes un garçon. Oui ou non?
(Choose   — Oui, monsieur, je suis un garçon.
  and
  speak)   — Non, monsieur, je ne suis pas un garçon.

9. Vous êtes une jeune fille. Oui ou non?
(Choose   — Oui, madame, je suis une jeune fille.
  and
  speak)   — Non, madame, je ne suis pas une jeune fille.

10. Vous êtes un homme. Oui ou non?
(Choose   — Oui, mademoiselle, je suis un homme.
  and
  speak)   — Non, mademoiselle, je ne suis pas un homme.

11. Vous êtes une femme. Oui ou non?
(Choose   — Oui, je suis une femme.
  and
  speak)   — Non, je ne suis pas une femme.

12. Vous avez quatre pieds. Oui ou non?
(Choose   — Oui, j'ai quatre pieds.
  and
  speak)   — Non, je n'ai pas quatre pieds.

13. Votre chaise a quatre pieds. Oui ou non?
(Choose   — Oui, ma chaise a quatre pieds.
  and
  speak)   — Non, ma chaise n'a pas quatre pieds.

14. Vous avez dix doigts. Oui ou non?
(Choose   — Oui, j'ai dix doigts.
  and
  speak)   — Non, je n'ai pas dix doigts.

VOCABULARY FOR EXERCISES

ça [sa] *that*
carte [kart] *f. map*
ce [sə] *it*
cela [səla] *that*
craie [krɛ] *f. chalk*
donc [dɔ̃k] *therefore*
enfant [ãfã] *m. or f. child*
famille [famiːj] *f. family*
feuille [fœːj] *f. leaf, sheet*
fils [fis] *m. son*

mari [mari] *m. husband*
morceau [mɔrso] *m. piece*
mur [myːr] *m. wall*
nom [nɔ̃] *m. name*
ou [u] *or*
page [paːʒ] *f. page (of a book)*
papier [papje] *m. paper*
que [kə] *what*
tableau noir [tablonwaːr] *m. blackboard*

VOCABULARY FOR REFERENCE

cinq [sɛ̃ːk] *five*
cou [ku] *m. neck*
dent [dã] *f. tooth*
dix [dis] *ten*
doigt [dwa] *m. finger*
épaule [epoːl] *f. shoulder*
Frédéric [frederik] *Frederick*
huit [ɥit] *eight*
Jacques [ʒaːk *or* ʒɑːk] *James, Jim, Jack*
joue [ʒu] *f. cheek*
langue [lãːg] *f. tongue*
leur, leurs [lœːr] *their*
mesdames [medam] *ladies*
mesdemoiselles [medmwazɛl] *young ladies*

messieurs [mesjø] *gentlemen*
mon, ma, mes [mɔ̃, ma, me] *my*
ne . . . pas [nə . . . pɑ] *not*
neuf [nœf] *nine*
notre, nos [nɔtr, no] *our*
parent [parã] *m. parent, relative*
quatre [katr] *four*
sept [sɛt] *seven*
six [sis] *six*
son, sa, ses [sɔ̃, sa, se] *his, her, its*
ton, ta, tes [tɔ̃, ta, te] *your*
trois [trwɑ] *three*
troisième [trwɑzjɛm] *third*
votre, vos [vɔtr, vo] *your*

QUATRIÈME LEÇON 4

I. DIALOGUE

Students should memorize the meanings of the following words and sentences so that when the French sentences are read aloud they can give the English translation instantly without looking at their books and when the English sentences are read, they can give the French similarly.

quatre, quatrième	*four, fourth*
Voici la quatrième leçon.	*Here is the fourth lesson.*
— Où êtes-vous?	*— Where are you?*
— Me voici.	*— Here I am.*
— Où est mon stylo? Ne l'avez-vous pas?	*— Where is my fountain pen? Don't you have it?*
— Je ne l'ai pas. Le voilà, sur la table.	*— I don't have it. There it is, on the table.*
— Merci bien.	*— Thank you very much.*
— Il n'y a pas de quoi.	*— Don't mention it.*

36

II. GRAMMAR

A. PRESENT TENSE, INTERROGATIVE, OF *AVOIR* AND *ÊTRE*

avoir	être
have I? do I have? etc.	*am I? etc.*
ai-je? [ɛːʒ]	suis-je? [sɥiːʒ]
as-tu? [aty]	es-tu? [ɛty]
a-t-il? [atil]	est-il? [ɛtil]
a-t-elle? [atɛl]	est-elle? [ɛtɛl]
avons-nous? [avɔ̃nu]	sommes-nous? [sɔmnu]
avez-vous? [avevu]	êtes-vous? [ɛtvu]
ont-ils? [ɔ̃til]	sont-ils? [sɔ̃til]
ont-elles? [ɔ̃tɛl]	sont-elles? [sɔ̃tɛl]

1. Note that in general the forms of the interrogative are the same as the affirmative forms inverted. Hyphens, however, are used in the interrogative and –t– is inserted in the third person singular of **avoir** to prevent two vowel sounds coming together.

2. When an interrogative form is made negative, the **ne** (**n'**) precedes the verb, the **pas** follows a pronoun subject.

avoir	être
have I not? etc.	*am I not? etc.*
n'ai-je pas? [nɛːʒpɑ]	ne suis-je pas? [nəsɥiːʒpɑ]
n'as-tu pas? [natypɑ]	n'es-tu pas? [nɛtypɑ]
n'a-t-il pas? [natilpɑ]	n'est-il pas? [nɛtilpɑ]
n'a-t-elle pas? [natɛlpɑ]	n'est-elle pas? [nɛtɛlpɑ]
n'avons-nous pas? [navɔ̃nupɑ]	ne sommes-nous pas? [nəsɔmnupɑ]
n'avez-vous pas? [navevupɑ]	n'êtes-vous pas? [nɛtvupɑ]
n'ont-ils pas? [nɔ̃tilpɑ]	ne sont-ils pas? [nəsɔ̃tilpɑ]
n'ont-elles pas? [nɔ̃tɛlpɑ]	ne sont-elles pas? [nəsɔ̃tɛlpɑ]

3. Interrogative forms, like affirmative forms, may be variously translated into English: e.g., **n'avez-vous pas?** = *do you not have? don't you have? are you not having?*

B. PERSONAL PRONOUN DIRECT OBJECTS

1. The personal pronouns which are used as direct objects of verbs are as follows:

	1st Person	2nd Person	3rd Person
Sing.	me *me*	te *you*	le, la *him, her, it*
Plur.	nous *us*	vous *you*	les *them*

Me, te, le, and **la** lose their **e** or **a** before a vowel or mute **h.**

2. These pronouns regularly stand *before* a verb. If the verb is negative, they stand between **ne** and the verb.

Où sont mes livres? Les avez-vous? — Je ne les ai pas.	*Where are my books? Do you have them? — I don't have them.*

C. FEMININE AND PLURAL OF ADJECTIVES

Adjectives regularly add –**e** to the masculine to form the feminine, but those which end in –**e** in the masculine remain unchanged in the feminine. As previously stated, they regularly form their plural by adding –**s** to the singular (either masculine or feminine).

M. Sing.	F. Sing.	M. Plur.	F. Plur.	Meaning
grand	grande	grands	grandes	*large*
petit	petite	petits	petites	*small*
joli	jolie	jolis	jolies	*pretty*
riche	riche	riches	riches	*rich*

D. AGREEMENT AND POSITION OF ADJECTIVES

1. Adjectives must agree in gender as well as in number with the noun they modify.

Ma chambre n'est pas grande.	*My room is not large.*
Votre table est très jolie.	*Your table is very pretty.*

2. Some adjectives in French regularly precede, other adjectives regularly follow, still others may precede or follow, the noun they modify. Examples will be found in the French sentences of this lesson and of following lessons but until rules are given only predicate adjectives after **être** will be used in the English-French exercises.

E. VOICI AND VOILÀ

1. **Voici,** which means *here is* or *here are,* and **voilà,** which means *there is* or *there are,* point out or direct one's attention to something.

Voici mon stylo.	*Here's my fountain pen.*
Voilà votre livre.	*There's your book.*

2. Because **voici** and **voilà** are derived from the verb **voir,** *to see,* with the adverbs **ici,** *here,* and **là,** *there,* they have the function of verbs and may take a following noun object (as in the examples just given) or a preceding pronoun object.

Nous voici.	*Here we are.*
Les voilà !	*There they are!*

F. LA PIÈCE, LES MEUBLES

1. The general word in French for *the room* is **la pièce.** Each kind of room has a particular designation.

Notre maison a huit pièces.	*Our house has eight rooms.*
La salle à manger est petite.	*The dining room is small.*

2. A single piece of furniture is **un meuble.** *The furniture,* meaning several pieces taken collectively, is **les meubles.**

Les meubles du salon sont élégants.	*The furniture of the living room is elegant.*

III. EXERCISES

A. *Read the following sentences aloud, supplying the proper forms of the adjectives in parentheses. (Two or three students may be asked to write the adjectives on the blackboard while others are reading.)*

1. Voici l'appartement de M. et de Mme Delacour; il a seulement quatre pièces. 2. Le salon est (petit), la chambre est (petit) et la cuisine est (petit) aussi. — 3. Où est la salle à manger? — 4. La salle à manger est une partie du salon. Voilà une table (carré), dans le salon, près de la porte de la cuisine. 5. Voilà trois (petit) chaises près de la table. 6. Voilà la table et les chaises, voilà la salle à manger de l'appartement! — 7. Les meubles du salon sont (joli). — 8. Oui, voici deux fauteuils (confortable) près d'une (petit) table (rond). 9. Les fauteuils et la table sont (élégant).   10. La lampe sur la table est (joli). — 11. Où sont les chambres de l'appartement? — 12. L'appartement a seulement une chambre. La voici. — 13. Elle est (petit) ! — 14. Oui, elle n'est pas très (grand).   15. Mais les meubles de la chambre sont (joli). 16. Voici deux lits, une table (rond) et une table (carré), deux (joli) chaises et deux armoires (élégant) pour les vêtements de M. et de Mme Delacour. 17. La chambre a deux (grand) fenêtres. — 18. Où est la quatrième pièce de l'appartement? — 19. La voici; c'est la salle de bain. 20. M. et Mme Delacour ne sont pas (riche) mais ils ont un (joli) (petit) appartement.

(If the adjectives have been written on the blackboard, their spelling should now be examined and if necessary corrected.)

B. *Recite orally in French:*

1. Am I rich? 2. Are you rich?
3. Aren't you rich? 4. Aren't we rich?
5. Isn't he poor? 6. Isn't she pretty?
7. Where is your mouth? — Here it
is. 8. Where is your forehead? — Here
it is. 9. Where are your ears? — Here
they are. 10. Where is my tongue?
— It's in your mouth. 11. Where are
my teeth? — They're in your mouth
also, with your tongue.

12. Where are you? — Here I am,
sitting (= seated) on a chair. 13. Are
you not standing? — No, I am seated.

14. Doesn't he have a six-room house
(= a house of six rooms)? — 15. No, he
has a five-room apartment.

16. Don't you have an eight-room
house? — 17. No, my house has only
seven rooms.

C. (*Helen and Marguerite, two American college girls, are taking a course in elementary French. In order to practice the grammar and vocabulary of the first four lessons, they are playing a question-and-answer game in their dormitory room. One girl thinks of an object; the other girl tries to find out what the object is by asking not more than ten questions, to which her friend can reply only* oui *or* non. *When an object has been guessed, the girls exchange roles. Students should read their dialogue in French.*)

QU'EST-CE QUE C'EST?

1. (*Helen is thinking of an object.*)

MARGUERITE	HELEN
Est-ce dans notre chambre?	Non.
Est-ce à l'école?	Oui.
Est-ce dans une salle de classe?	Oui.
Est-ce sur la table du professeur?	Non.
Est-ce au mur?	Oui.
C'est le tableau noir?	Oui.

2.

HELEN	MARGUERITE
Est-ce dans une maison?	Oui.
Est-ce dans le salon de la maison?	Oui.
Est-ce une chaise?	Non.
Est-ce un fauteuil?	Non.
Est-ce une porte ou une fenêtre?	Non.
Est-ce une table?	Non.
Est-ce au mur?	Non.
Est-ce sur une table?	Non.
Est-ce un lit?	Dans un salon? Non!
(*Desperate*) Est-ce un garçon?	Non! Non! Non!
(*Helen has used up her ten questions; so she exclaims:*)	
Qu'est-ce que c'est?	C'est un tapis!

3.

MARGUERITE	HELEN
Est-ce dans notre chambre?	Oui.
Est-ce sur une table?	Oui.
C'est notre lampe?	Oui!

4. (*This time Marguerite has told Helen that the object is in their room.*)

HELEN	MARGUERITE
Est-ce près de la fenêtre?	Oui.
Est-ce près de la porte aussi?	Oui.
Est-ce l'armoire?	Non.
Est-ce un crayon ou un stylo?	Non.
Est-ce un livre ou la page d'un livre?	Non.
Est-ce votre lampe ou ma lampe?	Non.
Est-ce dans l'armoire?	Non.
C'est un de nos lits?	Non.
C'est un de nos fauteuils?	Non.
Voici ma dixième (*tenth*) question: où est-ce?	Le voilà!
Qu'est-ce que c'est?	C'est le mur!

D. (*Peter is showing his room at the Pension Stanislas in Paris to his friend Albert. They have agreed to speak French together, even though they must use very simple language.*) *Write in French:*

PETER. Here's my room. It is very small but it is very pretty.

ALBERT. Yes, it is very pretty.

PETER. My bed is large and comfortable. I have one chair; there it is, near the table.

ALBERT. Don't you have two chairs?

PETER. No, I have only one chair but I have also an armchair. There it is, near the window. Here on the table are (= Here are on the table) my books, my paper and my fountain pen.

ALBERT. Your lamp is very pretty . . . What's that?

PETER. That's a wardrobe, for my clothes.

ALBERT. Your room is admirable! Aren't you happy to be here?

PETER. Yes, my friend, I am very happy to be in Paris.

IV. OPTIONAL EXERCISES

A. *Recite rapidly in French:*

1. Has he a book? Hasn't he a book?
2. Has she a pen? Hasn't she a pen?
3. Have you a pencil? Haven't you a pencil? 4. Have they (*masc.*) a house?
5. Haven't they (*fem.*) a house? 6. Don't they (*masc.*) have two children? 7. Don't they (*fem.*) have two brothers?

8. Am I rich or poor? 9. Is he young? 10. Is she pretty? 11. Are we in the living room or in the dining room? 12. Are you in the kitchen? 13. Am I

not in Paris? 14. Is he not in France? 15. Are we not in the Pension (*fem.*) Stanislas? 16. Are you not one of the students?

17. Where are you? — Here I am.

18. Where are you? — Here we are! 19. Where are they (*masc.*)? — There they are! 20. Where are they (*fem.*)? — There they are!

B. *Use the Recording of the following passage* (*Disk 2, Side 2, Section 2*).

Voici Paris... Voici un hôtel magnifique de Paris... Voici le salon élégant... d'un hôtel magnifique de Paris... Voici une grande fenêtre... dans le salon élégant... d'un hôtel magnifique de Paris... Voici un fauteuil confortable... près d'une table ronde et d'une grande fenêtre... dans un salon élégant d'un hôtel magnifique de Paris... Voici une pauvre petite fille riche... assise dans un fauteuil confortable... près d'une table ronde et d'une grande fenêtre... dans un salon élégant d'un hôtel magnifique de Paris... Voici un petit garçon... assis sur une chaise... près d'un fauteuil confortable... où est assise une pauvre petite fille riche... près d'une table ronde et d'une grande fenêtre... dans un salon élégant d'un hôtel magnifique de Paris... Le petit garçon et la petite fille... ne sont pas contents... d'être assis sur une chaise et dans un fauteuil... près d'une table ronde et d'une grande fenêtre... dans un salon élégant d'un hôtel magnifique de Paris... Ne sont-ils pas contents?... Non! Non! Non!

VOCABULARY FOR EXERCISES

admirable [admirabl] *admirable*
appartement [apartəmã] *m. apartment*
armoire [armwar] *f. wardrobe*
carré [kare] *square*
confortable [kɔ̃fɔrtabl] *comfortable*
cuisine [kɥizin] *f. kitchen*
fauteuil [fotœɪj] *m. armchair*
grand [grã] *large*
joli [ʒɔli] *pretty*
lampe [lãɪp] *f. lamp*

lit [li] *m. bed*
partie [parti] *f. part*
petit [pəti] *small, little*
près de [prɛdə] *near*
rond [rɔ̃] *round*
salle de bain [saldəbɛ̃] *f. bathroom*
seulement [sœlmã] *only*
tapis [tapi] *m. rug*
vêtements [vɛtmã] *m.pl. clothes, clothing*

VOCABULARY FOR REFERENCE

dixième [dizjɛm] *tenth*
élégant [elegɑ̃] *elegant*
là [la] *adv. there*
merci bien [mɛrsibjɛ̃] *thank you very much*
meuble [mœbl] *m. piece of furniture;* —s *pl.*
  furniture
pension [pɑ̃sjɔ̃] *f. boarding-house*
pièce [pjɛs] *f. room*

Pierre [pjɛːr] *Peter*
quatrième [katrijɛm] *fourth*
question [kɛstjɔ̃] *f. question*
quoi [kwa]: il n'y a pas de —, *don't mention it*
Stanislas [stanislas] *Stanislas*
voici [vwasi] *here is, here are*
voilà [vwala] *there is, there are*

6 m.
8 8

CINQUIÈME LEÇON | 5

I. DIALOGUE

Students should memorize the meanings of the following sentences so that when the French sentences are read aloud they can give the English translation instantly without looking at their books and when the English sentences are read, they can give the French similarly.

— Parlez-vous français?

— Oui, monsieur, je le parle.

— Et vous?

— Oui, monsieur, mais je ne le parle pas très bien.

— Est-ce que Paris est une grande ville?

— Oui, monsieur, il a presque trois millions d'habitants.

— *Do you speak French?*

— *Yes, sir, I speak it.*

— *And you?*

— *Yes, sir, but I don't speak it very well.*

— *Is Paris a large city?*

— *Yes, sir, it has almost three million inhabitants.*

II. GRAMMAR

A. REGULAR CONJUGATIONS

French verbs are conveniently divided, according to the infinitive endings **–er, –ir, –re,** into three conjugations:

| I | II | III |
| donn **er,** *to give* | fin **ir,** *to finish* | perd **re,** *to lose* |

All regular verbs with corresponding infinitive endings form their various tenses like these verbs, which will be used as models in this lesson and in subsequent lessons.

B. THE FIRST CONJUGATION

The present tense of all regular verbs of the first conjugation is formed as follows:

AFFIRMATIVE
I give, am giving, do give, etc.

je donn **e** [ʒədɔn]	nous donn **ons** [nudɔnɔ̃]
tu donn **es** [tydɔn]	vous donn **ez** [vudɔne]
il donn **e** [ildɔn]	ils donn **ent** [ildɔn]
elle donn **e** [ɛldɔn]	elles donn **ent** [ɛldɔn]

NEGATIVE
I do not give, am not giving, etc.

je ne donne pas [ʒənədɔnpɑ]	nous ne donnons pas [nunədɔnɔ̃pɑ]
tu ne donnes pas [tynədɔnpɑ]	vous ne donnez pas [vunədɔnepɑ]
il ne donne pas [ilnədɔnpɑ]	ils ne donnent pas [ilnədɔnpɑ]
elle ne donne pas [ɛlnədɔnpɑ]	elles ne donnent pas [ɛlnədɔnpɑ]

INTERROGATIVE
do I give? am I giving? etc.

est-ce que je donne? [ɛskəʒədɔn]	donnons-nous? [dɔnɔ̃nu]
donnes-tu? [dɔnty]	donnez-vous? [dɔnevu]
donne-t-il? [dɔntil]	donnent-ils? [dɔntil]
donne-t-elle? [dɔntɛl]	donnent-elles? [dɔntɛl]

NEGATIVE-INTERROGATIVE
do I not give? am I not giving? etc.

est-ce que je ne donne pas? [ɛskəjənədɔnpɑ]	ne donnons-nous pas? [nədɔnɔ̃nupɑ]
ne donnes-tu pas? [nədɔntypɑ]	ne donnez-vous pas? [nədɔnevupɑ]
ne donne-t-il pas? [nədɔntilpɑ]	ne donnent-ils pas? [nədɔntilpɑ]
ne donne-t-elle pas? [nədɔntɛlpɑ]	ne donnent-elles pas? [nədɔntɛlpɑ]

NOTES

1. It is obvious that this regular verb follows the same general pattern as the verbs **avoir** and **être**.

2. As the interrogative forms **donné-je** and **ne donné-je pas** are extremely rare, they are here replaced by **est-ce que je donne** and **est-ce que je ne donne pas**. These substitute forms should always be used by students.

3. As the endings **–e, –es, –e,** and **–ent** all have mute **e**, the four forms of the verb with these endings are pronounced alike.

4. Once you know the present tense of **donner,** as just given, you can take any other regular verb of the first conjugation (i.e., with an infinitive in **–er**), drop the infinitive ending to get the stem, and then add the appropriate ending to obtain a desired person and number of the present tense.

5. For the three English forms of the present tense of verbs, French has but one form: e.g., *he gives, he is giving, he does give* = **il donne.**

C. INTERROGATION

Questions are asked in French in various ways:

1. When the subject of an interrogative sentence is a noun, the word order is noun — verb — pronoun. This is called the "inverted" or interrogative word order and is very common in French.

Albert parle-t-il français?	*Does Albert speak French?*
Où Albert et Marie demeurent-ils?	*Where do Albert and Marie live?*

2. By prefixing the words **est-ce que** (lit., *is it that*), a statement may be turned into a question.

Ils admirent la cathédrale.	*They admire the cathedral.*
Est-ce qu'ils admirent la cathédrale?	*Do they admire the cathedral?*
Est-ce que votre chambre est grande ou petite?	*Is your room large or small?*

3. By concluding a sentence with the words **n'est-ce pas** (lit., *is it not?*), any statement can be given the force of a question. An answer agreeing with the statement is expected. **N'est-ce pas** in French corresponds to *all* such English locutions as *haven't I? doesn't he? don't they?* etc.

Vous parlez français, n'est-ce pas?	*You speak French, don't you?*
Albert est le frère de Marie, n'est-ce pas?	*Albert is Marie's brother, isn't he?*
Ils sont à Paris, n'est-ce pas?	*They are in Paris, aren't they?*

4. As in English, interrogation may be expressed by a rising inflection of the voice, without the use of an interrogative form.

M. Lebrun n'est pas à Paris?   *Mr. Lebrun isn't in Paris?*

5. Either the inverted word order or the construction with **est-ce que** may be used after **pourquoi** = *why?*

Pourquoi Albert ne visite-t-il pas les autres villes de la France?   *Why doesn't Albert visit the other cities of France?*

Pourquoi est-ce que Marie ne parle pas français aux garçons?   *Why doesn't Marie speak French to the waiters?*

D. MEANINGS OF WORDS

A great many French words have various meanings which depend upon the context or situation in which they occur.   Following are a few examples:

1. **garçon**   may mean   *boy, fellow,* or *waiter*
2. **place**   may mean   *place, seat* (in a classroom), or (public) *square* (in a city)
3. **fille**   may mean   *daughter* or (preceded by **petite** or **jeune**) *girl*
4. **aimer**   may mean   *to like* or *to love*
5. **comment**   may mean   (in a question) *how* or (as an exclamation) *what!*

NOTE
Un grand magasin = *a department store.*

III. EXERCISES

A. *Change each statement into (1) a negative statement, (2) a question, and (3) a negative question.*

MODEL: *Statement:* Il demeure à Paris. (1) *Negative statement:* Il ne demeure pas à Paris. (2) *Question:* Demeure-t-il à Paris? (3) *Negative question:* Ne demeure-t-il pas à Paris?

Statements: 1. Ils demeurent à Paris. 2. Elle dîne au restaurant.   3. Vous parlez français au garçon.   4. Vous commandez votre dîner.   5. Elle vous admire.   6. Vous l'aimez.   7. Elle cause avec son amie.   8. Elles causent avec leurs amies.   9. Elles visitent trois églises. 10. Il aime les grands magasins.

B. *Change the following sentences into questions in French:*

(a) *Use first* est-ce que, *then* n'est-ce pas:

1. Mr. Lepic is rich.   2. His wife is rich.   3. They are in Paris.   4. They visit the cathedral.   5. They visit a museum.   6. They like Paris.   7. They

speak French.   8. They have a large room in a hotel.

(b) *Use inverted order:*

1. Mr. and Mrs. Lepic like Paris. 2. Paul and Charles admire the cathedral. 3. The two boys speak French. 4. The girls do not speak French. 5. The boys speak to the girls. 6. The girls speak to the boys. 7. The two boys visit the Place de la Concorde. 8. The two girls visit the Louvre. 9. The Jardin du Luxembourg is large. 10. The cathedral is magnificent. 11. Your friend is leaving the city. 12. Your friends are leaving the city.

C. *Recite in French:*

1. Is Mrs. Lepic speaking to Mr. Lepic? — No, she is speaking to her friend. 2. Is Marie talking with her brother? — Yes, and Marie's brother is talking with Marie. 3. Do you live here? Don't you live here? — Yes, I live here. 4. Do you admire the parks of Paris? Don't you admire the parks of Paris? — Yes, I admire them. 5. Are your friends spending a month in Paris? — No, they are spending two months here. 6. Where are your friends? — There they are!

D. *First translate the following passage into English, then read it in French without translating:*

Un Mois à Paris

Mes amis, Albert et Marie, passent un mois à Paris. Albert est le fils et Marie est la fille de M. et de Mme Delaunay. Albert est donc le frère de Marie.

Albert et Marie quittent New-York, traversent l'océan Atlantique . . .

— Est-ce qu'ils le traversent en avion?

— Oui, ils le traversent en avion.

— Quand arrivent-ils à Paris?

— Ils arrivent à Paris au commencement du mois de mai.

— Où demeurent-ils quand ils sont à Paris?

— Un ami du père et de la mère d'Albert et de Marie, M. Lebrun, a un joli appartement à Paris. Mais M. Lebrun n'est pas à Paris . . .

— Où est-il?

— Il est en Italie. Pendant son absence il prête son appartement au fils et à la fille de ses amis.

— Comment Albert et Marie passent-ils leur mois à Paris?

— Ils visitent l'Ile de la Cité où ils admirent la grande cathédrale, Notre-Dame de Paris, et une jolie petite église, la Sainte-Chapelle. Ils visitent les places célèbres de Paris — la Place de la Concorde, la Place de l'Étoile, la Place des Vosges, la Place de l'Opéra, la Place Vendôme.

— Est-ce qu'ils visitent la Tour Eiffel?

— Oui, ils montent au sommet de la Tour Eiffel et aussi au sommet de l'Arc de Triomphe.

— Les musées de Paris les intéressent-ils?

— Oui, ils visitent le Louvre et plusieurs autres musées.

— Aiment-ils les parcs magnifiques de la ville?

— Ils aiment surtout le Jardin du

Luxembourg et le Jardin des Tuileries.

— Albert et Marie parlent-ils français quand ils sont à Paris?

— Ils le parlent très bien. Aux restaurants ils parlent français aux garçons quand ils commandent leurs dîners. Ils parlent français dans les grands magasins et dans les boutiques. Mais le temps passe vite, n'est-ce pas? Ils ne visitent pas les autres villes de la France.

— Comment! Pourquoi ne les visitent-ils pas?

— Parce qu'ils n'ont pas le temps de les visiter. A la fin du mois de mai ils quittent Paris.

— Ils traversent l'océan Atlantique, n'est-ce pas?

— Oui, ils le traversent en avion et ils arrivent très vite à New-York.

E. *Write in French:*

WHY? — BECAUSE

1. Paul and Charles speak French, don't they? Why don't they speak French to the waiter? — Because they don't speak it very well.

2. Why do Paul and Charles visit the parks of Paris? — Because the parks are very pretty.

3. Why don't Albert and Marie visit the other cities of (the) France? — Because they do not have (the) time to (*de*) visit them.

4. Why do they not have (the) time to (*de*) visit them? — Because (the) time passes very quickly in Paris.

5. Why do Albert and Marie cross the Atlantic Ocean? — Because they do not live in France. They live in New York.

6. Why do they cross the ocean by plane? — Because the plane crosses it very quickly.

7. Do you like me? — No, I don't like you. — Why don't you like me? — Because you don't like me.

8. Does the teacher like you? — Yes, he likes me. — Why does the teacher like you? — Because I speak French.

IV. OPTIONAL EXERCISE

A. *Use the Recording (Disk 3, Side 1, Section 1) of the following dialogue:*

Nous voici dans un avion. Nous quittons New-York, nous traversons l'océan Atlantique, nous arrivons à Paris.

— Vous passez un mois à Paris, n'est-ce pas?

— Oui, monsieur, nous passons le mois de mai dans la capitale de la France.

— Est-ce que vous visitez les places célèbres?

— Oui, monsieur, nous visitons la Place de l'Opéra, la Place Vendôme et la Place des Vosges. Nous montons l'avenue des Champs-Élysées de la Place de la Concorde à la Place de l'Étoile, où nous admirons l'Arc de Triomphe.

— Vous visitez les musées de la ville?

— Oui, monsieur, le musée du Louvre nous intéresse surtout.

— Admirez-vous Notre-Dame de Paris?

— Oui, nous admirons la grande cathédrale et aussi la petite Sainte-Chapelle.

— Est-ce que les parcs vous intéressent?

— Oui, surtout le Jardin des Tuileries et le Jardin du Luxembourg.

— Vous visitez la Tour Eiffel, n'est-ce pas?

— Oui, monsieur, la vue du sommet de la Tour Eiffel est magnifique.

— Quand quittez-vous Paris?

— Nous quittons Paris à la fin du mois de mai.

VOCABULARY FOR EXERCISES

admirer [admire] *to admire*

aimer [ɛme] *to like, love*

arriver [arive] *to arrive*

autre [otr] *other*

avion [avjɔ̃] *m. airplane;* en —, *by plane*

boutique [butik] *f. shop*

cathédrale [katedral] *f. cathedral*

causer [koze] *to talk, converse*

célèbre [selɛbr] *celebrated, famous*

commander [kɔmɑ̃de] *to order (a meal)*

commencement [kɔmɑ̃smɑ̃] *m. beginning*

demeurer [dəmœre] *to live*

dîner [dine] *m. dinner*

dîner [dine] *vb. to dine, have dinner*

donner [dɔne] *to give*

église [egliːz] *f. church*

fin [fɛ̃] *f. end*

français [frɑ̃sɛ] *m. French (language)*

intéresser [ɛ̃terɛse] *to interest*

mai [mɛ] *m. May (month)*

mois [mwa] *m. month*

monter [mɔ̃te] *to go up*

musée [myze] *m. museum*

parc [park] *m. park*

parce que [parskə] *because*

parler [parle] *to speak, talk*

passer [pɑse] *to pass; (of time) to spend*

pendant [pɑ̃dɑ̃] *during*

plusieurs [plyzjœːr] *several*

pourquoi [purkwa] *why*

prêter [prɛte] *to lend*

quand [kɑ̃] *when*

quitter [kite] *to leave*

sommet [sɔmɛ] *m. summit, top*

surtout [syrtu] *above all, especially*

temps [tɑ̃] *m. time*

tour [tuːr] *f. tower*

traverser [travɛrse] *to cross*

ville [vil] *f. city*

visiter [vizite] *to visit*

vite [vit] *fast, rapidly, quickly*

VOCABULARY FOR REFERENCE

absence [apsɑ̃ːs] *f.* absence

arc [ark] *m. arch*

Atlantique [atlɑ̃tik] *Atlantic*

avenue [avny] *f. avenue*

capitale [kapital] *f. capital*

Champs-Élysées [ʃɑ̃zelize] *an avenue*

cinquième [sɛ̃kjɛm] *fifth*

Concorde [kɔ̃kɔrd] *square in Paris*

Eiffel [ɛfɛl] *a tower*

Étoile [etwal] *square in Paris*; (*lit., star*)

finir [finiːr] *to finish*

habitant [abitɑ̃] *m. inhabitant*

Ile de la Cité [ildəlasite] *island in Seine*

Italie [itali] *f. Italy*

jardin [ʒardɛ̃] *m. garden, park*

Louvre [luːvr] *m. a museum*

Luxembourg [lyksɑ̃buːr] *m. a park*

magasin [magazɛ̃] *m. store*

million [miljɔ̃] *m. million*

New-York [nœjɔrk] *New York*

Notre-Dame de Paris [nɔtrdam də pari] *cathedral in Paris*

océan [ɔseɑ̃] *m. ocean*

Opéra [ɔpera] *m. square in Paris*

perdre [pɛrdr] *to lose*

place [plas] *f. place, seat, square*

presque [prɛsk] *almost*

que [kə] *that*

restaurant [rɛstɔrɑ̃] *m. restaurant*

Sainte-Chapelle [sɛ̃tʃapɛl] *church in Paris*

triomphe [triɔ̃f] *m. triumph*

Tuileries [tɥilri] *f.pl. park in Paris*

Vendôme [vɑ̃dom] *square in Paris*

Vosges [voːʒ] *f.pl. square in Paris*

vue [vy] *f. view*

PARIS, CAPITALE DE LA FRANCE

Suggestions to students: (1) Read this dialogue, not for examples of grammatical principles, but for its cultural content. (2) Before seeking the meanings of unknown French words in the notes or the general French-English Vocabulary at the end of the book, try to guess their meanings intelligently, by their resemblance to English words, by their contexts or by the pictures. All words used, whether difficult or not, are contained in the general French-English Vocabulary.

Asmodée est un bon petit diable.[1] C'est sa fonction d'aider les élèves

[1] diable *m. devil.*

américains quand ils ont envie [2] de visiter Paris. Il les transporte d'un pays à un autre ou d'un endroit [3] à un autre. Il a un bâton [4] magique. Il l'agite . . . et voilà Asmodée et deux élèves américains en route pour Paris ! Ils quittent l'Amérique, ils traversent très vite l'océan Atlantique, ils arrivent en France, ils arrivent à Paris !

Voici Asmodée et les deux élèves

[2] envie *f. desire.* [3] endroit *m. place.* [4] bâton *m. stick, wand.*

PARIS: LA SEINE

américains, Charlotte et Robert, au sommet de la Tour Eiffel.

ASMODÉE. Voici, à nos pieds, la grande ville de Paris. Voici, près de la Tour Eiffel, la Seine.

ROBERT. Qu'est-ce que c'est que la Seine?

ASMODÉE. C'est un fleuve. La Seine traverse Paris et les Parisiens traversent la Seine.

CHARLOTTE. Comment les Parisiens traversent-ils la Seine?

ASMODÉE. Par les ponts ! (*Il indique les ponts avec son bâton magique.*) Voilà un vieux pont, le Pont-Neuf; voilà un pont élégant, le Pont Alexandre III (trois); voilà le Pont de la Concorde . . .

ROBERT. Est-ce le *Pont* de la Concorde ou la *Place* de la Concorde?

LE PONT—NEUF

ASMODÉE. Le Pont de la Concorde relie [5] la Place de la Concorde à la Rive [6] gauche.[7]

CHARLOTTE. Qu'est-ce que c'est que la Rive gauche?

ASMODÉE. La Seine divise Paris en trois parties. Une partie est très petite; c'est une île dans la Seine, l'Ile de la Cité. Les deux autres parties sont très grandes: la Rive droite, au nord du fleuve, et la Rive gauche, au sud du fleuve.

Asmodée agite son bâton magique et transporte les élèves à l'Ile de la Cité. Les élèves admirent la grande cathédrale, Notre-Dame de Paris, exemple remarquable de l'architecture

[5] relier *to unite, join.* [6] rive *f. bank (of a river).* [7] gauche *left.*

LA SAINTE—CHAPELLE

gothique, et ils admirent aussi la Sainte-Chapelle, petite église gothique d'une beauté extraordinaire. Ils regardent une statue de Henri IV. Ils traversent le Pont-Neuf. Les voici sur la Rive droite, près d'un grand magasin, *la Samaritaine*. Ils visitent un musée célèbre, le Louvre; ils traversent un parc magnifique, le Jardin des Tuileries; et ils arrivent à la Place de la Concorde.

ROBERT. Qu'est-ce que c'est que le monument au milieu de la Place?

ASMODÉE. C'est un obélisque égyptien. Voilà la rue [8] Royale et au bout [9] de la rue une église d'une forme classique, l'Église de la Madeleine. Voici huit statues de femmes assises: elles représentent huit villes de la France.

Asmodée et les deux élèves montent une avenue célèbre, l'avenue des Champs-Élysées, et ils arrivent à la Place de l'Étoile, où ils trouvent l'Arc de Triomphe. Asmodée transporte

[8] rue *f. street.*   [9] bout *m. end.*

LE LOUVRE

LA RUE ROYALE
LA PLACE DE LA CONCORDE

ses amis au sommet de l'Arc de Triomphe.

ASMODÉE. Voilà, à l'horizon, la masse énorme d'une église catholique, la Basilique du Sacré-Cœur.[10] A l'horizon aussi est le dôme du Panthéon, édifice immense où la France honore ses grands hommes.

CHARLOTTE. Voilà un autre dôme. Qu'est-ce que c'est?

ASMODÉE. C'est le dôme de la Chapelle des Invalides. Sous le dôme est le tombeau de Napoléon Bonaparte. Voici, à nos pieds, la Place de l'Étoile, et voilà, au bout des Champs-Élysées, la Place de la Concorde. Est-ce que les places de Paris vous intéressent?

[10] cœur m. heart.

L'ARC DE TRIOMPHE   L'OPÉRA

LES DEUX ÉLÈVES. Oui, oui, oui, monsieur le diable; elles sont magnifiques, n'est-ce pas?

Avec son bâton magique, Asmodée transporte les élèves à la Place de l'Opéra, où ils regardent les automobiles et les autobus, les hommes, les femmes, les garçons et les jeunes filles. L'animation de l'avenue de l'Opéra, des Grands Boulevards et de la rue de la Paix les étonne.

ASMODÉE. La Place de l'Opéra est presque le centre de la ville moderne.

CHARLOTTE. Comment! Paris est une ville moderne?

ASMODÉE. Paris est une ville historique et une ville moderne. Les

SUR LA RIVE GAUCHE

grandes villes américaines — New-York, Chicago, Saint-Louis, San Francisco, par exemple — sont modernes. Mais Paris est une ville historique. Les ruines des Arènes [11] datent de l'époque romaine. La Sainte-Chapelle de Saint Louis (Louis IX) n'est pas loin [12] de la statue de Henri IV. Une statue de Jeanne d'Arc n'est pas loin du Palais Royal du cardinal de Richelieu. L'obélisque égyptien de la Place de la Concorde occupe le site de la guillotine pendant la Révolution. Paris est aussi une ville moderne. La

[11] Arènes *f.pl. Arena.* [12] loin *far.*

58

Tour Eiffel est près du Palais de Chaillot. Où trouvez-vous, mademoiselle, les modes [13] d'aujourd'hui?

CHARLOTTE. Dans les magasins de la rue St. Honoré!

ASMODÉE. L'art moderne, la musique moderne, la littérature moderne — les souvenirs de Cézanne, de Debussy, de Marcel Proust — où les trouvez-vous, monsieur?

ROBERT. A Paris!

ASMODÉE. Paris est une ville d'une

[13] mode *f. fashion.*

variété remarquable. Les quartiers riches ne sont pas loin des quartiers pauvres.

ROBERT. Qu'est-ce que c'est que le Quartier latin? A New-York c'est un « night club ».

ASMODÉE. A Paris ce n'est pas une « boîte de nuit »! C'est le quartier des écoles et de l'université.

Le bon petit diable transporte ses amis de la Place de l'Opéra à la Place Vendôme, où ils regardent une colonne célèbre, et à la Place des

UNE PETITE RUE

UN QUARTIER PAUVRE

Vosges, où ils trouvent le Musée Victor Hugo.
Il montre aux élèves le Jardin du Luxembourg
et le très joli Parc de Montsouris. Il montre
aussi à ses amis un grand boulevard de la
Rive gauche, le boulevard Saint-Germain,
et une petite rue sombre de l'Ile de la Cité, la
rue des Ursins. Les élèves américains admirent
le Paris des touristes — les hôtels élégants
de la rue de Rivoli et les grands cafés des boulevards — et aussi le Paris des Parisiens — les
parcs, les rues, les magasins, les boutiques,
les écoles, les ateliers [14] et les usines.[15]

[14] atelier *m. workshop.*   [15] usine *f. factory.*

ROBERT. Paris est une très grande ville, n'est-ce pas?

CHARLOTTE. Oui, Paris a presque trois millions d'habitants.

ASMODÉE. Six millions de personnes demeurent à Paris ou près de Paris.

ROBERT. Pourquoi Paris est-il si grand?

ASMODÉE. Parce qu'il a une situation très favorable: la ville est située sur un grand fleuve, la Seine, et elle est au centre d'une vaste plaine. L'Amérique a deux capitales, n'est-ce pas? Washington est la capitale politique, New-York est la capitale financière. Paris est le Washington et le New-York d'un pays [16] très centralisé. Paris est aussi la capitale artistique et littéraire de la France. Surtout, c'est une ville d'un charme et d'une beauté extraordinaires.

[16] pays *m. country.*

PLAN DE **PARIS**

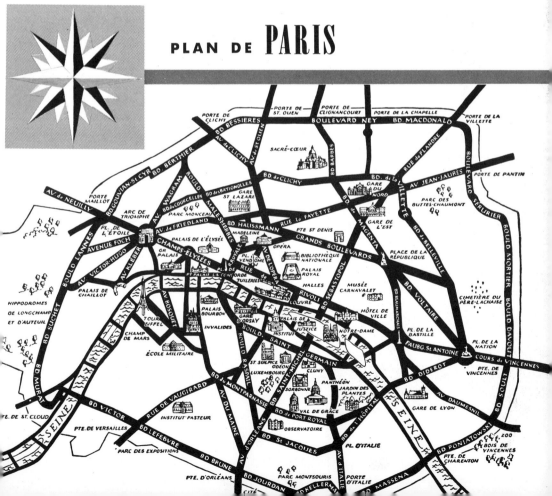

SIXIÈME LEÇON | 6

I. DIALOGUE

Students should memorize the meanings of the following sentences so that when the French sentences are read aloud they can give the English translation instantly without looking at their books and when the English sentences are read, they can give the French similarly.

Au Café

— Aimez-vous le chocolat et le lait?

— Je les aime beaucoup.

— Aimez-vous le café au lait?

— Je l'aime mais j'aime mieux le café noir.

— Aimez-vous le thé?

— Je l'aime mais pas beaucoup.

— Aimez-vous la bière et le vin?

— La bière? Je la déteste. Le vin? Je l'aime beaucoup.

At the Café

— *Do you like chocolate and milk?*

— *I like them very much.*

— *Do you like coffee with milk?*

— *I like it but I like black coffee better.*

— *Do you like tea?*

— *I like it but not very much.*

— *Do you like beer and wine?*

— *Beer? I detest it. Wine? I like it very much.*

— Voici une tasse de café noir.   — *Here's a cup of black coffee.*
— Merci bien.   — *Thank you very much.*
— Il n'y a pas de quoi.   — *Don't mention it.*

II. GRAMMAR

A. THE PAST PARTICIPLE

The past participle of all verbs of the first conjugation is composed of the stem plus the ending –**é.**

INFIN.	PAST PART.	
donn **er**	donn **é**	*given*
parl **er**	parl **é**	*spoken*

B. THE PAST INDEFINITE TENSE

1. The past indefinite tense, which corresponds to the English perfect tense or simple past tense, is composed of a past participle and, for most verbs, the present tense of **avoir.**

PAST INDEFINITE OF **donner**	
j'ai donné	*I gave* or *have given*
tu as donné	*you gave* or *have given*
il a donné	*he gave* or *has given*
nous avons donné	*we gave* or *have given*
vous avez donné	*you gave* or *have given*
ils ont donné	*they gave* or *have given*

2. The past participle of **avoir** is **eu,** of **être** is **été.** Therefore the past indefinite tense of these verbs is as follows:

avoir	**être**
j'ai eu *I had* or *have had*	j'ai été *I was* or *have been*
tu as eu *you had* or *have had*, etc.	tu as été *you were* or *have been*, etc.

C. USE OF PAST INDEFINITE TENSE

The past indefinite tense is used, in informal or conversational style, to express or narrate a simple fact or occurrence in the past.

Mme Lepic a versé le café dans   *Mrs. Lepic poured the coffee into a*
  une tasse.   *cup.*
Est-ce que Marie a été ici?   *Has Marie been here?*

D. WORD ORDER IN COMPOUND TENSES

In compound tenses, such as the past indefinite, it is the auxiliary (usually **avoir**), not the entire verb form, which is made negative or interrogative. Personal pronoun objects precede the auxiliary.

La femme de chambre n'a pas apporté notre café.	*The maid has not brought our coffee.*
Ne l'a-t-elle pas apporté?	*Hasn't she brought it?*
Elle ne l'a pas encore apporté.	*She has not brought it yet.*

E. THE GENERAL NOUN

Abstract nouns and nouns used in a general sense are preceded by a definite article in French, though not commonly in English.

J'aime le café.	*I like coffee.*
Aimez-vous le café français?	*Do you like French coffee?*

F. *IL Y A*, "THERE IS, THERE ARE"

1. **Il y a,** an idiom which means *there is* or *there are*, affirms the existence of something. As it is derived from **avoir,** *to have,* it may have a direct object (singular or plural). (The English equivalent of this idiom, coming from the verb *to be,* cannot have an object.)

Il y a un fauteuil dans le salon.	*There is an armchair in the living room.*
Il y a deux chaises dans ma chambre.	*There are two chairs in my room.*

2. This idiom may be used interrogatively.

Y a-t-il Est-ce qu'il y a	} une assiette sur le plateau?	*Is there a plate on the tray?*

III. EXERCISES

A. *Change the tense of the verbs in the following sentences from present to past indefinite, reading aloud the complete sentences:*

1. Le professeur parle aux élèves, les élèves ne parlent pas au professeur. 2. Le professeur parle français, n'est-ce pas?

3. Charlotte dîne au restaurant avec une amie. 4. Les deux jeunes filles parlent français au garçon. 5. Elles commandent leur dîner. 6. Donnent-elles un pourboire au garçon? 7. Ne donnent-elles pas un pourboire au garçon?

8. Nous passons une semaine à Paris. 9. Nous visitons plusieurs musées. 10. Nous admirons la cathédrale et les églises.

11. Est-ce que vous êtes à Paris?

B. *Recite in French:*

GEORGE. Did your friends spend a month in Paris?

ROBERT. No, they spent only a week in Paris.

GEORGE. When did they leave New York?

ROBERT. They left New York at the beginning of the month of May.

GEORGE. How did they cross the Atlantic Ocean?

ROBERT. They crossed it by plane.

GEORGE. Did they have an apartment in Paris?

ROBERT. Yes, Mr. Lebrun lent his apartment to my friends during his absence.

GEORGE. Is his apartment large or small?

ROBERT. It is small but pretty.

GEORGE. There are several cathedrals in Paris, aren't there?

ROBERT. No, there is only one cathedral, Notre-Dame de Paris.

GEORGE. Did your friends like Paris?

ROBERT. Very much!

GEORGE. Did they like the other cities of (*de la*) France?

ROBERT. They did not have time to visit them.

GEORGE. What! When did they leave Paris?

ROBERT. They left Paris at the end of a week.

C. *First translate the following paragraphs into English, then read them through again in French without translating.*

Le Petit Déjeuner

Paul Richard et Charles Sandeau sont dans leur petite chambre de l'Hôtel de Vaugirard. Une femme de chambre a apporté leur petit déjeuner sur un plateau et a posé le plateau sur une table. Elle a apporté un pot de café chaud, un pot de lait chaud, quatre petits pains et un morceau de beurre. Le café et le lait sont très chauds. La femme de chambre a apporté aussi deux tasses, deux assiettes et deux cuillères. Paul a versé le café et le lait dans les tasses, Charles a posé les petits pains et le beurre sur les assiettes. Voilà leur petit déjeuner! Les tasses et les assiettes ne sont pas très jolies. Mais les deux garçons aiment beaucoup le café au lait et les petits pains. Ils sont contents.

M. et Mme Lepic sont dans leur chambre élégante de l'Hôtel de Rivoli. Ils sont assis à une table carrée. La table et les chaises sont très jolies. Une femme de chambre a apporté leur petit déjeuner sur un plateau et a posé le plateau sur la table. Il y a sur le plateau deux jolies tasses et deux jolies assiettes. La femme de chambre a apporté un pot de café chaud, un pot de lait chaud, quatre petits pains et un morceau de beurre. Mme Lepic a versé le café et le lait dans les tasses et a posé les petits pains et le beurre sur les assiettes. Elle a donné une tasse de café au lait et deux petits pains à son mari.

M. et Mme Lepic sont riches; mais, comme Paul et Charles, ils ont pour leur petit déjeuner seulement deux tasses de café au lait et quatre petits pains. Ils sont à Paris, ils ont un petit déjeuner français.

D. *Write in French:*

(a) 1. Madam, I have brought your breakfast. There it is, on the table. 2. I have poured the coffee into your cup and I have put the rolls on your plate. — 3. Thank you very much. — Don't mention it, madam. — 4. Here's your tip. — Thank you very much. — Don't mention it, mademoiselle . . .

5. Why did Mr. Lepic not give a tip to the maid? — 6. Because he ordered a cup of coffee with milk and the maid brought only a cup of black coffee. — 7. Isn't there a pot of hot milk on the tray or on the table? — 8. No, there is only a cup of hot coffee.

(b) 1. Did the waiter pour the wine into the glasses? — Yes. — 2. Did he set the glasses on the table? — Yes. — 3. Did the boys give a tip to the waiter? — No, not yet. — 4. Is the waiter pleased? — No, not yet.

(c) 1. Do you like beer? — Not very well. — Do you like black coffee? — No, but I like coffee with milk. 2. Does Mary like wine? — She detests it. — Do Paul and Charles like chocolate? — They like it very much.

IV. OPTIONAL EXERCISES

A. *Write in French:*

1. Does your room have two doors and two windows? — 2. There are two windows but there is only one door.

3. Do you have two chairs and two tables in your room? — 4. In my room there is only one table but there are three chairs.

5. Is the furniture (*pl.*) of your room pretty? — 6. My room is very simple (modest) but the furniture is (are) very pretty. 7. I have a bed, an armchair, a table, three chairs, and a wardrobe for my clothes. 8. The bed is small but it is comfortable, the wardrobe is not elegant but it is large, the table and the chairs are small. — 9. Do you like your room? — 10. My room is small but I like it very much.

B. *Use the Recording (Disk 3, Side 1, Section 2) of the following dialogues:*

— Quel (*What*) est le premier jour (*day*) de la semaine?
— Le premier jour de la semaine est lundi.
— Quel est le deuxième jour de la semaine?
— C'est mardi.
— Le troisième jour?
— C'est mercredi.
— Le quatrième jour?
— C'est jeudi.

— Le cinquième jour?

— C'est vendredi.

— Le sixième jour?

— C'est samedi.

— Et le septième jour?

— C'est dimanche.

— Très bien.   Voici les jours de la semaine: lundi, mardi, mercredi, jeudi, vendredi, samedi et dimanche.

Au Café

PAUL.   Aimez-vous le café français?

CHARLES.   J'aime le café noir, je n'aime pas le café au lait.

PAUL.   Eh bien, pourquoi avez-vous commandé une tasse de café au lait?

CHARLES.   Je n'ai pas commandé une tasse de café au lait.   J'ai commandé une tasse de café et un verre de lait.   Mais le garçon a apporté un pot de café et un pot de lait et il a versé le café et le lait dans ma tasse.   Je n'aime pas ça!

PAUL.   Est-ce que vous avez parlé français au garçon quand vous avez commandé votre café?

CHARLES.   Oui, j'ai parlé français au garçon.

PAUL.   Eh bien, vous ne parlez pas très bien le français.

VOCABULARY FOR EXERCISES

apporter [apɔrte] *to bring*

assiette [asjɛt] *f. plate*

beaucoup [boku] *much, very much, very well*

beurre [bœːr] *m. butter*

bière [bjɛːr] *f. beer*

café [kafe] *m. café, coffee;* — au lait *coffee with milk*

chaud [ʃo] *warm, hot*

chocolat [ʃɔkɔla] *m. chocolate*

comme [kɔm] *like, as*

cuillère [kɥijɛːr] *f. spoon*

déjeuner [deʒøne] *m. lunch;* le petit —, *breakfast*

détester [detɛste] *to detest, dislike*

encore [ãkɔːr] *yet*

femme de chambre [famdəʃãːbr] *f. maid*

jour [ʒuːr] *m. day*

lait [lɛ] *m. milk*

noir [nwaːr] *black*

pain [pɛ̃] *m. bread;* le petit —, *roll*

plateau [plato] *m. tray*

poser [poze] *to set, place, put*

pot [po] *m. pot*

pourboire [purbwaːr] *m. tip*

semaine [səmɛn] *f. week*

sous [su] *under, beneath*

tasse [taːs] *f. cup*

verre [vɛːr] *m. glass*

verser [vɛrse] *to pour*

vin [vɛ̃] *m. wine*

VOCABULARY FOR REFERENCE

mieux [mjø] *better*

quel [kɛl] *what*

septième [sɛtjɛm] *seventh*

sixième [sizjɛm] *sixth*

thé [te] *m. tea*

NAMES OF DAYS OF WEEK

lundi [lœ̃di] *m. Monday*

mardi [mardi] *m. Tuesday*

mercredi [mɛrkrədi] *m. Wednesday*

jeudi [ʒødi] *m. Thursday*

vendredi [vɑ̃drədi] *m. Friday*

samedi [samdi] *m. Saturday*

dimanche [dimɑ̃ːʃ] *m. Sunday*

SEPTIÈME LEÇON 7

I. DIALOGUE

The following dialogue should be prepared as in the preceding six lessons. It may also be recited by students who take the roles of teacher and students.

— Quelle leçon avons-nous aujourd'hui?

— Aujourd'hui nous avons la septième leçon.

— Est-ce que nous avons déjà fini la sixième leçon?

— Oui, nous l'avons finie hier.

— Au tableau noir il y a des phrases. Est-ce qu'il y a des fautes dans les phrases? En avez-vous trouvé, monsieur?

— Non, monsieur, je n'en ai pas trouvé.

— Et vous, mademoiselle?

— J'en ai trouvé deux.

— *What lesson do we have today?*

— *Today we have the seventh lesson.*

— *Have we already finished the sixth lesson?*

— *Yes, we finished it yesterday.*

— *On the blackboard there are some sentences. Are there any mistakes in the sentences? Have you found any, sir?*

— *No, sir, I haven't found any.*

— *And you, miss?*

— *I've found two.*

69

II. GRAMMAR

A. THE SECOND CONJUGATION

1. Verbs of the second conjugation have an infinitive ending in
–**ir** (cf. Lesson 5, II, A) and a past participle ending in –**i**, like
the model verb **finir**, *to finish*.

INFINITIVE	fin **ir**	*to finish*
PAST PARTICIPLE	fin **i**	*finished*

2. The present tense is as follows:

I finish, do finish, am finishing, etc.	
je fin **is** [ʒəfini]	nous fin iss **ons** [nufinisɔ̃]
tu fin **is** [tyfini]	vous fin iss **ez** [vufinise]
il fin **it** [ilfini]	ils fin iss **ent** [ilfinis]

3. The negative, interrogative, and negative-interrogative of the
present tense are formed according to the same principles as in
first-conjugation verbs.

NEGATIVE	INTERROGATIVE	NEGATIVE-INTERROGATIVE
I do not finish, etc.	*do I finish? etc.*	*do I not finish? etc.*
je ne finis pas	est-ce que je finis?	est-ce que je ne finis pas?
tu ne finis pas	finis-tu?	ne finis-tu pas?
il ne finit pas	finit-il?	ne finit-il pas?
etc.	etc.	etc.

4. The past indefinite tense is composed of the present tense of
avoir and a past participle.

j'ai fini	*I finished* or *have finished*
tu as fini	*you finished* or *have finished*
etc.	etc.

5. The negative, interrogative, and negative-interrogative of the
past indefinite tense are regularly formed.

Avez-vous fini votre dîner?	*Have you finished your dinner?*
Je ne l'ai pas encore fini.	*I haven't finished it yet.*
Ne l'avez-vous pas fini?	*Haven't you finished it?*

B. THE PARTITIVE NOUN AND PRONOUN

1. *Some* or *any*, whether expressed or implied before a noun in
English, is regularly expressed in French by **de** and the definite

article. (This use of **de** and the article is called the "partitive" construction, the word or words for *some* or *any* being called "the partitive sign." A "partitive noun" is one preceded by *some* or *any*, expressed or implied; a "partitive pronoun" is one which means *some* or *any*.)

— Je désire du potage, de la viande et des pommes de terre.	— *I want (some) soup, (some) meat, and (some) potatoes.*
— Du vin?	— *(Any) wine?*
— Non, merci, de l'eau.	— *No, thank you, (some) water.*

2. When the partitive noun is the direct object of a negative verb, *some* or *any* is expressed by **de** alone (in other words, the definite article is omitted).

Je ne désire pas de vin.	*I don't want any wine.*
Il n'y a pas de pain sur la table.	*There isn't any bread on the table.*

3. *Some* or *any* as a pronoun is **en,** which must be expressed in French, even when omitted in English. Like the personal pronouns used as objects of verbs (cf. Lesson 4, II, B), **en** stands directly before a verb.

— Avez-vous des pâtisseries?	— *Have you any pastries?*
— Nous en avons. En voici. En avez-vous commandé?	— *We have (some). Here are some. Did you order any?*
— Je n'en ai pas commandé.	— *I did not order any.*

C. AGREEMENT OF PAST PARTICIPLE

1. In a compound tense with **avoir,** the past participle agrees in gender and number with a preceding direct object. (Add **–e** for fem. sing., **–s** for masc. pl., **–es** for fem. pl.)

Où sont les carottes? — Le garçon ne les a pas apportées.	*Where are the carrots? — The waiter has not brought them.*

2. The past participle does not agree with **en** (*some, any*).

Vous désirez des haricots verts? Vous n'en avez pas commandé.	*You want some string beans? You didn't order any.*

D. THE INTERROGATIVE ADJECTIVE

Which? What? = m. **quel?** f. **quelle?** m.pl. **quels?** f.pl. **quelles?** This interrogative adjective may stand before a noun or it may be used before **être,** in which case it agrees with a noun following **être.**

Quelle sorte de fromage désirez-vous? | *What kind of cheese do you want?*

Quels fruits avez-vous choisis? | *What fruit did you choose?*

Quelle est la différence entre un café et un restaurant? | *What is the difference between a café and a restaurant?*

E. WORDS FOR VARIOUS FOODS

Learn the meanings of the following words for various kinds of food.

le bifteck *beefsteak*
la carotte *carrot*
l'eau (*f.*) *water*
le fromage *cheese*
le fruit *fruit*
le haricot vert *string bean* (*lit.*, *green bean*)
la laitue *lettuce*
le légume *vegetable*

la pâtisserie *pastry*
le pain *bread*
le poisson *fish*
la pomme de terre *potato;* pommes frites *French fried potatoes*
le potage *soup*
la salade *salad*
le veau *veal*
la viande *meat*

III. EXERCISES

A. *Recite in French:*

(a) 1. Are you finishing your dinner? 2. I am finishing my dinner. 3. Is he finishing his dinner? 4. Is she finishing her dinner? 5. They are finishing their dinners.

(b) *Recite the sentences of* (a), *changing verbs to the past indefinite tense.* ("Have you finished . . .?" *etc.*)

(c) *Repeat both* (a) *and* (b), *making all sentences negative.*

B. *Supply the proper partitive sign in each blank:*

1. J'ai commandé —— potage. 2. Est-ce que le garçon —— a apporté? 3. Oui, et il a aussi apporté —— pain. 4. Vous désirez —— poisson, n'est-ce pas? 5. Je ne désire pas —— poisson mais je désire —— viande. 6. Avez-vous commandé —— légumes? 7. Oui, j'ai commandé —— carottes et —— haricots verts. 8. Est-ce qu'il y a —— eau sur la table? 9. Il n'y —— a pas; le garçon n'—— a pas apporté. 10. Mais j'ai commandé —— vin rouge. Le voici. 11. Mon ami a commandé —— fromage mais comme je n'aime pas le fromage, j'ai choisi —— fruits. 12. Avez-vous commandé —— café? 13. Je n'—— ai pas commandé. —— désirez-vous? 14. Merci, je n'—— désire pas.

C. *In each of the following questions, supply* (a) *the proper form of* quel *in the first blank, and* (b) *the proper form of the past participle of the verb in parentheses. Then* (c) *complete each answer with appropriate words.*

1. —— viande avez-vous (commander)? J'ai commandé ——. 2. —— légumes avez-vous (choisir)? J'ai choisi —— et ——. 3. —— boissons avez-vous (commander)? J'ai commandé —— et ——. 4. —— repas avez-vous (finir)? J'ai fini mon ——. 5. —— cathédrale vos amis ont-ils (visiter)? Ils ont visité ——. 6. —— musée ont-ils (visiter)? Ils ont visité ——. 7. —— église ont-ils (trouver) dans l'Ile de la Cité? Ils ont trouvé ——. 8. —— places ont-ils (admirer)? Ils ont admiré —— et ——.

D. *Try to get the meaning of the following dialogue by reading it in French, without translating into English.*

Un Dîner au Restaurant

(Dans une chambre de l'Hôtel de Vaugirard. Paul est assis à sa table. Charles entre dans la chambre.)

PAUL. Où avez-vous été?

CHARLES. J'ai été avec un de mes amis français.

PAUL. Où avez-vous été, vous et votre ami?

CHARLES. Nous avons dîné au restaurant.

PAUL. Dans quel restaurant? « Chez Dupont,[1] où tout est bon » ou « Chez Martin,[2] où tout est fin »?

CHARLES. « Chez Martin », 10, rue Saint-Antoine.

PAUL. Vous avez bien dîné?

CHARLES. Nous avons très bien dîné. « Chez Martin », les repas sont toujours excellents. D'abord nous avons eu du potage parisien.

PAUL. Vous n'avez pas eu de hors-d'œuvre?

CHARLES. Les Parisiens ont des hors-d'œuvre au déjeuner, ils n'en ont pas au dîner. Nous n'en avons pas commandé.

PAUL. Et après le potage? Du poisson? De la viande?

CHARLES. Je n'aime pas beaucoup le poisson. J'ai commandé un bifteck. Mon ami Georges a commandé du veau. Avec la viande le garçon a apporté des pommes frites.

PAUL. Quels autres légumes avez-vous eus?

CHARLES. Nous n'avons pas eu d'autres légumes avec la viande. D'abord j'ai fini mon bifteck et Georges a fini son veau, puis le garçon a apporté des haricots verts et des carottes.

PAUL. Vous avez eu du vin, n'est-ce pas?

CHARLES. Oui, du vin excellent, du vin rouge.

PAUL. Et pour le dessert?

CHARLES. Avant le dessert nous avons eu de la salade — une salade de laitue.

PAUL. Et après cela?

CHARLES. Georges a commandé du fromage — du camembert — et des fruits. Je n'ai pas commandé de fromage; pour mon dessert j'ai choisi des pâtisseries françaises. Je les aime beaucoup et j'en commande souvent. Elles sont toujours

---

[1] "At Dupont's." [2] "At Martin's."

excellentes. J'aime surtout les éclairs au chocolat.

PAUL. C'est tout?

CHARLES. Pour (*To*) finir notre repas nous avons eu du café noir.

PAUL. En effet, vous avez très bien dîné.

E. *Write in French:*

I ordered some soup but the waiter brought some hors-d'œuvre. Helen ordered some meat but the waiter brought some fish. We ordered some vegetables. The waiter brought carrots. I detest carrots. He brought some string beans. Helen detests string beans. We ordered wine but the waiter did not bring any. I did not order any cheese but he brought some. I wanted some black coffee, he brought coffee with milk. I like chocolate éclairs; the waiter brought fruit! We finished our dinner — but we did not give any tip to the waiter!

IV. OPTIONAL EXERCISES

A. *With students' books closed, the teacher may read in French the dialogue of Exercise* III, D, *one speech at a time, students translating each speech into English. Then the teacher may read each speech in English, students translating into French.*

B. *Some of the following statements are right, others are wrong. With students' books closed, the teacher should read each sentence aloud. If the statement is right, all the students should immediately raise their right hands; if the statement is wrong, they should raise their left hands.*

1. Je suis le professeur, vous êtes les élèves.
2. Nous sommes en France.
3. Je suis debout sur la table.
4. Vous êtes assis sur des chaises.
5. Vos chaises sont dans une salle de classe.
6. Il y a des garçons dans la salle de classe.
7. Il y a de la viande sur la table du professeur.
8. Il y a une jeune fille ici.
9. Je suis une femme.
10. Vous êtes derrière la porte.
11. Je suis sous la table.
12. Je suis assis sur la table.
13. Nous avons fini six leçons.
14. Nous avons fini sept leçons.
15. Nous avons fini dix leçons.
16. Le bifteck est une sorte de poisson.
17. La carotte est une sorte de légume.
18. Le fromage est une sorte de camembert.

19. Le camembert est une sorte de fromage.
20. Le veau est une sorte de viande.

C. *Use the Recording* (*Disk* 3, *Side* 2, *Section* 1) *of the following dialogue:*

AU RESTAURANT

— Vous avez dîné au restaurant?

— Oui, j'ai dîné au restaurant avec un ami français.

— Avez-vous bien dîné?

— Oui, très bien. J'aime beaucoup dîner au restaurant.

— A quel restaurant avez-vous dîné?

— Chez Dupont, où tout est bon.

— Quelle sorte de potage avez-vous eue?

— La soupe à l'oignon. C'est une spécialité des restaurants français.

— Après le potage, vous avez eu de la viande, n'est-ce pas?

— Oui, de la viande excellente. Un châteaubriant. C'est une sorte de bifteck. Un châteaubriant aux pommes frites.

— Et après cela?

— Après cela, des légumes.

— Quelle sorte de légumes aimez-vous?

— J'ai choisi des haricots verts, mon ami a commandé des carottes.

— Après les légumes, une salade?

— Oui, et après la salade, du fromage. Les fromages français sont célèbres.

— Quelle sorte de fromage avez-vous choisie?

— J'aime surtout le camembert.

— Et pour le dessert? Des fruits? Des pâtisseries?

— Des fruits. Les Parisiens aiment beaucoup les fruits.

— Vous avez commandé des boissons, n'est-ce pas?

— Oui, pendant le repas, du vin rouge; et à la fin du repas, du café noir.

VOCABULARY FOR EXERCISES

après [aprɛ] *after*

avant [avɑ̃] *before*

boisson [bwasɔ̃] *f. drink*

bon [bɔ̃], *fem.* bonne [bɔn] *adj. good*

choisir [ʃwaziːr] *to choose*

d'abord [dabɔːr] *first*

désirer [dezire] *to desire, want*

eau [o] *f. water*

effet [εfε]: en —, *indeed, in fact*
entrer [ɑ̃tre] *to enter*
fin [fɛ̃] *adj. fine*
finir [finiːr] *to finish*
Parisien [parizjɛ̃] *n.m. Parisian*
parisien [parizjɛ̃] *adj. Parisian*
pont [põ] *m. bridge*
puis [pɥi] *then, next*
quel, quelle [kεl] *which, what*

repas [rəpɑ] *m. meal*
rouge [ruːʒ] *red*
rue [ry] *f. street*
sorte [sɔrt] *f. sort, kind*
souvent [suvɑ̃] *often*
toujours [tuʒuːr] *always*
tout [tu] *pron. all, everything*
trouver [truve] *to find*

VOCABULARY FOR REFERENCE

bifteck [biftεk] *m. beefsteak*
camembert [kamɑ̃bεːr] *m. a kind of cheese*
carotte [karɔt] *f. carrot*
châteaubriant [ʃɑtobriɑ̃] *m. a kind of steak*
chez [ʃe] *at (place of business of)*
déjà [deʒa] *already*
dessert [desεːr] *m. dessert*
différence [diferɑ̃ːs] *f. difference*
éclair [eklεːr] *m. a kind of pastry*
en [ɑ̃] *pron. any, some*
entre [ɑ̃ːtr] *between*
excellent [εksεlɑ̃] *excellent*
faute [foːt] *f. mistake*
français [frɑ̃sε] *adj. French*
fromage [frɔmaːʒ] *m. cheese*
fruit [frɥi] *m. fruit (usually used in plural)*
haricot [ariko] *m. bean;* — vert [vεːr] *string (lit., green) bean*

hier [jεːr] *yesterday*
hors-d'œuvre [ɔrdœːvr] *m. hors-d'œuvre, appetizer*
laitue [lεty] *f. lettuce*
légume [legym] *m. vegetable*
pâtisserie [pɑtisri] *f. pastry*
phrase [frɑːz] *f. sentence*
poisson [pwasõ] *m. fish*
pomme de terre [pɔmdətεːr] *f. potato;* pommes frites *French fried potatoes*
potage [pɔtaːʒ] *m. soup*
Saint-Antoine [sɛ̃tɑ̃twan] *St. Anthony*
salade [salad] *f. salad*
soupe [sup] *f.:* — à l'oignon [ɔɲõ] *onion soup*
spécialité [spesjalite] *f. specialty*
veau [vo] *m. veal*
viande [vjɑ̃ːd] *f. meat*

HUITIÈME LEÇON 8

I. DIALOGUE

Prepare this dialogue as in the first six lessons. It may also be recited by students designated as "A," "B," "C," "D," and "E."

A. — Quelle leçon avons-nous aujourd'hui?

— *What lesson do we have today?*

B. — Aujourd'hui nous avons la huitième leçon.

— *Today we have the eighth lesson.*

C. — L'avez-vous étudiée?

— *Have you studied it?*

D. — Je ne l'ai pas encore étudiée.

— *I haven't studied it yet.*

A. — Écoutez-moi! Avez-vous oublié les mots qui désignent des parties du corps?

— *Listen to me! Have you forgotten the words which designate parts of the body?*

E. — Est-ce que vous me parlez?

— *Are you speaking to me?*

A. — Oui, je vous parle.

— *Yes, I am speaking to you.*

E. — Je ne les ai pas oubliés.

— *I haven't forgotten them.*

B. — Quel est le mot pour « ear »?

— *What is the word for "ear"?*

C. — C'est « oreille ».

— *It's "oreille."*

B. — Parlez distinctement, s'il vous plaît.

— *Speak distinctly, please.*

77

A. — Quel est le mot pour « foot » ?   — *What is the word for "foot"?*
D. — Je l'ai oublié.   — *I've forgotten it.*
A. — C'est dommage !   — *That's a pity!*

II. GRAMMAR

A. INDIRECT OBJECTS

1. A noun which is the indirect object of a verb in French is preceded by **à.** (In English, an indirect object may or may not be preceded by "to.") When a verb in French governs both a direct object noun and an indirect object noun, the direct object usually precedes the indirect, whatever the relative position of the two objects in English may be.

J'ai donné un pourboire au garçon. { *I gave a tip to the waiter.*
{ *I gave the waiter a tip.*

2. The personal pronouns used as indirect objects of verbs are as follows:

me	*me, to me*	nous	*us, to us*
te	*you, to you*	vous	*you, to you*
lui	*to him, to her*	leur	*them, to them*

Je lui ai donné un cahier.   *I gave him a notebook.*
Avez-vous parlé à vos amis? — Je   *Did you speak to your friends? — I*
ne leur ai pas parlé.   *did not speak to them.*
Pourquoi ne m'avez-vous pas   *Why didn't you speak to me? — I*
parlé? — Je vous ai parlé.   *spoke (did speak) to you.*

B. THE IMPERATIVE

The forms of the imperative of the model verbs **donner** and **finir** are as follows:

2ND PERS. SING.	donn **e**	*give*	fin **is**		*finish*
1ST PERS. PLUR.	donn **ons**	*let us give*	fin iss **ons**	*let us finish*
2ND PERS. PLUR.	donn **ez**	*give*	fin iss **ez**	*finish*

C. PRONOUN OBJECTS WITH IMPERATIVE

1. Personal pronoun objects, both direct and indirect, follow an affirmative imperative and are joined to it by a hyphen. They precede a negative imperative (with no hyphen).

Donnez votre livre à votre ami. Donnez-le à votre ami. Donnez-lui votre livre.	*Give your book to your friend. Give it to your friend. Give him your book (Give your book to him).*
Ne me parlez pas !	*Don't speak to me!*
Ne lui donnez pas de vin !	*Don't give him any wine!*
Montrez-leur vos mains ! Ne leur montrez pas vos pieds !	*Show them your hands! Don't show them your feet!*

2. After an imperative, but not before, **moi** replaces **me**.

Prêtez-moi votre dictionnaire.	*Lend me your dictionary.*

D. TWO RELATIVE PRONOUNS

1. The most frequently used relative pronouns (which introduce clauses modifying a noun) are **qui,** *who, which, that,* used as subject of a verb, and **que,** *whom, which, that,* used as direct object of a verb.

L'homme qui m'a parlé est mon père.	*The man who spoke to me is my father.*
Le livre qui est sur la table est un dictionnaire.	*The book which is on the table is a dictionary.*
La leçon que Pauline étudie est la huitième.	*The lesson which Pauline is studying is the eighth.*

2. **Que,** though invariable in form, assumes the gender and number of its antecedent (the noun to which it refers); as a past participle used with **avoir** must agree with its preceding direct object (cf. Lesson 7, II, C), such a past participle in a relative clause agrees with **que.**

La leçon que Pauline a étudiée est difficile.	*The lesson which Pauline studied is hard.*
Avez-vous oublié les mots que vous avez étudiés?	*Have you forgotten the words which you studied?*

3. The relative pronoun, often omitted in English, is never omitted in French.

La leçon que Pauline étudie . . .	*The lesson Pauline is studying . . .*
Les objets que nous avons trouvés dans la salle de classe . . .	*The objects (which) we found in the classroom . . .*

4. **Que** (but never **qui**) becomes **qu'** before a vowel.

La leçon qu'elle étudie . . .	*The lesson she is studying . . .*
Le livre qui est sur la table . . .	*The book which is on the table . . .*

III. EXERCISES

A. *Make the following imperatives negative:*

1. Parlez à mon ami. 2. Parlez-lui maintenant. 3. Parlez vite! 4. Écoutez la jeune fille. 5. Écoutez-la! 6. Donnez votre stylo à un élève. 7. Donnez-le à un élève. 8. Donnez-lui votre stylo. 9. Apportez-nous du café noir. 10. Apportez-moi de la bière. 11. Commandez du fromage. 12. Choisissez des fruits. 13. Prêtez votre livre à votre frère. 14. Prêtez-le à votre sœur. 15. Prêtez-leur vos livres.

B. *Recite orally in French:*

(a) 1. Speak to my father. Speak to him. 2. Speak to my mother. Speak to her. 3. Speak to my father and to my mother. Speak to them.

4. Study the seventh lesson. Study it. 5. Prepare the eighth lesson. Prepare it. 6. Study it now. 7. Study it at once.

8. I don't like the coffee which you have brought me. 9. I don't like the coffee which is in the cups. 10. I don't like French coffee!

11. I don't like the dessert which you have chosen. 12. I don't like the éclairs which I ordered. 13. We don't like the meal which the waiter gave us. 14. The waiter doesn't like the tip which we gave him.

(b) *Make sentences 1–7 negative.*

C. *First read the following dialogue in French, trying to get the meaning without translating into English; then use the Recording (Disk 3, Side 2, Section 2), which is spoken without pauses, for drill in listening to spoken French.*

DEUXIÈME LEÇON DE CONVERSATION

LE PROFESSEUR. Mesdames et messieurs, avez-vous oublié les mots français qui désignent les objets que nous trouvons dans une salle de classe?

UNE ÉLÈVE. Nous ne les avons pas oubliés, monsieur.

LE PROFESSEUR. Très bien! J'en suis bien content! Parlons maintenant des objets que nous trouvons dans notre salle de classe. Mademoiselle, montrez-moi le plafond, s'il vous plaît.

UNE ÉLÈVE. Voilà le plafond, monsieur, derrière vous!

LE PROFESSEUR. Mais non! Ce n'est pas le plafond que vous me montrez, c'est le mur ou le tableau noir. Où est le plafond, monsieur?

UN ÉLÈVE. Le plafond est au-dessus de nos têtes.

LE PROFESSEUR. Monsieur, montrez-moi du papier!

UN ÉLÈVE. Voici du papier dans mon cahier.

LE PROFESSEUR. Très bien. Mademoiselle, montrez-moi une chaise.

UNE ÉLÈVE. Une chaise? Qu'est-ce que c'est qu'une chaise? Expliquez-moi le mot « chaise », s'il vous plaît.

LE PROFESSEUR. Je suis assis sur une chaise, vous êtes assise sur une chaise, nous sommes assis sur des chaises . . .

L'ÉLÈVE. Voici ma chaise, devant votre table; voilà votre chaise, derrière la table, n'est-ce pas?

LE PROFESSEUR. Mademoiselle Colette, montrez tout de suite votre stylo à un élève . . . Très bien . . . Lui avez-vous montré votre crayon?

MLLE COLETTE. Non, monsieur, je ne lui ai pas montré mon crayon, je lui ai montré mon stylo.

LE PROFESSEUR. Très bien. Maintenant, montrez votre cahier à un de vos amis, s'il vous plaît . . . Très bien . . . Monsieur, est-ce que Mlle Colette vous a montré son stylo?

UN ÉLÈVE. Non, monsieur, elle m'a montré son cahier.

LE PROFESSEUR. Mademoiselle Rousseau, je vous montre un objet. Qu'est-ce que c'est?

MLLE ROUSSEAU. C'est un morceau de . . . de . . . de crayon.

LE PROFESSEUR. Non, mademoiselle. Monsieur Dumas, qu'est-ce que c'est? Écoutez bien, mademoiselle.

M. DUMAS. C'est un morceau de craie, monsieur.

LE PROFESSEUR. Très bien. Maintenant, mademoiselle, montrez-moi un livre . . . Bien . . . Est-ce un dictionnaire?

UNE ÉLÈVE. Non, monsieur, je n'ai pas de dictionnaire mais il y a un dictionnaire sur la table qui est près de la porte.

LE PROFESSEUR. Très bien. Est-ce qu'il y a des mots dans votre livre?

UNE ÉLÈVE. Oui, monsieur, il y en a.

LE PROFESSEUR. Votre livre n'est pas un dictionnaire?

UNE ÉLÈVE. Non, monsieur, dans mon livre il y a des . . . des . . . des « French Lessons ».

LE PROFESSEUR. Oui, mademoiselle, il y a des leçons de français. Eh bien, mesdames et messieurs, il y a des leçons de français dans vos livres. Étudiez les leçons. Étudiez-les. Étudiez-les bien. Au revoir! A demain!

D. *Write in French:*

1. On the (*Au*) blackboard there are some words for some parts of the body: the neck, the teeth, the cheek, the tongue. 2. The professor points to (= *montre du doigt*) one of the words which are on the blackboard. 3. One of the students shows him the part of the body which the word designates. 4. For example, the professor points to a word: the forehead. 5. One of the students points to his forehead. 6. The professor points to another word: the ear. 7. One of the students points to his ear. 8. The students who have studied their lessons well (= have well studied) have not forgotten the words which designate the parts of the body: for example, the mouth, the hands, the feet, the head, and the face.

9. Then the teacher points to some objects in the classroom. 10. He points to an object; the students give him quickly the word which designates the object; it is, for example, the ceiling or the wall. 11. He shows them a notebook, a dictionary, a sheet of paper, a piece of chalk, a table, a chair, a map of France.

12. Is there a rug in the classroom? 13. There isn't any. 14. Are there any books on the table? 15. Yes, there are.

IV. OPTIONAL EXERCISES

A. *Recite in French:*

1. Bring us some coffee, please. 2. Do not bring any milk; I want some black coffee. 3. Pour some coffee into the cups which are on the tray. 4. Bring us also some water, please. 5. Paul, give the waiter a tip; give him twenty francs. — 6. I have not yet finished my coffee. — 7. Finish it quickly. 8. Let's finish our dinner at once.

B. *Recite the names of the days of the week.*

C. *Recite in French:*

1. Where are your teeth? — They are in my mouth. 2. Where is your tongue? — It is in my mouth also. 3. Where is your shoulder? — Here it is. 4. Where is your face? — Here it is. 5. Show me your fingers. — Here they are.

D. *Complete the following sentences with any appropriate words to designate an object, part of the body, etc.*

1. Je vous ai donné ———. 2. Je vous ai montré ———. 3. Je vous ai prêté ———. 4. J'ai oublié ———. 5. J'ai trouvé ———. 6. J'ai étudié ———. 7. Vous n'avez pas étudié ———. 8. Vous n'avez pas trouvé ———. 9. Vous ne m'avez pas prêté ———. 10. Vous ne m'avez pas montré ———. 11. Vous ne m'avez pas donné ———. 12. Montrez-moi le livre qui ———. 13. Montrez-nous le cahier que ———. 14. Montrez-lui le dictionnaire qui ———. 15. Montrez-leur les verres que ———. 16. Finissons ———.

VOCABULARY FOR EXERCISES

au-dessus de [odsydə] *above*, *over*
cahier [kaje] *m. notebook*
corps [kɔːr] *m. body*
demain [dəmɛ̃] *tomorrow;* à —, *see you tomorrow*
désigner [deziɲe] *to designate*
devant [dəvɑ̃] *in front of*
dictionnaire [diksjɔnɛːr] *m. dictionary*
écouter [ekute] *to listen to* (*takes direct object*)
étudier [etydje] *to study*
exemple [ɛgzɑ̃ːpl] *m. example;* par —, *for example*

expliquer [ɛksplike] *to explain*
maintenant [mɛ̃tnɑ̃] *now*
montrer [mɔ̃tre] *to show*
mot [mo] *m. word*
objet [ɔbʒɛ] *m. object*
oublier [ublije] *to forget*
plafond [plafɔ̃] *m. ceiling*
préparer [prepare] *to prepare*
prononcer [prɔnɔ̃se] *to pronounce*
septième [sɛtjɛm] *seventh*
tout de suite [tutsɥit] *at once, immediately*

VOCABULARY FOR REFERENCE

classe [klɑːs] *f. class*
distinctement [distɛ̃ktəmɑ̃] *distinctly*
dommage [dɔmaːʒ]: c'est —, *that's a pity, that's too bad*

huitième [ɥitjɛm] *eighth*
que [kə] *whom, which, that*
qui [ki] *who, which, that*
s'il vous plaît [silvuplɛ] *if you please*

NEUVIÈME LEÇON 9

I. DIALOGUES

Prepare this exercise as in preceding lessons:

— Quelle leçon avons-nous aujourd'hui?

— Aujourd'hui nous étudions la neuvième leçon.

— Pour demain, préparez la dixième leçon.

* * *

— Qu'y a-t-il?
— Qu'est-ce qu'il y a? }

— J'ai perdu quelque chose.

— Qu'avez-vous perdu?
— Qu'est-ce que vous avez perdu? }

— J'ai perdu mes lunettes.

— *What lesson do we have today?*

— *Today we study the ninth lesson.*

— *For tomorrow, prepare the tenth lesson.*

* * *

— *What's the matter?*

— *I've lost something.*

— *What have you lost?*

— *I've lost my eyeglasses.*

II. GRAMMAR

A. THE THIRD CONJUGATION

1. Verbs of the third conjugation have an infinitive in **–re** (cf. Lesson 5, II, A) and a past participle in **–u.**

INFINITIVE	perd **re**	*to lose*
PAST PARTICIPLE	perd **u**	*lost*

2. Third conjugation verbs form their present tense like the model verb **perdre.**

I lose, am losing, do lose, etc.	
je perd **s** [ʒəpɛɪr]	nous perd **ons** [nupɛrdɔ̃]
tu perd **s** [typɛɪr]	vous perd **ez** [vupɛrde]
il perd [ilpɛɪr]	ils perd **ent** [ilpɛrd]

3. The past indefinite tense is regularly formed.

AFFIRMATIVE	J'ai perdu	*I lost* or *have lost*
NEGATIVE	Je n'ai pas perdu	*I have not lost*
INTERROG.	Avez-vous perdu?	*Have you lost? Did you lose?*
NEG.-INTERROG.	N'a-t-il pas perdu?	*Hasn't he lost?*

4. The imperative is regular.

2ND PERS. SING.	perds	*lose*
1ST PERS. PLUR.	perdons	*let us lose*
2ND PERS. PLUR.	perdez	*lose*

B. THE INDEFINITE PRONOUN *ON*

1. *One, some one, we, you, they, people,* used indefinitely, are represented in French by **on,** with the verb always in the third person singular.

On vend de la bière dans un café.   *One sells (they sell) beer in a café.*

2. When following a verb with a final vowel, **on** is joined to it by **–t–.**

Parle-t-on français ici?   *Do they speak French here?*

3. **On** never has a definite antecedent. If "they" in English refers to a word which is masculine or feminine plural, one must use **ils** or **elles** in French.

Voici vos amis. Aiment-ils le vin?	*Here are your friends. Do they* like *wine?*
Voici vos amies. Aiment-elles la bière?	*Here are your friends. Do they* like *beer?*
———— Vend-on du vin ici?	*Do they sell wine here?*

C. THE DEMONSTRATIVE ADJECTIVE

1. The forms of the demonstrative adjective are as follows:

ce   before a masculine singular noun beginning with a consonant

cet   before a masculine singular noun beginning with a vowel } *this, that*

cette   before any feminine singular noun

ces   before any plural noun   *these, those*

ce matin	*this* or *that morning*
cet enfant	*this* or *that child*
cette rue	*this* or *that street*
ces allumettes	*these* or *those matches*

2. The demonstrative adjective must be repeated before each noun in a series.

ces hommes et ces femmes	*these men and women*

3. To distinguish *this* from *that* or *these* from *those*, or for emphasis, one adds –**ci** for *this* or *these*, –**là** for *that* or *those*, to the noun modified by the demonstrative adjective.

Je n'aime pas ce café-là mais j'aime beaucoup ce café-ci.	*I don't like that café but I do like this café very much.*
Je n'aime pas cet homme-là !	*I don't like that man!*
ces jeunes filles-ci	*these girls*
ces jeunes filles-là	*those girls*

D. AN INTERROGATIVE PRONOUN

Que and **qu'est-ce que** (composed of **que** + **est-ce que**) both mean *what* and are used as the objects of verbs in questions. **Que** is followed by an inverted word order (as in other questions), **qu'est-ce que** by an affirmative word order.

Qu'avez-vous entendu?	
Qu'est-ce que vous avez entendu? }	*What did you hear?*

E. SOME VERBS WITH SPECIAL MEANINGS OR USES

1. **attendre** means *to wait* or *to wait for* and takes a direct object (without an intervening preposition).

2. **demander** means *to ask* or *to ask for;* in French one asks for something (direct object) to a person (indirect object).

3. **poser,** not **demander,** is used in the phrase "to ask a question."

4. **répondre,** like *to reply* in English, takes an indirect object.

5. **rester** means *to remain, to stay,* not *to rest.*

— Votre mère vous a posé une question. Pourquoi n'avez-vous pas répondu à sa question?

— Your mother asked you a question. Why didn't you answer her question?

— Qu'est-ce qu'elle m'a demandé?

— What did she ask me?

— Elle vous a demandé pourquoi vous restez ici. Attendez-vous un de vos amis?

— She asked you why you are remaining (staying) here. Are you writing for one of your friends?

III. EXERCISES

A. *Change the verbs in the following sentences from present tense to past indefinite tense:*

1. Que vendez-vous? 2. Je vends des allumettes. 3. Qu'entendez-vous? 4. J'entends de la musique. 5. Vous ne répondez pas à mes questions. 6. Les questions que vous me posez sont difficiles. 7. Ces jeunes filles visitent une église. 8. Est-ce qu'elles visitent cette église-ci ou cette église-là? 9. Hélène et Jeanne accompagnent ces jeunes filles-là. 10. Ne les accompagnez-vous pas?

B. *Change the interrogative pronoun in each of the following sentences from* que *to* qu'est-ce que, *making whatever other changes are required.*

1. Qu'avez-vous perdu? 2. Qu'a-t-il acheté? 3. Que trouve-t-on dans une salle à manger? 4. Que choisissez-vous? 5. Qu'avez-vous choisi? 6. Que vous a-t-on montré? 7. Que lui avez-vous montré? 8. Que vend-on dans ce magasin-ci? 9. Que vend-on dans ce magasin-là? 10. Que vend-on dans ces magasins?

C. *Invent answers in French for the following questions:*

1. Où vend-on de la bière? 2. Vos amies aiment-elles la bière? 3. Vos amis aiment-ils le vin? 4. Est-ce que vous attendez vos amis? 5. Aimez-vous ce café-ci? 6. Aimez-vous ce café-là?

7. Cet enfant-là a-t-il parlé à son papa ou à sa maman? 8. Qu'est-ce qu'il a demandé? 9. Est-ce qu'on lui a répondu oui ou non? 10. Pourquoi ce petit enfant-là n'est-il pas content?

D. *Read the following story in French, trying to get the meaning without translating. Consult the Vocabulary only when strictly necessary.*

LES LUNETTES

Deux jeunes filles américaines ont une chambre à la Pension Stanislas. C'est leur troisième jour à Paris. Le premier jour, elles ont visité Notre-Dame de Paris, la Sainte-Chapelle, le Jardin des Tuileries et le Louvre. Le deuxième jour, on leur a montré la Place de la Concorde, l'avenue des Champs-Élysées, la Place de l'Étoile et la Tour Eiffel.

Ce matin Hélène, qui est fatiguée, décide de rester dans la chambre. Mais Jeanne décide d'aller dans des magasins qui ne sont pas très loin de la pension. Elle désire acheter des fruits, des cartes postales et du papier à lettres. Elle quitte son amie.

Une heure passe. Jeanne rentre à la pension et monte à sa chambre. Elle porte des sacs.

— Où avez-vous été? demande Hélène.

— Oh, j'ai été dans un grand nombre de petits magasins, répond Jeanne.

— Qu'est-ce que vous avez acheté?

— Dans une épicerie j'ai acheté des fruits pour nos petits déjeuners. Les voici dans ce sac-ci.

— Quels fruits avez-vous achetés?

— Des oranges.

— Qu'est-ce qu'il y a dans ce grand sac-là?

— Il y a des tasses à thé et des cuillères. Dans ce petit sac-ci il y a du thé et du sucre . . . Oh! oh! oh!

— Qu'est-ce qu'il y a?

— J'ai perdu mes lunettes! Elles ne sont pas dans mon sac à main. Est-ce que je les ai laissées ici?

— Je ne les ai pas trouvées. Où les avez-vous perdues?

— Peut-être dans l'épicerie. Je retourne à l'épicerie tout de suite . . .

A l'épicerie Jeanne parle à une vendeuse. Jeanne parle français — comme une jeune fille américaine.

— Mademoiselle, avez-vous des lunettes? J'ai peut-être laissé mes lunettes dans ce magasin-ci.

— Des lunettes, mademoiselle? Mais non. On ne vend pas de lunettes dans une épicerie. Nous n'en avons pas. Vous désirez des allumettes?

— Je ne désire pas d'allumettes, je vous demande des lunettes.

— Vous désirez des lunettes? Il y a un marchand de lunettes, rue de Rome . . .

Dans un autre magasin Jeanne pose la même question à la vendeuse qui lui a vendu des tasses. Cette vendeuse n'a pas trouvé de lunettes. Dans les autres magasins Jeanne pose la même question. On lui répond toujours qu'on n'en a pas trouvé. Elle retourne à la pension, où Hélène l'attend.

— Je n'ai pas trouvé mes lunettes!

— Mais je les ai trouvées pour vous!

— Vous? Où?

— Pendant votre absence j'ai examiné les sacs que vous avez apportés ici et j'ai trouvé vos lunettes dans ce sac-là avec du papier à lettres et des cartes postales. Les voici.

— Oh, merci, merci beaucoup!

— Il n'y a pas de quoi!

E. *Write in French:*

— 1. I don't like this beefsteak! — 2. Why did you choose that meat? — 3. I don't like these carrots and these string beans! — 4. Why did you order those vegetables? — 5. I don't like this dessert! — 6. Why did you order that cheese? — 7. I don't like this coffee! — 8. Why did you order coffee with milk? — 9. I don't like this restaurant! — 10. Why did you ask me to (*de*) accompany you here? . . . You haven't answered my questions. — 11. I don't like the questions you have asked me! — 12. Finish your dinner and give a tip to the waiter. — 13. To that waiter? Oh no! (*Mais non!*) I don't like that waiter!

IV. OPTIONAL EXERCISES

A. *Invent answers in French to the questions of Exercise* III, B.

B. *Learn the French words for the points of the compass:*

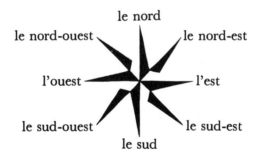

le nord

le nord-ouest   le nord-est

l'ouest ————————— l'est

le sud-ouest   le sud-est

le sud

C. *With the aid of a map of France, answer the following questions:*

Dans quelle direction de Paris est-ce qu'on trouve —

(1) Amiens?   (3) Carcassonne?   (5) Reims?   (7) Bordeaux?   (9) Le Havre?
(2) Strasbourg?   (4) Tours?   (6) Dijon?   (8) Brest?   (10) Marseille?

D. *Use the Recording* (*Disk* 4, *Side* 1, *Section* 1) *of the following dialogue:*

— Quels sont les grands fleuves de la France?

— La Seine, la Loire, la Garonne et le Rhône.

— Trouvez sur une carte de France l'Oise, la Marne et l'Aube.

Ce sont des noms de rivières. Qu'est-ce que c'est qu'une rivière?

— Une rivière est un affluent (*tributary*) d'un fleuve ou d'une autre rivière.

— Est-ce que le Rhône a un affluent très important?

— Oui, monsieur, c'est la Saône.

— Parlons des grandes villes de la France. Nommez, s'il vous plaît, quatre ports de mer (*seaports*) importants.

— Le Havre, Cherbourg, Nantes et Bordeaux.

— Trouvez sur la carte trois villes qui sont situées au nord de Paris.

— Je trouve Amiens, Lille et Calais.

— Nommez quatre villes qui sont situées à l'est de Paris.

— Verdun, Metz, Nancy et Strasbourg.

— Quelle grande ville est située au nord-est de Paris?

— C'est Reims.

— Nommez trois villes qui sont situées au sud-est de Paris.

— Dijon, Lyon et Grenoble.

— Est-ce qu'il y a des villes importantes au bord de la Méditerranée?

— Il y a Marseille, Toulon, Cannes et Nice.

VOCABULARY FOR EXERCISES

accompagner [akɔ̃paɲe] *to accompany*
acheter [aʃte] *to buy*
allumette [alymɛt] *f. match*
bord [bɔɪr] *m.:* au — de *on the coast of*
carte postale [kartpɔstal] *f. postcard*
décider [deside] *to decide*
entendre [ātāːdr] *to hear*
épicerie [episri] *f. grocery store*
examiner [ɛgzamine] *to examine*
fatigué [fatige] *tired*
Français [frāsɛ] *m. Frenchman*
heure [œɪr] *f. hour*
laisser [lɛse] *to leave*
loin [lwɛ̃] *far*
lunettes [lynɛt] *f.pl. eyeglasses*
marchand [marʃā] *m. merchant, dealer*
matin [matɛ̃] *m. morning*

même [mɛm] *same*
musique [myzik] *f. music*
nom [nɔ̃] *m. name*
nombre [nɔ̃ːbr] *m. number*
nommer [nɔme] *to name*
papier à lettres [papjealɛtr] *m. letter paper*
peut-être [pøtɛːtr] *perhaps*
porter [pɔrte] *to carry*
quelque chose [kɛlkəʃoːz] *something*
regarder [rəgarde] *to look at, watch*
rentrer [rātre] *to return*
retourner [rəturne] *to return, go back*
sac [sak] *m. bag;* — à main *handbag*
sucre [sykr] *m. sugar*
tasse à thé [tɑːsate] *f. teacup*
vendeuse [vādøːz] *f. salesgirl, clerk*

VOCABULARY FOR REFERENCE

affluent [aflyɑ̃] *m. tributary*
attendre [atɑ̃ɪdr] *to wait, wait for*
demander [dəmɑ̃de] *to ask, ask for*
direction [dirɛksjɔ̃] *f. direction*
est [ɛst] *m. east*
fleuve [flœɪv] *m. river*
former [fɔrme] *to form*
important [ɛ̃pɔrtɑ̃] *important*
Jeanne [ʒɑn] *Jean, Joan*
neuvième [nœvjɛm] *ninth*
nord [nɔɪr] *m. north;* —-est *northeast;*
    —-ouest *northwest*
orange [ɔrɑ̃ɪʒ] *f. orange*

ouest [wɛst] *m. west*
perdre [pɛrdr] *to lose*
poser [poze] *to ask (a question)*
répondre [repɔ̃ɪdr] *to reply, answer*
rester [rɛste] *to remain, stay*
rivière [rivjɛɪr] *f. river*
situé [sitɥe] *situated, located*
sud [syd] *m. south;* —-est *southeast;* —-ouest
    southwest

* * *

qu'y a-t-il?
qu'est-ce qu'il y a? } *What's the matter?*

REFERENCE LIST OF GEOGRAPHICAL NAMES

With Phonetic Transcriptions

This list includes names used in Lesson 9 and also some which will be used in the cultural dialogue which follows Lesson 10.

Allemagne [almaɲ]
Alpes [alp]
Alsace [alzas]
Amérique [amerik]
Amiens [amjɛ̃]
Arles [arl]
Arras [arɑs]
Atlantique [atlɑ̃tik]
Aube [oɪb]
Auxerre [osɛr]
Avignon [aviɲɔ̃]
Belgique [bɛlʒik]
Biarritz [bjarits]
Bordeaux [bɔrdo]
Brest [brɛst]
Bretagne [brətaɲ]
Calais [kalɛ]
Cannes [kan]
Carcassonne [karkasɔn]
Cévennes [sevɛn]
Cherbourg [ʃɛrbuɪr]
Dijon [diʒɔ̃]
Dordogne [dɔrdɔɲ]

Espagne [ɛspaɲ]
Europe [œrɔp]
Garonne [garɔn]
Gironde [ʒirɔ̃ɪd]
Grenoble [grənɔbl]
Italie [itali]
Jura [ʒyra]
Le Havre [ləɑɪvr]
Lille [lil]
Limoges [limɔʒ]
Loire [lwaɪr]
Lorraine [lɔrɛɪn]
Luxembourg [lyksɑ̃buɪr]
Lyon [ljɔ̃]
Manche [mɑ̃ɪʃ]
Marne [marn]
Marseille [marsɛɪj]
Massif Central [masif sɑ̃tral]
Méditerranée [meditɛrane]
Mer du Nord [mɛr dy nɔɪr]
Metz [mɛs]
Morlaix [mɔrlɛ]
Nancy [nɑ̃si]

Nantes [nɑ̃t]
Nice [nis]
Nîmes [nim]
Normandie [nɔrmɑ̃di]
Oise [waɪz]
Orléans [ɔrleɑ̃]
Pyrénées [pirene]
Reims [rɛ̃ɪs]
Rhin [rɛ̃]
Rhône [roɪn]
Rouen [rwɑ̃]
Saône [soɪn]
Seine [sɛɪn]
Strasbourg [strazbuɪr]
Suisse [sɥis]
Toulon [tulɔ̃]
Toulouse [tuluɪz]
Touraine [turɛɪn]
Tours [tuɪr]
Verdun [vɛrdœ̃]
Vézelay [vezlɛ]
Vosges [voɪʒ]
Yonne [jɔn]

Part I REVIEW

1. *Say in French:* (1) I am rich; are you rich? (2) I speak French; do you speak French? (3) I choose this table; what table do you choose? (4) I hear music; what do you hear? (5) I am well; how are you?

2. *Say in French:* (1) Give this book to that boy. (2) Give that book to this girl. (3) Give some coffee to this man. (4) Don't give any wine to that woman. (5) Give a tip to the waiter. (6) Give ten francs to the maid. (7) Give some tea to those women and some milk to those children. (8) Speak to the men, don't speak to the women.

3. *Change the following verb-phrases into interrogative forms:* (1) nous sommes; (2) nous ne sommes pas; (3) il a;

(4) elle finit; (5) on me regarde; (6) vous finissez; (7) elle est; (8) elles sont.

4. *Change each of the following sentences into interrogative sentences in two ways:* (1) Votre chambre est très petite. (2) Les jeunes filles parlent français. (3) Vos amis sont ici. (4) Vos amis n'aiment pas cette ville.

5. *Translate* some *or* any *in the following sentences:* (1) Je désire (*some*) viande et (*some*) légumes. (2) (*Any*) désirez-vous? (3) Apportez-nous (*some*) vin. (4) Je ne désire pas (*any*) vin. (5) Apportez-moi (*some*) eau.

6. *Translate* him *and* her *in the following sentences:* (1) Qu'est-ce que vous (*him*) avez donné? (2) Je (*him*) ai prêté mon

stylo. (3) Écoutez-(*her*)! (4) Où (*her*) avez-vous laissée? (5) Pourquoi ne (*her*) avez-vous pas accompagnée à sa maison? (6) Je ne (*her*) aime pas. (7) Ne (*him*) avez-vous pas donné un stylo? (8) Je (*him*) ai donné un crayon.

7. *Recite the numbers from* 1 *to* 10.

8. *Recite the numbers from* first *to* tenth.

9. *Translate* what *in the following sentences:* (1) (*What*) leçon avez-vous étudiée? (2) (*What*) avez-vous perdu? (3) (*What*) vous entendez? (4) (*What*) fruits aimez-vous? (5) (*What*) avez-vous demandé? (6) (*What*) votre ami a-t-il donné au garçon? (7) (*What*) livre avez-vous perdu? (8) (*What*) M. Lepic a-t-il donné à la femme de chambre? (9) (*What*) est la différence entre un fauteuil et une chaise? (10) Dans (*what*) ville demeurez-vous?

10. *With students' books closed, the teacher addresses students in turn, each student acting in accordance with the command given him and saying* "Le (La, Les) voici."

Mettez (*Put*) un doigt sur: (1) une chaise; (2) votre bouche; (3) votre front; (4) un livre; (5) votre oreille; (6) votre tête; (7) une feuille de papier; (8) votre cou; (9) votre joue; (10) la page d'un livre; (11) un cahier; (12) votre pied; (13) votre visage; (14) vos vêtements; (15) vos dents; (16) un crayon; (17) une de vos mains; (18) une de vos épaules.

OPTIONAL

11. *Recite the names of the days of the week in French.*

12. *Written dictation. Use one of the passages provided for recordings.*

Part II TEST

A. *Each French word is followed by three English words, one of which translates the French word. Write on your answer-sheet the* number *of the correct English word:*

1. la chaise: (1) furniture; (2) chair; (3) home.
2. le front: (1) face; (2) chin; (3) forehead.
3. le doigt: (1) finger; (2) tooth; (3) foot.
4. le lit: (1) room; (2) armchair; (3) bed.
5. le salon: (1) classroom; (2) dining room; (3) living room.
6. le fromage: (1) lettuce; (2) cheese; (3) veal.
7. l'assiette: (1) plate; (2) meat; (3) fish.
8. la viande: (1) plate; (2) meat; (3) fish.
9. le corps: (1) body; (2) part; (3) thing.
10. le mot: (1) notebook; (2) word; (3) pot.
11. entendre: (1) intend; (2) hear; (3) sell.
12. expliquer: (1) show; (2) explain; (3) study.
13. perdre: (1) ask; (2) lose; (3) set.

14. debout: (1) standing; (2) sitting; (3) before.
15. avant: (1) after; (2) around; (3) before.
16. encore: (1) yet; (2) always; (3) already.

(*Deduct ½ point for each wrong answer. Perfect score:* 8)

B. *Each English word is followed by three French words, one of which translates the English word. Write the number of the correct French word on your answer-sheet.*

1. to bring: (1) apporter; (2) commander; (3) poser.
2. to show: (1) entendre; (2) écouter; (3) montrer.
3. to forget: (1) écouter; (2) entendre; (3) oublier.
4. to pour: (1) poser; (2) verser; (3) traverser.
5. room: (1) pied; (2) fleuve; (3) pièce.
6. tongue: (1) langue; (2) bouche; (3) dent.
7. wall: (1) mur; (2) plafond; (3) tapis.
8. ear: (1) bouche; (2) cou; (3) oreille.
9. spoon: (1) assiette; (2) cuillère; (3) verre.
10. vegetable: (1) légume; (2) laitue; (3) fromage.
11. already: (1) déjà; (2) comme; (3) autre.
12. but: (1) mais; (2) presque; (3) enfin.
13. now: (1) d'abord; (2) vite; (3) maintenant.
14. very: (1) très; (2) presque; (3) puis.
15. here: (1) aussi; (2) ici; (3) puis.
16. easy: (1) assis; (2) facile; (3) oreille.

(*Deduct ½ point for each wrong answer. Perfect score:* 8)

C. *Translate the possessive adjectives into French:*

1. (*My*) chaise. 2. (*His*) bouche. 3. (*Her*) bouche. 4. (*Your*) tasse.
5. (*Our*) petit déjeuner. 6. (*Our*) petits pains. 7. (*Your*) leçons.
8. (*Their*) questions. 9. (*My*) lunettes. 10. (*Their*) sacs.

(*Deduct ½ point for each wrong answer. Perfect score:* 5)

D. *Supply the proper partitive sign* (de, du, de l', de la, *or* des) *in each blank:*

1. J'ai —— livres. 2. Je n'ai pas —— crayons. 3. Avez-vous —— papier? 4. Y a-t-il —— élèves ici? 5. Est-ce que vous désirez —— bière ou —— vin? 6. Apportez-nous —— eau et —— café. 7. Commandez —— viande et —— légumes.

(*Deduct ½ point for each wrong form. Perfect score:* 5)

E. *Give the past indefinite tense of the following verb forms:*

1. Elle n'étudie pas. 2. Nous ne finissons pas. 3. Il ne répond pas.
4. Entendez-vous? 5. N'écoutez-vous pas? 6. Ils choisissent. 7. Pour-

quoi ne choisissez-vous pas? 8. Il ne m'écoute pas. 9. Vous écoutent-ils? 10. Je ne les entends pas. 11. Vous ne l'accompagnez pas. 12. En désire-t-il? 13. Nous l'avons. 14. Êtes-vous là?

(*Deduct* 1 *point for each wrong answer. Perfect score:* 14)

F. *Translate the following phrases into French:*

1. At the door. 2. At the windows. 3. In front of the table. 4. On the chair. 5. Mary's father. 6. The students' books. 7. The girl's head. 8. The boy's fingers. 9. Three boys and five girls. 10. Four men and eight women.

(*Deduct* 1 *point for each mistake but not more than* 2 *points in any one phrase. Perfect score:* 20)

G. *Translate the* italicized *words into English:*

1. Paul et Jean sont contents *parce qu'*ils sont à Paris. 2. J'ai *trouvé* mon stylo. 3. *Comment* allez-vous? 4. Les *meubles* de ma chambre sont jolis. 5. Mes *vêtements* sont dans l'armoire. 6. Quelle est cette *église?* 7. Apportez-moi une *tasse* de café. 8. Aimez-vous ce *potage?* 9. Pourquoi avez-vous commandé du *veau?* 10. Pourquoi *en* avez-vous commandé? 11. Montrez-moi votre *cahier.* 12. Donnez-moi un morceau de *craie.* 13. Avez-vous *neuf* oranges? 14. Un des élèves est le *fils* du professeur. 15. Ce *fauteuil* est confortable. 16. Qu'est-ce que c'est qu'une *tour?* 17. Nous sommes sur la *Place* de la Concorde. 18. *Attendez-*moi. 19. *Prêtez-*moi votre livre. 20. Parlez à la *vendeuse.*

(*Deduct* ½ *point for each wrong answer. Perfect score:* 10)

H. *Translate the following sentences into French:*

1. Speak to the teacher; speak to him. 2. Do not speak to me. 3. I am not speaking to you. 4. I did not speak to you. 5. Are you not speaking to me now?

6. Is your room large or small? 7. Here is our room. 8. It is not very large but it is pretty, isn't it?

9. What lessons have you studied? 10. Did you finish the tenth lesson? 11. I am finishing it now.

12. What do you hear? 13. I hear music.

14. Do you like wine? 15. Yes, but there isn't any in my glass.

(*Deduct* 1 *point for each mistake but not more than* 2 *points in any one sentence.*

Perfect score: 30)

(*Total perfect score:* 100)

SECOND CULTURAL DIALOGUE

LA GÉOGRAPHIE DE LA FRANCE*

Asmodée, le bon petit diable, a montré Paris, capitale de la France, à deux élèves américains. Maintenant Asmodée et les élèves sont assis à une des tables d'un café, sur un des grands boulevards de Paris. Sur la table il y a une carte d'Europe. Asmodée parle aux élèves de la géographie de la France.

ASMODÉE. Regardez cette carte d'Europe. Voici la France. Au nord de la France il y a la Manche [1] et la Mer du Nord. Quels pays trouvez-vous, Robert, au nord-est?

ROBERT. La Belgique et l'Allemagne [2] sont au nord-est de la France.

ASMODÉE. Vous avez oublié un pays.

CHARLOTTE. C'est le Luxembourg, n'est-ce pas, monsieur Asmodée?

ASMODÉE. Oui, le Luxembourg est un très petit pays; mais, Robert, ne l'oubliez pas! Quels pays trouvez-vous, Charlotte, à l'est de la France?

CHARLOTTE. Je trouve l'Allemagne, la Suisse et l'Italie.

ASMODÉE. Que trouvez-vous, Robert, au sud de la France?

ROBERT. Au sud de la France il y a d'abord la Mer Méditerranée et puis l'Espagne.

ASMODÉE. Et à l'ouest, mademoiselle?

CHARLOTTE. A l'ouest il y a seulement l'océan Atlantique.

ASMODÉE. La France a une situation très favorable, n'est-ce pas? Quel autre pays a des ports de mer au nord, à l'ouest et au sud? La France a des frontières avec six pays. Cela a toujours favorisé le progrès de sa civilisation . . . Robert, quels grands fleuves trouvez-vous sur la carte?

ROBERT. Il y a la Seine, qui tra-

* See Note, page 52.   [1] Manche *f. Channel.*
[2] Allemagne *f. Germany.*

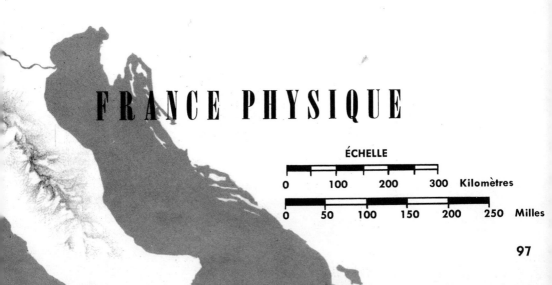

FRANCE PHYSIQUE

ÉCHELLE

| 0 | 100 | 200 | 300 | Kilomètres |

| 0 | 50 | 100 | 150 | 200 | 250 | Milles |

97

verse Paris et passe par Rouen; la Loire, qui passe par Orléans, Blois et Tours; et le Rhône, qui traverse Lyon et passe par Avignon.

CHARLOTTE. Il y a aussi le Rhin, qui forme une partie de la frontière entre la France et l'Allemagne, et la Garonne, qui commence en Espagne, traverse Toulouse et Bordeaux et finit à l'océan Atlantique.

ASMODÉE. Très bien, mademoiselle. Maintenant je trace sur la carte de France une ligne imaginaire qui commence à Biarritz . . . Où est Biarritz?

ROBERT. Biarritz est situé au bord de l'océan Atlantique près de la frontière espagnole.

ASMODÉE. Très bien. Ma ligne monte au nord-est, passe près de Limoges, de Dijon et de Nancy et finit à la frontière allemande. Au nord et à l'ouest de cette ligne, que trouve-t-on?

CHARLOTTE. On trouve des plaines.

ASMODÉE. Et au sud et à l'est, qu'est-ce qu'on trouve?

CHARLOTTE. On trouve des montagnes.

ASMODÉE. Regardons les plaines de la France, qui sont très jolies. Voici un paysage[3] qui est près de Vézelay . . .

Robert et Charlotte restent assis à la table du café mais le bon petit diable agite son bâton magique et ils

[3] paysage *m. landscape, view.*

ROUTE TYPIQUE EN FRANCE

regardent et admirent un paysage très agréable. Il y a des champs[4] cultivés, un vignoble,[5] une jolie route qui traverse un village pittoresque et des arbres[6] qui indiquent la présence d'une petite rivière.

CHARLOTTE. La présence des vignobles est le trait[7] distinctif des paysages français, n'est-ce pas?

ASMODÉE. Oui, mademoiselle. Regardez aussi ce paysage-là.

Les élèves regardent un paysage qui a un très grand charme: il y a un grand vignoble et la ville d'Auxerre.

ROBERT. Cette route que vous nous avez montrée près de Vézelay,

monsieur Asmodée, est très étroite.[8] Est-ce qu'il y a en France des routes pour les automobiles?

ASMODÉE. Oui, Robert, il y en a. Voilà!

Ici le bon petit diable montre aux élèves, avec son bâton magique, une route moderne. C'est un bon exemple des routes pour les automobiles qu'on trouve en France.

ASMODÉE. Traversons maintenant la ligne imaginaire que j'ai tracée sur la carte. Regardons les montagnes de la France. Quelles montagnes forment la frontière entre la France et l'Espagne?

ROBERT. Les Pyrénées.

[4] champ *m. field.*   [5] vignoble *m. vineyard.*
[6] arbre *m. tree.*   [7] trait *m. feature.*
[8] étroit *narrow.*

VILLAGE DANS LES ALPES

ASMODÉE. Quelles montagnes trouve-t-on entre la France et l'Italie?

ROBERT. Les Alpes.

CHARLOTTE. Est-ce qu'on tròuve de la neige [9] sur ces montagnes-là?

ASMODÉE. Regardez!

CHARLOTTE. Oui, oui, oui. Voilà des garçons et des jeunes filles qui portent des skis sur leurs épaules!

[9] neige *f. snow.*

ASMODÉE. Est-ce que le Mont Blanc est en France, en Italie ou en Suisse?

CHARLOTTE. Il est en France.

ASMODÉE. Quelles montagnes séparent la France et la Suisse?

CHARLOTTE. Les montagnes du Jura.

ASMODÉE. Enfin, est-ce qu'il y a des montagnes en Alsace?

ROBERT. Oui, les Vosges sont en Alsace, n'est-ce pas?

CHARLOTTE. Qu'est-ce que c'est que le Massif Central?

ASMODÉE. C'est un grand plateau situé au centre de la France. Les montagnes qui composent ce plateau ne sont pas très élevées [10] mais les Cévennes — vous trouvez ce nom-là sur la carte, n'est-ce pas? — sont très pittoresques. Les paysans [11] français cultivent leurs champs non seulement dans les grandes plaines du nord et de l'ouest mais aussi dans les vallées des montagnes. Les plaines et les vallées sont très fertiles. Ce n'est pas seulement la vigne [12] qu'on cultive. On trouve aussi des champs de blé,[13] parce que les Français aiment beaucoup le pain. Ils aiment aussi les fruits et les légumes; en France on cultive toutes sortes de fruits et de légumes. Le climat de la France favorise l'agriculture. Excepté dans les montagnes élevées, le climat n'est pas sévère. N'oublions pas les forêts qui occupent la cinquième partie du pays.

[10] élevé *high.*   [11] paysan *m. peasant.*

[12] vigne *f. vine.*   [13] blé *m. wheat.*

PETIT VILLAGE DANS LES MONTAGNES

PRODUITS ET INDUSTRIES

- vins
- fer
- armagnac
- bière
- porcelaine
- tissus
- blé
- fromage
- olives
- charbon
- cognac
- parfums
- bijouterie
- gants
- savon
- machinerie
- automobiles
- cidre et pommes
- construction navale

Flandre
Roubaix
Lille
Picardie
Rouen
Normandie
Brie
Paris
Champagne
Lorraine
Beauce
Alsace
Bretagne
Camembert
Saint-Nazaire
Loire
Bourgogne
Le Creusot
Cognac
Limoges
Clermont-Ferrand
Lyon
Savoie
Bordeaux
Rhône
Grenoble
Roquefort
Grasse
Armagnac
Provence
Marseille
Midi

ROBERT. Qu'est-ce qu'on fabrique dans les villes?

ASMODÉE. Toutes sortes de choses. Il y a en France, comme en Amérique, des usines dans les grandes villes. Le trait distinctif de l'industrie américaine est peut-être la quantité énorme des objets qu'on fabrique dans les grandes usines. Le trait distinctif de l'industrie française est peut-être la qualité supérieure des objets fabriqués: par exemple, vêtements, meu-

ROBERT. Parlez-nous de l'organisation politique de la France. Il y a des provinces, n'est-ce pas?

ASMODÉE. Oui et non. Les provinces n'ont pas d'importance politique. Aujourd'hui il y a des départements.

CHARLOTTE. Pourquoi parle-t-on toujours des provinces?

ASMODÉE. Parce qu'il y a des provinces qui ont des traditions historiques et qui sont encore célèbres: par exemple, la Normandie, la Bretagne, la Touraine, l'Alsace et la Lorraine. Dans ces provinces il y a des villes importantes.

bles, tapisseries, parfums et porcelaines. La France est le pays de la production artistique, le pays du bon goût.[14]

[14] goût *m. taste.*

CHARLOTTE. Oui, le Havre est en Normandie, Brest est en Bretagne, Tours est en Touraine, Strasbourg est en Alsace et Nancy est en Lorraine.

EN NORMANDIE

ROBERT. Montrez-nous ces villes-là, monsieur Asmodée.

ASMODÉE. Nous n'avons pas le temps de les regarder aujourd'hui. Mais (et ici le bon petit diable agite son bâton magique) voilà deux villes typiques: une petite ville et une grande ville. La petite ville est Morlaix, qui est en Bretagne. Regardez cette rue étroite, ces deux petits hôtels et cette boutique où on vend des tables et des chaises. C'est pittoresque, n'est-ce pas? La grande ville est Rouen, qui est en Normandie.

CHARLOTTE. Quel est le trait distinctif des villes françaises?

ASMODÉE. En France une ville typique a une partie historique et une partie moderne, comme cette ville où nous sommes.

CHARLOTTE. Je suis très contente, monsieur Asmodée, d'être à Paris!

ANCIENNES PROVINCES

MORLAIX

RECORDING

Based upon Second Cultural Dialogue
(Disk 4, Side 1, Section 2)

Listen carefully to the questions and then, instead of repeating what you hear, choose and pronounce the correct answer:

Répondez, s'il vous plaît, à mes questions.

1. Quelles villes importantes sont situées au nord de Paris?
   (*Choose*   — Il y a Amiens, Lille et Calais.
   and
   speak)   — Il y a seulement la ville de Reims.

2. Quelle ville importante est située au nord-est de Paris?
   (*Choose*   — La ville de Rouen est située au nord-est de Paris.
   and
   speak)   — La ville de Reims est située au nord-est de Paris.

3. Quels ports de mer importants sont situés sur la Manche?
   (*Choose*   — Le Havre et Cherbourg sont sur la Manche.
   and
   speak)   — Le Havre et Brest sont sur la Manche.

4. A l'est de Paris, est-ce qu'il y a des villes importantes?
   (*Choose*   — Oui, il y a Verdun, Metz, Nancy et Strasbourg.
   and
   speak)   — Oui, il y a Orléans, Tours et Bordeaux.

5. Où sont les Pyrénées?
   (*Choose*   — Les Pyrénées sont entre la France et l'Italie.
   and
   speak)   — Les Pyrénées sont entre la France et l'Espagne.

6. Où sont les Vosges?
   (*Choose*   — Les Vosges sont en Allemagne.
   and
   speak)   — Les Vosges sont en Alsace.

7. Où sont les montagnes du Jura?
   (*Choose*   — Ces montagnes-là sont entre la France et la Suisse.
   and
   speak)   — Ces montagnes-là sont entre la France et le Luxembourg.

8. Où sont les Alpes?
   (*Choose* — Les Alpes sont en France, en Suisse et en Italie.
     and
     speak) — Les Alpes sont en France, en Suisse et en Espagne.

9. Qu'est-ce que c'est que le Massif Central?
   (*Choose* — C'est un grand fleuve qui traverse la France.
     and
     speak) — C'est un grand plateau au centre de la France.

10. Quel fleuve traverse Paris?
    (*Choose* — Le fleuve qui traverse Paris est la Marne.
      and
      speak) — Le fleuve qui traverse Paris est la Seine.

11. Est-ce que la Marne est un fleuve ou une rivière?
    (*Choose* — La Marne est un fleuve.
      and
      speak) — La Marne est une rivière.

12. Quel fleuve a sa source en Suisse?
    (*Choose* — Le fleuve qui a sa source en Suisse est le Rhône.
      and
      speak) — Le fleuve qui a sa source en Suisse est la Saône.

13. Quelles villes importantes sont situées au bord de la Méditer-
    ranée?
    (*Choose* — Marseille, Toulon et Nice.
      and
      speak) — Brest, Nantes et Bordeaux.

14. Quel est le trait distinctif des paysages français?
    (*Choose* — La présence de routes magnifiques est le trait dis-
      and   tinctif des paysages français.
      speak) — La présence de grands vignobles est le trait dis-
                  tinctif des paysages français.

15. Quels pays y a-t-il à l'ouest de la France?
    (*Choose* — Il y a l'Allemagne, le Luxembourg et la Suisse.
      and
      speak) — Il n'y a pas de pays à l'ouest de la France, il y a
                  l'océan Atlantique.

16. Quel pays y a-t-il au sud de la France?
    (*Choose* — Au sud de la France il y a l'Espagne.
      and
      speak) — Au sud de la France il y a la Méditerranée.

ONZIÈME LEÇON 11

I. DIALOGUE

Prepare this dialogue as in preceding lessons:

— Quel temps fait-il aujourd'hui?

— Il fait beau.

— Mais non, il pleut!

— Fait-il chaud ou froid?

— Il fait froid.

— Il fait chaud à Paris en été, n'est-ce pas?

— Oui. Et en hiver?

— En hiver il ne fait pas très froid à Paris mais il pleut souvent.

— Quel temps fait-il à Paris au printemps et en automne?

— Au printemps et en automne il fait très beau à Paris.

— *What kind of weather is it today?*

— *It (the weather) is fine.*

— *Why no, it is raining!*

— *Is it hot (warm) or cold?*

— *It's cold.*

— *It's hot in Paris in summer, isn't it?*

— *Yes. And in winter?*

— *In winter it is not very cold in Paris but it rains often.*

— *What kind of weather is it in Paris in spring and in autumn?*

— *In spring and in autumn the weather is very fine in Paris.*

II. GRAMMAR

A. NOUNS AND ADVERBS OF QUANTITY AND MEASURE

1. Nouns and adverbs expressing quantity or measure require a **de** before a noun.   No article is used.

une douzaine d'œufs	*a dozen eggs*
une bouteille de vin	*a bottle of wine*

2. The following examples show the meanings of all the important French adverbs of quantity.   Observe the difference in translation when the following noun is singular or plural (except for **assez** and **plus**).

assez de pain	*enough bread*
assez de petits pains	*enough rolls*
autant de vin	*as much wine*
autant de bouteilles	*as many bottles*
beaucoup de lait	*much (a great deal of, a lot of) milk*
beaucoup d'amis	*many friends*
combien d'argent	*how much money*
combien de jours	*how many days*
moins d'argent	*less money*
moins d'amis	*fewer friends*
un peu de vin	*a little wine*
peu de bière	*little (only a little) beer*
peu d'amis	*few (only a few) friends*
plus de viande	*more meat*
plus d'oranges	*more oranges*
tant de thé	*so much tea*
tant de tasses	*so many cups*
trop de papier	*too much paper*
trop de livres	*too many books*

3. When **combien de** and a plural noun are the object of a verb in a compound tense, the past participle of the verb agrees in number and gender with the noun, in accordance with the rule for the agreement of a past participle with a preceding direct object.

Combien d'oranges avez-vous achetées?	*How many oranges did you buy?*

B. NUMBERS FROM 11 TO 20

The numbers from 11 to 20 and from eleventh to twentieth are as follows:

CARDINAL	ORDINAL
eleven, twelve, etc.	*eleventh, twelfth, etc.*
11 onze [ɔ̃ːz]	onzième [ɔ̃zjɛm]
12 douze [duːz]	douzième [duzjɛm]
13 treize [trɛːz]	treizième [trɛzjɛm]
14 quatorze [katɔrz]	quatorzième [katɔrzjɛm]
15 quinze [kɛ̃ːz]	quinzième [kɛ̃zjɛm]
16 seize [sɛːz]	seizième [sɛzjɛm]
17 dix-sept [dissɛt]	dix-septième [dissɛtjɛm]
18 dix-huit [dizɥit]	dix-huitième [dizɥitjɛm]
19 dix-neuf [diznœf]	dix-neuvième [diznœvjɛm]
20 vingt [vɛ̃]	vingtième [vɛ̃tjɛm]

NOTES

1. The final consonant of 17, 18, and 19 is usually silent before a word which begins with a consonant and which is multiplied by them, not elsewhere.

        dix-sept jeunes filles [dissɛʒœnfiːj]
        dix-huit garçons [dizɥigarsɔ̃]
        dix-neuf maisons [diznœmɛzɔ̃]

2. No elision or linking occurs before **onze** or **onzième.**

    les onze francs [leɔ̃ːzfrã] que j'ai perdus   *the eleven francs which I lost*
    la onzième leçon [laɔ̃zjɛmləsɔ̃]   *the eleventh lesson*

C. USES OF *EN*

En (which, when used as a partitive pronoun, means *some* or *any* — cf. Lesson 7, B, 3) may mean also *of it, of them.* . It is used in French with expressions of quantity and measure and with numbers whether *of it* or *of them* is expressed or merely implied in English.

Est-ce qu'il y a des oranges sur la table? — Oui, il y en a deux. — Il n'y en a pas assez. Achetez-en une douzaine.	*Are there any oranges on the table? — Yes, there are two. — There are not enough. Buy a dozen.*

D. *FAIRE,* "TO DO, MAKE"

1. This irregular verb has the following forms in the present, imperative, and past indefinite:

PRESENT	IMPERATIVE
I do, am doing, or *make,*	fais [fɛ]
am making, etc.	faisons [fəzɔ̃]
je fais [ʒəfɛ]	faites [fɛt]
tu fais [tyfɛ]	
il fait [ilfɛ]	PAST INDEFINITE
nous faisons [nufəzɔ̃]	*I did, have done, made,*
vous faites [vufɛt]	*have made, etc.*
ils font [ilfɔ̃]	j'ai fait [ʒefɛ]
	tu as fait [tyafɛ]
	etc.

2. Observe carefully the sound of **ai** in the first person plural.

3. **Faire,** one of the most important verbs in the French language, is used in many idioms; for example:

    (a) of the weather — see Part I of this lesson

    (b) in arithmetic — **dix et dix font vingt**

    (c) **faire une promenade** = *to take (go for) a walk* or *a ride*

    (d) **faire un voyage** = *to take a trip, to travel*

III. EXERCISES

A. *Translate into French the words in parentheses:*

1. (*What!*) Vous n'avez pas (*any*) argent? Je vous ai donné (*a lot of money*), n'est-ce pas? (*How much money*) est-ce que je vous ai donné? — 2. Vous ne m'avez pas donné (*a lot of money*), vous m'avez donné seulement (*fifteen*) dollars, et j'ai acheté (*many things*). — 3. (*What*) vous avez acheté? — 4. J'ai acheté (*a dozen eggs*), (*a dozen rolls*), (*some oranges*) et (*some coffee*). — 5. Pourquoi avez-vous acheté (*so many things*)? — 6. Pour nos petits déjeuners. Et pour notre dîner j'ai acheté (*some meat*), (*some carrots*), (*some potatoes*) et (*some chocolate éclairs*). — 7. (*How many éclairs*) avez-vous (*bought*)? — 8. (*I bought four of them*). — 9. Avons-nous (*enough bread*), (*enough fruit*) et (*enough tea*)? — 10. Oui, nous (*have enough of them*) mais je n'ai pas (*enough money*).

B. *Recite in French:*

1. One and one are (make) two; two and two are four; four and four are eight; eight and eight are sixteen. 2. Three and three are six; six and six are twelve. 3. Three times (*fois*) three are nine; three times five are fifteen; three times six are eighteen.

4. How many days are there in a week? — There are seven. 5. How many weeks are there in a month? — There are four. 6. How many seasons are there in a year (*une année*)? — There are four. 7. How many

months are there in a year? — There
are twelve.

8. I have fifteen dollars; give me five
dollars, please ... Thank you, now I
have twenty dollars, I am rich! 9. Have
you twenty dollars? — I gave you five
dollars, I have only fifteen; I am poor!
10. What are you doing? — I am
studying the eleventh lesson. — 11. That
lesson is not interesting. Let's take a
walk. — 12. Where are Pauline and
Jeanne? — 13. They are taking a walk
in the Jardin du Luxembourg.

14. Where are Mr. and Mrs. Lepic?
— 15. They are taking a trip to (*en*)
France.

C. READING. *First translate the following story, then read it through again in French,
without translating.*

La Note

Deux Français, qui font un voyage en
Amérique en automobile, arrivent dans
un village de l'État de New-York. Ils
décident de passer la nuit dans ce village,
où il y a un petit hôtel.

On leur donne une chambre confortable, avec salle de bain. Ils dînent dans
la salle à manger de l'hôtel. Ils commandent du potage, de la viande, des
pommes de terre, des légumes, une salade,
des pâtisseries et deux bouteilles de vin.
Ils aiment beaucoup la cuisine américaine
mais ils n'aiment pas avoir de la viande
et des légumes sur leurs assiettes en
même temps. D'abord ils mangent du
bifteck (avec du vin), puis des carottes
(avec du vin), puis une salade (avec du
vin), enfin des pâtisseries — avec du café
noir.

Comme ils sont très fatigués, ils montent tout de suite à leur chambre.

Le lendemain matin, ils descendent à
la salle à manger parce qu'on ne leur
apporte pas leurs petits déjeuners dans
leur chambre. Ils commandent du jus
d'orange, des œufs, du pain rôti et du
café au lait.

Quand ils ont fini de manger, ils demandent la note. Dans ce petit hôtel
c'est l'hôtelier qui fait les notes.

— D'abord il y a deux dîners à trois
dollars, cela fait six dollars. Ensuite il y
a du vin; vous en avez commandé deux
grandes bouteilles.

— Deux petites bouteilles de vin
américain, monsieur.

— Deux bouteilles de vin à deux dollars, cela fait quatre dollars. Six et
quatre font dix. Ensuite une grande
chambre à deux lits, avec salle de bain,
pour une nuit, à trois dollars par personne ...

— Vos lits sont petits, monsieur, et ils
ne sont pas très confortables.

— Cela fait six dollars. Dix et six
font seize. Ensuite, deux petits déjeuners à un dollar, cela fait deux dollars.
Seize et deux font dix-huit.

Un des Français donne deux billets de
dix dollars à l'hôtelier.

— Merci beaucoup, messieurs, et bon
voyage.

— Et la monnaie? Les deux dollars
de monnaie?

— Ah, monsieur, je garde les deux
dollars pour le service! Un dollar pour
le service dans la salle à manger, un dollar pour la femme de chambre. J'ai
fait un voyage en France, messieurs, j'ai

été à Paris — voilà pourquoi je parle français! — et on a toujours ajouté dix ou douze ou quinze pour cent à l'addition ou à la note. Comme ça, le voyageur n'est pas obligé de donner des pourboires aux garçons et aux femmes de chambre, n'est-ce pas? N'en donnez pas ici, messieurs. « Service included », service compris. Cela vous donne l'impression d'être en France, n'est-ce pas? Au revoir, messieurs.

Les deux Français quittent l'hôtel et continuent leur voyage.

D. *Write in French:*

1. How much beer did you buy? — 2. I bought a dozen bottles of it. — 3. Do you like beer? — 4. When the weather is very hot, I like beer, if the beer is very cold. 5. But if the beer is warm, I don't like it. — 6. What kind of weather is it now? — 7. It's hot! Give me some beer, please!

E. *Write in French:*

PAUL. Are Mr. and Mrs. Lepic rich?

CHARLES. They have a lot of money but they have few friends.

PAUL. Why don't they have many friends?

CHARLES. People do not like Mrs. Lepic. She is homely and disagreeable. She has very few friends (*fem.*).

PAUL. Is Mr. Lepic homely and disagreeable also?

CHARLES. No, people like Mr. Lepic very much.

IV. OPTIONAL EXERCISES

A. *Pronounce carefully:*

1. Dix-sept [dissɛt]; dix-huit [dizɥit]; dix-neuf [diznœf].

2. Je fais une promenade [ʒəfɛzynprɔmnad]; faisons une promenade [fəzɔ̃ynprɔmnad]; avez-vous fait une promenade [avevufɛtynprɔmnad]?

3. Donnez-moi un œuf [dɔnemwa œ̃nœf]; donnez-moi des œufs [dɔnemwa dezø]; donnez-moi une douzaine d'œufs [dɔnemwa ynduzɛɪndø].

B. *Recite in French:*

1. The fifth lesson, the seventh lesson, the ninth lesson, the eleventh lesson. 2. Study the twelfth lesson for tomorrow. 3. The twelfth lesson is not easy. 4. Is the eleventh lesson easy?

5. What kind of weather is it here in (*au*) spring? 6. What kind of weather is it here in (*en*) summer? 7. What kind of weather is it here in (*en*) autumn? 8. What kind of weather is it here in (*en*) winter? 9. Is it cold or warm? 10. Does it rain often? 11. Is it raining now?

C. *Use the Recording (Disk 4, Side 2, Section 1) of the following passage:*

LES SAISONS ET LES MOIS

Le printemps et l'été sont des saisons.   Les autres saisons de l'année sont l'automne et l'hiver.   L'automne commence en septembre, l'hiver commence en décembre.   Septembre et décembre sont des mois.   Octobre et novembre sont aussi des mois. L'année a douze mois.   L'automne commence au mois de septembre, l'hiver commence au mois de décembre, le printemps commence au mois de mars, l'été commence au mois de juin.   Après le mois de décembre nous avons le mois de janvier, puis le mois de février.   Le mois de janvier est le premier mois de l'année, le mois de février est le deuxième mois de l'année.   Mars, avril et mai sont les mois du printemps; juin, juillet et août sont les mois de l'été.   Prononcez distinctement: juin, juillet, août.   Le mois de novembre est le onzième mois de l'année, le mois de décembre est le dernier mois de l'année.   Voici les douze mois de l'année: janvier, février, mars, avril, mai, juin, juillet, août, septembre, octobre, novembre, décembre.

VOCABULARY FOR EXERCISES

addition [adisjɔ̃] *f. bill, check*
ajouter [aʒute] *to add*
américain [amerikɛ̃] *adj. American*
Amérique [amerik] *f. America*
année [ane] *f. year*
argent [arʒɑ̃] *m. money*
billet [bijɛ] *m. bill*
bouteille [butɛːj] *f. bottle*
cent [sɑ̃] *hundred;* pour —, *per cent*
chose [ʃoːz] *f. thing*
comme ça *like that, that way*
continuer [kɔ̃tinɥe] *to continue*
cuisine [kɥizin] *f. cooking*
dernier, dernière [dɛrnje, –ɛːr] *last*
désagréable [dezagreabl] *disagreeable*
descendre [desɑ̃ːdr] *to descend, go down*
douzaine [duzɛn] *f. dozen*
enfin [ɑ̃fɛ̃] *finally, at last*

ensuite [ɑ̃sɥit] *next*
état [eta] *m. state*
froid [frwɑ or frwa] *cold*
garder [garde] *to keep*
hôtelier [otəlje] *m. hotelkeeper*
intéressant [ɛ̃terɛsɑ̃] *interesting*
jus [ʒy] *m. juice*
laid [lɛ] *homely*
lendemain [lɑ̃dmɛ̃] *next day;* le — matin *the next morning*
manger [mɑ̃ʒe] *to eat*
monnaie [mɔnɛ] *f. change (money)*
note [nɔt] *f. bill*
nuit [nɥi] *f. night*
obliger [ɔbliʒe] *to oblige, compel, force*
œuf [œf], *pl.* [ø] *m. egg*
pain rôti [pɛ̃roti] *m. toast*
par [par] *by, through, per*

personne [pɛrsɔn] f. person
saison [sɛzɔ̃] f. season

temps [tɑ̃] m. weather, time; en même —, at the same time

VOCABULARY FOR REFERENCE

automne [otɔn] m. autumn
automobile [ɔtɔmɔbil] f. automobile; en —, by automobile
beau [bo] beautiful, fine
commencer [kɔmɑ̃se] to commence, begin
compris [kɔ̃pri] included
dollar [dɔlar] m. dollar
été [ete] m. summer
faire [fɛr] to do, make; (of weather) to be; — une promenade to take a walk or ride; — un voyage to take a trip
fois [fwa] f. time
hiver [ivɛr] m. winter
impression [ɛ̃prɛsjɔ̃] f. impression
mais: — non! why no! — oui! why yes!
pleut [plø] from pleuvoir, to rain; il —, it is raining
printemps [prɛ̃tɑ̃] m. spring
promenade [prɔmnad] f. walk, ride
service [sɛrvis] m. service
village [vilaːʒ] m. village
voyage [vwajaːʒ] m. trip; Bon —, Have a good trip!
voyageur [vwajaʒœːr] m. traveler

ADVERBS OF QUANTITY

assez [ase] enough
autant [otɑ̃] as much, as many
beaucoup [boku] much, many, a lot, a great deal
combien [kɔ̃bjɛ̃] how much, how many
moins [mwɛ̃] less, fewer
peu [pø] little, few
plus [ply] more
tant [tɑ̃] so much, so many
trop [tro] too, too much, too many

MONTHS

janvier [ʒɑ̃vje] January
février [fevrije] February
mars [mars] March
avril [avril] April
mai [mɛ] May
juin [ʒɥɛ̃] June
juillet [ʒɥijɛ] July
août [u] August
septembre [sɛptɑ̃ːbr] September
octobre [ɔktɔbr] October
novembre [nɔvɑ̃ːbr] November
décembre [desɑ̃ːbr] December

DOUZIÈME LEÇON 12

I. DIALOGUE

Prepare this dialogue as in preceding lessons:

— Voici la douzième leçon. Cette leçon est-elle difficile?

— Je ne sais pas.

— Savez-vous que Victor Hugo était un grand écrivain?

— Oui, je sais qu'il était un grand auteur français du dix-neuvième siècle.

— Est-ce que Victor Hugo était un grand poète?

— Oui, je sais qu'il était un très grand poète.

— Vous savez beaucoup de choses intéressantes!

— *Here's the twelfth lesson. Is this lesson difficult?*

— *I don't know.*

— *Do you know that Victor Hugo was a great writer?*

— *Yes, I know that he was a great French author of the nineteenth century.*

— *Was Victor Hugo a great poet?*

— *Yes, I know that he was a very great poet.*

— *You know a great many interesting things!*

II. GRAMMAR

A. IMPERFECT TENSE OF REGULAR VERBS

The imperfect tense of regular verbs has the following forms:

donner	finir	perdre
I was giving, used to give, etc.	*I was finishing, used to finish, etc.*	*I was losing, used to lose, etc.*
je donn **ais** [dɔnɛ]	je finiss **ais** [finisɛ]	je perd **ais** [pɛrdɛ]
tu donn **ais** [dɔnɛ]	tu finiss **ais** [finisɛ]	tu perd **ais** [pɛrdɛ]
il donn **ait** [dɔnɛ]	il finiss **ait** [finisɛ]	il perd **ait** [pɛrdɛ]
nous donn **ions** [dɔnjɔ̃]	nous finiss **ions** [finisjɔ̃]	nous perd **ions** [pɛrdjɔ̃]
vous donn **iez** [dɔnje]	vous finiss **iez** [finisje]	vous perd **iez** [pɛrdje]
ils donn **aient** [dɔnɛ]	ils finiss **aient** [finisɛ]	ils perd **aient** [pɛrdɛ]

B. IMPERFECT TENSE OF IRREGULAR VERBS

1. All irregular verbs, without exception, have the same endings in the imperfect tense as regular verbs. Hence, if one knows the stem used in the imperfect tense of any irregular verb, it is easy to compose the forms of that verb. This principle is illustrated in the imperfect tense of **avoir, être,** and **faire.**

2.

avoir	être	faire
I was having, used to have, etc.	*I was, etc.*	*I was doing, used to do, etc.*
j'**av** ais	j'**ét** ais	je **fais** ais
tu **av** ais	tu **ét** ais	tu **fais** ais
etc.	etc.	etc.

3. Observe the difference in the sounds of the stem vowels:

	être	faire
Infin.	être [ɛːtr]	faire [fɛɪr]
Imperfect	étais [etɛ]	faisais [fəzɛ]

C. USES OF IMPERFECT TENSE

The imperfect tense is used in French to describe a situation or condition or to relate simultaneous or habitual actions. Specifically, three important uses of the imperfect tense are:

1. To describe a physical or mental condition in the past.

Il faisait beau.	*The weather was fine.*
J'étais malade.	*I was sick.*
Le jeune homme était timide.	*The young man was timid.*

2. To narrate habitual or customary action in indefinite past time.[1]

Elle donnait beaucoup d'argent   *She used to give a great deal of money*
aux pauvres.   *to the poor.*

3. To tell what was going on when something else happened.

Le jeune homme traversait le sa-   *The young man was passing through*
lon quand une dame lui a parlé.   *the drawing room when a lady*
                                    spoke to him.

D. *SAVOIR,* "TO KNOW"

1. This irregular verb has the following forms in the tenses given:

PRESENT	IMPERFECT
I know, etc.	je savais
je sais [se]	tu savais
tu sais [sɛ]	etc.
il sait [sɛ]	
	IMPERATIVE
nous savons [savɔ̃]	sache
vous savez [save]	sachons
ils savent [saːv]	sachez

PAST PARTICIPLE: su

2. The past indefinite of **savoir,** which has the special meaning of *to find out, to learn,* and the imperative are of infrequent occurrence. But other tenses of this verb are very important.

III. EXERCISES

A. *Change each verb in the following sentences from present to imperfect, reading the sentences aloud:*

1. Je suis riche. 2. Il est à Paris.
3. Nous sommes en France. 4. Vous êtes avec un ami. 5. Ils sont avec leurs amis.

6. J'ai un stylo. 7. Nous avons des crayons. 8. Vous avez du papier, n'est-ce pas? 9. Les élèves sont-ils assis?

10. Est-ce que les jeunes filles sont debout?

11. Est-ce que vous parlez français quand vous êtes en France? 12. Oui, je parle français quand je suis en France. 13. Où demeurez-vous quand vous êtes à Paris? 14. J'ai une jolie chambre dans un petit hôtel. 15. Votre chambre est-elle grande ou petite? 16. Elle est petite.

[1] The imperfect tense is not used to express repeated action unless there is present the idea of habit or custom. *She often talked to me about her son* (but not frequently enough to make her action a habit or custom) = **Elle m'a souvent parlé de son fils.**

B. *Recite in French:*

1. Where does George live? — 2. I do not know where he lives. Where does he live? — 3. We do not know where he lives. 4. That's why (*Voilà pourquoi*) we asked you that question.

5. I did not know that you were sick.

— 6. I am not sick; I was sick but I am not sick now. — 7. Did your friends know that you were sick? — 8. They did not know it. But I am well now. How are you? — 9. I'm always fine, thank you. — 10. I am glad to (*de*) know that.

C. *Translate the following story into English; then read it through again, in French, without translating:*

VICTOR HUGO ET MADAME DE CHATEAUBRIAND

Quand Victor Hugo était un jeune homme, il était, comme beaucoup de jeunes gens, très timide. Il faisait souvent des visites au grand écrivain Chateaubriand, qui était déjà célèbre. Hugo admirait beaucoup cet auteur mais il détestait sa femme. Madame de Chateaubriand donnait beaucoup d'argent aux pauvres et aidait les gens qui étaient malades. Elle était, cependant, toujours désagréable envers son mari. Elle était laide. Son père était un bourgeois riche et madame de Chateaubriand faisait la grande dame.[1]

Chaque fois que Victor Hugo faisait une visite à Chateaubriand, il traversait le salon, où madame de Chateaubriand était assise. Hugo lui parlait mais elle ne lui répondait pas. Elle méprisait le jeune homme qui n'était pas encore célèbre.

Une seule fois dans sa vie madame de Chateaubriand a parlé avec bonté à Victor Hugo.

Ce jour-là, le jeune homme passait comme d'ordinaire par le salon. La femme de l'auteur était dans cette pièce. C'était le matin et c'était l'été. Il faisait beau. Il y avait un rayon de soleil sur le tapis — et un sourire sur le visage de madame de Chateaubriand.

— Bonjour, monsieur Hugo.

Victor était très étonné. Madame de Chateaubriand savait son nom! Elle lui parlait!

— Bonjour, madame.

— Je suis charmée de vous voir. Je vous attendais.

Pendant qu'elle parlait, elle montrait à Victor Hugo des paquets qui étaient sur une petite table près de son fauteuil.

— Un de ces paquets est pour vous, monsieur Hugo.

Dans les paquets il y avait du chocolat que madame de Chateaubriand vendait au profit d'un hôpital. Elle a donné un paquet au jeune homme, qui était trop timide pour refuser de l'accepter.

— C'est quinze francs.[2]

Victor lui a donné quinze francs. A cette époque-là il était encore très pauvre. Pour le jeune homme quinze francs étaient une somme énorme. Il dépensait seulement un franc par jour. Le chocolat et le sourire de madame de Chateaubriand lui ont coûté quinze jours de nourriture.

La femme de l'écrivain a donné l'ar-

---

[1] "acted like a great lady" or "put on airs."

[2] At that time 15 francs = about $3.00.

gent du jeune homme pauvre à un hôpital.   Victor a mangé le chocolat.

D. *With students' books closed, the teacher asks the following questions of students in turn.   Students should reply either* "Oui, monsieur (madame, mademoiselle)" *or* "Non, monsieur (madame, mademoiselle)."

1. Quand Victor Hugo était un jeune homme, était-il timide?   2. Est-ce qu'il était déjà célèbre?   3. Victor Hugo admirait-il Chateaubriand?   4. Est-ce que la femme de Chateaubriand donnait beaucoup d'argent aux pauvres?   5. Madame de Chateaubriand était-elle jolie?   6. Le père de madame de Chateaubriand

Mais il a continué à détester madame de Chateaubriand.

était-il riche?   7. Chateaubriand était un grand écrivain, n'est-ce pas?   8. Chaque fois que Victor Hugo faisait une visite à Chateaubriand, parlait-il à sa femme?   9. Est-ce qu'elle lui répondait?   10. Lui parlait-elle avec bonté?   11. Le méprisait-elle?   12. Est-ce que Victor Hugo l'aimait beaucoup?   13. Victor Hugo la détestait, n'est-ce pas?   14. Est-ce que Victor Hugo détestait son mari?   15. D'ordinaire madame de Chateaubriand était assise dans le salon, n'est-ce pas?   16. Est-ce qu'il y avait toujours des paquets sur une table?

E. *Write in French:*

It was summer.   The weather was fine.   Victor Hugo was passing through Chateaubriand's drawing room.   The wife of that great writer was seated in an armchair near a table.   On the table there were some packages.   Madame de Chateaubriand spoke to Victor Hugo. He was astonished.   Usually he spoke to her but she did not speak to him.   He did not like her and she scorned him.

This time, she spoke to him kindly. She showed him one of the packages.

— This package is for you, Mr. Hugo.

— Thank you very much.

Madame de Chateaubriand gave one of the packages to the young man.

— That's fifteen francs.

— Fifteen francs!

For Victor Hugo, at that time, it (*c'*) was an enormous sum.   He was not rich.   But he was too timid to (*pour*) refuse to (*d'*) accept the package which the lady was giving him.   He gave her fifteen francs.

Hugo liked chocolate — but he did not like Madame de Chateaubriand.

IV. OPTIONAL EXERCISES

A. *Answer the following questions in French:*
1. Quel temps fait-il aujourd'hui?
2. Quel temps faisait-il hier?   3. Où êtes-vous?   4. Comment allez-vous?

5. Parlez-vous français?   6. Quelle leçon avons-nous aujourd'hui?   7. Avez-vous fini la onzième leçon?   8. Avez-vous fini la douzième leçon?

9. Aimez-vous le café noir? le café au lait? le thé? le chocolat?
10. Avez-vous perdu de l'argent?

11. En perdez-vous souvent?   12. En perdiez-vous souvent?

B. *Use the Recording (Disk 4, Side 2, Section 2) of the following selections, which illustrate the uses of the imperfect tense:*

1. Quand Paul et Charles étaient à Paris, ils étaient pauvres. Leur chambre à l'Hôtel de Vaugirard était très modeste. Mais Paul et Charles étaient contents d'être en France.

2. Quand vous étiez à Paris, est-ce que vous parliez français aux Parisiens? — Oui, aux restaurants je parlais français aux garçons. La première fois que j'ai parlé français à un garçon, mes amis étaient étonnés. — Est-ce que le garçon était étonné? — Je ne sais pas. Il ne m'a pas répondu.

3. Quand Albert et Marie étaient à Paris, ont-ils visité le Louvre? — Oui, ils l'ont visité deux ou trois fois. — Et vous? — Je l'ai visité souvent.

4. Quand j'étais à Paris, je dînais presque toujours au restaurant. Chaque fois que je dînais au restaurant, je commandais de la soupe à l'oignon, du châteaubriant aux pommes, de la salade, du fromage et du vin. Mes repas étaient toujours excellents.

5. Quand M. Lebrun était en Italie, il était malade. — Je ne savais pas cela. C'est dommage.

6. Quel temps faisait-il hier? — Il faisait beau. — Faisait-il froid? — Non, il faisait chaud.

VOCABULARY FOR EXERCISES

accepter [aksɛpte] *to accept*
aider [ɛde] *to aid, help*
auteur [otœːr] *m. author*
bonté [bɔ̃te] *f. kindness;* avec —, *kindly*
bourgeois [burʒwa *or* burʒwɑ] *m. member of middle class*
cependant [səpɑ̃dɑ̃] *however*
chaque [ʃak] *each, every*
charmé [ʃarme] *charmed, delighted*
coûter [kute] *to cost*

dame [dam] *f. lady*
dépenser [depɑ̃se] *to spend*
écrivain [ekrivɛ̃] *m. writer*
énorme [enɔrm] *enormous*
envers [ɑ̃vɛːr] *towards, to*
époque [epɔk] *f. epoch, time*
étonné [etone] *astonished*
gens [ʒɑ̃] *m.pl. people*
grand [grɑ̃] *great*
hôpital [ɔpital] [1] *m. hospital*

[1] Observe the exceptional pronunciation of **ô** in this word: [ɔ].

malade [malad] *sick*
mépriser [meprize] *to scorn*
nourriture [nurityːr] *f. food*
ordinaire [ɔrdinɛir] *ordinary, usual;* d'—,
  usual, usually
paquet [pakɛ] *m. package*
pendant que [pãdãkə] *while*
profit [prɔfi] *m. profit, benefit*
rayon [rɛjɔ̃] *m. ray;* — de soleil *sunbeam*

refuser [rəfyze] *to refuse*
seul [sœl] *single, only, alone*
somme [sɔm] *f. sum*
sourire [suriːr] *m. smile*
timide [timid] *timid*
traverser [travɛrse] *to pass through*
vie [vi] *f. life*
visite [vizit] *f. visit*
voir [vwaːr] *to see*

VOCABULARY FOR REFERENCE

Chateaubriand [ʃatobriã] *French writer*
franc [frã] *m. franc (French unit of money)*
Hugo: Victor Hugo [viktɔːr ygo] *poet, drama-*
  tist, novelist
poète [pɔɛːt] *m. poet*

pour [pur] *(before infin.) to, in order to*
savoir [savwaːr] *to know* ⌐.
siècle [sjɛkl] *m. century*
soleil [sɔlɛːj] *m. sun, sunshine*

TREIZIÈME LEÇON 13

I. DIALOGUE

Students should memorize the French and English versions of the following anecdote so that when they hear one version they can immediately give the other. In class, students might recite the anecdote in pairs, one taking the role of the beggar, the other the role of the rich man.

LE MENDIANT IMPERTINENT

Un homme qui porte de très beaux vêtements donne vingt francs [1] à un vieux mendiant.

LE MENDIANT. Merci bien, monsieur.

L'HOMME RICHE. Pourquoi ne travaillez-vous pas? Êtes-vous paresseux?

LE MENDIANT. Autrefois je travaillais beaucoup, je gagnais beaucoup d'argent. Maintenant je suis trop vieux pour travailler.

THE IMPERTINENT BEGGAR

A man who is wearing very fine clothes gives twenty francs [1] to an old beggar.

— Thank you, sir.

— Why don't you work? Are you lazy?

— Formerly I used to work a lot, I used to earn a lot of money. Now I am too old to work.

[1] 20 francs = about 6 cents.

L'HOMME RICHE. Qu'avez-vous fait de l'argent que vous avez gagné?

LE MENDIANT. Ah, monsieur, je suis pauvre maintenant parce que, comme vous, j'avais la mauvaise habitude de donner beaucoup d'argent à tous les vieux mendiants paresseux.

— What have you done with the money you earned?

— Ah, sir, I'm poor now because, like you, I had the bad habit of giving a lot of money to all the lazy old beggars.

II. GRAMMAR

A. PLURAL OF NOUNS — SPECIAL CASES

1. Nouns ending in −s, −x, and −z remain unchanged in the plural.

SING.	PLUR.	
le repas	les repas	*meal*
le fils	les fils	*son*
le nez	les nez	*nose*

2. Nouns ending in −au and −eu add −x instead of −s.

le chapeau	les chapeaux	*hat*
le cheveu	les cheveux	*hair*

NOTE

A single *hair* is **un cheveu;** the *hair* of the head is **les cheveux.**

3. Most nouns ending in −al have a plural in −aux.

le journal	les journaux	*newspaper*

4. **L'œil,** *eye,* has a special plural form, **les yeux.**

B. PLURAL OF ADJECTIVES — SPECIAL CASES

1. Review Lesson 4, II, C.
2. Adjectives whose masculine singular ends in −s, −x, −al, or −au form their masculine plural like nouns with similar endings.

M. SING.	M. PLUR.	
mauvais	mauvais	*bad*
heureux	heureux	*happy*
vieux	vieux	*old*
général	généraux	*general*
beau	beaux	*beautiful, fine*
nouveau	nouveaux	*new*

NOTE

Only one common adjective ends in **–eu;** it adds **–s.**

bleu	bleus	*blue*

3. All adjectives without exception form the feminine plural by adding **–s** to the feminine singular.

4. **Tout,** *all, every, entire, whole,* etc., has the following forms:

M.S.	F.S.	M.Pl.	F.Pl.
tout	toute	tous	toutes

C. FEMININE OF ADJECTIVES — SPECIAL CASES

1. Adjectives which end in **–eux** in the masculine have a feminine in **–euse,** those in **–er** have a feminine in **–ère,** those in **–el, –il, –en,** or **–on** double the **–l** or **–n** and add **–e.**

Masc.	Fem.	
heureux	heureuse	*happy*
paresseux	paresseuse	*lazy*
premier	première	*first*
gentil	gentille	*nice*
bon	bonne	*good*

2. **Beau, nouveau,** and **vieux** have two masculine singular forms, one used before a consonant, the other before a vowel or mute **h.** Their feminine forms are derived from the second of the two masculine forms. Their plurals follow the principles already given.

M. Before Consonant	M. Before Vowel	Fem.	
beau	bel	belle	*beautiful, fine*
nouveau	nouvel	nouvelle	*new*
vieux	vieil	vieille	*old*

un beau chapeau	*a beautiful hat*
un bel homme	*a handsome man*
une belle femme	*a beautiful woman*
un nouvel ami	*a new friend*
une nouvelle robe	*a new dress*
un vieux mendiant	*an old beggar*
une vieille robe	*an old dress*

3. The feminine of **blanc,** *white,* is **blanche.**

D. POSITION OF ADJECTIVES

1. Review Lesson 4, II, D.
2. The following adjectives regularly precede a noun they modify:

beau	mauvais
bon	nouveau
grand	petit
jeune	premier
joli	vieux

3. **Tout,** when used with an article and noun, precedes the article.

tous les hommes	*all men*
toutes les femmes	*all women*
toute la famille	*the entire family*

4. As adjectives in French regularly follow a noun they modify (contrary to English usage), one should place an adjective after a noun unless there is a special reason for placing it before.

5. Frequently a noun is modified by two or more adjectives, which stand before or after in accordance with the category to which each belongs.

un vieux mendiant paresseux	*a lazy old beggar*
ses grands yeux noirs	*her big black eyes*

E. OMISSION OF ARTICLE IN PARTITIVE CONSTRUCTION

1. Review Lesson 7, II, B.
2. The definite article is omitted when, in the plural, there is an adjective between the **de** and the noun.

de jolies robes	*pretty dresses*
de beaux gants	*fine gloves*

3. Occasionally when an adjective and noun are so closely associated in meaning that they form a sort of unity or compound expression, **de** and the article are used even in the plural.

des jeunes filles	*some girls*

F. IDIOMS WITH *AVOIR*

1. **Avoir** is used with an unmodified noun in the following idiomatic expressions:[1]

[1] Other similar expressions will be introduced later.

avoir chaud	*to be warm, hot*
avoir froid	*to be cold*
avoir soif	*to be thirsty*
avoir faim	*to be hungry*

2. These idioms must have a person or animal, not a thing, as subject. For things, use **être** and an adjective. For weather, use **faire.**

La vieille femme a faim et soif.	*The old woman is hungry and thirsty.*
Il fait froid; elle a froid.	*It is cold; she is cold.*
Quand il fait chaud, nous avons chaud.	*When it is hot, we are hot.*
Voici de l'eau. — Est-elle froide ou chaude?	*Here is some water. — Is it cold or warm?*

III. EXERCISES

A. *Give the proper form of the adjective in parentheses:*

1. Cette (vieux) femme a de (beau) cheveux (blanc). 2. Cette jeune fille a des cheveux (blond) et des yeux (bleu). 3. Mes cheveux sont (noir), mes yeux sont (brun).

4. Voilà Pierre, mon (nouveau) ami. 5. Il est avec M. Dumas, son (vieux) oncle. 6. Pierre est très (gentil). 7. Sa mère est très (gentil) aussi.

8. M. et Mme Martin ont trois fils: Paul porte toujours une (joli) cravate (rouge), Robert une cravate (blanc) et (rouge), Jacques une (vieux) cravate (bleu). 9. Leur sœur Charlotte est une (beau) jeune fille; elle porte toujours de (joli) robes. 10. M. Martin est un (beau) homme; ses cheveux sont (blanc). 11. Mme Martin a de (beau) cheveux (gris). 12. Elle est très (gentil).

B. *Recite in French:*

1. A beautiful hat, a little hat, a beautiful little hat. 2. A French hat, a beautiful French hat, some beautiful French hats. 3. Some gloves, some fine gloves, some French gloves, some fine French gloves. 4. A pretty dress, some pretty dresses, a white dress, a pretty white dress, some pretty white dresses. 5. All the boys and all the girls.

C. *Complete each of the following sentences with a word for a part of the body:*

1. On porte un chapeau sur la ——. 2. On porte des gants aux ——. 3. On porte des souliers aux ——. 4. On porte une cravate autour du ——. 5. On porte une casquette sur la ——. 6. On porte un sac à la ——.

D. *Complete each sentence in column 1 with an appropriate noun from column 2:*

(a) Pour les jeunes filles

1	2
Sur la tête je porte ——.	un manteau
Aux mains je porte ——.	une ceinture
A la main je porte ——.	des gants
Quand il fait froid je porte ——.	un chapeau
Autour de mon corps je porte ——.	un sac
Aux pieds je porte ——.	des souliers

(b) Pour les hommes

1	2
Sur la tête je porte ——.	un mouchoir
Autour de mon cou je porte ——.	une casquette
Aux pieds je porte ——.	des lunettes
Dans ma poche je porte ——.	des souliers
Sur mon nez je porte ——.	un pardessus
Quand il fait froid je porte ——.	une cravate

E. *Read the following anecdote, then use the Recording of it (Disk 5, Side 1, Section 1):*

J'AI FAIM

Un Américain qui ne sait pas très bien le français est à Paris. Il a faim et soif mais il sait que la cuisine française est toujours très bonne. Le voilà assis à une petite table ronde d'un bon restaurant. Un garçon lui donne la carte du jour. L'Américain ne sait pas la signification de tous les mots bizarres qu'il trouve sur la carte. Il regarde le garçon, le garçon le regarde. Il attend, le garçon attend. Enfin il parle au garçon:

— Garçon, j'ai une grande femme.

Le garçon lui répond avec une grande politesse:

— Ah? Pourquoi Madame n'est-elle pas ici avec vous?

L'Américain sait qu'il a fait une faute de grammaire mais il ne sait pas quelle faute il a faite. Il décide d'employer le verbe « être » au lieu du verbe « avoir »:

— Garçon, je suis une grande femme.

— Oh, madame, c'est formidable! Pourquoi avez-vous cette grande moustache au milieu du visage?

L'Américain, qui a vraiment faim et soif, ne sait que faire. Mais tout est bien qui finit bien. Il a une très bonne idée. Il parle au garçon *en anglais:*

— Apportez-moi, s'il vous plaît, un très bon dîner avec beaucoup de bon vin.

Le garçon lui apporte un repas délicieux avec du bon vin blanc.

F. *Write in French:*

In the third lesson we talked about (*de*) the Dubois family. Mr. and Mrs. Dubois had two sons, Charles and Frederick, and one daughter, Marie.

Mr. Dubois is a handsome man. His hair is white, his eyes are brown. Mrs. Dubois is not a beautiful woman; her nose and her mouth are too large. Her eyes are blue and her hair is gray. Mrs. Dubois is very nice.

Charles is a handsome young man; his hair is blond, his eyes are blue. Frederick is a bad little boy. His hair is black, his eyes are small, he is always lazy. His brother and his sister do not like him.

Marie has pretty black hair and beautiful white teeth. But, like her mother, she is homely. People like Marie very much.

IV. OPTIONAL EXERCISES

A. *Pronounce with especial attention to differences between masculine and feminine forms:*

bon [bɔ̃]; bonne [bɔn]; blanc [blɑ̃]; blanche [blɑːʃ]; grand [grɑ̃]; grande [grɑ̃d]; gris [gri]; grise [griːz]; heureux [œrø]; heureuse [œrøːz]; mauvais [mɔvɛ]; mauvaise [mɔvɛːz]; paresseux [parɛsø]; paresseuse [parɛsøːz]; petit [pəti]; petite [pətit].

B. *Answer the following questions in French:*
1. Comment savez-vous que l'homme qui a donné dix francs à un mendiant était riche? 2. A-t-il donné beaucoup d'argent au mendiant? 3. Est-ce que l'homme riche était généreux? 4. Les hommes riches sont-ils toujours généreux? 5. Le mendiant a-t-il toujours été pauvre? 6. Comment gagnait-il beaucoup d'argent autrefois? 7. Pourquoi ne gagne-t-il pas beaucoup d'argent maintenant? 8. Êtes-vous trop vieux pour travailler? 9. Êtes-vous paresseux? 10. Travaillez-vous beaucoup?

C. *Recite in French:*
1. I'm hungry. — 2. Order a good meal! — 3. I'm thirsty. — 4. Order some cold water! — 5. I'm cold. — 6. Order some hot coffee! — 7. I'm hot. — 8. Order some cold beer! — 9. I don't like beer. — 10. Order some good wine! — 11. I don't have

enough money.   Lend me ten dollars. — 12. I am not rich but I am generous. Here are ten dollars. — 13. Thank you very much. — 14. Don't mention it! Don't order too much wine!

VOCABULARY FOR EXERCISES

anglais [ãglɛ] m. *English (language)*
autour de [oturdə] *around*
bizarre [bizaːr] *queer, odd*
bleu [blø] *blue*
brun [brœ̃] *brown*
carte [kart] f.: — du jour *bill of fare*
casquette [kaskɛt] f. *cap*
ceinture [sɛ̃tyːr] f. *belt*
cravate [kravat] f. *necktie*
employer [ãplwaje] *to use*
formidable [fɔrmidabl] *formidable, terrific*
gant [gã] m. *glove*
généreux, généreuse [ʒenerø, –øːz] *generous*
grammaire [gramɛːr] f. *grammar*
gris [gri] *gray*
idée [ide] f. *idea*
lieu [ljø] m.: au — de *in place of, instead of*

manteau, –x [mãto] m. *coat,*[1] *cloak*
mauvais [mɔvɛ] *bad*
milieu [miljø] m. *middle*
mouchoir [muʃwaːr] m. *handkerchief*
moustache [mustaʃ] f. *mustache*
nez [ne] m. *nose*
œil [œːj], pl. yeux [jø] m. *eye*
oncle [ɔ̃ːkl] m. *uncle*
pardessus [pardəsy] m. *overcoat* [1]
paresseux, paresseuse [parɛsø, –øːz] *lazy*
poche [pɔʃ] f. *pocket*
politesse [pɔlitɛs] f. *politeness*
robe [rɔb] f. *dress*
signification [siɲifikasjɔ̃] f. *meaning*
soulier [sulje] m. *shoe*
vraiment [vrɛmã] *really, truly*

VOCABULARY FOR REFERENCE

Américain [amerikɛ̃] m. *American (a person)*
autrefois [otrəfwa] *formerly*
beau, bel, belle; pl. beaux, belles [bo, bɛl]
    beautiful, fine, handsome
blanc, blanche [blã, blãːʃ] *white*
blond [blɔ̃] *blond, light*
bon, bonne [bɔ̃, bɔn] *good*
chapeau, –x [ʃapo] m. *hat*
cheveu, –x [ʃəvø] m. *hair*
délicieux, délicieuse [delisjø, –øːz] *delicious*
faim [fɛ̃]: avoir —, *to be hungry*
gagner [gaɲe] *to earn*
général, généraux [ʒeneral, –o] *general*
gentil, gentille [ʒãti, –iːj] *nice*
habitude [abityd] f. *habit, custom*

heureux, heureuse [œrø, –øːz] *happy*
impertinent [ɛ̃pɛrtinã] *impertinent*
journal, journaux [ʒurnal, –o] m. *newspaper*
mendiant [mãdjã] m. *beggar*
nouveau, nouvel, nouvelle [nuvo, nuvɛl] *new*
porter [pɔrte] *(of clothes) to wear*
si [si] *so*
soif [swaf]: avoir —, *to be thirsty*
tout, toute, tous, toutes [tu, tut, tu(s), tut]
    adj., all, every, entire, whole
travailler [travaje] *to work*
verbe [vɛrb] m. *verb*
vieux, vieil, vieille [vjø, vjɛːj] *old*
yeux [jø] pl. of œil

---

[1] A coat for a man is **un pardessus,** a coat for a woman is **un manteau.**

QUATORZIÈME LEÇON 14

I. ORAL INTRODUCTION

With students' books closed, the teacher makes the following speech slowly and then repeats it rapidly; students should be able to understand it perfectly:

Allons! allons! Allez à vos places! Nous allons commencer. Qui est absent? Marie? Pourquoi n'est-elle pas venue ici ce matin? Elle va peut-être arriver en retard, comme d'ordinaire. Quelle leçon avez-vous étudiée pour aujourd'hui? La quatorzième, n'est-ce pas? Vous savez donc la signification des verbes *venir* et *partir, entrer* et *sortir.* Ah, voici Marie! Elle est entrée dans la salle de classe comme un rayon de soleil! Allez à votre place, Marie! Allons!

Come! come! Go to your seats! We are going to begin. Who is absent? Mary? Why hasn't she come here this morning? She is perhaps going to arrive late, as usual. What lesson have you studied for today? The fourteenth, haven't you? You know then the meaning of the verbs to come *and* to leave, *to enter and* to go out. *Ah, here's Mary! She has come into the classroom like a sunbeam! Go to your seat, Mary! Let's go!*

II. GRAMMAR

A. *ÊTRE* AS AUXILIARY

1. The verb **être** (instead of **avoir**) and the past participle form the compound tenses of a few verbs. Among the most common of these verbs are:

INFINITIVE	MEANING	PAST PARTICIPLE
aller	*to go*	allé
arriver	*to arrive*	arrivé
devenir	*to become*	devenu
entrer	*to enter*	entré
partir	*to leave, go away*	parti
rester	*to remain*	resté
retourner	*to return, go back*	retourné
revenir	*to return, come back*	revenu
sortir	*to go* or *come out*	sorti
venir	*to come*	venu

2. Note that all these verbs, except **rester,** denote action or change of condition and cannot have a direct object. The past indefinite of these verbs really indicates a condition resulting from motion or change. E.g., **il est sorti** = *he has gone out* and *he is out.* But not all verbs denoting motion or change are conjugated with **être.** Comparatively few are. Some additional ones will be given in later lessons.

3. The present tense of **être** with these past participles forms the past indefinite tense.

B. AGREEMENT OF PAST PARTICIPLES USED WITH *ÊTRE*

The past participles of the verbs given in A agree in gender and number with the subject of **être.**

Les jeunes filles sont parties.	*The girls have left.*
Elles ne sont pas encore revenues.	*They have not yet come back.*

C. ALLER, "TO GO"

1. This irregular verb has the following forms in the present, imperfect, imperative, and past indefinite tenses:

PRESENT	IMPERFECT
I go, am going, etc.	*I was going, used to go, etc.*
je vais [ʒəve *or* ʒəvɛ]	j'allais [ʒalɛ]
tu vas [tyva]	tu allais
il va [ilva]	etc.
nous allons [nuzalɔ̃]	
vous allez [vuzale]	IMPERATIVE
ils vont [ilvɔ̃]	*go, let us go, go*
	va
PAST INDEFINITE	allons
I went, have gone, etc.	allez
je suis allé	
etc.	

2. The present tense of **aller** followed by an infinitive may indicate future time (like *to go*, in English).

Qu'allez-vous faire?	*What are you going to do?*
Je vais partir bientôt.	*I'm going to leave soon.*

3. The first person plural of the imperative, **allons,** may mean literally *let us go* or it may have idiomatically the force of an exclamation, **allons! allons!** *come! come!*

D. Y, "THERE"

Y, *there, in that place,* stands for a place already mentioned or referred to and is less emphatic than **là,** *there.* Like pronoun objects, it is regularly placed before a verb; it follows an affirmative imperative but precedes a negative one. It must be used in French whether "there" is expressed or merely implied in English.

— Allez-vous au château?	— *Are you going to the château?*
— Oui, j'y vais.	— *Yes, I am (going there).*
— Est-ce que Cécile est à la maison?	— *Is Cecile at home?*
— Non, elle n'y est pas.	— *No, she isn't.*
— Allons-y.	— *Let's go there.*
— N'y allez pas.	— *Don't go there.*

E. THE INTERROGATIVE PRONOUN *QUI*

The interrogative pronoun **qui,** *who, whom,* may be used as subject of a verb, object of a verb, or object of a preposition. (**Qui** never becomes **qu'.**)

Qui est venu ici ce matin? *Who came here this morning?*
Qui avez-vous invité à dîner? *Whom have you invited to dinner?*
Avec qui êtes-vous allé au châ- *With whom did you go to the château?*
teau?

F. VERBAL DISTINCTIONS

1. **Retourner** means *to return* in the sense of *to go back.*
   Revenir means *to return* in the sense of *to come back.*
2. **Partir** means *to leave* in the sense of *to go away.*
   Sortir means *to leave* in the sense of *to go* or *come out.*
3. **Partir** is the opposite of **venir** or of **arriver.**
   Sortir is the opposite of **entrer.**

III. EXERCISES

A. *Pronounce carefully the following proper names:*

1. Napoléon Bonaparte [napɔleɔ̃bɔna-part]; Joséphine Bonaparte [ʒɔzefinbɔna-part]; Louis-Napoléon Bonaparte [lwi-napɔleɔ̃bɔnapart].

2. Victor Hugo [viktɔɪrygo]; Odilon Barrot [ɔdilɔ̃baro].

3. Versailles [vɛrsaɪj]; Fontainebleau [fɔ̃tɛnblo]; la Malmaison [lamalmɛzɔ̃].

4., Les Tuileries [letɥilri]; Waterloo [vatɛrlo]; Sainte-Hélène [sɛ̃telɛn].

B. *Supply the proper form of* avoir *or* être, *whichever is required, in the following sentences, reading the completed sentences aloud:*

1. Hier nous —— visité un palais.
2. Nous y —— allés à pied. 3. Nous —— partis de notre hôtel et bientôt nous —— arrivés devant le palais. 4. Nous y —— entrés tout de suite. 5. Un guide nous —— raconté l'histoire des rois et des reines qui y —— laissé des souvenirs.

6. Nous y —— restés longtemps parce qu'il y avait tant de pièces à visiter.
7. Enfin nous —— sortis. 8. Nous —— donné un pourboire au guide. 9. Puis nous —— fait une promenade dans le parc du palais. 10. Nous y —— admiré les fleurs. 11. Enfin nous —— retournés à notre hôtel, où nous —— raconté notre visite à nos amis.

C. *Give the proper form of the past participle of each verb in parentheses:*

1. Ce matin Marie a (parler) à une de ses amies de sa visite à un musée.
2. Cette amie lui a (proposer) d'y retourner. 3. Les deux jeunes filles sont (sortir) de leur hôtel tout de suite. 4. Il faisait si beau qu'elles ont (décider) d'aller au musée à pied. 5. Elles ont (marcher) longtemps et enfin elles y sont (arriver). 6. Elles y sont (entrer).
7. Elles ont (visiter) des pièces où il y

avait de beaux tableaux et d'autres pièces où il y avait de belles statues. 8. Marie et son amie sont (rester) deux heures dans le musée. 9. Puis elles sont (sortir). 10. Elles sont (retourner) à leur hôtel.

D. *Translate into French:*
1. Who are you? 2. Where are you going? 3. With whom are you talking? 4. Whom did you invite to (à) come here? 5. Who has arrived? 6. Who went (= entered) into the house? 7. Who came out of the house? 8. Who went away? 9. I am Jacques Martin. 10. I am going to a museum. 11. I am talking with my uncle. 12. I invited one of the friends (*fem.*) of my sister to (à) come here. 13. She has not yet arrived. 14. My sister went into the house. 15. My brother came out of the house and went away.

E. *Translate the following sentences into French, then change the verbs from present tense to past indefinite and translate again into French:*
1. The girls are going to the Jardin des Tuileries. 2. They are going there on foot. 3. I am not going there, I am staying in my room. 4. The girls arrive there, they take a walk there. 5. They admire the flowers and the statues. 6. They stay there a long time. 7. They return on foot to their hotel.

F. READING

LA MALMAISON

Presque tous les voyageurs américains qui vont en France visitent les châteaux de Versailles et de Fontainebleau, qui ne sont pas loin de Paris. Beaucoup de touristes vont aussi à la Malmaison. Versailles et Fontainebleau sont des châteaux magnifiques avec de grands parcs. La Malmaison n'est pas très grande mais elle est très belle. Le jardin qui l'entoure est très beau. On y trouve de très belles roses.

Napoléon Bonaparte n'aimait pas Versailles et n'y allait pas souvent. La Malmaison, au contraire, était la demeure préférée de l'empereur et de sa femme Joséphine. Napoléon et Joséphine y étaient heureux. A Paris Napoléon demeurait au palais des Tuileries. Quand il était fatigué des cérémonies de sa cour, il quittait Paris et allait à la Malmaison.

Dans les nombreux salons du château, l'empereur et l'impératrice donnaient des bals ou des concerts (Joséphine aimait beaucoup la musique) ou causaient avec leurs amis. Dans la bibliothèque du château il y avait de grandes tables élégantes et de beaux fauteuils, mais peu de livres.

Après la bataille de Waterloo Napoléon a été obligé de quitter la France. D'abord il est allé à la Malmaison. Il y a passé ses derniers jours en France. Les guides montrent aux visiteurs la porte par où il est sorti pour la dernière fois. De la Malmaison Napoléon est allé à

Sainte-Hélène, où il est resté jusqu'à sa mort.

Depuis le départ de Napoléon, des visiteurs nombreux sont allés à la Malmaison. Un des visiteurs célèbres était Louis-Napoléon Bonaparte, qui était le neveu de Napoléon et qui est devenu empereur. Il a raconté sa visite à Victor Hugo.

« Je l'ai visitée en détail. Voici comment. Je suis allé faire une visite à mon ami Odilon Barrot à Bougival. Il m'a invité à dîner. J'ai accepté son invitation. Mais qu'allions-nous faire avant le dîner?

— Allons à la Malmaison, propose M. Barrot . . .

Quand nous sommes arrivés à la Malmaison, le château était fermé. Nous avons sonné. Un portier est venu à la porte. M. Barrot lui a parlé.

— Nous désirons visiter le château.

— Impossible!

— Comment! impossible?

— Oui, impossible . . . J'ai des ordres

. . . Le château est maintenant fermé.

— Mais mon ami est le neveu de l'empereur!

— Le neveu de l'empereur! Oh, messieurs, entrez!

Nous sommes entrés et nous avons visité le château. Tout y est encore à peu près à sa place, dans le cabinet de mon oncle, dans la chambre de ma mère. Les meubles sont encore les mêmes dans beaucoup de salons, dans beaucoup de chambres. J'ai retrouvé le petit fauteuil que j'avais quand j'étais enfant . . . »

Aujourd'hui, longtemps après la visite de Louis-Napoléon, tout à la Malmaison est encore à peu près à sa place. Deux Américains généreux ont retrouvé et ont rendu au château des livres qui étaient dans la bibliothèque et des meubles qui étaient dans les salons ou dans les chambres à l'époque de Napoléon et de Joséphine. A la Malmaison les souvenirs de l'empereur et de l'impératrice sont restés vivants.

G. *Write in French:*

I am going to relate to you the visit which I made to la Malmaison. I was at the home (= house) of my friend René Diderot. He invited me to lunch and I accepted his invitation. After (the) lunch we went to la Malmaison, which is not far from his house.

La Malmaison is the château where Napoleon and Josephine used to live. La Malmaison is not a very large château, like Versailles and Fontainebleau, but it is beautiful. A park surrounds it and in this park there is a garden where there are very beautiful roses. The rose was always Josephine's favorite flower.

In the château a guide showed us numerous drawing rooms, where Napoleon and Josephine used to give balls or concerts and (used to) converse with their friends. In many rooms the furniture is (= are) still the same. One visits the study of Napoleon, the bedroom of Josephine, the library of the château.

We stayed a long time in la Malmaison because there is a great deal to (à) look at, but finally we came out and took a walk in the garden. Then we left the park and we returned to René's house in Bougival.

IV. OPTIONAL EXERCISES

A. *Answer the following questions in French:*

1. Est-ce que les châteaux de Versailles et de Fontainebleau sont loin de Paris? 2. Ces châteaux sont-ils grands ou petits? 3. Est-ce que la Malmaison est très grande? 4. Qu'est-ce qu'on trouve dans le jardin de la Malmaison? 5. Pourquoi?

6. Quand Napoléon Bonaparte était à Paris, dans quel palais demeurait-il? 7. Quel château était la demeure préférée de Napoléon? 8. Qui était la femme de Napoléon?

9. Qu'est-ce que Napoléon et Joséphine faisaient dans les salons du château? 10. Est-ce que Napoléon aimait la musique? 11. Qu'est-ce qu'il y avait dans la bibliothèque de la Malmaison?

12. Quelle bataille célèbre Napoléon a-t-il perdue? 13. Quand Napoléon est parti de Paris, où est-il allé d'abord? 14. Quand il est parti de la Malmaison, où est-il allé?

15. Qui était Louis-Napoléon Bonaparte? 16. A qui a-t-il raconté sa visite à la Malmaison? 17. Avec qui y est-il allé? 18. Quand les deux amis y sont arrivés, qu'ont-ils fait? 19. Qui est venu à la porte? 20. Quelles pièces Louis-Napoléon a-t-il visitées? 21. Quel meuble a-t-il trouvé à sa place? 22. Quand est-ce que Louis-Napoléon y demeurait?

B. *Use the Recording (Disk 5, Side 1, Section 2) of the following dialogue:*

— Qu'est-ce que mes amis, Hélène, Marie et Georges, ont fait aujourd'hui?

— Ce matin ils sont allés au musée du Louvre.

— Combien de temps y sont-ils restés?

— Les jeunes filles sont sorties du musée presque tout de suite. Les tableaux et les statues ne les intéressent pas. Elles sont allées à un grand magasin qui est près du Louvre. Elles y ont trouvé beaucoup de choses intéressantes: de beaux meubles, de jolies lampes, des tapis magnifiques, des assiettes, des tasses, des verres, et surtout des vêtements élégants — des chapeaux, des manteaux, des gants, des robes, des souliers et des ceintures. Elles sont restées longtemps dans ce magasin et elles vont y retourner demain.

— Où sont-elles maintenant?

— Elles sont fatiguées, elles sont dans leur chambre.

— Où est leur frère Georges? Est-il allé au Louvre avec ses sœurs?

— Georges est allé au Louvre avec Hélène et Marie, il n'est pas encore revenu ici. Il aime beaucoup les tableaux et les statues mais les meubles et les vêtements ne l'intéressent pas. Il va rester au Louvre longtemps et il va y retourner plusieurs fois.

VOCABULARY FOR EXERCISES

bal, *pl.* bals [bal] *m. ball, dance*

bataille [bataːj] *f. battle*

bibliothèque [bibliɔtɛk] *f. library*

bientôt [bjẽto] *soon*

cabinet [kabinɛ] *m. study, office*

contraire [kɔ̃trɛːr]: au —, *on the contrary*

cour [kuːr] *f. court*

déjeuner [deʒœne] *to lunch, have lunch*

demeure [dəmœːr] *f. residence*

départ [depaːr] *m. departure*

depuis [dəpɥi] *since*

empereur [ãprœːr] *m. emperor*

entourer [ãture] *to surround*

fermer [fɛrme] *to close*

fleur [flœːr] *f. flower*

histoire [istwaːr] *f. history*

impératrice [ɛ̃peratris] *f. empress*

inviter [ɛ̃vite] *to invite (requires à before infinitive)*

jusqu'à [ʒyska] *until, as far as, up to*

longtemps [lɔ̃tã] *a long time*

marcher [marʃe] *to walk*

mort [mɔːr] *f. death*

neveu, −x [nəvø] *m. nephew*

nombreux, nombreuse [nɔ̃brø, −øːz] *numerous*

palais [palɛ] *m. palace*

pied: à —, *on foot*

portier [pɔrtje] *m. doorkeeper, gatekeeper, guard*

préféré [prefere] *favorite*

près [prɛ]: à peu —, *almost, approximately*

proposer [prɔpoze] *to propose*

raconter [rakɔ̃te] *to relate, tell about*

reine [rɛn] *f. queen*

rendre [rãːdr] *to give back*

retrouver [rətruve] *to find again*

roi [rwa *or* rwa] *m. king*

sonner [sɔne] *to ring*

souvenir [suvniːr] *m. memory*

tableau, −x [tablo] *m. picture*

vivant [vivã] *alive, living*

VOCABULARY FOR REFERENCE

absent [apsã] *absent*

allons! *come! come now!*

Bougival [buʒival] *suburb of Paris*

cérémonie [seremɔni] *f. ceremony*

château, −x [ʃato] *m. château*

concert [kɔ̃sɛːr] *m. concert*

détail [detaːj] *m. detail*

devenir [dəvniːr] *to become*

guide [gid] *m. guide*

impossible [ɛ̃pɔsibl] *impossible*

invitation [ɛ̃vitasjɔ̃] *f. invitation*

ordre [ɔrdr] *m. order*

partir [partiːr] *to leave, go away*

retard [rətaːr]: en —, *late*

revenir [rəvniːr] *to return, come back*

rose [roːz] *f. rose*

sortir [sɔrtiːr] *to go out, come out*

statue [staty] *f. statue*

touriste [turist] *m. tourist*

venir [vəniːr] *to come*

visiteur [vizitœːr] *m. visitor*

y [i] *there*

QUINZIÈME LEÇON

I. ANECDOTE

The following anecdote may be used in various ways: for example, (1) the meanings of the French and English versions could be memorized and recited as in previous lessons, (2) the anecdote could be memorized and recited completely, either exactly or approximately as given, or (3) it could be retold in indirect form (e.g., "one of the men says to the other that he will not go . . . , he asks how many kilometers there are . . . , his comrade replies or tells him that there are . . . ," etc.)

Un jour deux hommes allaient à pied de Tours à Saumur. Ils avaient chaud, ils avaient soif, ils avaient faim.

— Mon Dieu ! dit l'un des hommes à l'autre. Je n'irai pas jusqu'à Saumur. Combien de kilomètres y a-t-il d'ici à Saumur ?

— Il y a seulement six kilomètres, répond son camarade. Nous y arriverons facilement. Je ferai trois

One day two men were walking from Tours to Saumur. They were hot, they were thirsty, they were hungry.

— Good Heavens! says one of the men to the other. I shall not go as far as Saumur. How many kilometers is it from here to Saumur?

— It's only six kilometers, replies his comrade. We'll get there easily. I'll do three kilometers, you'll do only three

kilomètres, vous ferez seulement trois kilomètres. Trois et trois font six. Alors nous y serons!

kilometers.   Three and three are six. Then we'll be there!

venir = viendrai ras

II. GRAMMAR

A. FUTURE TENSE OF REGULAR VERBS

1. The future tense of the model verbs **donner, finir,** and **perdre** has the following forms: [1]

donner	finir	perdre
I shall give, etc.	*I shall finish, etc.*	*I shall lose, etc.*
donner **ai** [dɔn(ə)re]	finir **ai** [finire]	perdr **ai** [pɛrdre]
donner **as** [dɔn(ə)ra]	finir **as** [finira]	perdr **as** [pɛrdra]
donner **a** [dɔn(ə)ra]	finir **a** [finira]	perdr **a** [pɛrdra]
donner **ons** [dɔn(ə)rɔ̃]	finir **ons** [finirɔ̃]	perdr **ons** [pɛrdrɔ̃]
donner **ez** [dɔn(ə)re]	finir **ez** [finire]	perdr **ez** [pɛrdre]
donner **ont** [dɔn(ə)rɔ̃]	finir **ont** [finirɔ̃]	perdr **ont** [pɛrdrɔ̃]

2. The future tense of regular verbs is formed, as the foregoing examples show, by adding the endings to the *infinitive*.   There is no auxiliary to correspond to the English *shall* and *will*.

3. Note that in verbs of the third conjugation the final **e** of the infinitive is omitted and that in all three conjugations the third person plural ending is **–ont,** which is pronounced.

B. FUTURE TENSE OF IRREGULAR VERBS

The endings of the future tense are the same for all verbs, regular and irregular, without exception.   Therefore if one knows the future *stem* of an irregular verb (the stem is not always the same as the infinitive), one has only to supply the proper ending to form any desired person and number.   Learn the future stems of the following irregular verbs:

I shall have

I will make

avoir   **aur** ai [ɔre]   faire   **fer** ai [f(ə)re]

être   **ser** ai [s(ə)re]   savoir   **saur** ai [sɔre]

I shall be

aller   **ir** ai [ire]

I shall go

To know I shall "

[1] From here on, in verb paradigms, the personal pronoun subject forms will be omitted.

C. USE OF FUTURE TENSE

1. The future tense is used in French in general as in English, but there is one special case: the future must be used in French (though not usually in English) in subordinate clauses introduced by **quand,** *when;* **lorsque,** *when;* **aussitôt que,** *as soon as;* **dès que,** *as soon as;* and **tant que,** *as long as,* when futurity is expressed or implied in the main clause of the sentence.

Paul sera fatigué quand il arrivera.	*Paul will be tired when he arrives.*
Aussitôt que nous arriverons à Paris, nous irons à un hôtel.	*As soon as we arrive in Paris, we shall go to a hotel.*
Tant que vous serez ici, je serai heureux.	*As long as you are here, I shall be happy.*

2. A future tense is frequently found (as in English) in the conclusion of a sentence which has a clause introduced by **si,** *if.* Note that the verb in the if-clause is in the present tense.

Si vous marchez longtemps, vous serez fatigué.	*If you walk a long time, you will be tired.*
S'il fait froid, vous aurez besoin d'un pardessus.	*If it is cold, you will need an overcoat.*

3. Whereas **aller** + an infinitive (cf. Lesson 14, II, C, 2) usually denotes an immediate future and is used in informal style, the future tense may refer to any future time, near or remote, and may be formal or informal. (The same distinction obtains in English.)

Je serai à la maison lorsque vous serez encore à l'école.	*I'll be at home when you are still at school.*
Je vais rentrer à la maison demain.	*I'm going to return home tomorrow.*

D. *DIRE,* "TO SAY, TELL"

This irregular verb has the following forms in the tenses given:

PRESENT	IMPERFECT	IMPERATIVE
I am saying, telling, etc.	*I was saying, etc.*	*say! tell! etc.*
dis [di]	disais [dizɛ]	dis [di]
dis [di]	etc.	disons [dizɔ̃]
dit [di]		dites [dit]
disons [dizɔ̃]	FUTURE	
dites [dit]	dirai [dire]	PAST INDEFINITE
disent [diz]	etc.	j'ai dit [ʒedi]
		etc.

E. FURTHER IDIOMS WITH *AVOIR*

Avoir is used idiomatically in the phrases **avoir besoin** (**de**), *to need;* **avoir peur** (**de**), *to fear, be afraid of;* **avoir raison,** *to be right;* and **avoir tort,** *to be wrong,* in the same way as it is used with **chaud** and **froid.**

Le roi a besoin d'une armée.	*The king needs an army.*
Notre héros n'a pas peur des géants.	*Our hero is not afraid of the giants.*
La princesse est belle, n'est-ce pas? — Vous avez raison, elle est très belle.	*The princess is beautiful, isn't she? — You are right, she is very beautiful.*
La reine est belle, n'est-ce pas? — Vous avez tort, elle est laide.	*The queen is beautiful, isn't she? — You are wrong, she is homely.*

III. EXERCISES

A. *Give the proper forms of the verbs in parentheses:*

1. Cette jeune fille vous aime. Si vous lui (parler), elle sera heureuse. 2. Quand vous lui (parler), elle sera heureuse. 3. Lorsque vous lui (parler), elle sera heureuse. 4. Si vous ne lui (parler) pas, elle ne sera pas heureuse. 5. Si nous (aller) en France, nous irons à Paris. 6. Aussitôt que nous (arriver) à Paris, nous irons à un hôtel. 7. Dès que nous (être) à l'hôtel, nous irons à notre chambre. 8. Si mon père ne me (donner) pas d'argent, je n'irai pas à Paris. 9. Aussitôt que mon père me (donner) assez d'argent, j'irai en France. 10. Tant que nous (rester) en France, nous parlerons français.

B. *Supply a correct form of* avoir *or* être:

1. Si vous —— faim, allez à un restaurant. 2. Si vous —— soif, allez à un café. 3. Que ferez-vous si vous —— faim? 4. Que ferez-vous si vous —— soif? 5. Si vous dites que je —— riche, vous —— tort. 6. Si vous dites que je —— pauvre, vous —— raison.

7. Quand nous —— assez d'argent, nous irons à New-York. 8. Si nous n'—— pas assez d'argent, nous n'irons pas à New-York.

C. *Recite in French:*

1. Tell me where you have been and where you are going. — 2. I told you this morning where I went yesterday. 3. I shall tell you tomorrow where I have been today.

4. You were talking with Odile; what were you saying to her? — 5. I was telling her that she is very beautiful. — 6. You are wrong: Odile is pretty,

she is not beautiful. 7. What did she say to you? — 8. She told me that I am handsome and that you are homely. — 9. Why is she always wrong?

D. READING. *Try to determine the meanings of new words from the context before you look them up in a vocabulary. Read through the passage in French two or three times without thinking of the English.*

SEPT-D'UN-COUP [1]

« Sept-d'un-coup » est le titre d'un conte célèbre. Le héros de ce conte est un petit tailleur qui tue sept mouches d'un seul coup. Ensuite il accomplit facilement beaucoup d'autres actions difficiles.

Le voici à la cour d'un roi qui l'a nommé général de son armée. Les soldats et les officiers n'aiment pas leur général, qui est très vaniteux. Le roi sait qu'ils ne l'aiment pas. Il décide d'envoyer le général dans une forêt où il y a deux géants. Le roi est sûr que les géants tueront le petit tailleur.

— Dites au général, dit le roi à un de ses officiers, qu'il y a dans une forêt de mon pays deux géants qui tuent tous les jours des hommes, des femmes et des enfants. Dites-lui que, s'il tue ces géants, je lui donnerai ma fille en mariage et elle lui apportera sa fortune et sa part du pays. Je lui donnerai aussi vingt hommes pour l'aider à tuer les géants.

L'officier dit tout cela au petit tailleur. Notre héros n'a pas peur.

— Voilà une belle idée, répond-il à l'officier. La princesse est très belle, je l'épouserai. Dites au roi que j'accepte son offre. Mais dites-lui aussi que je n'accepterai pas les vingt soldats: je n'aurai pas besoin de leur aide. J'irai seul dans la forêt. Aussitôt que je trouverai les géants, je les tuerai. J'apporterai au roi les têtes des géants et il me donnera sa fille, la princesse, en mariage. Après la mort du roi, je serai le roi du pays.

Le petit tailleur va seul dans la forêt et y trouve les deux géants . . .

Sept-d'un-coup tuera-t-il les géants ou les géants le tueront-ils? Est-ce que le roi donnera sa fille au tailleur? Est-ce que Sept-d'un-coup sera le roi du pays?

Vous savez déjà les réponses à ces questions, n'est-ce pas? Dans tous les contes, les petits héros tuent les grands géants, les tailleurs courageux épousent les belles princesses.

E. *Write in French:*

I am going to relate to you a famous story. The hero of this story is a little tailor who killed seven flies at a single blow. Then he went to the court of a king. He found there a beautiful princess. The king was afraid of two giants who lived in a forest. The giants used to kill men, women, and children every day. All the soldiers and all the officers of the army were afraid of those giants. But the tailor was not afraid of two giants.

[1] In order to establish a connection between this elementary grammar and the Heath-Chicago Graded French Readers, this reading exercise has been freely adapted from an episode in Book One of the series.

— If I go into the forest, says the little tailor to the king, if I find there the two giants, if I kill them, what will you give me?

— If you kill the two giants, I'll give you my daughter in marriage.

— Very well! says the tailor. There's a fine idea! I accept your offer.

— My soldiers will accompany you as far as the forest but they will not go (enter) in there because they are afraid of the giants.

— I shall not need your soldiers. I'm not afraid. I'll go alone to the forest, I'll find the giants, I'll kill them, I'll bring you their heads, and I'll marry your daughter, the beautiful princess!

The little tailor went alone into the forest . . .

Did he find the two giants there? Did he kill them or did they kill him? Did he return to the court of the king? Did he marry the beautiful princess?

Courageous men perform many difficult deeds — but conceited men do not always accomplish easy actions.

IV. OPTIONAL EXERCISES

For Wed.

A. *Recite in French the following dialogue, which is based upon Lesson 5, III, D:*

— My friends will spend a month in Paris. They will leave New York, they will cross the Atlantic Ocean by plane, and they will arrive in Paris at the beginning of the month of May.

— Where will your friends live when they are in Paris?

— M. Lebrun, who is a friend of their father, will not be in Paris and he will lend them his apartment.

— What will your friends do in Paris?

— They will visit l'Ile de la Cité, where they will admire the great cathedral, Notre-Dame de Paris; they will visit the famous squares of Paris . . .

— Will they visit the Eiffel Tower?

— Yes, they will go up to the top of the Eiffel Tower.

— Will they speak French when they are in Paris?

— Yes, they will speak French in the stores, the shops, the cafés, and the restaurants.

— Will they go to all the other cities of (la) France?

— They will not have (the) time to (d') go there. At the end of the month of May, they will leave Paris, they will cross the Atlantic Ocean, and very quickly they will be in New York.

B. *Use the Recording (Disk 5, Side 2, Section 1) of the following dialogue:*

MONSIEUR ET MADAME

ELLE. Faisons nos plans pour demain. Ce sera notre premier jour à Paris. On apportera notre petit déjeuner ici dans notre chambre et nous sortirons bientôt après.

LUI. Où irons-nous d'abord?

ELLE. Allons à un grand magasin. Les Galeries Lafayette ne sont pas loin d'ici. Si nous marchons vite, nous y serons en quinze ou vingt minutes. J'ai besoin d'un chapeau et on y vend de très beaux chapeaux.

LUI. Pourquoi as-tu besoin d'un chapeau? Tu en as deux ou trois.

ELLE. J'ai des chapeaux américains, je n'ai pas de chapeaux français. Une femme a toujours besoin d'un nouveau chapeau.

LUI. Tu as raison.

ELLE. J'ai besoin aussi d'une nouvelle robe.

LUI. Allons donc aux Galeries Lafayette.

ELLE. Pour la robe nous serons obligés d'aller à un magasin de la rue St. Honoré. Nous trouverons un autobus qui y va. Comme ça, nous ne perdrons pas de temps.

LUI. Tu choisiras une très belle robe, n'est-ce pas?

ELLE. Oui, si tu as assez d'argent.

LUI. J'en aurai assez.

ELLE. Ah, tu es un mari excellent!

LUI. Ma femme, tu m'es très chère!

VOCABULARY FOR EXERCISES

accomplir [akɔpliːr] *to accomplish, perform*
aide [ɛd] *f. aid, help*
armée [arme] *f. army*
aussitôt que [ositokə] *as soon as*
cher, chère [ʃɛːr] *dear, expensive*
conte [kɔ̃ːt] *m. story, short story*
coup [ku] *m. blow;* d'un seul —, *at a single blow*
courageux, courageuse [kuraʒø, –øːz] *courageous*
dès que [dɛkə] *as soon as*
envoyer [ãvwaje] *to send*
épouser [epuze] *to marry*
facilement [fasilmã] *easily*
forêt [fɔrɛ] *f. forest*
géant [ʒeã] *m. giant*
général, généraux [ʒeneral, –o] *m. general*
jour [ʒuːr] *m. day;* tous les —s *every day*
lorsque [lɔrskə] *when*

mariage [marjaːʒ] *m. marriage*
mouche [muʃ] *f. fly*
nommer [nɔme] *to name, appoint*
officier [ɔfisje] *m. officer*
offre [ɔfr] *f. offer*
part [paːr] *f. part, share*
pays [pei] *m. country*
princesse [prɛ̃sɛs] *f. princess*
réponse [repɔ̃ːs] *f. response, answer*
si [si] *if*
soldat [sɔlda] *m. soldier*
sûr [syr] *sure*
tailleur [tajœːr] *m. tailor*
tant que [tãkə] *as long as*
titre [tiːtr] *m. title*
tuer [tɥe] *to kill*
vaniteux, vaniteuse [vanitø, –øːz] *vain, conceited*

VOCABULARY FOR REFERENCE

action [aksjɔ̃] *f. action, deed*

alors [alɔːr] *then*

après [aprɛ] *adv. afterwards*

autobus [otobyːs] *m. bus*

besoin [bəzwɛ̃] *m. need;* avoir — (de) *to need, have need (of)*

camarade [kamarad] *m. comrade*

Dieu [djø] *m. God;* mon —! *Good Heavens!*

dire [diːr] *to say, tell*

fortune [fɔrtyn] *f. fortune*

Galeries Lafayette [galri lafajɛt] *f.pl. department store in Paris*

héros [ero] *m. hero*

kilomètre [kilɔmɛtr] *m. kilometer (about $\frac{5}{8}$ of a mile)*

minute [minyt] *f. minute*

Paix [pɛ] *street in Paris* (paix *f. peace*)

peur [pœːr] *f. fear;* avoir — (de) *to fear, be afraid (of)*

plan [plɑ̃] *m. plan*

raison [rɛzɔ̃] *f. reason;* avoir —, *to be right*

St. Honoré [sɛ̃tɔnɔre] *street in Paris*

Saumur [somyːr] *a city*

Sept-d'un-coup [sɛtdœ̃ku] *Seven-at-a-blow*

tort [tɔːr]: avoir —, *to be wrong*

Tours [tuːr] *a city*

UNE PETITE VILLE

THIRD CULTURAL DIALOGUE

LA VIE FRANÇAISE*

Asmodée, le bon petit diable, a présenté [1] Charlotte et Robert à un jeune Français, Philippe. Les quatre personnes sont assises à une table d'un café célèbre de Paris, le Café des Deux Magots. [2]

— Avez-vous passé toute votre vie à Paris? demande Charlotte.

— Non, mademoiselle, répond Philippe. J'ai passé mon enfance dans un petit village de la Bourgogne.

— Vous y êtes allé à l'école? demande Robert.

— Oui, Robert. L'école primaire élémentaire est obligatoire pour tous les Français jusqu'à l'âge de quatorze ans. [3]

— Et pour les Françaises aussi?

— Oui, mademoiselle. Mon école n'était pas très belle. La France n'est pas un pays riche; dans les villages et dans les petites villes les bâtiments [4] des écoles ne sont pas très beaux. Les salles de classe sont modestes. Mais les instituteurs qu'on trouve dans les écoles de garçons et les institutrices qu'on trouve dans les écoles de filles sont intelligents et consciencieux.

— Les garçons et les filles ne vont pas à l'école ensemble?

— Dans les petits villages il y a des

* Cf. Note, page 52.   [1] présenter *to introduce.*   [2] magot *m. grotesque figure (of china or of porcelain).*

[3] an *m. year.*   [4] bâtiment *m. building.*

147

écoles mixtes [5] mais dans les villes il y a toujours deux écoles, l'une pour les garçons, l'autre pour les filles.

— Toutes ces écoles sont petites?

— Mais non! dit Philippe. Dans les villes on trouve maintenant de grands bâtiments élégants, comme l'école de filles de Suresnes, que

[5] mixte (*of schools*) *coeducational.*

L'ÉCOLE DE SURESNES

M. Asmodée va vous montrer.

Asmodée agite son bâton magique. Tout de suite, malgré [6] la distance, les deux Américains admirent la belle école moderne de Suresnes.

— A Paris, dit Philippe, il y a encore des écoles qui occupent de vieux bâtiments mais il y a aussi de beaux bâtiments modernes.

— Jusqu'à quel âge êtes-vous allé à l'école?

— Beaucoup d'enfants vont à l'école jusqu'à l'âge de quatorze ans mais à l'âge de onze ans j'ai quitté l'école de mon village et je suis allé au lycée d'une ville qui n'était pas très loin.

— Qu'est-ce que c'est qu'un lycée?

— C'est une école secondaire. On va au lycée de l'âge de onze ans jusqu'à l'âge de dix-huit ans.

— Comme dans les « junior and senior high schools » de notre pays, dit Robert.

— C'est à peu près la même chose. Il y a des lycées de garçons et des lycées de jeunes filles.

— Est-ce qu'il y a des lycées mixtes?

— Il n'y en a pas. La vie intellectuelle des lycées français est intense. Les élèves consacrent [7] très peu de temps aux sports. Ils désirent avoir leur baccalauréat à l'âge de dix-huit ans.

— Je sais la signification du mot baccalauréat, dit Charlotte. C'est « bachelor's degree », n'est-ce pas?

— Vous avez raison, mademoiselle.

[6] malgré *in spite of.*   [7] consacrer *to devote.*

À LA SORBONNE

— Est-ce que les bâtiments des lycées sont vieux ou neufs? [8]

— Il y en a qui sont vieux, il y en a qui sont neufs. A Paris il y a des lycées célèbres qui occupent de très vieux bâtiments, comme le lycée Louis-le-Grand ou le lycée Henri IV; il y a aussi des lycées modernes qui occupent des bâtiments magnifiques.

— Avez-vous votre baccalauréat, Philippe?

— Oui, Robert.

— Que faites-vous maintenant?

— Je vais à la Sorbonne.

— Qu'est-ce que c'est que la Sorbonne?

— C'est une partie de l'université de Paris. A la Sorbonne des professeurs très savants [9] font des cours très avancés. On y étudie surtout la littérature et les sciences. Il y a aussi des cours de civilisation française pour les élèves étrangers.[10] Beaucoup d'élèves américains étudient, à Paris,

[8] neuf, neuve *adj. new, brand-new.*   [9] savant *adj. learned.*
[10] étranger, étrangère *adj. foreign.*

149

Courtesy Pan American World A

le français, la littérature française et la civilisation française, ou bien la médecine, les beaux-arts, et ainsi de suite.[11]

— Est-ce qu'un Français finit son éducation à l'université?

— Mais non, Robert. L'éducation d'un Français n'est jamais (*never*) finie. Pendant tout le reste de sa vie un Français continue son éducation par les livres!

— Comme en Amérique!

— On publie et on vend en France un très grand nombre de livres. On les vend dans les librairies — il y en a dans toutes les villes — ou bien, à Paris, dans des boîtes [12] sur les para-

pets qui bordent la Seine. Un des traits distinctifs des Français est leur amour des livres. L'Américain typique est pratique, le Français typique est intellectuel.

— Le Français typique est travailleur aussi, dit Asmodée.

— Vous avez raison, dit Philippe. A la campagne [13] les enfants travaillent avec leurs parents. En Bourgogne, où j'ai passé mon enfance, j'aidais mon père à récolter les raisins de notre vignoble. Le travail était difficile, mais toute la famille — mon père, ma mère, mon oncle, ma sœur — travaillait à remplir les paniers.[14]

[11] et ainsi de suite *and so forth.* [12] boîte *f. box.*

[13] à la campagne *in the country.* [14] panier *m. basket.*

150

— A la campagne la vie est monotone, n'est-ce pas? Du travail, du travail, toujours du travail!

— Mais non, répond Philippe. Une fois par semaine, quand c'est jour de marché,[15] les paysans ou leurs femmes vont à la ville pour vendre leurs légumes. Montrez à Charlotte et à Robert, M. Asmodée, la ville de Concarneau, en Bretagne, un jour de marché.

Grâce [16] au bâton magique du bon petit diable, les Américains regardent les paysannes qui vendent leurs légumes devant la mairie de la ville.

— Oh, dit Charlotte, les femmes portent de belles coiffes.

— Oui, dit Philippe, en France les paysannes aiment à porter de belles coiffes blanches.

[15] marché *m. market.*   [16] grâce à *thanks to.*

— Dans quelle sorte de maisons les paysans demeurent-ils?

— On trouve à la campagne de vieilles maisons, comme la maison que M. Asmodée va vous montrer (ici les

DANS LES VIGNOBLES

ON RÉCOLTE LES RAISINS

JOUR DE MARCHÉ À CONCARNEAU

élèves regardent une vieille maison pittoresque) ou de jolies maisons modernes. Mais n'oubliez pas que la France n'est pas un pays riche; il n'y a pas beaucoup de maisons élégantes à la campagne. Naturellement, je ne parle pas des châteaux. Dans les villes, cependant, les gens riches ont de très jolis appartements avec des meubles magnifiques. Les tables, les fauteuils, les tapis, les lampes, les objets d'art prouvent que la France est le pays du bon goût.

— Vous avez parlé, Philippe, de l'éducation, du travail et des maisons des Français. Parlez-nous un peu de leurs plaisirs.

— Je n'ai pas parlé du travail des ouvriers,[17] mademoiselle. Le nombre des ouvriers en France est à peu près égal au nombre des paysans. Les ouvriers travaillent dans des usines . . . On a des plaisirs en France comme en Amérique. Les Français qui aiment l'art vont aux musées, qui sont nombreux et excellents. Les Français qui aiment la musique vont aux concerts. En été, il y a souvent des concerts excellents dans les parcs. On écoute les radiodiffusions — il y a un poste de radio au sommet de la Tour Eiffel. On regarde la télévision. On va au cinéma ou au théâtre. A Paris les théâtres sont très nombreux.

[17] ouvrier *m. laborer, worker.*

Le Théâtre-Français, qui est un théâtre national, est célèbre. On y va surtout pour voir [18] des pièces [19] classiques: des comédies de Molière ou de Beaumarchais, des tragédies de Corneille ou de Racine, des drames de Victor Hugo ou de Rostand. Quand il fait très chaud à Paris, en été, les Parisiens vont au bord de la mer. Il y a de belles plages [20] en Normandie, au bord de la Manche, et sur la Côte d'Azur. Si on aime les sports, on a, par exemple, le tennis, qui est peut-être le sport préféré des jeunes Français. Les Français aiment à faire des promenades, surtout les dimanches, sous les arbres des boulevards ou des jardins publics. Quand on est fa-

[18] voir *to see.*   [19] pièce *f. (theat.) play.*
[20] plage *f. beach.*

AU BORD DE LA MER

AUX CHAMPS–ÉLYSÉES

tigué, on trouve facilement une table à la terrasse [21] d'un café; on cause, on regarde les passants, on . . .

— Vous n'avez pas besoin de nous dire cela, Philippe, dit Robert. Nous voici au Café des Deux Magots, voilà

[21] terrasse *f. pavement (in front of a café); part of café on this pavement.*

le Café de Flore! Nous causons, nous regardons les passants! Les Français passent beaucoup de temps à leurs cafés, n'est-ce pas?

— Oui, vous avez raison; et nos amis américains, quand ils sont en France, y passent beaucoup de temps aussi.

TERRASSE D'UN CAFÉ

SEIZIÈME LEÇON 16

I. DIALOGUE

Students should memorize the meanings of the following sentences so that when the French sentences are read aloud they can give the English translation instantly without looking at their books and when the English sentences are read, they can give the French similarly.

LE FRANÇAIS. Est-ce que vous me comprenez toujours quand je vous parle?

THE FRENCHMAN. *Do you always understand me when I speak to you?*

L'AMÉRICAIN. Vous parlez trop rapidement. Si vous parliez lentement, je vous comprendrais facilement. Tous les Français parlent trop vite! Je ne vous comprends que quand vous parlez lentement et distinctement.

THE AMERICAN. *You speak too rapidly. If you spoke slowly, I would understand you easily. All French people speak too fast! I understand you only when you speak slowly and distinctly.*

LE FRANÇAIS. Tous les Américains parlent anglais trop vite. Je ne les comprends pas. S'ils ne parlaient pas si vite, je les comprendrais très bien.

THE FRENCHMAN. *All Americans speak English too fast. I don't understand them. If they did not speak so fast, I would understand them very well.*

II. GRAMMAR

A. CONDITIONAL TENSE

1. The conditional tense of regular verbs has the following forms:

donner	finir	perdre
I would give, etc.	*I would finish, etc.*	*I would lose, etc.*
donner **ais** [dɔn(ə)rɛ]	finir **ais** [finirɛ]	perdr **ais** [pɛrdrɛ]
donner **ais** [dɔn(ə)rɛ]	finir **ais** [finirɛ]	perdr **ais** [pɛrdrɛ]
donner **ait** [dɔn(ə)rɛ]	finir **ait** [finirɛ]	perdr **ait** [pɛrdrɛ]
donner **ions** [dɔnərjɔ̃]	finir **ions** [finirjɔ̃]	perdr **ions** [pɛrdrijɔ̃]
donner **iez** [dɔnərje]	finir **iez** [finirje]	perdr **iez** [pɛrdrije]
donner **aient** [dɔn(ə)rɛ]	finir **aient** [finirɛ]	perdr **aient** [pɛrdrɛ]

2. The conditional tense of all irregular verbs is always formed in the same way: the stem of the conditional is always the same as the stem of the future, the endings are the same as those of regular verbs.

INFINITIVE	FUTURE	CONDITIONAL	
avoir	**aur** ai	**aur** ais	*I would have*
être	**ser** ai	**ser** ais	*I would be*
faire	**fer** ai	**fer** ais	*I would do*
savoir	**saur** ai	**saur** ais	*I would know*
aller	**ir** ai	**ir** ais	*I would go*
dire	**dir** ai	**dir** ais	*I would say*

B. USES OF CONDITIONAL TENSE

1. The conditional tense is used to express what would happen (result) in case something else were to happen (condition).

S'il avait assez d'argent, il irait à Paris. *If he had enough money* (condition), *he would go to Paris* (result).

2. A result clause in the conditional (English *should* or *would*) regularly has the if-clause in the imperfect, whatever the corresponding English form may be. Never use either the future or the conditional tense in a clause introduced by **si** meaning *if!*

Si j'étudiais bien, le professeur serait content. *If I studied (should study, were to study) well, the teacher would be pleased.*

S'il me posait une question difficile, je ne lui répondrais pas. *If he asked (should ask, were to ask) me a difficult question, I would not answer him.*

3. The condition whose result is given may be merely implied. There is not necessarily a **si**-clause.

Pierre ne ferait pas cela.   *Peter would not do that (i.e., not even if you asked him to, if he were in your place, if it would help him, etc.)*

C. *METTRE*, "TO PUT," AND *PRENDRE*, "TO TAKE"

1. These irregular verbs have the following forms:

mettre [mɛtr]   **prendre** [prãːdr]

PRESENT

I am putting, etc.   *I am taking, etc.*

mets [mɛ]	mettons [mɛtɔ̃]	prends [prã]	prenons [prənɔ̃]
mets [mɛ]	mettez [mɛte]	prends [prã]	prenez [prəne]
met [mɛ]	mettent [mɛt]	prend [prã]	prennent [prɛn]

IMPERFECT

mettais, etc.   prenais, etc.

FUTURE AND CONDITIONAL

mettrai, etc.   mettrais, etc.   prendrai, etc.   prendrais, etc.

PAST INDEFINITE AND IMPERATIVE

j'ai mis	mets	j'ai pris	prends
tu as mis	mettons	tu as pris	prenons
etc.	mettez	etc.	prenez

2. Like **prendre** are its compounds, **apprendre,** *to learn,* and **comprendre,** *to understand.*

D. ADVERBS AND ADVERBIAL PHRASES

1. There are, in French as in English, two types of adverbs: (1) those that have, so to speak, an independent existence, such as **bien,** *well;* **souvent,** *often;* **toujours,** *always;* **vite,** *quickly, fast;* and (2) those that may be derived from adjectives by adding −**ment** to the masculine singular of an adjective, if this form ends in a vowel, otherwise to the feminine singular. The ending −**ment** corresponds to the English adverbial ending −*ly.*

ADJECTIVE		ADVERB	
M.S.	F.S.		
rapide		rapidement	*rapidly*
vrai		vraiment	*truly*
lent	lente	lentement	*slowly*
seul	seule	seulement	*only*
heureux	heureuse	heureusement	*happily, fortunately*

2. There are in French a great many adverbial phrases of common occurrence; e.g.,

à droite	*on* or *to the right*
à gauche	*on* or *to the left*
tout de suite	*at once, immediately*

E. POSITION OF ADVERBS

1. The position in a French sentence of an adverb which modifies a verb is not governed by strict rules. The following suggestions may, however, be helpful.

(a) If the verb is in a simple tense, an adverb usually stands immediately after it.

Il parle rapidement.	*He talks fast.*

(b) If the verb is in a compound tense, simple adverbs (type 1 in D, above) frequently but not always stand between the auxiliary and the past participle, others (type 2) after the past participle.

Je vous ai souvent dit cela.	*I have often told you that.*
Je n'ai pas encore fini mon dîner.	*I have not finished my dinner yet.*
Avez-vous bien dîné?	*Did you have a good dinner?*
J'ai mal dîné.	*I had a poor dinner.*
Le Français n'a pas parlé assez lentement.	*The Frenchman did not speak slowly enough.*

(c) Adverbial phrases, like adverbs in –**ment,** follow a past participle.

Le petit garçon m'a compris tout de suite.	*The little boy understood me immediately.*

2. Of the adverbs of quantity (cf. Lesson 11, II, A), **assez, moins, plus,** and **trop** may modify an adjective or another adverb. In this case, they precede the word they modify.

assez bien	*well enough*
trop longtemps	*too long*
Parlez-vous français assez bien pour aller en France?	*Do you speak French well enough to go to France?*

3. **Ne . . . que,** *only*, surrounds a verb, like **ne . . . pas.** **Que** stands immediately before the word restricted by it.

Je ne vous poserai que des questions faciles.	*I shall ask you only easy questions.*

III. EXERCISES

A. *Make adverbs from the following adjectives and give their meanings:*

1. facile.   2. seul.   3. vrai.   4. lent.   5. rapide.   6. distinct.   7. heureux.

B. *Give the proper forms of the conditional tense of the verbs in parentheses:*

1. Si j'avais beaucoup d'argent, je (être) riche.   2. Si j'étais riche, je (faire) un voyage.   3. Si je faisais un voyage, j'(aller) à Paris.   4. Pour y aller, je (traverser) l'océan Atlantique.   5. Je le (traverser) en avion.   6. L'avion (aller) vite.   7. Si j'allais à Paris, j'y (rester) longtemps.   8. Tous les jours je (faire) des promenades.   9. J'(entrer) dans les magasins.   10. J'(admirer) Notre-Dame de Paris.   11. Je (visiter) tous les parcs.   12. Je (marcher) beaucoup mais je (prendre) aussi des autobus.   13. Tous les jours je (parler) français.   14. Pour revenir à New-York, je (prendre) un avion.   15. J'(arriver) vite à New-York.

C. *Study the following model:*

PRESENT	Je vous prête mon livre.	*dis*
IMPERFECT	Je vous prêtais mon livre.	*désais*
FUTURE	Je vous prêterai mon livre.	*dirai*
CONDITIONAL	Je vous prêterais mon livre.	*dirais*
PAST INDEFINITE	Je vous ai prêté mon livre.	*ai dit*

Complete a similar series of five tenses, starting with each of the following sentences:

1. Je vous parle lentement.   2. Pierre passe toute la soirée au café.   3. Ses affaires ne m'intéressent pas.   4. Le petit tailleur accomplit des actions difficiles.   5. Il tue des mouches.   6. Je fais un voyage en France.   7. Je reste longtemps à Paris.   8. Marie met ses livres sur la table de la salle à manger.   9. Je ne les prends pas.   10. Je ne vous dis pas cela.   11. Je vais à Paris en été.

D. *In preparing the following exercise, use Lesson 15, III, A and B, but be able to recite the exercise without written help. Recite in French:*

1. She loves you. If you speak to her, she will be happy. 2. If you spoke to her, she would be happy. 3. If you did not speak to her, she would be unhappy.

4. If we go to France, we shall speak French. 5. If we went to France, we would speak French. 6. If my father were to give me enough money, I would go to France.

7. If you were hungry, where would you go? — 8. If I were hungry, I would go to a restaurant. — 9. If you were thirsty, where would you go? — 10. If I were thirsty, I would go to a café. — 11. You would be right!

12. If you were to say that I am rich, you would be wrong. 13. If you were to say that I am poor, you would be right.

14. Who has taken the money which I put on the table? — 15. You did not put any money on the table.

E. READING

LA SOIRÉE D'ALFRED DE MUSSET

Un ami d'Alfred de Musset l'a invité à dîner. Musset a accepté tout de suite cette invitation. Il savait que cet ami n'invitait à dîner que des écrivains célèbres ou des hommes politiques importants. Musset était jeune mais il était déjà un poète célèbre.

Le jour du dîner arrive. M. de Musset est sur le point de sortir de sa maison pour aller à la maison de son ami. Il a mis son pardessus, il a pris son chapeau, ses gants et sa canne. A ce moment-là, il a commencé à réfléchir. Quelles personnes son ami a-t-il invitées? A côté de qui serait-il assis à table? Avec qui passerait-il la soirée?

S'il avait Victor Hugo à droite et Alfred de Vigny à gauche, Musset serait très content. Les trois poètes parleraient de la poésie ou peut-être de l'amour et la soirée serait très agréable. Mais il y a des écrivains qui n'aiment pas parler de leur métier. Si son ami mettait Musset à côté de M. Lebrun, par exemple, il serait obligé d'écouter cet homme qui ne parlerait que de ses chiens! Si ses voisins étaient des hommes politiques, ils ne parleraient peut-être que d'affaires politiques que Musset ne comprendrait pas. La soirée serait fort désagréable.

A cette idée, Alfred de Musset a eu peur. Il est allé à un restaurant, d'où il a envoyé une lettre d'excuse à son ami. Au restaurant Musset a mal dîné. Il a passé une soirée fort désagréable.

Le lendemain matin il a regretté amèrement son action.

Ah, les poètes sont souvent victimes de leurs émotions!

F. *Write in French (cf. Lesson 5, III, D and E):*

1. If Paul and Charles go to France, will they take a boat or a plane to cross the Atlantic Ocean? — They will take a boat. — Why? — Because they do not have enough money to go there by plane.

2. If Albert and Marie went to France, would they take a boat or a plane? — They would take a plane. — Why? — Because the plane would cross the ocean very rapidly.

3. When Paul and Charles are in France, they will speak French, won't they? — Yes, in the (aux) restaurants, they will speak French to the waiters.

4. If Albert and Marie were in France, they would speak French, wouldn't they? — No. — Why? — Because they would not speak it well enough.

5. If Paul and Charles go to Paris, will they visit also other French cities? — Yes, they will visit Dijon and other cities.

6. If Albert and Marie were in Paris, would they visit all the large cities of France? — No. — Why? — Because they would not have enough time to visit them.

7. If you went to France, would you take a boat or a plane? — I would take a plane. — Why? — Because the plane would go fast.

8. If you were in France, would you speak French? — Yes, I would speak it in the stores. And you? — No. — Why? — Because I do not speak it well enough.

9. If you were in Paris, would you go to all the other large cities of France? — Yes, if I had enough time to go there.

10. And you? — I would not have enough time to visit them. — Why? — Because there are so many things to (à) do in Paris! I would remain there too long!

IV. OPTIONAL EXERCISES

A. *Remembering that in French words a syllable begins, so far as possible, with a consonant (cf. Phonetic Introduction, section V), pronounce each of the following verb forms slowly and distinctly, with special regard for syllabication:*

1. Nous donnons, vous donnez. 2. Je finis, nous finissons, ils finissent. 3. Nous perdons, vous perdez. 4. Je donnais, ils ne donnaient pas. 5. Elle finissait, elle choisissait. 6. Je donnerai, il donnera, donneront-ils? 7. Je choisirai, elle choisira, ils ne choisiront pas. 8. Il vendra, ils vendront. 9. Nous avons, nous avions, aurons-nous? 10. Ils étaient, ils seront, seront-elles? 11. Nous faisons, nous faisions, nous ferons. 12. Vous savez, vous saurez, saura-t-il? 13. Nous disons, nous dirons, que dira-t-elle? 14. Nous mettons, nous ne mettrons pas. 15. Nous prenons, nous prendrons, vous prenez, vous prendrez. 16. Je comprends, nous comprenons, ils comprennent, ils comprendront. 17. Vous ne comprenez pas, vous ne comprendrez pas. 18. Je finirai, je finirais. 19. Je perdrai, vous perdriez. 20. Je comprends, comprenez-vous?

B. *Answer the following questions in French:*
1. Qui a invité Alfred de Musset à dîner? 2. Quand Musset a-t-il accepté son invitation? 3. Est-ce que Musset était jeune ou vieux? 4. Était-il un écrivain célèbre?

5. Qu'est-ce que Musset a mis pour aller à la maison de son ami? 6. Qu'est-

ce qu'il a pris pour y aller? 7. Est-ce que Musset sait quelles personnes son ami a invitées à dîner ce jour-là? 8. Sait-il avec qui il va passer la soirée?

9. Est-ce que Victor Hugo était un des amis de Musset? 10. Savez-vous que Victor Hugo était un grand écrivain? 11. Savez-vous de quels livres il est l'auteur? 12. Est-ce que Victor Hugo était aussi un grand poète? 13. Victor Hugo aimait-il parler de l'amour? 14. Aimait-il parler de la poésie? 15. Musset aimait-il parler de l'amour? 16. Aimait-il parler de la poésie?

17. Si Musset était assis à côté de M. Lebrun, pourquoi la soirée ne serait-elle pas agréable? 18. S'il était assis à côté d'hommes politiques, pourquoi la soirée serait-elle désagréable?

19. Où Musset est-il allé? 20. Pourquoi a-t-il passé une soirée fort désagréable?

C. *Use the Recording (Disk 5, Side 2, Section 2) of the following sentences which offer drill in the pronunciation and the use of the future and conditional tenses:*

1. Aussitôt que j'aurai assez d'argent, je ferai un voyage.
2. Si vous étiez riche, vous feriez un voyage.
3. Si je fais un voyage, j'irai en France.
4. Si vous faisiez un voyage, vous iriez en France.
5. Pour y aller, je prendrai un bateau.
6. Si vous y alliez, vous prendriez un bateau.
7. Le bateau traversera vite l'océan Atlantique.
8. Le bateau que vous prendriez traverserait vite l'océan Atlantique.
9. Aussitôt que j'arriverai en France, j'irai à Paris.
10. Si vous alliez en France, vous resteriez longtemps à Paris.
11. Tant que je resterai à Paris, je ferai des promenades à pied ou en autobus.
12. Vous feriez des promenades tous les jours.
13. Je prendrai un autobus pour aller à Versailles.
14. Vous prendriez aussi un autobus pour aller à Fontainebleau.
15. Pour revenir à New-York, je prendrai un avion.
16. Si vous faisiez cela, vous traverseriez rapidement l'océan Atlantique et vous arriveriez bientôt à New-York.

VOCABULARY FOR EXERCISES

affaire [afɛːr] *f. affair*
agréable [agreabl] *agreeable, pleasant*
amèrement [amɛːrmɑ̄] *bitterly,*

amour [amuːr] *m. love*
bateau, –x [bato] *m. boat*
canne [kan] *f. cane, walking stick*

chien [ʃjɛ̃] *m. dog*
comprendre [kɔ̃prɑ̃ːdr] *to understand*
côté [kote] *m. side;* à — de *beside, next to*
droite [drwɑt *or* drwat]: à —, *on or to the right*
fort [fɔr] *adv. very*
gauche [goːʃ]: à —, *on or to the left*
lent [lɑ̃] *slow*
lettre [lɛtr] *f. letter*
mal [mal] *badly*
métier [metje] *m. profession, trade*
poésie [pɔezi] *f. poetry*

point [pwɛ̃] *m. point;* être sur le — de *to be about to*
politique [pɔlitik] *political;* homme —, *politician*
que: ne ... —, *only*
rapide [rapid] *rapid, fast*
réfléchir [refleʃiːr] *to reflect*
regretter [rəgrɛte] *to regret, be sorry*
soirée [sware] *f. evening*
victime [viktim] *f. victim (may refer to a man or woman)*
voisin [vwazɛ̃] *m. neighbor*
vrai [vrɛ] *true*

VOCABULARY FOR REFERENCE

apprendre [aprɑ̃ːdr] *to learn*
distinct [distɛ̃ːkt] *distinct*
émotion [emosjɔ̃] *f. emotion*
excuse [ɛkskyːz] *f. excuse*
heureusement [œrøzmɑ̃] *happily, fortunately*
lentement [lɑ̃ːtmɑ̃] *slowly*

mettre [mɛtr] *to put; (of clothes) to put on*
moment [mɔmɑ̃] *m. moment, time*
Musset [mysɛ] *a French poet*
prendre [prɑ̃ːdr] *to take*
rapidement [rapidmɑ̃] *rapidly, fast*
Vigny [viɲi] *a French poet*

DIX–SEPTIÈME LEÇON 17

I. DIALOGUE

Prepare this exercise in the same manner as I *of Lesson* 16:

— Quelle est la différence entre une rue et une avenue?

— D'ordinaire on ne donne le nom d'avenue qu'à une large rue qui a des arbres de chaque côté.

— Quelle différence y a-t-il entre une rue et un boulevard?

— A Paris les boulevards sont des rues qui sont aussi larges que des avenues et qui occupent la place des murs ou des remparts qui entouraient autrefois la ville.

— *What is the difference between a street and an avenue?*

— *Usually one gives the name of avenue only to a broad street which has trees on each side.*

— *What difference is there between a street and a boulevard?*

— *In Paris the boulevards are streets which are as wide as avenues and which occupy the place of the walls or ramparts which formerly surrounded the city.*

II. GRAMMAR

A. COMPARISONS OF ADJECTIVES AND ADVERBS

1. The comparative of an adjective is regularly formed by placing before it **plus** (*more*), **moins** (*less*), or **si** (*so*, after a negative) for inequality or **aussi** (*as*) for equality. *Than* or *as* = **que.**

Paris est plus grand que Dijon.	*Paris is larger than Dijon.*
Il est moins grand (n'est pas si grand) que New-York.	*It is less large than (not so large as) New York.*
Est-ce que cette rue-ci est aussi longue que cette rue-là?	*Is this street as long as that street?*
Elle est plus longue et aussi plus belle.	*It is longer and also more beautiful.*

2. Adverbs are compared, like adjectives, by using **plus, moins, aussi,** or **si.**

vite, plus vite	*fast, faster*
aussi vite que possible	*as fast as possible*
pas si vite	*not so fast*

3. To form the superlative of an adjective, place the definite article or a possessive adjective before **plus** or **moins.**

le plus jeune frère	*the youngest brother*
mon plus jeune frère	*my youngest brother*

NOTE

Do not omit the definite article when the adjective follows the noun.

le nom le plus bizarre	*the strangest name*
mon ami le plus intelligent	*my most intelligent friend*

4. To form the superlative of an adverb, place **le,** which is invariable, before **plus** or **moins.**

le plus loin	*the farthest*
le plus souvent	*the most often*

B. IRREGULAR COMPARISONS

1. The adjective **bon** has an irregular comparative and superlative:

bon *good*   meilleur *better*   le meilleur *best*

2. The adverbs **beaucoup, bien, mal,** and **peu** have irregular comparatives and superlatives:

beaucoup	*much*	plus	*more*	le plus	*(the) most*
bien	*well*	mieux	*better*	le mieux	*(the) best*
peu	*little*	moins	*less*	le moins	*(the) least*

3. The usual comparative and superlative of **mal,** *badly,* are **plus mal,** *worse,* and **le plus mal,** *worst.* In a few idioms one finds the comparative form **pis.**

NOTE

If the English *better* is an adjective, translate it by **meilleur;** if it is an adverb, by **mieux.** The adjective *best* is **le meilleur;** the adverb *best,* **le mieux.**

une bonne idée, une meilleure idée, la   *a good idea, a better idea, the best idea*
   meilleure idée

Robert travaille bien, Marie travaille   *Robert works well, Mary works better than*
   mieux que Robert, mais c'est Louise   *Robert, but Louise works best.*
   qui travaille le mieux.

C. SPECIAL USES OF *DE*

1. *In* after a superlative is regularly **de.**

   la plus grande ville du monde   *the largest city in the world*

2. *Than* before a number is **de.**

   plus de trois fois   *more than three times*

D. *AIMER MIEUX,* "TO LIKE BETTER, PREFER"

In accordance with the general principle (cf. Lesson 16, II, E, 1a), **mieux** should stand immediately after **aimer** in a simple tense.

Jeanne n'aime pas étudier, elle   *Jean does not like to study, she likes to*
   aime mieux aller au cinéma.   *go to the movies better (or, she pre-*
                                          fers to go to the movies).

J'aime mieux ce livre-ci que ce   *I like this book better than that book.*
   livre-là.

E. *VOIR,* "TO SEE"

This irregular verb has the following forms:

PRESENT		IMPERFECT
I see, am seeing, etc.		*I saw, was seeing, etc.*
vois [vwa]	voyons [vwajɔ̃]	voyais, etc.
vois [vwa]	voyez [vwaje]	
voit [vwa]	voient [vwa]	FUTURE
		verrai, etc.

IMPERATIVE	PAST INDEFINITE	
vois	j'ai vu	CONDITIONAL
voyons	etc.	verrais, etc.
voyez		

III. EXERCISES

A. *Pronounce carefully and translate:*
1. Est-ce que Renée est la meilleure élève de la classe? — 2. De toutes les élèves, Renée étudie le mieux, travaille le mieux, comprend le mieux et apprend le mieux. — 3. Vous aimez mieux Renée que Jeanne, n'est-ce pas? — 4. Mais non! Je n'aime pas Renée; de toutes les élèves, Renée est la plus vaniteuse!

B. *Recite in French:*
1. Walk fast. Walk faster. Walk as fast as possible. — 2. No, no, no! Don't walk so fast! Walk slowly! Walk more slowly!
3. See that star! — Yes. Is it as far (away) as the sun? — 4. I don't know. I am the least intelligent student in the class. — 5. Who is the most intelligent student? — 6. Renée is the most intelligent.

— 7. Renée, how many kilometers is it (= are there) from here to that star? — 8. I don't know. I have not been there.
— 9. Is Isabelle a better student than Françoise? — 10. Isabelle studies better and learns more than Françoise but Françoise is more intelligent. 11. Françoise is lazy, but she is intelligent enough to know that she knows very little.

C. READING

LES RUES DE PARIS

Tout le monde sait que Paris a de belles avenues, comme l'avenue des Champs-Élysées, et de grands boulevards, comme le boulevard des Italiens. Paris a aussi beaucoup de rues pittoresques. Paul Richard et Charles Sandeau cherchent sur un plan de la ville les noms les plus intéressants des rues de Paris. Quand ils feront une promenade, ils iront voir ces rues qui ont des noms bizarres.

PAUL. Voici la rue des Bons-Enfants. Quels enfants ont donné leur nom à cette rue?

CHARLES. Je ne sais pas. Autrefois il y avait beaucoup de bons enfants, aujourd'hui il n'y a que des enfants terribles.

PAUL. Vous êtes méchant. Allons à la rue du Jour.

CHARLES. Très bien! Je vois aussi une rue des Nuits.

PAUL. Tant mieux! Nous verrons ces deux rues-là.

CHARLES. Mais la rue des Nuits est très loin de la rue du Jour.

PAUL. Tant pis! Nous irons voir la rue des Petits-Champs.

CHARLES. Nous n'y trouverons pas de champs, parce que cette rue est dans un des quartiers les plus peuplés de Paris.

PAUL. Je sais bien que nous ne verrons pas de lions si nous allons à la rue des Lions.

CHARLES. Il y a peut-être des lions en pierre, qui sont beaucoup moins féroces que des lions vivants!

PAUL. Savez-vous qu'il y a une rue Madame et aussi une rue Monsieur?

La rue Madame est beaucoup plus longue que la rue Monsieur.

CHARLES. C'est un joli compliment que les Parisiens ont fait à Madame! Il y a aussi une rue des Dames.

PAUL. La rue Monsieur est vraiment trop courte. La rue Mademoiselle est moins longue que la rue Madame mais elle est plus longue que la rue Monsieur. Pauvre Monsieur! Pourquoi a-t-on donné ces noms à des rues?

CHARLES. Autrefois on disait « Monsieur » pour désigner le frère du roi et « Mademoiselle » pour désigner une nièce du roi. « Madame » était la femme du frère du roi.

PAUL. Je trouve la rue Monsieur-le-Prince.

CHARLES. Et voici la rue Princesse.

PAUL. Savez-vous pourquoi il y a une rue de la Reine Blanche? Est-ce qu'il y avait une reine qui était aussi blanche que la neige?

CHARLES. Le poète François Villon parle dans un de ses poèmes d'une reine qui était « blanche comme lys ». Il parle probablement de Blanche de Castille, mère de Louis IX (neuf). Il a fait un calembour: « la reine Blanche comme lys ».

PAUL. Pourquoi y a-t-il une rue des Ciseaux, une rue de la Chaise et une rue du Pot-de-Fer?

CHARLES. Autrefois les marchands de Paris mettaient des enseignes devant leurs boutiques pour montrer quelles sortes de marchandises ils vendaient. Dans la rue des Ciseaux il y avait proba-

blement un marchand de ciseaux, dans la rue de la Chaise un marchand de meubles et dans la rue du Pot-de-Fer un marchand qui vendait des pots.

PAUL. La Place des Deux Sœurs est une très petite place, il n'y a pas assez de place pour deux sœurs.

CHARLES. Vous n'êtes pas François Villon mais vous avez fait un calembour. La Place des Deux Sœurs est très loin de la rue des Deux Frères. Les sœurs et les frères n'étaient pas de la même famille!

PAUL. Faisons maintenant un long voyage. Voilà la rue du Pôle-Nord. Allons-y.

CHARLES. J'aimerais mieux aller plus loin: prenons la rue du Soleil.

PAUL. Allons aussi loin que possible: voilà la rue de l'Étoile!

CHARLES. La rue de Paris qui a le nom le plus amusant est la rue du Pas-de-la-Mule. J'y ai été plus d'une fois. Cette rue est dans un des plus vieux quartiers de la ville.

PAUL. Quelle est la rue la plus longue de Paris?

CHARLES. C'est la rue de Vaugirard qui est la plus longue mais elle n'est pas aussi intéressante que la rue du Cherche-Midi.

PAUL. Nous n'aurons pas le temps d'aller voir toutes les rues que nous avons nommées.

CHARLES. Vous avez raison, mais toutes ces rues existent à Paris, qui est la plus belle ville du monde et peut-être aussi la plus pittoresque.

D. *Write in French:*

1. What did you see when you went to the Louvre? — 2. I saw the most fa- mous woman in the world. — 3. Really? What was she doing in the museum? — 4. She lives [1] there. — 5. What did

[1] Use **demeurer.**

you say? She lives in the museum? If I go there, will I see her? — 6. Yes, if you went there, you would see her. — 7. Have you seen her often? — 8. Yes, I have seen her more than five times. — 9. Why is she the most famous woman in the world? Is she the most beautiful woman in Paris? — 10. She is less beautiful than some [1] other women but her face is very interesting. Her smile is famous. — 11. What does she do in the Louvre? — 12. She looks at everybody who passes. — 13. Is she at the door? — 14. No, she is in the largest room [2] of the museum. — 15. Good Heavens! I shall go to see her immediately. What is her name? — 16. Mona Lisa.

IV. OPTIONAL EXERCISES

A. *Pronounce carefully:*

1. Une rue, une avenue, un boulevard. 2. La rue du Pas-de-la-Mule, l'avenue des Champs-Élysées, le boulevard des Italiens. 3. Un bon élève, un meilleur élève, le meilleur élève de la classe. 4. Mon ami, mon meilleur ami. 5. Une rue pittoresque, une rue plus pittoresque, la rue la plus pittoresque de la ville.

B. *Recite in French:*

1. If you go to the Louvre, you will see some beautiful pictures. 2. If you went to the Louvre, you would see some beautiful pictures. 3. If I go up the avenue des Champs-Élysées, shall I see the Arch of Triumph? 4. If you go up that avenue, you will see it, in the Place de l'Étoile. 5. The avenues of that square form the rays of a star.

6. If I go to the boulevard des Italiens, what shall I see? 7. You'll see some cafés and some stores.

8. Let's go and (to) see the rue des Ursins. — Where is it? — It is on (*dans*) l'Ile de la Cité.

C. *Answer in French:*

1. Qu'est-ce que c'est qu'une avenue? 2. Qu'est-ce que c'est qu'un boulevard? 3. Y a-t-il des avenues ou des boulevards dans la ville où vous demeurez? 4. Quelle est la rue la plus longue de votre ville? 5. Est-ce qu'il y a autant de bons enfants aujourd'hui qu'autrefois? 6. Où est la rue des Petits-Champs? 7. Y a-t-il des lions à Paris? 8. Quelle personne le mot « Monsieur » désignait-il autrefois? 9. Et le mot « Mademoiselle »? 10. Et le mot « Madame »?

11. Quelle reine de France avait le nom de Blanche? 12. Comment les marchands de Paris montraient-ils autrefois quelle sorte de marchandises ils vendaient? 13. Si vous alliez à la rue

[1] Translate "some" by **quelques**.   [2] Use **salle** (fem.).

du Pôle-Nord, feriez-vous un long voyage? 14. Si vous alliez au Pôle Nord, feriez-vous un long voyage? 15. Quelle rue de Paris a le nom le plus amusant? 16. Quelle est la rue la plus longue de Paris?

D. *Use the Recording (Disk 6, Side 1, Section 1) of the following definitions:*

— Qu'est-ce que c'est qu'une rue?

— C'est un chemin dans une ville ou dans un village. D'ordinaire, une rue a des maisons de chaque côté.

— Qu'est-ce que c'est qu'une avenue?

— C'est une large rue qui a des arbres de chaque côté aussi bien que des édifices.

— Qu'est-ce que c'est qu'un boulevard?

— C'est une rue qui est aussi large qu'une avenue et qui, comme les avenues, a des arbres et des édifices de chaque côté. A Paris, les boulevards occupent la place des murs ou des remparts qui entouraient autrefois la ville.

— Qu'est-ce que c'est qu'une place?

— Le mot « place » a plusieurs significations. Dans une ville ou dans un village c'est un espace rond ou carré, qui est généralement entouré d'édifices.

— Est-ce qu'il y a toujours une grande différence entre une rue et une avenue, entre une rue et un boulevard et entre une avenue et un boulevard?

— Pas toujours. Généralement, les avenues et les boulevards sont plus larges et plus importants que les rues ordinaires.

VOCABULARY FOR EXERCISES

calembour [kalãbuːr] *m. pun*
champ [ʃã] *m. field*
chercher [ʃɛrʃe] *to seek, look for*
ciseaux [sizo] *m.pl. scissors, shears*
court [kuːr] *short*
enseigne [ãsɛɲ] *f. sign*
étoile [etwal] *f. star*
féroce [ferɔs] *ferocious, fierce*
long, longue [lɔ̃, lɔ̃ːg] *long*
lys [lis] *m. lily*
marchandise [marʃãdiːz] *f. merchandise*

méchant [meʃã] *mean*
meilleur [mɛjœːr] *adj. better;* le —, *best*
mieux [mjø] *adv. better;* le —, *best;* tant —, *so much the better*
moins [mwɛ̃] *less;* le —, *least*
monde [mɔ̃ːd] *m. world;* tout le —, *everybody, everyone*
neige [nɛːʒ] *f. snow*
pas [pɑ] *m. step*
peuplé [pœple] *populated;* le plus —, *most thickly settled*

pierre [pjɛɪr] *f. stone*
pis [pi] *adv. worse;* le —, *worst;* tant —,
    so much the worse
pittoresque [pitɔrɛsk] *picturesque*

plan [plɑ̄] *m. map (of a city)*
pot de fer [podǝfɛɪr] *m. iron pot*
quartier [kartje] *m. quarter, district*

VOCABULARY FOR REFERENCE

amusant [amyzɑ̄] *amusing*
arbre [arbr] *m. tree*
aussi . . . que *as . . . as*
boulevard [bulvaɪr] *m. boulevard*
Castille [kastiɪj] *f. Castile (in Spain)*
Cherche-Midi [ʃɛrʃmidi] *a street*
cinéma [sinɛma] *m. movies*
compliment [kɔ̄plimɑ̄] *m. compliment*
édifice [edifis] *m. edifice, building*
espace [ɛspas] *m. space*
exister [egziste] *to exist*
Françoise [frɑ̄swaɪz] *Frances*
généralement [ʒeneralmɑ̄] *generally*
intelligent [ɛ̄tɛliʒɑ̄] *intelligent*
Italien [italjɛ̄] *m. Italian*
large [larʒ] *broad, wide*

lion [ljɔ̄] *m. lion*
Louise [lwiɪz] *Louise*
mule [myl] *f. mule*
nièce [njɛs] *f. niece*
occuper [ɔkype] *to occupy*
Parisien [parizjɛ̄] *m. Parisian*
poème [pɔɛɪm] *m. poem*
pôle [poɪl] *m. pole*
possible [pɔsibl] *possible*
prince [prɛ̄s] *m. prince*
probablement [prɔbablǝmɑ̄] *probably*
quelques [kɛlkǝ] *some*
rempart [rɑ̄paɪr] *m. rampart*
terrible [tɛribl] *terrible*
Villon [vijɔ̄] *poet of 15th century*
voir [vwaɪr] *to see*

DIX–HUITIÈME LEÇON 18

I. DIALOGUE

Prepare this exercise in one of the ways suggested in section I *of Lesson* 15:

AU TÉLÉPHONE	ON THE TELEPHONE
LUI. Allô! c'est vous?	HE. *Hello! It's you?*
ELLE. Oui, c'est moi.	SHE. *Yes, it's me.*
LUI. Dites donc, Sophie, puis-je passer la soirée chez vous ce soir?	HE. *Say, Sophie, can I spend the evening at your house tonight?*
ELLE. Je serai contente de vous voir, Pierre.	SHE. *I'll be glad to see you, Peter.*
LUI. Je ne suis pas Pierre!	HE. *I'm not Peter!*
ELLE. Et moi, je ne suis pas Sophie!	SHE. *And I, I'm not Sophie!*

II. GRAMMAR

A. DISJUNCTIVE PERSONAL PRONOUNS

The personal pronouns given in previous lessons (4 and 5) are used with verbs as subjects or objects and hence are called "conjunctive." The following forms, not being immediately joined with verbs, are called "disjunctive":

moi	*I, me*	nous	*we, us*
toi	*thou, thee, you*	vous	*you*
lui	*he, him*	eux	*(m.) they, them*
elle	*she, her*	elles	*(f.) they, them*

B. USES OF DISJUNCTIVE PRONOUNS

The following are the most important uses of the disjunctive pronouns:

1. After **être**.

C'est moi, ce n'est pas lui.   *It's I (me), it isn't he.*

NOTE

C'est, *it is,* should be used before **moi, toi, elle, nous,** and **vous;** for *it is they,* one may say either **c'est eux, c'est elles** or **ce sont eux, ce sont elles.**

2. As objects of prepositions.

avec moi, pour elles   *with me, for them*

3. When standing alone.

Qui est là? — Moi.   *Who is there? — I (Me).*
Qui a parlé? — Lui.   *Who spoke? — He (did).*

4. With other pronouns, for emphasis.

Moi, je ne le ferai pas.   *I shall not do it.*

5. After **que** in comparisons.

Vous êtes plus jeune que moi.   *You are younger than I (me).*
Elle parle plus vite que lui.   *She talks faster than he.*

C. *POUVOIR* AND *VOULOIR*

1. These irregular verbs have the following forms:

pouvoir	**vouloir**
Present	
I can, am able, etc.	*I want, etc.*
peux (puis) [pø, pɥi]	veux [vø]
peux [pø]	veux [vø]
peut [pø]	veut [vø]
pouvons [puvɔ̃]	voulons [vulɔ̃]
pouvez [puve]	voulez [vule]
peuvent [pœːv]	veulent [vœl]

IMPERFECT

I could, was able, etc.	*I wanted, etc.*
pouvais, etc.	voulais, etc.

FUTURE

I shall be able, etc.	*I shall want, etc.*
pourrai, etc.	voudrai, etc.

CONDITIONAL

I could, would be able, etc.	*I should like, etc.*
pourrais, etc.	voudrais, etc.

IMPERATIVE

(lacking)	veux
	voulons
	voulez *or* veuillez

PAST INDEFINITE

I was able, etc.	*I wanted, etc.*
j'ai pu, etc.	j'ai voulu, etc.

2. Of the alternate forms for the first person singular present of **pouvoir, peux** is most often used in declarative sentences, **puis** in questions.

Puis-je vous aider?	*May I help you?*
Je peux le faire sans vous.	*I can do it without you.*

3. **Pouvoir** may express either ability or permission.

Vous ne pouvez pas marcher aussi vite que moi.	*You cannot walk as fast as I.*
Puis-je aller au cinéma?	*May I go to the movies?*

4. The regular imperative of **vouloir** is rarely used. The special second person plural, **veuillez,** is common. It is followed by an infinitive and may be translated by "please."

Veuillez fermer la porte.	*Please close the door.*

5. **Vouloir** means *to want, wish;* the conditional of **vouloir** means *to like (want)*; **vouloir bien** means *to be willing, be kind enough (to).*

Je veux aller à Paris.	*I want to go to Paris.*
Je voudrais aller à Paris.	*I should like to go to Paris.*
Voulez-vous bien m'aider?	*Will you be kind enough to help me?*
Je veux bien vous aider.	*I'm willing to help you.*

6. Observe the similarities in the conjugations of **pouvoir** and **vouloir.** (a) When, in the present tense, the stress falls upon the stem, the sound changes; the change in sound is represented by a change in spelling — **ou** becomes **eu.** (In the first and second persons plural, the stress is on the ending, not on the stem.) (b) In the future and conditional tenses, both verbs have peculiar stems, which must be memorized.

D. USE OF *CHEZ*

1. This preposition means *at* or *to the house, home, office, store,* etc. *of* and may be followed by a noun or a disjunctive pronoun.

Je demeure chez mon père.   *I live at my father's (house).*

2. *Home* or *at home* may be translated by **chez** and an appropriate pronoun.

Je vais chez moi: allez-vous chez   *I am going home; are you going*
  vous?   *home?*
Mon frère n'est pas chez lui.   *My brother is not at home.*
Mes sœurs sont chez elles.   *My sisters are at home.*

3. To refer to a store or other place of business, one may often choose between using **chez** + a noun which designates a kind of merchant and another preposition + a noun which designates a kind of store.

Allons chez le boulanger.   *Let's go to the baker's.*
Allons à une boulangerie.   *Let's go to a bakery.*
On peut acheter du thé   *One can buy tea*
{ chez un épicier.   { *at a grocer's.*
{ dans une épicerie.   { *in a grocery.*

E. *JOUR, JOURNÉE,* "DAY"; *SOIR, SOIRÉE,* "EVENING"

The masculine forms of these words refer to a *unit* of time, telling *when;* the feminine forms refer to the *extent* of time, *during* which something happens.

ce jour-là   *that day (i.e. on that day)*
la journée entière   *the entire day*
ce soir   *this evening, tonight*
une soirée agréable   *a pleasant evening*

III. EXERCISES

A. *Complete each sentence in column 1 with an appropriate phrase from column 2:*

1	2
1. Un boulanger vend ——6——.	1. des chapeaux
2. Un épicier vend ——5——.	2. des vêtements
3. Un libraire vend ——3——.	3. des livres
4. Une modiste vend ——1——.	4. des lunettes
5. Aux Halles on vend ——7——.	5. du sucre
6. Un tailleur vend ——2——.	6. du pain
7. Un opticien vend ——4——.	7. de la viande

B. *The teacher asks each student in turn:* Si vous vouliez acheter ——, où pourriez-vous en acheter?, *filling the blank each time with one of the articles in column 1, or similar articles. Each student should, in replying, use the formula:* Si je voulais acheter ——, je pourrais en acheter ——, *filling the first blank with the article mentioned by the teacher, the second blank by an appropriate place, selected from column 2:*

1	2
1. un chapeau	1. dans une pâtisserie
2. une chaise	2. chez le boulanger
3. du thé	3. dans une boulangerie
4. un livre	4. chez une modiste
5. un dictionnaire	5. chez l'épicier
6. une robe	6. dans une épicerie
7. du sucre	7. chez un libraire
8. des lunettes	8. aux Halles
9. de la viande	9. chez un tailleur
10. des gâteaux	10. chez un couturier
11. un manteau	11. chez un marchand de lunettes
12. un pardessus	12. dans un grand magasin
13. des mouchoirs	13. aux Galeries Lafayette
14. du café	14. dans une librairie
15. du pain	15. chez un marchand de meubles

After this exercise has been recited with students' books open, the teacher should say: Veuillez fermer vos livres, *and then repeat the exercise with students' books closed. The teacher should choose items from column 1 at random.*

C. *Recite in French, using* chez *as often as possible:*

1. I want to go home. 2. I would like to go home. 3. But I can't go home. 4. Why do you want to go home? 5. Why would you like to go home? 6. Why can't you go home? 7. Does Louise want to go home?

8. Does Frederick want to go home?

9. If I went home, I could see my father and mother, my brothers and sisters. 10. If Louise went home, she would see her uncle. 11. If Frederick goes home, he will be able to see his dog.

D. READING

JUSQU'AU BOUT

Une femme américaine qui ne parlait pas français était à Paris avec son mari. M. Duncan voulait passer des journées entières à la Bibliothèque Nationale; il pensait qu'il pourrait trouver des significations nouvelles de plusieurs vieux mots français qu'on trouve dans les poèmes de François Villon.

Chaque matin M. et Mme Duncan allaient à la rue Richelieu. Quand ils y arrivaient, le mari entrait dans le grand bâtiment de la Bibliothèque Nationale, la femme allait à pied au Jardin du Palais-Royal, qui n'est pas loin. Elle y restait jusqu'à midi. A cette heure-là, M. et Mme Duncan déjeunaient ensemble dans un restaurant. Ils passaient l'après-midi de (in) la même manière, le mari à la Bibliothèque, la femme au Palais-Royal.

D'abord tout allait bien. Mme Duncan avait des livres anglais et des journaux anglais, elle regardait les autres personnes qui étaient dans le jardin, elle marchait un peu. Mais elle n'osait pas sortir du jardin parce qu'elle avait peur de perdre son chemin. Si on ne parle pas français, si on ne pose pas de questions, comment peut-on retrouver son chemin quand on est perdu?

Bientôt le temps passait moins vite pour elle, puis il passait lentement, plus lentement, enfin très lentement.

Que pouvait-elle faire?

Son mari a une idée excellente.

— Tu veux voir Paris, n'est-ce pas? lui dit-il. Eh bien, tu pourras faire des promenades en autobus pendant que je serai à la Bibliothèque Nationale.

— Moi? Seule? Mais je ne parle pas français, moi.

— Écoute-moi! Tu peux dire: « Jusqu'au bout », n'est-ce pas?

— Jusqu'au bout!

— Et « jusqu'à la Place du Palais-Royal »?

— Jusqu'à la Place du Palais-Royal!

— Bon! Je vais acheter pour toi plusieurs carnets de tickets d'autobus. Tu auras besoin de beaucoup de tickets. Il y a vingt tickets dans chaque carnet. Voici, près de nous, un arrêt obligatoire de tous les autobus qui passent par ici. Monte dans un autobus et prends une place confortable. Quand le receveur te demandera des tickets, donne-lui un de tes carnets et dis-lui: « Jusqu'au bout ». Il en détachera une quantité suffisante de tickets. Quand tu arriveras au bout de la ligne, tu monteras dans un autre autobus qui a le même numéro que le premier. Dis au receveur: « Jusqu'à la Place du Palais-Royal ». Tu seras bientôt de retour ici. Comme ça, tu feras des promenades, aller et retour, et en route tu verras Paris!

Le lendemain matin, Mme Duncan monte dans un autobus de la ligne 12.[1] « Jusqu'au bout! » dit-elle au receveur. L'autobus va d'abord à la Place du Châtelet, puis il traverse la Seine par le

---

[1] The numbers of bus lines are fictitious but the routes followed are authentic.

Pont au Change, passe devant le Palais de Justice dans l'Ile de la Cité, traverse la Seine par le Pont Saint-Michel, monte le boulevard Saint-Michel, traverse une grande partie du Quartier latin et arrive enfin à la Porte de Gentilly. Mme Duncan monte dans un autre autobus qui reprend la même route. Elle arrive bientôt à la Place du Palais-Royal.

Le lendemain Mme Duncan choisit un autobus de la ligne 15. « Jusqu'au bout ! » dit-elle au receveur. Mme Duncan peut voir les boutiques et les hôtels de la rue de Rivoli, elle peut admirer la grande Place de la Concorde, elle monte la belle avenue des Champs-Élysées jusqu'à la Place de l'Étoile, elle regarde l'immense Arc de Triomphe, elle voit la très large avenue de la Grande Armée, elle traverse des boulevards et des avenues de la partie la plus moderne de Paris, elle arrive enfin au Pont de la Jatte, un des ponts sur la Seine.

Maintenant, pour Mme Duncan, les journées ne passent pas trop lentement, elles ne sont pas assez longues !

Elle ose aller à pied à la Place de l'Opéra, où elle prend d'autres autobus qui vont à d'autres quartiers de la ville.

Au bout d'un mois M. Duncan n'a pas trouvé une seule signification nouvelle d'un seul vieux mot français, mais Mme Duncan a déjà vu une grande partie de Paris. Tant pis pour lui ! Tant mieux pour elle !

Elle ne sait pas encore la vraie signification des mots qui sont, pour elle, les mots les plus importants du français : « Jusqu'au bout ! »

E. *Write in French:*

1. Who is that handsome fellow who is standing near Louise? — 2. He? He's (*C'est*) the young man who was here with her yesterday. His name is Pierre Martin. — 3. I did not see him yesterday. — 4. Well, you have seen him more than once. — 5. I have? — Yes, you have been in his house. — 6. In his house? I? With whom? With you? — 7. Yes, you went to his house with Louise and with me and with many other boys and girls. 8. He is younger than you; you did not look at him. 9. Take a good look at him now ! (= Look at him well !) 10. You will see him again tomorrow. — 11. I? Him? — 12. Yes, he will be with Louise. He is always with her. — 13. Does he love her? — 14. Yes. — If he loves her, I do not want to see him tomorrow. — 15. Why? — Because he will not love me !

IV. OPTIONAL EXERCISES

A. *Answer in French:*

1. Qu'est-ce qu'un boulanger vend?
2. Qu'est-ce qu'un épicier vend?
3. Qu'est-ce qu'une modiste fait?
4. Qu'est-ce qu'on vend aux Halles?
5. Que fait un tailleur? 6. Pourquoi va-t-on chez un opticien? 7. Est-ce que vous portez des lunettes? 8. Si vous

vouliez acheter un livre, où iriez-vous?
9. Voulez-vous aller chez vous?
10. Pourquoi? 11. Est-ce que votre ami
veut aller chez lui? 12. Pourquoi?
13. Votre amie veut-elle aller chez elle?
14. Pourquoi?

15. Qu'est-ce que M. Duncan voulait
faire à la Bibliothèque Nationale?

16. Dans quelle rue est cette Bibliothèque? 17. Pourquoi Mme Duncan
n'osait-elle pas sortir du Jardin du
Palais-Royal?

18. Qu'est-ce que son mari a acheté
pour elle? 19. Qu'est-ce qu'il lui a dit
de dire au receveur de l'autobus?

20. Comment pourra-t-elle revenir?

B. *Use the Recording (Disk 6, Side 1, Section 2) of the following material.
Instead of repeating the statements or questions which you hear, during the pause
which follows each statement or question, choose and speak the correct response.
(Cf. Lesson 3, IV, C.)*

1. On va chez un boulanger pour acheter du pain. Oui ou non?
   (*Choose*   — Oui, on y va pour acheter du pain.
   and
   speak)   — Non, on n'y va pas pour acheter du pain.
2. On va chez un épicier pour acheter du sucre. Oui ou non?
   (*Choose*   — Oui, on y va pour acheter du sucre.
   and
   speak)   — Non, on n'y va pas pour acheter du sucre.
3. On va chez une modiste pour acheter une robe. Oui ou non?
   (*Choose*   — Oui, on y va pour acheter une robe.
   and
   speak)   — Non, on n'y va pas pour acheter une robe.
4. On va chez un libraire pour acheter des livres. Oui ou non?
   (*Choose*   — Oui, on y va pour acheter des livres.
   and
   speak)   — Non, on n'y va pas pour acheter des livres.
5. On va chez un tailleur pour commander du thé. Oui ou non?
   (*Choose*   — Oui, on y va pour commander du thé.
   and
   speak)   — Non, on n'y va pas pour commander du thé.
6. On va à un café pour acheter un chapeau. Oui ou non?
   (*Choose*   — Oui, on y va pour acheter un chapeau.
   and
   speak)   — Non, on n'y va pas pour acheter un chapeau.

7. On va à un restaurant pour prendre un repas. Oui ou non?
    (*Choose*   — Oui, on y va pour prendre un repas.
      and
    speak)   — Non, on n'y va pas pour prendre un repas.

8. On va dans un parc pour faire une promenade. Oui ou non?
    (*Choose*   — Oui, on peut y aller pour faire une promenade.
      and
    speak)   — Non, on ne peut pas y faire des promenades.

9. On va dans un magasin pour acheter des mouchoirs. Oui ou non?
    (*Choose*   — Oui, on y va si on veut acheter des mouchoirs.
      and
    speak)   — Non, on n'y va pas pour acheter des mouchoirs.

10. Si on veut des gâteaux, on va à une pâtisserie. Oui ou non?
    (*Choose*   — Oui, on peut acheter des gâteaux dans une pâ-
      and   tisserie.
    speak)   — Non, on n'y va pas pour acheter des gâteaux.

11. Les Parisiens vont aux Halles pour acheter des légumes. Oui ou non?
    (*Choose*   — Oui, ils vont aux Halles pour acheter des légumes.
      and
    speak)   — Non, ils n'y vont pas pour acheter des légumes.

12. Vous allez à un musée pour voir de belles statues. Oui ou non?
    (*Choose*   — Oui, j'y vais pour voir de belles statues.
      and
    speak)   — Non, j'aime mieux les tableaux.

13. Chaque soir vous mettez vos vêtements dans une grande armoire. Oui ou non?
    (*Choose*   — Oui, chaque soir je les mets dans une grande
      and   armoire.
    speak)   — Non, chaque soir je laisse mes vêtements sur une
                    chaise.

14. Voulez-vous bien m'aider à aller à Paris? Oui ou non?
    (*Choose*   — Oui, je veux bien vous aider à y aller.
      and
    speak)   — Non, si je vous aidais à aller à Paris, moi je ne
                    pourrais pas y aller.

VOCABULARY FOR EXERCISES

anglais [ãglɛ] *adj. English*
après-midi [apremidi] *m. or f. afternoon*
arrêt [arɛ] *m. stop, stopping place*
bâtiment [batimã] *m. building*
boulanger [bulãʒe] *m. baker*
boulangerie [bulãʒri] *f. bakery*
bout [bu] *m. end*
carnet [karnɛ] *m. book*
chemin [ʃmɛ̃] *m. road, way*
couturier [kutyrje] *m. dressmaker, dress designer*
détacher [detaʃe] *to detach*
ensemble [ãsãːbl] *together*
entier, entière [ãtje, –jɛːr] *entire*
épicerie [episri] *f. grocery store*
épicier [episje] *m. grocer*
gâteau, –x [gato] *m. cake*
journée [ʒurne] *f. day*
libraire [librɛːr] *m. bookseller*
librairie [librɛri] *f. bookstore*
ligne [liɲ] *f. line*

manière [manjɛːr] *f. manner*
midi [midi] *m. noon*
modiste [modist] *f. milliner*
monter [mɔ̃te] *to get in or on (a vehicle)*
numéro [nymero] *m. number*
obligatoire [ɔbligatwaːr] *compulsory*
opticien [ɔptisjɛ̃] *m. optician*
oser [oze] *to dare*
pâtisserie [patisri] *f. pastry shop*
penser [pãse] *to think*
receveur [rəsəvœːr] *m. conductor (of a bus)*
reprendre [rəprãːdr] *to take again, repeat*
retour [rətuːr]: de —, *back;* aller et —, *round trip*
revoir [rəvwaːr] *to see again*
route [rut] *f. route;* en —, *on the way*
sans [sã] *without*
soir [swaːr] *m. evening*
suffisant [syfizã] *sufficient*
sur [syr] *on, upon, over*

VOCABULARY FOR REFERENCE

allô [alo] *hello*
Change [ʃãːʒ] *name of bridge*
Châtelet [ʃatlɛ] *name of square*
chez [ʃe] *at, in, to the house, store, etc. of*
donc: dites —, *say (now)* !
eux [ø] *they, them*
Gentilly [ʒãtiji] *city gate on south side of Paris*
Halles [al] *f.pl. the great meat and vegetable markets in Paris*
immense [immãːs] *immense*
Jatte [ʒat] *name of bridge over Seine*
latin [latɛ̃] *Latin*
moderne [mɔdɛrn] *modern*
moi [mwa] *I, me*
national, nationaux [nasjɔnal, –o] *national*

Palais-Royal [palɛrwajal] *palace near center of Paris*
Porte [pɔrt] *f. gate (of city)*
pouvoir [puvwaːr] *to be able, can*
quantité [kãtite] *f. quantity*
Richelieu [riʃljø] *street named after Cardinal Richelieu*
Saint-Michel [sɛ̃miʃɛl] *St. Michael, name of bridge and of boulevard*
téléphone [telefɔn] *m. telephone*
ticket [tikɛ] *m. ticket*
toi [twa] *thou, thee, you*
vouloir [vulwaːr] *to want, wish, like;* — bien *to be willing*

DIX–NEUVIÈME LEÇON 19

I. DIALOGUE

Prepare this exercise in one of the ways suggested in section I of Lesson 15:

CHEZ UN LIBRAIRE

Un jeune homme entre dans une librairie et y trouve un vieux libraire.

— Bonjour, monsieur, lui dit le libraire. Qu'est-ce que vous cherchez? Puis-je vous aider?

— Avez-vous des exemplaires de *l'Assassin de la rue d'Assas?*

— Non, monsieur. Nous ne vendons pas de romans policiers. Pourquoi voulez-vous un exemplaire de ce livre-là? On dit que c'est un très mauvais livre.

— Très mauvais? Vraiment? Qui vous a dit cela? En tout cas je ne

AT A BOOKSTORE

A young man enters a bookstore and finds there an old bookseller.

— Good morning, sir, says the bookseller to him. What are you looking for? Can I help you?

— Have you any copies of The Murderer of Assas Street?

— No, sir. We do not sell detective novels. Why do you want a copy of that book? They say that it is a very poor book.

— Very poor? Really? Who told you that? In any case, I don't want to buy it;

182

veux pas l'acheter; je voulais savoir si vous en aviez des exemplaires dans votre librairie parce que c'est moi qui en suis l'auteur!	*I wanted to know if you had any copies in your bookstore because I am the author of it!*

II. GRAMMAR

A. THE PAST DEFINITE TENSE

1. The past definite tense of regular verbs of the three conjugations has the following forms:

donner	finir	perdre
I gave, etc.	*I finished, etc.*	*I lost, etc.*
donn **ai** [dɔne]	fin **is** [fini]	perd **is** [pɛrdi]
donn **as** [dɔna]	fin **is** [fini]	perd **is** [pɛrdi]
donn **a** [dɔna]	fin **it** [fini]	perd **it** [pɛrdi]
donn **âmes** [dɔnam]	fin **îmes** [finim]	perd **îmes** [pɛrdim]
donn **âtes** [dɔnat]	fin **îtes** [finit]	perd **îtes** [pɛrdit]
donn **èrent** [dɔnɛɪr]	fin **irent** [finiːr]	perd **irent** [pɛrdiːr]

2. The past definite of **avoir** and **être**:

avoir		être	
I had, etc.		*I was, etc.*	
eus [y]	eûmes [ym]	fus [fy]	fûmes [fym]
eus [y]	eûtes [yt]	fus [fy]	fûtes [fyt]
eut [y]	eurent [yːr]	fut [fy]	furent [fyːr]

3. The past definite of the irregular verbs heretofore studied may be determined from the following table.

Conjugated Like	Infinitive	Past Definite
donner	aller	j'allai, etc.
finir	dire	je dis, etc.
	faire	je fis, etc.
	mettre	je mis, etc.
	prendre	je pris, etc.
	voir	je vis, etc.
être	pouvoir	je pus, etc.
	savoir	je sus, etc.
	vouloir	je voulus, etc.

B. USE OF THE PAST DEFINITE

The past definite is used in literary narrative style to denote what happened (completed past action) or what happened next (successive events). It is a formal tense and must not be confused with the past indefinite (informal or conversational) and the imperfect. The past definite is not used in conversation but is the regular tense for the expression of a definite past occurrence in literary writing, formal lectures, etc.

American students will rarely if ever have a natural occasion to *use* a past definite tense but will have abundant opportunities, in reading French, to *recognize* its forms.

C. *DE* AND *À* BEFORE INFINITIVES FOLLOWING VERBS

1. Some verbs require no preposition before a dependent infinitive.

Je vais vous laisser.   *I'm going to leave you.*
Que pouvez-vous faire?   *What can you do?*

2. Other verbs require **à** before a dependent infinitive.

Voulez-vous apprendre à parler   *Do you want to learn to speak French?*
    français?
Je vous aiderai à le faire.   *I'll help you do it.*

3. Other verbs require **de** before a dependent infinitive.

Je vous ai dit de fermer les fenêtres: *I told you to close the windows; don't*
    n'oubliez pas de les fermer.   *forget to close them.*

NOTE

As there are a great many verbs in each of these three classes, it is not practical to memorize them all. (One standard reference grammar has a list of about 60 verbs requiring no preposition, a list of about 160 verbs requiring **à,** and a list of about 180 verbs requiring **de.**) There are no good rules to determine to which class a particular verb belongs. The student must gradually learn the proper usage from observation as he reads French and must consult reference lists or vocabularies until he has learned what is necessary. Lists are given in the Appendix of this book.

D. *PARTIR* AND *SORTIR*

Partir means *to leave, go away;* **sortir,** *to leave, come out, go out.* These irregular verbs, which were first introduced in Lesson 14, have the following forms:

partir		sortir	
	PRESENT		
I am going away, etc.		*I am going (coming) out, etc.*	
pars [paɪr]	partons [partɔ̃]	sors [sɔɪr]	sortons [sɔrtɔ̃]
pars [paɪr]	partez [parte]	sors [sɔɪr]	sortez [sɔrte]
part [paɪr]	partent [part]	sort [sɔɪr]	sortent [sɔrt]

IMPERFECT

partais, etc.   sortais, etc.

FUTURE

partirai, etc.   sortirai, etc.

CONDITIONAL

partirais, etc.   sortirais, etc.

IMPERATIVE

pars, partons, partez   sors, sortons, sortez

PAST INDEFINITE

je suis parti, etc.   je suis sorti, etc.

PAST DEFINITE

partis, etc.   sortis, etc.

E. TITLES OF RULERS

Numerical titles of kings and emperors are indicated in French by **premier** for *first* and by **deux, trois, quatre,** etc. for subsequent numbers.

François Ier (premier)   *Francis the First*
Louis XIV (quatorze)   *Louis XIV (fourteenth)*

III. EXERCISES

A. *Translate into good English:*

UN JEUNE HOMME AMOUREUX [1]

Marius, un jeune homme pauvre, demeurait chez son grand-père, qui était riche. Mais un jour il y eut une dispute terrible entre le jeune homme et le vieillard et Marius quitta la maison de son grand-père.

Marius n'avait pas d'argent; il chercha du travail mais n'en trouva pas tout de suite. Il fut obligé de vendre ses meilleurs vêtements. Enfin un ami lui demanda de traduire des livres anglais et

[1] Suggested by a passage in *Cosette et Marius,* Book 3 Alternate of the Heath-Chicago Graded French Readers.

Marius gagna un peu d'argent. Mais la vie resta longtemps très difficile pour lui. Il occupa une petite chambre dans le quartier le plus pauvre de Paris. Il y eut un moment dans la vie du jeune homme où il n'achetait qu'un morceau de pain pour son dîner.

Marius avait deux plaisirs. Chaque soir, il allait voir ses amis dans leur restaurant favori; il aimait à discuter avec eux des questions politiques et sociales. Chaque après-midi, il entrait dans le Jardin du Luxembourg, le jardin le plus beau et le plus tranquille de Paris.

Un jour d'été, Marius alla au Jardin du Luxembourg comme d'ordinaire. Dans une partie du parc qui était presque déserte, il passa près d'un banc où il vit, l'un à côté de l'autre, un vieillard et une jeune fille. La jeune fille avait d'admirables cheveux blonds et des yeux bleus. Quand Marius arriva près d'elle, elle le regarda avec un sourire charmant. Mais Marius avait peur du vieillard; il n'osa pas parler.

Le lendemain dans le jardin, quand Marius passa devant la jeune fille, il marcha très lentement. Il entendit la voix de la jeune fille, qui parlait au vieillard.

Le jour suivant, Marius retourna au Luxembourg. Plus d'une fois il regarda la jeune fille de loin et vit distinctement ses cheveux blonds et son sourire charmant. Mais il était trop timide pour lui parler.

Tout un long mois passa. Marius allait tous les jours au Luxembourg pour regarder la jeune fille de loin. Il était certainement amoureux d'elle.

Un jour, cependant, quand Marius arriva au Jardin du Luxembourg, le vieillard et la jeune fille n'étaient pas assis sur leur banc favori. Marius attendit jusqu'au soir, puis rentra chez lui.

Chaque jour il retourna au Jardin mais il n'y trouva pas la belle jeune fille qu'il aimait.

Dix jours passèrent ainsi.

L'été passa, puis l'automne. L'hiver arriva. Marius n'avait qu'un désir: revoir la jeune fille. Il la chercha dans tous les quartiers de Paris, il ne la trouva pas.

Mais tout est bien qui finit bien. Une petite fille qui aimait beaucoup Marius trouva la maison où la jeune fille demeurait. Marius y alla, il y trouva la belle jeune fille. Cette fois il osa lui parler.

B. *Change the verbs in the following sentences from past definite to past indefinite. Remember that certain verbs (cf. Lesson 14) are conjugated with* être, *in which case a past participle agrees with its subject.*

1. Marius ne resta pas chez son grand-père. 2. Il quitta sa maison. 3. Il partit de la maison. 4. Il chercha du travail. 5. Il n'en trouva pas. 6. Enfin il gagna un peu d'argent. 7. La vie resta difficile pour lui. 8. Il alla voir ses amis dans un restaurant. 9. Il fit des promenades au Jardin du Luxembourg. 10. Il vit un vieillard et une jeune fille. 11. Il n'osa pas leur parler. 12. Marius passa près du banc. 13. Il entendit la voix de la jeune fille. 14. Il vit ses cheveux blonds. 15. Un mois passa. 16. Il retourna au jardin. 17. L'hiver arriva. 18. Marius chercha la jeune fille. 19. Il ne la trouva pas. 20. Une petite fille la trouva.

C. *Recite in French:*

1. I'm leaving soon. 2. Will you leave with me? 3. Yes, I shall leave as soon as you leave. 4. We'll leave together.

5. Why are you in that room? 6. Come out at once! 7. Why did you go in there? 8. Why didn't you come out at once when I told you to come out?

9. If I leave, will you leave? 10. If I left, would you leave? — 11. I shall stay here. 12. If you were to leave, I would stay here.

13. When Charles arrived, I was leaving. Therefore I did not see him. 14. When Marie arrived, did you see her? Did you speak to her? — 15. I saw her but I did not speak to her. 16. When she was entering the drawing room, I was coming out of that room. 17. She did not speak to me and I did not speak to her.

D. READING

JEANNE D'ARC

Au quinzième siècle, pendant la guerre de Cent ans, la France était dans une situation critique. Le roi de France, Charles VII, n'avait pas de courage, les nobles n'avaient pas d'énergie, le peuple français était découragé. Une guerre civile divisait le pays: les Bourguignons étaient les alliés des Anglais. Beaucoup de villes françaises étaient aux mains des Anglais ou des Bourguignons. Est-ce que la France allait perdre aussi la ville d'Orléans, que les Anglais attaquaient? Si elle perdait cette ville, elle perdrait aussi d'autres villes importantes et une grande partie de son territoire. Elle perdrait la guerre.

Une jeune fille sauva la France. Dans son village de Domrémy, dans la province de Lorraine, Jeanne d'Arc entendit des voix qui lui dirent d'aller voir le roi, qui était à Chinon. De Domrémy à Chinon le voyage serait très dangereux. Jeanne hésita longtemps. Enfin elle quitta Domrémy avec quelques compagnons et alla à Chinon. Elle y trouva le roi. « Donnez-moi une armée, je chasserai les Anglais de France », dit Jeanne au roi. Charles VII hésita; on ne donne pas d'armées aux jeunes filles! Mais Jeanne inspira de la confiance à tout le monde. Et puis, qu'est-ce qu'il risquait? Le roi donna une armée à Jeanne.

Avec cette armée Jeanne marcha sur Orléans, entra dans la ville et attaqua les Anglais. Jeanne remporta une grande victoire, une des victoires les plus importantes de l'histoire du monde. Les Anglais quittèrent la ville d'Orléans.

Ensuite Jeanne remporta d'autres victoires. Avec le roi elle alla à Reims. Dans la grande cathédrale de cette ville on mit la couronne royale sur la tête de Charles VII. Le peuple français reprit courage.

Mais la guerre continua. Malheureusement, dans une bataille devant la ville de Compiègne, un capitaine des Bourguignons fit Jeanne d'Arc prisonnière. Ce capitaine la vendit aux Anglais, qui la mirent entre les mains de juges français. L'injustice du procès de Jeanne d'Arc est célèbre. Les juges cruels la trouvèrent coupable de sorcellerie et la condamnèrent à mourir. A Rouen, sur la Place du Marché, on brûla la plus grande héroïne de la France.

E. (a) *Change the verbs in the following questions from past definite to past indefinite:*
1. Où Jeanne d'Arc entendit-elle des voix? 2. Qu'est-ce que les voix lui dirent de faire? 3. Est-ce que Jeanne d'Arc voulut quitter son village? 4. Enfin elle partit; où alla-t-elle? 5. Qu'est-ce qu'elle demanda au roi? 6. Qu'est-ce que le roi lui donna? 7. Dans quelle ville entra-t-elle? 8. Quelle victoire remporta-t-elle? 9. Où alla-t-elle avec le roi? 10. Qu'est-ce qu'on mit sur la tête du roi? 11. Est-ce que la guerre de Cent ans fut finie? 12. Qui fit Jeanne d'Arc prisonnière? 13. A qui la vendit-on? 14. Qui la trouva coupable? 15. Où la brûla-t-on?

(b) *Write French sentences, using the past indefinite tense, to answer the questions in* (a).

F. *Pronounce in French:*
François Ier, Henri II, Henri IV, Charles VII, Charles IX, Louis XIII, Louis XIV, Louis XVIII, Napoléon Ier.

IV. OPTIONAL EXERCISES

A. *Cognates are likely to be mispronounced because their spelling is misleading. Pronounce the following cognates with special care:*
1. (*Nouns*) (a) action, armée, automne, cérémonie, courage; (b) énergie, époque, fable, histoire, injustice, juge; (c) moment, province, situation, territoire, victoire, village; (d) addition, concert, guide, idée, personne, princesse, service.
2. (*Adjectives*) (a) admirable, agréable, critique, dangereux, désagréable, favori; (b) important, impossible, politique, terrible, timide, tranquille.
3. (*Verbs*) aider, diviser, hésiter, inspirer, inviter, obliger, visiter.

B. *Use the Recording (Disk 6, Side 2, Section 1) of the following story, which is spoken without pauses for repetition, in order to provide drill in understanding spoken French:*

Voici un petit conte amusant qu'on trouve dans les *Lettres persanes* de Montesquieu, qui était un grand écrivain français du dix-huitième siècle. C'est un Persan qui raconte son voyage en France.

« L'autre jour, dans un salon, je vis un homme qui était fort content de lui. En vingt minutes il décida trois questions de philosophie et quatre problèmes d'histoire. On laissa la philosophie et l'histoire, on parla des affaires du jour. Il décida toutes les questions politiques et sociales qu'on discuta. Je voulus l'attraper et je dis en moi-même: je vais parler de mon pays, où il n'a pas été. Je parlai de la Perse [1] et des relations entre mon pays et la France. Mais il m'interrompit tout de suite. Il comprenait ces relations, dit-il, mieux que moi, mieux que les ministres à Paris! Ah, mon Dieu! dis-je en moi-même. Je n'ose pas parler de la ville où je demeure. On pensera que moi, je n'y ai pas été!

Je pris moi-même une décision: je sortis du salon, je quittai la maison, je rentrai chez moi. Je le laissai parler — et il décide encore. »

VOCABULARY FOR EXERCISES

ainsi [ɛ̃si] *thus, so, in like manner*

allié [alje] *m. ally*

amoureux, amoureuse [amurø, –øːz] *in love* (de, *with*)

an [ɑ̃] *m. year*

attaquer [atake] *to attack*

attraper [atrape] *to catch*

banc [bɑ̃] *m. bench*

brûler [bryle] *to burn*

capitaine [kapitɛn] *m. captain*

cas [kɑ] *m. case;* en tout —, *in any case*

cent [sɑ̃] *hundred*

charmant [ʃarmɑ̃] *charming*

chasser [ʃase] *to hunt, drive*

compagnon [kɔ̃paɲɔ̃] *m. companion*

condamner [kɔ̃dane] *to condemn*

confiance [kɔ̃fjɑ̃ːs] *f. confidence*

coupable [kupabl] *guilty*

couronne [kurɔn] *f. crown*

critique [kritik] *critical*

découragé [dekuraʒe] *discouraged*

discuter [diskyte] *to discuss*

diviser [divize] *to divide*

favori, favorite [favɔri, –it] *favorite*

grand-père [grɑ̃pɛːr] *m. grandfather*

guerre [gɛːr] *f. war*

hésiter [ezite] *to hesitate*

interrompre [ɛ̃terɔ̃ːpr] *to interrupt*

juge [ʒyːʒ] *m. judge*

malheureusement [malœrøzmɑ̃] *unfortunately*

marché [marʃe] *m. market*

moi-même [mwamɛːm] *myself*

mourir [muriːr] *to die*

Persan [pɛrsɑ̃] *m. Persian*

plaisir [plɛziːr] *m. pleasure*

procès [prɔsɛ] *m. trial*

remporter [rɑ̃pɔrte] *to win (a victory)*

risquer [riske] *to risk*

sauver [sove] *to save*

sorcellerie [sɔrsɛlri] *f. sorcery, witchcraft*

suivant [sɥivɑ̃] *following, next*

territoire [teritwaːr] *m. territory*

traduire [tradɥiːr] *to translate*

travail [travaːj] *m. work*

victoire [viktwaːr] *f. victory*

vieillard [vjɛjaːr] *m. old man*

voix [vwa or vwɑ] *f. voice*

[1] Persia is today called Iran.

VOCABULARY FOR REFERENCE

Assas [asas] *street near Jardin du Luxembourg*

assassin [asasɛ̃] *m. murderer*

Bourguignon [burgiɲɔ̃] *m. Burgundian*

certainement [sɛrtɛnmɑ̃] *certainly*

Chinon [ʃinɔ̃] *town in Touraine*

civil [sivil] *civil*

Compiègne [kɔ̃pjɛɲ] *city north of Paris*

courage [kuraːʒ] *m. courage*

cruel, cruelle [kryɛl] *cruel*

dangereux, dangereuse [dɑ̃ʒrø, –øːz] *dangerous*

décision [desizjɔ̃] *f. decision*

désert [dezɛːr] *deserted*

désir [deziːr] *m. desire*

dispute [dispyt] *f. dispute*

Domrémy [dɔ̃remi] *birthplace of Joan of Arc*

énergie [enɛrʒi] *f. energy*

héroïne [erɔin] *f. heroine*

injustice [ɛ̃ʒystis] *f. injustice*

inspirer [ɛ̃spire] *to inspire*

Jeanne d'Arc [ʒɑndark] *Joan of Arc*

Lorraine [lɔrɛːn] *French province*

mauvais [mɔvɛ] *bad, poor*

ministre [ministr] *m. minister (political)*

Montesquieu [mɔ̃tɛskjø] *French writer of 18th century*

noble [nɔbl] *m. noble*

Orléans [ɔrleɑ̃] *Orleans*

persan [pɛrsɑ̃] *adj. Persian*

Perse [pɛrs] *f. Persia (Iran)*

peuple [pœpl] *m. people*

philosophie [filɔzɔfi] *f. philosophy*

policier [pɔlisje] *adj.;* roman —, *detective novel*

prisonnière [prizɔnjɛːr] *f. prisoner*

problème [prɔblɛm] *m. problem*

province [prɔvɛ̃ːs] *f. province*

quelques [kɛlkə] *a few*

Reims [rɛ̃ːs] *city in Champagne*

relation [rəlasjɔ̃] *f. relation*

roman [rɔmɑ̃] *m. novel*

Rouen [rwɑ̃] *city in Normandy*

royal [rwajal] *royal*

situation [sitɥasjɔ̃] *f. situation*

social [sɔsjal] *social*

tranquille [trɑ̃kil] *tranquil, calm, quiet*

VINGTIÈME LEÇON 20

Part I REVIEW

A. MINIATURE DIALOGUES. *Say in French:*

1. (1) Good morning! It's fine weather, isn't it? — (2) Good morning! How are you? — (3) I'm fine, thank you. And you? — (4) I'm fine, but it's too hot for me. — (5) It's hot? Oh no! It's hot here in summer but it isn't hot today. — (6) Well, I'm hot!

2. (1) Where were you yesterday when Pierre arrived at your house? You were not at home. — (2) How do you know that I wasn't at home? I don't know where I was. I was perhaps taking a walk. I was perhaps at school. In any

case, I did not want to see Pierre.

3. (1) Where are you going? — (2) I'm going home. And you? — (3) I'm going to the Louvre. — (4) Don't go there now. Go there tomorrow and I'll go with you.

4. (1) I'm hungry. Let's go to a restaurant. — (2) I'm not hungry but I'm thirsty. Let's go to a café. — (3) First we'll go to a café, if you wish, and then we'll go to a restaurant. — (4) Let's go to Dupont's. — (5) There is a little café in the rue Royale that I like better than the Café Dupont.

5. (1) Let's go to the Louvre. — (2) To

191

the store or to the museum? — (3) To the store. I want to buy a new dress, a new hat and some fine gloves. — (4) I, I want to buy a new handbag. Look at this old bag which I am carrying. I need a new bag, don't I? — (5) You're right, you need a new bag. So do I! (And I also.)

6. (1) Is Marie at home? — (2) She has already gone out. — (3) Where has she gone? When will she be back? — (4) She did not tell me where she was going. — (5) I'll spend the evening with you, if you wish. — (6) I'm going out at once. Stay here, if you wish, but you will be alone.

7. (1) Tell me where you live. Please tell me where you live. — (2) I live at home, with my father and mother. — (3) Where do your father and mother

live? — (4) In an old château, on the banks of (au bord de) a river. — (5) Good Heavens! Are you a princess? Is your mother a queen? — (6) All (the) châteaux are not occupied by (par) kings! My father is an American who bought a château!

8. (1) I can't find my books. Where did you put them? — (2) I? I have not seen them. Look for them under the chairs! — (3) Here they are! Who put them under a chair? — You!

9. (1) Who is your most intelligent friend? — Pierre. — (2) Why do you say that? Pierre does not study well, he does not understand well, he does not learn well. Georges is more intelligent than he. — (3) Pierre knows that he does not know very much.

B. SPECIAL WORD STUDY

1. *Give the plural in French of* (a) le corps, (b) la voix, (c) le chapeau, (d) le cheveu, (e) l'œil, (f) l'enfant heureux, (g) le beau vieillard.

2. *Give the feminine of the following adjectives:* (a) lent, (b) bon, (c) gentil, (d) blanc, (e) jeune, (f) dernier, (g) premier.

3. *Form adverbs from the following ad-*

jectives: (a) certain, (b) heureux, (c) malheureux, (d) lent, (e) seul, (f) vrai.

4. *Which of the following verbs are conjugated with* être? — aller, arriver, dire, faire, partir, pouvoir, vouloir, rester.

5. *Translate* better *in the following sentences:* (1) J'ai un (better) stylo que vous. (2) J'aime (better) un stylo qu'un crayon. (3) Un bon crayon est (better) qu'un mauvais stylo.

C. OPTIONAL EXERCISES

1. *Recite in French:* (a) 2 + 2 = 4 (two and two make four), (b) 4 + 4 = 8, (c) 8 + 8 = 16, (d) 3 + 3 = 6, (e) 6 + 6 = 12, (f) 6 + 12 = 18.

2. *Recite in French:* the eleventh lesson,

the twelfth lesson, *etc. up to* the twentieth lesson.

3. *One student should ask, another answer, in French:* (a) Combien font six et quatre? (b) Combien font dix et six? (c) Combien font deux fois cinq? *etc.*

Part II TEST

A. VOCABULARY. *Match up the following French and English words. Each French word may be translated by some word in the English list. Write the pairs of words on your answer-paper:*

7 — 1. bouteille	—16. cour 8	1. as much	16. learn
17 — 2. autant	16—17. apprendre 29	2. author	17. left
18 — 3. moins	18. comprendre 29	3. badly	18. less
2 — 4. auteur	19. gauche 12	4. baker	19. nice
29 — 5. fois	20. métier 22	5. battle	20. noon
10 — 6. gagner	21. pierre 27	6. bookstore	21. piece
25 — 7. sourire	22. étoile 26	7. bottle	22. profession
15 — 8. paresseux	23. mal 3	8. court	23. relate
21 — 9. morceau	24. court 24	9. dare	24. short
17 — 10. gentil	25. boulanger 4	10. earn	25. smile
23 — 11. raconter	26. librairie 6	11. eat	26. star
30 — 12. marcher	27. bout 12	12. end	27. stone
5 — 13. bataille	28. midi 20	13. fear	28. time
13 — 14. peur	29. manger 11	14. kill	29. understand
19 — 15. tuer	30. oser 9	15. lazy	30. walk

(Deduct ½ point for each wrong pair. Perfect score: 15)

B. *Each of the following incomplete French sentences may be correctly completed by filling the blank with one of the suggested words. Write on your answer-paper the correct French word:*

1. Qui est ——³—— dame? (1) ce, (2) cet, (3) cette
2. J'ai ——²—— d'argent que vous. (1) beaucoup, (2) autant, (3) peu
3. Dix et dix ——¹—— vingt. (1) font, (2) sont, (3) ont
4. Nous avons acheté ——³—— oranges. (1) de, (2) du, (3) des
5. Notre maison a huit ——¹——. (1) pièces, (2) morceaux, (3) cuisines
6. Le jeune homme ——²—— beau. (1) faisait, (2) était, (3) avait
7. Les ——²—— de la femme sont bleus. (1) cheveux, (2) yeux, (3) oreilles
8. Elle ne nous a pas donné assez ——¹—— petits pains. (1) de, (2) de les, (3) des
9. Je la vois ——²—— les jours. (1) tout, (2) tous, (3) toutes
10. Elle ——¹—— bien, n'est-ce pas? (1) va, (2) fait, (3) a
11. Avec ——¹—— causiez-vous? (1) qui, (2) que, (3) quel
12. Nous ——³—— la voir demain. (1) verrons, (2) ferons, (3) irons
13. M. Duval ——¹—— faim. (1) a, (2) est, (3) fait
14. Il a acheté une douzaine ——¹—— œufs. (1) d', (2) de, (3) des
15. Le café n'——²—— pas assez chaud. (1) a, (2) est, (3) fait

16. Charles travaille —²— que Louise.   (1) bien, (2) mieux, (3) le mieux
17. Louise travaille —²— que Renée.   (1) moins, (2) aussi, (3) tant
18. Nous —¹— vous aider.   (1) voulons, (2) voulez, (3) veuillez
19. Allons chez —¹—.   (1) un épicier, (2) une épicerie, (3) un café
20. Charlotte —¹— arrivée hier.   (1) est, (2) a, (3) va

(*Deduct 1 point for each wrong answer.   Perfect score:* 20)

C. *Write on your answer-paper the French word or words necessary to make each French sentence a correct, complete translation of the accompanying English sentence:*

1. Are you going to give him some coffee?

Est-ce que vous allez (1) donner (2) café?

2. I've already given him a cup of coffee.

Je (1) ai (2) donné une tasse de café.

3. What does he want now? Eggs?

(1) veut-il maintenant?   (2) œufs?

4. Does he like French cooking?

(1) la cuisine (2)?

5. He did not tell me that.

Il ne (1) pas (2) cela.

6. How many days did he spend here?

(1) jours a-t-il (2) ici?

7. He stayed here longer than you.

Il (1) resté ici (2) que vous.

8. What did you say?   You talk too fast.

(1) vous avez dit?   Vous parlez (2).

9. I'll speak more slowly, if you wish.

Je (1) plus lentement, si vous (2).

10. Please speak as slowly as possible.

(1) parler (2) lentement que possible.

11. Who was talking when you entered the living room?

(1) parlait quand vous êtes (2) le salon?

12. Odile is speaking French! Listen to her!

Odile (1)!   Écoutez-(2)!

13. She has a beautiful voice, hasn't she?

Elle a une (1) voix, (2)?

14. I like her voice but she talks too much.

J'aime (1) voix mais elle parle (2).

15. Don't say that!   She is very nice.

Ne (1) pas cela!   Elle est très (2).

16. Why are you wearing that old dress?   Haven't you a prettier dress?

Pourquoi portez-vous cette (1) robe?   N'avez-vous pas une (2) robe?

17. M. Dubois is a handsome man but I don't like his wife.

M. Dubois est un (1) homme mais je n'aime pas (2) femme.

18. Why don't you like her? — Her nose is too large!

Pourquoi ne (1) pas? — Son nez est (2) grand!

19. The girls have left. Where have they gone?

Les jeunes filles sont (1). Où sont-elles (2)?

20. Haven't they come back? No, not yet.

Ne sont-elles pas (1)? Non, (2).

(Deduct 1 point for each wrong answer. Perfect score: 40)

D. IRREGULAR VERBS. *Give the correct forms of the verbs in parentheses:*

1. *Present tense.* Que (faire)-vous?
2. *Imperative.* Ne (faire) pas cela!
3. *Imperfect tense.* Odile ne (savoir) pas mon nom.
4. *Present tense.* Où (aller)-ils?
5. *Future tense.* Où (aller)-ils?
6. *Imperative, first pers. plur.* (Aller) avec eux.
7. *Future tense.* Où (être)-vous demain?
8. *Imperative.* (Dire)-moi où vous demeurez.
9. *Present tense.* Me (comprendre)-vous?
10. *Past participle.* M'avez-vous bien (comprendre)?
11. *Future tense.* Est-ce que vous (voir) vos amis demain?
12. *Conditional tense.* Je (vouloir) vous voir ce soir.
13. *Future tense.* Quand (partir)-elle?
14. *Present tense.* Pourquoi (sortir)-vous?
15. *Imperative.* Ne (sortir) pas encore.

(Deduct 1 point for each wrong form. Perfect score: 15)

E. *Translate the following phrases:*

1. A droite. 2. Tant pis! 3. J'ai soif. 4. Vous avez tort. 5. Allons! 6. En retard. 7. Au printemps. 8. En tout cas. 9. Être de retour. 10. Mon Dieu!

(Deduct 1 point for each mistake. Perfect score: 10)
(Total Perfect Score: 100)

FINAL RECORDING
(Disk 6, Side 2, Section 2)

Listen carefully to each question and then, instead of repeating what you hear, choose and pronounce aloud the correct answer. For correct answers to questions 1–6, cf. First Cultural Dialogue; for correct answers to nos. 7–12, cf. Second Cultural Dialogue; for correct answers to nos. 13–17, cf. Third Cultural Dialogue.

1. Qu'est-ce que c'est que la Seine?
   (*Choose* — La Seine est le fleuve qui traverse Paris.
   and
   speak) — La Seine est un affluent du Rhône.
2. Qu'est-ce que c'est que l'Ile de la Cité?
   (*Choose* — L'Ile de la Cité est une des provinces de la France.
   and
   speak) — L'Ile de la Cité est une île dans la Seine.
3. Quel monument est au milieu de la Place de la Concorde?
   (*Choose* — Au milieu de la Place de la Concorde on peut voir
   and   une statue de Jeanne d'Arc.
   speak) — Le monument qui est au milieu de la Place de la
                 Concorde est un obélisque égyptien.
4. Qu'est-ce qu'on peut voir du sommet de la Tour Eiffel?
   (*Choose* — Quand on est au sommet de la Tour Eiffel, on a
   and   la grande ville de Paris à ses pieds.
   speak) — Du sommet de la Tour Eiffel on peut voir les Alpes.
5. Est-ce que Paris est une ville historique ou une ville moderne?
   (*Choose* — Paris est une ville historique.
   and   — Paris est une ville moderne.
   speak) — Paris est une ville historique et aussi une ville
                 moderne.
6. Qu'est-ce que c'est que le Quartier latin?
   (*Choose* — C'est une partie de la ville de New-York.
   and
   speak) — C'est le quartier des écoles et de l'université.
7. Quels pays sont situés au nord-est de la France?
   (*Choose* — La Belgique, l'Allemagne et l'Italie.
   and   — L'Allemagne, l'Italie et l'Espagne.
   speak) — La Belgique, le Luxembourg et l'Allemagne.
8. Quelle mer trouve-t-on au sud de la France?
   (*Choose* — On y trouve la Mer Méditerranée.
   and
   speak) — On y trouve la Manche.
9. Quel fleuve forme une partie de la frontière entre la France et
   l'Allemagne?
   (*Choose* — C'est le Rhône.
   and   — C'est le Rhin.
   speak) — C'est la Saône.

10. Est-ce qu'il y a en France de belles routes pour les automobiles?
    (*Choose* — Oui, il y a beaucoup de belles routes.
      and
    speak) — Non, il n'y a pas de belles routes.
11. Où est le Mont Blanc?
    (*Choose* — Il est en Italie.
      and — Il est en Suisse.
    speak) — Il est en France.
12. Quel est le trait distinctif des villes françaises?
    (*Choose* — En France une ville typique a une partie his-
      and   torique et une partie moderne.
    speak) — Toutes les villes françaises sont petites.
13. Est-ce que tous les Français sont obligés d'aller à l'école quand
    ils sont jeunes?
    (*Choose* — Oui, les Français et les Françaises sont obligés d'y
      and   aller jusqu'à l'âge de quatorze ans.
    speak) — Seulement les garçons sont obligés d'y aller.
14. Quelle sorte de bâtiments les écoles françaises occupent-elles?
    (*Choose* — Toutes les écoles occupent de vieux bâtiments.
      and — Toutes les écoles occupent des bâtiments modernes.
    speak) — Il y a des écoles qui occupent de vieux bâtiments,
           il y en a d'autres qui occupent des bâtiments
           modernes.
15. Les élèves français aiment-ils les sports?
    (*Choose* — Oui, mais ils y consacrent moins de temps que les
      and   élèves américains.
    speak) — Non, ils n'aiment pas les sports.
16. Où est-ce qu'on peut acheter des livres en France?
    (*Choose* — On peut en acheter dans une bibliothèque.
      and
    speak) — On peut en acheter dans une librairie.
17. Pourquoi peut-on dire que la France est le pays du bon goût?
    (*Choose* — Parce que la cuisine française est célèbre.
      and
    speak) — Parce qu'on y fabrique beaucoup de belles choses.

LUYNES

FOURTH CULTURAL DIALOGUE

CHÂTEAUX ET PALAIS

Un jour Asmodée, le bon petit diable, présenta ses deux amis, Charlotte et Robert, au professeur Michel.

— M. Michel va nous accompagner aujourd'hui, dit Asmodée.

— Où allons-nous? demanda Charlotte.

— Je vous ai déjà parlé, répondit Asmodée, de la vie des paysans et des bourgeois. Aujourd'hui nous allons visiter les demeures des rois et des nobles. Est-ce que les châteaux et les palais vous intéressent?

— Ils m'intéressent beaucoup, répondit Robert. En Amérique il y a peu de palais et il n'y a pas de châteaux. Quand on est en France, on veut en voir.

— En France, dit le professeur Michel, il y a trois sortes de châteaux: les châteaux du moyen âge,[1] les châteaux de la Renaissance et du dix-septième siècle, et les châteaux des

[1] le moyen âge *the Middle Ages.*

temps modernes. Allons d'abord au bord de la Loire, le fleuve qui traverse les belles provinces de la Touraine et de l'Anjou.

Asmodée agita son bâton magique. Voilà Charlotte, Robert, Asmodée et le professeur devant le château de Luynes.

— Le château que nous voyons, dit le professeur, n'est pas le château original, qui fut détruit [2] à la fin du onzième siècle. Un deuxième château fut bâti [3] au douzième siècle et fut plus tard détruit. Au quinzième siècle le comte de Maillé en bâtit un troisième, que le duc de Luynes acheta et agrandit au dix-septième siècle. C'est ce château que vous regardez. Les murs solides, les tours rondes et les petites fenêtres montrent

[2] détruit *destroyed*.   [3] bâtir *to build*.

que le comte de Maillé imita la construction d'un château fort [4] du moyen âge. Allons voir à quelques kilomètres d'ici le château de Langeais.

Le bâton d'Asmodée les transporta tout de suite à Langeais.

— Comme Luynes, dit le professeur, Langeais est un château fort. Le château était facile à défendre, n'est-ce pas? L'intérieur est aujourd'hui presque un musée; on peut y voir un très grand nombre de beaux meubles du quinzième siècle. Voulez-vous aller à Loches? Nous pourrons y voir des cachots [5] où des prisonniers restaient longtemps enfermés.[6] Un prisonnier italien, raconta le professeur, occupa un de ces cachots pen-

[4] château fort *m. fortified castle*.   [5] cachot *m. cell, dungeon*.   [6] enfermer *to enclose, imprison*.

AMBOISE

dant neuf ans. Enfin on lui dit qu'il allait être mis en liberté. Cette bonne nouvelle le tua.

— Je n'aime pas cette histoire-là, dit Charlotte. Je n'aime pas les cachots. N'allons pas à Loches. Allons voir un autre château.

— D'un très grand nombre des châteaux forts du moyen âge, dit le professeur, on ne peut voir aujourd'hui que des ruines. Cela est vrai, par exemple, de Chinon . . .

— Où Jeanne d'Arc trouva Charles VII, interrompit Robert.

— Visitons maintenant des châteaux du seizième siècle.

— C'est le siècle de la Renaissance, n'est-ce pas?

— Oui, mademoiselle. Au sei-zième siècle la vie est devenue plus agréable; les châteaux sont donc différents. Le roi François Ier et les nobles ont voulu avoir des châteaux aussi élégants que les palais qu'ils ont vus en Italie. Les châteaux d'Amboise, de Blois, de Chambord et de Chenonceaux montrent la transition du château fort du moyen âge au « château de plaisance » de la Renaissance. M. Asmodée, veuillez nous transporter à Amboise . . .

— Voyez-vous cette tour ronde? demanda le professeur. A l'intérieur de cette tour on peut monter des rues de la ville jusqu'à un plateau. Montons! . . . Bon! . . . Sur ce plateau nous voyons les beaux édifices où Louis XI, Charles VIII, Louis XII

BLOIS: L'ESCALIER

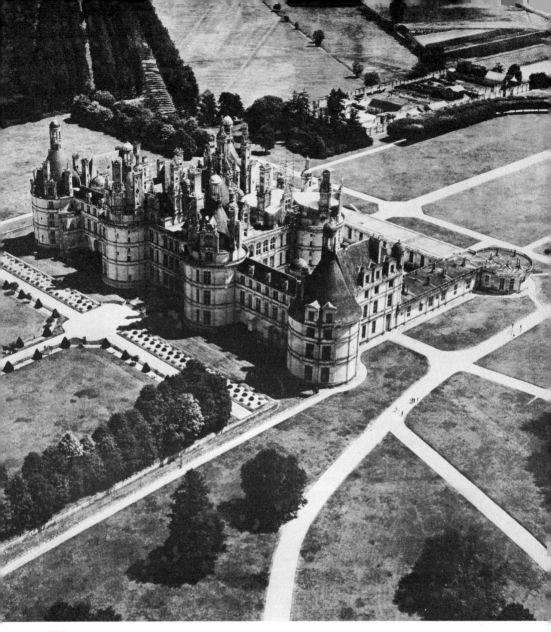

CHAMBORD

et François Ier demeurèrent souvent . . . Mais Blois est plus intéressant qu'Amboise. M. Asmodée, allons à Blois, s'il vous plaît . . .

— La plus vieille partie du château
de Blois date du treizième siècle, dit
le professeur; la chapelle date du
quinzième siècle. L'aile [7] bâtie par
François Ier au seizième siècle montre
l'influence italienne. Il y a un autre
bâtiment qui est du seizième siècle et

[7] aile *f. wing.*

À CHAMBORD

un autre du dix-septième. Tout cela fait de Blois « une vivante leçon d'architecture », tant de styles différents y sont représentés! N'admirez-vous pas cet escalier [8] immense que François Ier a bâti? Mais allons au plus grand des châteaux de la Touraine...

— Chambord, expliqua le professeur, est un bel exemple de l'architecture de la Renaissance. Il donne une impression de grandeur royale. Mais il est peut-être trop grand! A l'intérieur, il faisait toujours froid dans les grandes salles. François Ier, qui le bâtit, n'y demeura pas longtemps. Autrefois les meubles étaient sans doute magnifiques mais aujourd'hui les salles sont presque vides.[9] N'y entrons pas! Allons voir le plus

[8] escalier *m. stairway*.   [9] vide *empty*.

beau des châteaux de la Touraine, allons à Chenonceaux!...

— Oh, dit Charlotte, vous avez raison, M. Michel. Chenonceaux est très beau!

— Je savais que vous aimeriez Chenonceaux, mademoiselle.

— Quelle est cette rivière tranquille? demanda Robert.

— C'est le Cher. Le château est charmant. Commencé pour sa femme par un bourgeois riche, continué par cette femme après la mort de son mari, agrandi par une deuxième femme, Diane de Poitiers, il fut fini par une troisième femme, Catherine de Médicis. Et la femme de Henri III y passa les dernières années de sa vie.

— Les femmes ont du goût, dit Charlotte.

— Pourquoi y a-t-il tant de châteaux en Touraine? demanda Robert.

— Cette province a le climat le plus agréable de la France. On a donné à la Touraine le nom du « jardin de la France ». Naturellement, les rois et les nobles voulaient y demeurer. Mais tous les châteaux importants ne sont pas en Touraine. Allons à Fontainebleau qui, comme vous le savez, n'est pas loin de Paris... M. Asmodée, en route!...

— Plusieurs rois — Louis VII, Louis IX, Charles V, par exemple — ont bâti, agrandi ou transformé les bâtiments qui composent ce château, mais ce sont François Ier et Napoléon Bonaparte qui y ont laissé les souvenirs les plus vivants... Traversons

CHENONCEAUX

cette grande cour, montons cet escalier où Napoléon dit adieu à ses soldats, entrons dans le palais. Un guide nous montrera les plus belles salles. Vous admirerez la richesse de l'ornementation des grandes galeries et la beauté des meubles magnifiques de plusieurs salons. N'oublions pas de faire une promenade dans les jardins du château. Presque toujours, les jardins d'un château sont admirables. Cela est surtout vrai à Versailles ... M. Asmodée, voulez-vous bien nous transporter à Versailles?

— Est-ce que Versailles est le plus grand château du monde?

— Oui, mademoiselle. Nous voici dans « la cour d'honneur ». Regardez cette statue de Louis XIV !

FONTAINEBLEAU: LA COUR

Si on pense à (*of*) François Ier à Blois, à Chambord et à Fontainebleau, on pense seulement à Louis XIV à Versailles.

VERSAILLES: LE PALAIS

— Je voudrais voir surtout, dit Robert, la Galerie des Glaces.[10]

— Cette galerie est richement décorée, dit le professeur, mais elle est presque vide.

— Où sont les meubles qui étaient ici autrefois?

— Le peuple les emporta pendant la Révolution ... Par les fenêtres de la Galerie des Glaces on peut admirer le grand parc. Voyez! Comme le château, le parc a une forme classique: tout est régulier, presque géométrique ...

— Tout est grand et tout est beau, dit Charlotte.

— Versailles est un symbole, dit le professeur, de la grandeur et de la gloire de la France au dix-septième siècle, « l'Age d'or »[11] de la civilisation française.

— Quelle est la différence entre un château et un palais? demanda Charlotte.

— On peut, si on veut, faire une distinction entre un château et un palais: un château est à la campagne, un palais est dans une ville. Mais on ne fait pas toujours cette distinction. Eh bien, allons à la Malmaison.

— Nous y avons déjà été!

— Vous avez donc vu la salle de réception, le cabinet de Napoléon, le salon de musique de Joséphine ...

[10] Galerie des Glaces *Hall of Mirrors*.

[11] l'Age d'or *the Golden Age*.

204

VERSAILLES: INTÉRIEUR

— Oui, et aussi la chambre de l'impératrice.

— Et le petit fauteuil de Louis-Napoléon Bonaparte?

— Peut-être. Je ne sais pas. Il y avait là tant de meubles!

— Allons donc à Chantilly. M. Asmodée, si vous voulez bien . . .

— Le château de Chantilly date du moyen âge mais le bâtiment élégant qu'on admire aujourd'hui fut bâti en grande partie au dix-neuvième siècle, sur les fondations des bâtiments primitifs. A Chantilly il y a une bibliothèque et un musée de la plus grande valeur. Mais retournons enfin à Paris pour visiter un palais vraiment moderne. M. Asmodée, agitez votre

bâton! . . . On a bâti ce palais au vingtième siècle, au bord de la Seine, pour remplacer le Trocadéro, un édifice qu'on a détruit. Vous l'avez vu quand vous étiez au sommet de la Tour Eiffel.

— C'est le Palais de Chaillot, n'est-ce pas? Qu'est-ce qu'il y a à l'intérieur?

— Il y a des musées et un théâtre.

— Quel est votre château préféré? demanda Asmodée.

— Blois, dit le professeur, à cause de ses souvenirs historiques.

— Chenonceaux, dit Charlotte, à cause de son charme féminin.

— Versailles, dit Robert, à cause de sa grandeur!

VINGT ET UNIÈME LEÇON 21

I. DIALOGUE

Prepare this exercise as in section I *of preceding lessons:*

— Quelle heure est-il?

— Il est dix heures et demie.

— A quelle heure part le train?

— A onze heures.

— Du matin ou du soir?

— Il part à vingt-trois heures.

* * *

— Quel jour du mois est-ce aujourd'hui?

— C'est le premier février.

— Mais non! Ce n'est que le trente et un janvier.

— *What time is it?*

— *It is half past ten.*

— *At what time does the train leave?*

— *At eleven o'clock.*

— *A.M. or P.M.?*

— *It leaves at 11 P.M.*

* * *

— *What day of the month is it today?*

— *It's the first of February.*

— *Why no! It's only the thirty-first of January.*

II. GRAMMAR

A. CARDINAL NUMERALS (cont.)

1. The numbers from 1 to 20 have been previously given. The following table shows how to compose numbers above 20:

206

21	vingt et un	90	quatre-vingt-dix
22	vingt-deux	91	quatre-vingt-onze
23	vingt-trois		etc.
	etc.	100	cent
30	trente	101	cent un
31	trente et un	102	cent deux
32	trente-deux		etc.
	etc.	200	deux cents
40	quarante	201	deux cent un
50	cinquante	202	deux cent deux
60	soixante		etc.
70	soixante-dix	1.000	mille
71	soixante et onze	1.001	mille un
72	soixante-douze	2.000	deux mille
	etc.	10.000	dix mille
80	quatre-vingts	100.000	cent mille
81	quatre-vingt-un	1.000.000	un million
	etc.	2.000.000	deux millions

NOTES

1. The **t** of **vingt** is sounded in 21, 23, 24, 25, 26, 27, 28, 29, may be pronounced **t** or **d** in 22, is silent from 81 to 99; the **t** of **cent** is silent in **cent un, deux cent un,** etc.

2. A period is used in French where a comma is used in English in 1,000 and above.

2. **Vingt** and **cent** take an **–s** only when multiplied by a preceding number and not followed by another number.   **Mille** never takes **–s.**

vingt francs	20 *francs*
quatre-vingts francs	80 *francs*
quatre-vingt-dix francs	90 *francs*
cent francs	100 *francs*
trois cents francs	300 *francs*
trois cent cinquante francs	350 *francs*
deux mille francs	2,000 *francs*

3. Neither **cent,** *one hundred,* nor **mille,** *one thousand,* is ever preceded by **un,** but **million,** being a noun, may be preceded by **un, deux,** etc.

cent francs	*one hundred francs*
mille francs	*one thousand francs*
un million (deux millions)	*one million (two millions)*

4. In numbers involving *hundred*, the word *and* is not expressed in French.

trois cent vingt	*three hundred and twenty*

B. ORDINAL NUMBERS

Those above *twentieth* offer no difficulty.

vingt et unième	*twenty-first*
vingt-deuxième	*twenty-second*
etc.	etc.

C. TIME OF DAY

1. The hours and fractions of hours are expressed as indicated in the following examples:

Il est une heure.	*It is one o'clock.*
Il est deux (trois, etc.) heures.	*It is two (three, etc.) o'clock.*
Il est trois heures et demie.	*It is half past three (three-thirty).*
quatre heures et quart } quatre heures un quart }	*a quarter past four*
cinq heures moins le quart } cinq heures moins un quart }	*a quarter to five*
six heures dix (vingt)	*ten (twenty) minutes past six*
sept heures moins cinq	*five minutes to (before) seven*
vers (les) neuf heures	*about nine o'clock*
à neuf heures précises	*at exactly nine o'clock*

2. To distinguish hours before noon and those after noon, there are two possibilities, as illustrated in the following examples under (a) and (b) respectively:

(a) dix heures du matin	10 *A.M.*
deux heures de l'après-midi	2 *P.M.*
onze heures du soir	11 *P.M.*
(b) dix heures	10 *A.M.*
quatorze heures	2 *P.M.*
vingt-trois heures	11 *P.M.*

Method (b) is becoming more and more common in France. It is used not only by the railroads and the armed forces but also for theaters, concerts, lectures, etc.

3. For *twelve o'clock*, use **midi** (*m.*), *noon*, and **minuit** (*m.*), *midnight*.

Il est midi et demi.	*It is half past twelve.*
Il est déjà minuit.	*It is already midnight.*

D. DATES

1. Days of the month are indicated in French by **premier** for *first* and by **deux, trois, quatre,** etc. for subsequent numbers.

C'est aujourd'hui le sept mars.	*Today is the seventh of March.*
Ce sera demain le huit.	*Tomorrow will be the eighth.*

2. Dates (for years above 1000) may be expressed in French either as so many hundreds followed by a number of years or as (one) thousand followed by a number of years. Thus 1950 may be construed as either (a) or (b):

(a) dix-neuf cent cinquante	*nineteen hundred (and) fifty*
(b) mil(le) neuf cent cinquante	*thousand nine hundred (and) fifty*

NOTES

1. In writing out dates, **mil** for *thousand* is traditional but **mille** is now frequently used.
2. A date may be pronounced in English as "nineteen fifty," but **cent** cannot be omitted in French: **dix-neuf cent cinquante.**
3. *In* before years is **en: En 1960.**
4. It is no more common to write out dates in French than in English. Written forms in this section are given as a guide to pronunciation.

E. *OFFRIR,* "TO OFFER"

This irregular verb has the following forms:

PRESENT		IMPERFECT
offre [ɔfr]	offrons [ɔfrɔ̃]	offrais, etc.
offres [ɔfr]	offrez [ɔfre]	FUTURE
offre [ɔfr]	offrent [ɔfr]	offrirai, etc.

IMPERATIVE
offre, offrons, offrez

CONDITIONAL
offrirais, etc.

PAST INDEFINITE
j'ai offert,
etc.

PAST DEFINITE
offris, etc.

NOTE

The present, imperfect, and imperative forms would be regular for a verb of the first conjugation; the future, conditional, and past definite are regular for a verb of the second conjugation; the past participle is truly irregular.

III. EXERCISES

A. *Give in French the following hours of the day:*

(1) A.M.: 8:30; 9:20; 10:10; 10:15; 10:45; 11:00; 11:55.

(2) P.M. (*express each of the given times in two ways*): 1:15; 2:30; 3:00; 4:45; 5:05; 6:15; 7:40; 8:50; 9:00; 10:00; 11:00; 11:30; 11:55.

B. *Observe the following model:*

La mort de Jeanne d'Arc   eut lieu (*took place*) en 1431.

Make similar sentences by matching the items in columns 1 and 2 correctly and by connecting them with eut lieu: [1]

1	2
La découverte de l'Amérique	1066
La découverte de l'océan Pacifique	1429
La naissance du président Washington	1492
La mort du président Lincoln	1513
La bataille de Bunker Hill	1732
La bataille de Waterloo	1775
La bataille d'Hastings	1789
La bataille de la Marne	1815
La bataille d'Orléans (de Jeanne d'Arc)	1865
Le commencement de la Révolution Française	1914

C. *Answer in French:*

1. Combien font dix et quinze?
2. Combien font vingt et trente?
3. Combien font quarante et trente-cinq? 4. Combien font trois fois vingt?
5. Combien font cinq fois deux cents?
6. Combien font dix fois quinze?

7. Combien d'heures y a-t-il entre midi et minuit? 8. Combien de jours y a-t-il dans un mois (28, 30, *or* 31)?
9. Combien d'années y a-t-il dans un siècle? 10. Quel est le mois le plus court de l'année? 11. Combien de jours y a-t-il dans le mois de décembre?

12. Si vous gagniez dix dollars par jour, combien de dollars auriez-vous (a) après cinq jours de travail? (b) après dix jours de travail? (c) après vingt jours de travail? (d) après trente jours de travail?

13. Si vous gagniez vingt dollars par jour, combien de dollars auriez-vous au bout de deux semaines, (a) si vous travailliez cinq jours par semaine? (b) si vous ne travailliez que trois jours par semaine?

14. Si on vous donnait cent dollars et si vous dépensiez la moitié de cette somme, combien de dollars auriez-vous?

15. Si vous aviez cent dollars et si vous dépensiez dix dollars, combien de dollars auriez-vous? 16. Si vous dépensiez vingt dollars?

(*After students have answered these questions with their books open, they could answer them again with their books closed.*)

[1] Results may be checked by referring to Lesson 25, IV, B.

D. *Recite in French:*

1. The twentieth time,[1] the thirtieth time, the fortieth time, the fiftieth time, the hundredth time. 2. One hundred times; one thousand times.

3. I went to the movies at two P.M.; I went home at four-thirty. 4. We went to the theater at 9 P.M.; we went home at midnight.

5. I offered him two thousand francs but he refused to (*de*) accept them. —6. If you offered me two thousand francs, I would accept them immediately!

E. READING

Deux Affaires

En janvier 1825 il y avait à Reims une assez grande maison près de la cathédrale. Sur cette maison on pouvait voir l'écriteau: MAISON À VENDRE.

Tout à coup on apprit à Reims que le sacre du roi Charles X aurait lieu dans la cathédrale de Reims au mois de mai. Les habitants de la ville étaient heureux; ils allaient pouvoir louer des chambres à des prix fort élevés. Une petite chambre allait rapporter pour vingt-quatre heures au moins soixante francs. A cette époque-là soixante francs (douze dollars) étaient une somme énorme pour une chambre.

Un matin du mois de février un homme qui portait un habit noir et une cravate blanche frappa à la porte de la maison à vendre.

— Vous voulez vendre votre maison? demanda le monsieur au propriétaire.

— Oui.

— Combien?

— Trente mille francs.[2]

— Mais je ne veux pas l'acheter.

— Que voulez-vous?

— La louer meublée, seulement.

— C'est différent. Pour une année?

— Non.

— Pour six mois?

— Non. Je voudrais la louer pour trois jours. Combien me demanderez-vous?

Le propriétaire regarda l'habit noir et la cravate blanche du monsieur. Cet homme, pensa-t-il, veut louer la maison pendant le sacre de Charles X. C'est le représentant d'un grand personnage anglais. Un homme ordinaire ne loue pas une maison entière pour trois jours.

En effet, c'est l'ambassadeur d'Angleterre que le monsieur représentait.

— Trente mille francs.

La maison était grande, belle, très bien située.

— Je vous offre mille francs, dit l'Anglais.

— Non, monsieur, répondit le propriétaire.

— Deux mille!

— Non, monsieur!

L'Anglais offrit trois mille, quatre mille, cinq mille, puis dix mille.

Le propriétaire répondit toujours: « Non, monsieur! »

Au mois de mai l'ambassadeur d'Angleterre passa trois jours dans la maison. Il donna au propriétaire trente mille francs.

* * *

Plus de cent ans après, en 1955, un touriste américain arriva à Paris avec l'intention de passer quatre semaines en

---

[1] Use **fois,** *f.*   [2] $6,000.00.

France. Il voulait louer une automobile pour mieux voir le pays. Il entra chez un marchand d'automobiles.

— Je veux louer une automobile, dit-il au marchand, une voiture à bon marché.

— J'en ai de toutes les marques françaises et américaines. Vous feriez bien d'acheter une belle voiture française. Voyez cette Renault élégante là-bas, de l'année 1948. Elle n'est pas chère, seulement trois cent mille francs.[1]

— Je ne veux pas acheter cette automobile.

— Que voulez-vous?

— La louer, seulement.

— C'est différent. Pour une année?

— Non.

— Pour six mois?

— Non. Je voudrais la louer pour un mois. Combien me demanderez-vous?

— Pour cette Renault-là, seulement dix mille francs[2] par jour. Pour un touriste américain, ce n'est pas cher.

Le touriste ne savait pas bien la valeur du franc; d'ailleurs, il n'aimait pas marchander. Il loua la Renault pour dix mille francs par jour et partit content. A la fin du mois il donna au marchand trois cent mille francs.

F. *Write in French:*

— Good morning, madam. I should like to rent a room. Have you a furnished room for (à) rent? I saw a sign, near your door.

— Good morning, sir. Please come in. Yes, I have a room which is large and beautiful. The furniture is excellent.

— It's how much?

— It will be only two thousand francs a (*par*) day.

— That's too much for me. I am not rich. All Americans are not rich. I offer you a thousand francs a day.

— I cannot accept that sum. For you,

it will be one thousand, five hundred francs.

— I offer you seven hundred and fifty francs.

— You have already offered me more than that! Well, for you it will be twelve hundred francs.

— I offer you six hundred francs, madam.

— No, no, no! It will be a thousand francs. I cannot accept less than that.

— Well, madam, I accept! Today is the first of April. Here are thirty thousand francs for the entire month.

— Thank you very much, sir.

IV. OPTIONAL EXERCISES

A. *Pronounce carefully:*

1. (*Cognates, nouns*): affaire [afɛːr]; Américain [amerikē]; époque [epɔk]; habitant [abitã]; personnage [pɛrsɔnaːʒ]; représentant [rəprezãtã].

[1] $870.00.   [2] $29.00.

2. (*Cognates, adjectives*): différent [diferã]; élégant [elegã]; énorme [enɔrm]; ordinaire [ɔrdinɛːr].

3. (*Numbers*): 5, 10, 15, 20, 25, 30, 35, 40, 45, 50, 55, 60, 65, 70, 75, 80, 85, 90, 95, 100.

B. *Read out loud:*

Trente jours ont septembre,
Avril, juin, novembre;
Trente et un ont mars et mai,
Août, octobre, puis juillet,
Et décembre et janvier;
De vingt-huit est février.

C. *Recite in French, filling blanks with appropriate words or numbers:*

1. What day is it today? — Today is —— (*supply name*). 2. What day of the month is it today? — Today is —— (*supply number and month, preceded by def. art.*). 3. How many days does the month of February have? — The month of February has only —— days. 4. How many days does the month of December have? — The month of December has —— days. 5. How many days are there in a year? — A year has —— days.

6. How many students are there in your class? — There are ——.

7. How many pages are there in this book? — There are ——.

8. The first day of the week is ——, the last day of the week is ——.

9. The months of spring are ——, ——, and ——. 10. The months of summer are ——, ——, and ——. 11. The months of winter are ——, ——, and ——.

D. *Answer in French (cf. III, E):*

1. Qu'est-ce qu'on pouvait voir sur la maison à Reims? 2. En quel mois le sacre de Charles X allait-il avoir lieu? 3. Pourquoi les habitants de Reims étaient-ils heureux? 4. Pourquoi pourrait-on louer des chambres à des prix élevés? 5. Quelle sorte de vêtements l'homme qui a frappé à la porte portait-il? 6. Qui l'a regardé? 7. Quelle question le monsieur a-t-il posée au propriétaire? 8. Pour combien de temps le monsieur voulait-il louer la maison? 9. Pour qui voulait-il la louer? 10. Combien de francs l'Anglais a-t-il offerts? 11. Pourquoi le propriétaire n'a-t-il pas accepté les sommes que le monsieur lui a offertes? 12. Combien de francs l'ambassadeur a-t-il donnés au propriétaire?

13. Pourquoi un touriste américain voulait-il louer une automobile? 14. Chez qui est-il entré? 15. Qu'est-ce que le marchand lui a dit de faire? 16. Quelle marque de voiture l'Américain a-t-il louée? 17. Pour combien de temps l'a-t-il louée? 18. Combien de francs a-t-il enfin donnés au marchand?

VOCABULARY FOR EXERCISES

ailleurs [ajœːr]: d'——, *besides, moreover*
Anglais [ãglɛ] *m. Englishman*
Angleterre [ãglətɛːr] *f. England*

coup [ku]: tout à ——, *suddenly*
découverte [dekuvɛrt] *f. discovery*
écriteau [ekrito] *m. notice, sign*

élevé [elve] *high*
frapper [frape] *to knock*
habit [abi] *m. coat*
heure [œɪr] *f. hour, o'clock*
là-bas [labɑ] *over there*
lieu [ljø] *m. place;* avoir —, *to take place, occur*
louer [lwe] *to rent*
marchander [marʃɑ̃de] *to bargain, haggle*
marché [marʃe]: à bon —, *cheap*
marque [mark] *f. make*
meublé [mœble] *furnished*
minuit [minɥi] *m. midnight*

moins [mwɛ̃]: au —, *at least*
moitié [mwatje] *f. half*
monsieur [məsjø] *m. gentleman*
naissance [nɛsɑ̃s] *f. birth*
prix [pri] *m. price*
propriétaire [prɔprietɛɪr] *m. owner*
rapporter [rapɔrte] *to bring in*
représentant [rəprezɑ̃tɑ̃] *m. representative*
sacre [sakr] *m. coronation*
théâtre [teɑɪtr] *m. theater*
valeur [valœɪr] *f. value*
voiture [vwatyɪr] *f. car*

VOCABULARY FOR REFERENCE

ambassadeur [ɑ̃basadœɪr] *m. ambassador*
cinquante [sɛ̃kɑ̃ɪt] *fifty*
demi [dəmi] *adj. half*
différent [diferɑ̃] *different*
intention [ɛ̃tɑ̃sjɔ̃] *f. intention*
mille [mil] *thousand*
million [miljɔ̃] *m. million*
offrir [ɔfriɪr] *to offer*
personnage [pɛrsɔnaɪʒ] *m. personage*
précis [presi] *precise, exact*
président [prezidɑ̃] *m. president*

quarante [karɑ̃t] *forty*
quart [kaɪr] *m. quarter, fourth*
quatre-vingts [katrəvɛ̃] *eighty*
Renault [rəno] *a French automobile*
représenter [rəprezɑ̃te] *to represent*
révolution [revɔlysjɔ̃] *f. revolution*
soixante [swasɑ̃ɪt] *sixty*
train [trɛ̃] *m. train*
trente [trɑ̃ɪt] *thirty*
vers [vɛɪr] *about*

VINGT–DEUXIÈME LEÇON 22

I. ANECDOTE

Use the following anecdote in one of the ways suggested in section I of Lesson 15:

LES RAISINS

Un paysan va à cheval d'un village à un autre. Il fait chaud. Le paysan a faim et soif. Au bord du chemin il voit de beaux raisins. Il s'arrête.

— Ah, s'écrie-t-il, ces raisins sont très beaux ! Je voudrais en manger !

Malheureusement les raisins sont trop haut au-dessus de sa tête. Mais tout à coup il a une bonne idée. Il se met debout sur son cheval. Comme ça, il peut manger facilement les plus beaux raisins.

— Si mon cheval se mettait à marcher, se dit-il tout à coup, je tomberais ! Si un passant lui disait « hue ! » je serais . . .

THE GRAPES

A peasant is going on horseback from one village to another. It is hot. The peasant is hungry and thirsty. On the edge of the road he sees some fine grapes. He stops.

— Ah, he exclaims, those grapes are very beautiful. I'd like to eat some!

Unfortunately the grapes are too high above his head. But suddenly he has a good idea. He stands up on his horse. That way he can eat easily the finest grapes.

— If my horse started to walk, he says to himself suddenly, I would fall! If a passer-by said to him "giddap!" I would be . . .

Le paysan dit cela à haute voix. Au mot « hue! » le cheval se met à marcher. Le paysan tombe et se trouve dans la boue.

The peasant says that out loud. At the word "giddap!" the horse starts to walk. The peasant falls and finds himself in the mud.

II. GRAMMAR

A. REFLEXIVE VERBS

je m'approche de la fenêtre
tu t'approches
il s'approche
nous nous approchons
vous vous approchez
ils s'approchent

1. Many French verbs may be used reflexively, i.e., with the action of the subject directed upon itself. The object of the verb is called a reflexive pronoun. For the first and second persons singular and plural, the regular pronoun object forms are used, but for the third person singular and plural there is a special pronoun, **se.**

PRESENT TENSE OF **se regarder,** *to look at oneself*	
je me regarde	*I am looking at myself*
tu te regardes	*you are looking at yourself*
il se regarde	*he is looking at himself*
elle se regarde	*she is looking at herself*
nous nous regardons	*we are looking at ourselves*
vous vous regardez	*you are looking at yourself*
ils (elles) se regardent	*they are looking at themselves*

2. The reflexive pronouns, like other personal pronouns, may be direct or indirect objects.

DIRECT OBJECT

elle s'arrête   *she stops* (literally, *she stops herself*)

INDIRECT OBJECT

elle se parle   *she is talking to herself*

B. COMPOUND TENSES OF REFLEXIVE VERBS

1. The auxiliary of all reflexive verbs is **être.**
2. The past participle of a reflexive verb agrees with the subject, like other past participles with **être,** unless the reflexive pronoun is an indirect object.

Elle s'est approchée de la fenêtre.   *She approached the window.*
Ils se sont approchés de la fenêtre.   *They approached the window.*

3. If the reflexive pronoun is an indirect object, the past participle follows the rule for the agreement of past participles conjugated with **avoir,** i.e., it agrees with a preceding direct object if there is one, otherwise is invariable.

Ils se sont parlé longtemps.	*They talked to each other a long time.*
Elle s'est acheté des gants.	*She bought herself (= for herself) some gloves.*
Voilà les gants qu'elle s'est achetés.	*There are the gloves she bought for herself.*

C. MEANING AND USE OF REFLEXIVE PRONOUNS

The third person reflexive pronoun, **se,** may mean (a) *himself,* etc., or *to himself,* etc.; or (b) *each other, to each other, one another, to one another.* To clarify or strengthen the idea of *each other* or *one another,* one may use **l'un l'autre** or **les uns les autres** after the verb.

THREE POSSIBLE MEANINGS

Ils se sont regardés.	(a) *They looked at themselves.*
	(b) *They looked at each other.*
	(c) *They looked at one another.*

MEANINGS CLARIFIED

Ils se sont regardés l'un l'autre.	*They looked at each other.*
Ils se sont regardés les uns les autres.	*They looked at one another.*
Ils se sont écrit l'un à l'autre.	*They wrote to each other.*

NOTES

1. The use of **l'un l'autre** or **les uns les autres** is always optional. Even when one of these expressions is used, a reflexive pronoun must also be used, as in the examples above.

2. Observe that sometimes the French reflexive pronoun is not to be translated into English.

Elle s'est arrêtée.	*She stopped.*

D. VERBS WHICH MAY OR MAY NOT BE REFLEXIVE

1. Many French verbs may be used either with or without a reflexive pronoun.

(a) Without reflexive pronoun:

Pourquoi me regardez-vous?	*Why are you looking at me?*
Qui vous a dit cela?	*Who told you that?*

(b) With reflexive pronoun:

Pourquoi vous regardez-vous dans la glace?	*Why are you looking at yourself in the mirror?*
Elle s'est dit: je ne l'aime pas.	*She said to herself: I don't love him.*

2. Many verbs may change their meanings when they are made reflexive. Examples are:

NON-REFLEXIVE		REFLEXIVE	
demander	*to ask*	se demander	*to wonder*
mettre	*to put*	se mettre à	*to begin, start (to)*
tromper	*to deceive*	se tromper	*to be mistaken*
trouver	*to find*	se trouver	*to be (located, situated)*

3. Some French verbs are always used with a reflexive pronoun. Two examples are: **s'écrier,** *to exclaim;* **s'en aller,** *to go away.*

Elle s'est écriée: Non!	*She exclaimed: No!*
Elle s'en est allée.	*She went away.*

E. POSITION OF PRONOUN OBJECTS OF REFLEXIVE VERBS

Reflexive pronoun objects follow the regular rules. Remember that such objects follow an affirmative imperative, precede a negative imperative.

Arrêtez-vous!	*Stop!*
Allez-vous-en!	*Go away!*
Ne vous arrêtez pas!	*Don't stop!*
Ne vous en allez pas!	*Don't go away!*

F. ÉCRIRE, "TO WRITE"

This irregular verb has the following forms:

PRESENT		IMPERFECT
écris [ekri]	écrivons [ekrivɔ̃]	écrivais, etc.
écris [ekri]	écrivez [ekrive]	
écrit [ekri]	écrivent [ekriːv]	FUTURE AND CONDITIONAL

écrirai, etc.
écrirais, etc.

IMPERATIVE
écris, écrivons, écrivez

PAST PARTICIPLE
écrit

PAST DEFINITE
écrivis, etc.

III. EXERCISES

A. *Change the following verb phrases from present tense to the past indefinite:*

1. Je m'approche d'une fenêtre. 2. Je me mets à regarder par la fenêtre. 3. Je reste longtemps près de la fenêtre. 4. Une automobile s'approche de la maison. 5. Elle s'arrête devant la maison. 6. Je vois mon oncle. 7. Mon oncle entre dans la maison. 8. Mon père et mon oncle se parlent longtemps. 9. Enfin mon oncle sort de la maison. 10. L'automobile s'en va.

B. *Recite in French:*

1. George was writing a letter. 2. He was writing a letter when I entered his room. 3. He said to me: Go away! 4. I left the room. 5. Write a letter, Mary. 6. Are you already writing a letter? 7. To whom are you writing? 8. Will you write a letter to George? 9. Will George write a letter to you? 10. Do you write to each other every day?

C. *Recite in French:*

1. I am going away now. — 2. Why are you going away? — 3. Because Jeanne has already gone away. — 4. I wonder why she left. — 5. I know why she went away. When she was telling a story, you began to talk. — 6. I? I began to talk? — 7. Yes, you talked out loud. — 8. Where is Jeanne? Don't let her go away! Stop her! — 9. I cannot stop her. She has already left. 10. She has gone away.

D. *Recite in French:*

1. The peasant stopped. 2. He exclaimed: I'm thirsty! 3. He stood up on his horse. 4. He ate a lot of grapes. 5. He said to himself: I don't want to fall! 6. He said to his horse: Giddap! 7. The horse started off (= began to walk). 8. The peasant found himself in the mud.

E. READING

LES TAXIS

Georges Smith, un jeune Américain qui demeurait dans une pension de la rue Madame à Paris, s'est trouvé un jour, à midi, sur la Place de l'Opéra. Il voulait rentrer à sa pension pour le déjeuner. Il voulait y être à midi et demi.

— Je n'ai pas le temps d'y aller à pied, s'est-il dit. Je n'ai pas le temps de prendre un autobus ou le métro. Je prendrai donc un taxi.

Georges a vu plusieurs taxis près de l'endroit où il se trouvait. Il s'est approché du premier.

— Bonjour, monsieur, a-t-il dit au chauffeur. Êtes-vous libre?

— Oui, monsieur. Où voulez-vous aller?

— 88, rue Madame.

— Impossible. Prenez un autre taxi.

A ce moment-là une dame s'est approchée du taxi.

— 92, rue La Fayette, a-t-elle dit au chauffeur.

— Montez, madame, a dit le chauffeur.

Le taxi s'en est allé.

— C'est curieux! s'est écrié Georges. Pourquoi donc ce chauffeur-là a-t-il refusé de me conduire à ma pension?

Georges s'est approché du deuxième taxi.

— 88, rue Madame, a-t-il dit au chauffeur.

— Impossible. Prenez un autre taxi.

A ce moment-là deux hommes se sont approchés.

— 130, boulevard Diderot, a dit l'un des hommes au chauffeur.

— Montez, messieurs.

Le taxi est parti.

— C'est curieux! s'est écrié Georges une seconde fois. Pourquoi ce deuxième chauffeur n'a-t-il pas voulu me laisser monter dans son taxi? Je ne suis pas un assassin!

Georges s'est approché du troisième taxi.

— Où voulez-vous aller? a demandé le chauffeur.

— A ma pension, 88, rue Madame.

— Montez, monsieur.

Le taxi est parti et Georges est arrivé à sa pension à midi vingt-cinq. Mais pourquoi les deux premiers chauffeurs ont-ils refusé de le conduire, pourquoi le troisième lui a-t-il dit de monter?

A table Georges a raconté son aventure à un de ses amis.

— La même chose m'est arrivée à moi, a dit son ami. Je rentrais à Paris de Dijon. Je me suis trouvé à la Gare de Lyon à dix heures et demie du soir. J'ai vu devant la gare plusieurs taxis. Je me suis approché des chauffeurs et je leur ai demandé de me conduire ici. Les deux premiers chauffeurs ont refusé de me prendre, le troisième n'a pas hésité à me dire de monter. Je ne savais pas pourquoi. Mais je sais maintenant. Madame Poisson m'a expliqué la psychologie des chauffeurs parisiens. Vers midi, qui est l'heure du déjeuner, un chauffeur n'accepte que des clients qui veulent aller à une rue, à une avenue ou à un boulevard où il y a un bon restaurant. Vers sept heures du soir, qui est l'heure du dîner, un chauffeur n'accepte que des clients qui veulent aller dans le quartier où il demeure ou au moins, comme à midi, dans une rue où il trouvera un de ses restaurants préférés. Après dix heures du soir, un chauffeur ira seulement dans le quartier où sa maison se trouve. N'est-ce pas raisonnable?

— En effet, s'est écrié Georges, si j'étais chauffeur de taxi, je ne voudrais pas conduire un client sur la Rive gauche si je voulais déjeuner sur la Rive droite.

— A dix heures ou à onze heures du soir, a dit son ami, je ne voudrais pas aller de la Gare de Lyon à la rue Madame et puis être obligé d'aller, avec mon taxi vide, d'ici à la rue du Chemin Vert, si c'était là que ma femme et mes enfants m'attendaient! Les chauffeurs sont raisonnables, n'est-ce pas?

F. *Write in French:*

Two American students are (*se trouver*) in Bordeaux. Bob enters Bill's room. They speak to each other.

BILL. Oh, it's you. Go away. I am writing a letter.

BOB. Whom are you writing to? (To whom are you writing?)

BILL. I'm answering a letter which George wrote to me.

BOB. Is George having a good time (is G. amusing himself) in Paris?

BILL. That's a ridiculous question. All (the) Americans have a good time in Paris.

BOB. Why don't you go there?

BILL. I'm wondering when I'll be able to go there.

BOB. You have enough money to take a trip, haven't you?

BILL. You're mistaken. I have only two thousand francs. I always have more money than you because I spend less.

BOB. If you have more money than I, you can lend me a thousand francs, can't you?

BILL. If you need money, write a letter to your father or to your uncle.

BOB. My father and my uncle think that I spend too much money and that I have too good a time (that I amuse myself too much).

BILL. I have the same idea! Let me finish this letter which I am writing to George. Then we'll go to a café. I have enough money to buy you a cup of black coffee.

BOB. We're going to have dinner soon, aren't we?

BILL. It's only half past five.

IV. OPTIONAL EXERCISES

A. *Pronounce carefully:*

1. (*Be careful of nasal vowels and of liaison.*) Je m'en vais, tu t'en vas, il s'en va, nous nous en allons, vous vous en allez, ils s'en vont.

2. (*Be careful of nasal vowels and of the proper division of words into syllables.*) Un jeune Américain demeure dans une pension de la rue Madame. Il veut y rentrer pour le déjeuner. Il prendra un taxi. Il y sera avant midi ou au moins avant une heure.

B. *Complete the following paradigms:*

1. Je me trompe, tu te trompes, etc.
2. Je me suis trompé, tu t'es trompé, etc.
3. Je m'en suis allé, tu t'en es allé, etc.
4. Je me suis mis à écrire des lettres, etc.
5. Je ne me suis pas trompé, etc. 6. Je ne m'en suis pas allé, etc. 7. Je me suis arrêté, etc.

C. *Answer in French:*

1. Pourquoi le paysan voulait-il avoir des raisins? 2. Où les raisins qu'il voulait se trouvaient-ils? 3. Où le paysan s'est-il mis? 4. Qu'est-ce qu'il s'est dit? (Il s'est dit que si son cheval . . .) 5. Pourquoi le cheval s'est-il mis à marcher? 6. Où est-ce que le paysan s'est trouvé?

D. *Read out loud the first half of the selection entitled* LES TAXIS, *changing the first sentence to read as follows:* Georges et Albert, deux jeunes Américains qui de-

meurent . . . se sont trouvés un jour . . ., etc., *continuing with a plural instead of a singular subject.*

E. WRITTEN DICTATION. *Students should close their books and write, as the teacher dictates, the paragraph of section* III,

E, *beginning:* « La même chose m'est arrivée à moi. »

VOCABULARY FOR EXERCISES

aller [ale] *to go;* s'en —, *to go away*
amuser [amyze] *to amuse;* s'—, *to have a good time*
approcher [aprɔʃe]: s'— de, *to approach*
arrêter [arɛte] *to stop;* s'—, *to stop*
aventure [avãtyɪr] *f. adventure, experience*
boue [bu] *f. mud*
chauffeur [ʃofœɪr] *m. driver*
cheval, chevaux [ʃəval, –o] *m. horse;* à —, *on horseback*
client [kliã] *m. customer*
conduire [kɔ̃dɥiɪr] *to drive (irreg. vb.)*
demander [dəmãde] *to ask;* se —, *to wonder*
écrier [ekrije]: s'—, *to exclaim*
endroit [ãdrwa *or* ãdrwa] *m. place, spot*
gare [gaɪr] *f. railroad station*
histoire [istwaɪr] *f. story*
hue [y] *giddap*
laisser [lɛse] *to let, allow*

libre [libr] *free*
métro [metro] *m. subway*
mettre [mɛtr] *to put;* se — debout *to stand up;* se — à *to begin, start*
paysan [peizã] *m. peasant*
raisin [rɛzɛ̃] *m. grape*
raisonnable [rɛzɔnabl] *reasonable*
ridicule [ridikyl] *ridiculous*
rive [riv] *f. bank*
tomber [tɔ̃be] *to fall (forms compound tenses with* être)
tromper [trɔ̃pe] *to deceive;* se —, *to be mistaken, make a mistake*
trouver [truve] *to find;* se —, *to find oneself, be located, be situated*
vert [vɛɪr] *green*
vide [vid] *empty*
voix [vwa *or* vwɑ] *f. voice;* à haute —, *out loud*

VOCABULARY FOR REFERENCE

arriver [arive] *to arrive, happen*
bord [bɔɪr] *m. edge*
curieux, curieuse [kyrjø, –øɪz] *curious, odd, strange*
écrire [ekriɪr] *to write*
glace [glas] *f. mirror*

haut [o] *adv. high*
passant [pɑsã] *m. passer-by*
psychologie [psikɔlɔʒi] *f. psychology*
second [səgɔ̃] *second*
taxi [taksi] *m. taxi*
vingt-deuxième [vɛ̃tdøzjɛm] *twenty-second*

NOTE
Second is used in French for *second* when there are only two items in a series, **deuxième** when there are more than two.

VINGT–TROISIÈME LEÇON 23

I. DIALOGUE

Use the following dialogue in one of the ways suggested in section I of Lesson 15:

CONVERSATION ENTRE UN FRANÇAIS ET UN AMÉRICAIN

— Depuis quand êtes-vous à Paris?

— Je ne suis ici que depuis trois jours.

— Vous parlez très bien le français. Où avez-vous appris à le parler?

— J'ai étudié le français à l'école.

— Quand vous retournerez en Amérique, vous parlerez le français mieux que vos camarades. Est-ce que vous vous amusez bien à Paris?

— Oui, monsieur. De toutes les villes que j'ai vues, Paris est celle que j'aime le mieux.

— Eh bien, celui qui parle français peut s'amuser à Paris mieux que

— *How long have you been in Paris?*

— *I have been here only three days.*

— *You speak French very well. Where did you learn to speak it?*

— *I studied French at school.*

— *When you go back to America, you will speak French better than your comrades. Are you having a good time in Paris?*

— *Yes, sir. Of all the cities I have seen, Paris is the one which I like best.*

— *Well, one who speaks French can have a better time in Paris than one who*

223

celui qui ne le parle pas. Vous allez bien vous amuser ici!

does not speak it. You are going to have a very good time here!

II. GRAMMAR

A. THE DEMONSTRATIVE PRONOUN

1. The demonstrative pronoun has the following forms:

	Masc.	Fem.	
Sing.	celui	celle	*this (one), that (one)*
Plur.	ceux	celles	*these, those*
	ceci	(neuter)	*this*
	cela	(neuter)	*that*

2. To distinguish *this (one)* from *that (one)* and *these* from *those*, —**ci** for *this* or *these*, —**là** for *that* or *those*, are added to the demonstrative pronoun.

Celui-ci est plus joli que celui-là.

This (one) is prettier than that (one).

Celles-ci sont meilleures que celles-là.

These are better than those.

3. Neither —**ci** nor —**là** is used, however, when the demonstrative pronoun is followed directly by a **de**-phrase or by a relative clause.

Ce n'est pas mon chapeau, c'est celui de ma sœur. C'est celui qu'elle a acheté hier.

This isn't my hat, it's my sister's. It's the one she bought yesterday.

B. USES OF DEMONSTRATIVE PRONOUNS

1. A demonstrative pronoun may refer to a person or a thing. The forms with —**ci** usually refer to someone or something nearby whereas those with —**là** refer to someone or something more remote. The demonstrative pronoun agrees in gender and number with the noun to which it refers.

Regardez ce chien-ci. Il est plus petit que celui-là.

Look at this dog. He is smaller than that one.

Lisez ces deux lettres; d'abord celle-ci, puis celle-là.

Read these two letters; first this one, then that one.

2. A demonstrative pronoun, not **l'un, l'une, les uns** or **les unes,** is used before a clause for the English *the one(s)*.

Voici mon couteau. Où est celui que vous avez acheté?

Here's my knife. Where is the one you bought?

lequel (which one)   laquelle

lesquels   lesquelles

3. **Ceci** and **cela** never refer to a noun but to something pointed out or indicated without being named. They frequently refer to ideas. As previously stated, **cela** is often contracted to **ça.**

Écoutez ceci: je vais vous lire la lettre que mon fils m'a écrite.	*Listen to this: I am going to read to you the letter my son wrote to me.*
Pourquoi voulez-vous faire cela?	*Why do you want to do that?*
Qu'est-ce que c'est que ça?	*What is that?*

C. IDIOMATIC PRESENT AND IMPERFECT TENSES

1. An action or condition begun in the past and continuing up to or into the present is indicated in French by the present tense, accompanied either by **depuis** with an expression of time or by **il y a** + expression of time + **que.**

Depuis quand êtes-vous ici?	*How long have you been here?*
Je suis ici depuis trois heures.	*I have been here for three hours. (Or, I have been here since three o'clock.)*
Il y a trois heures que je suis ici.	*I have been here for three hours.*
J'étudie le français depuis long-temps. Il y a longtemps que j'étudie le français.	*I have been studying French for a long time.*

2. Likewise, an action that began in the past and was going on at a later moment in the past is indicated by the imperfect tense.

Nos amis nous attendaient depuis une heure quand nous sommes arrivés chez eux. Il y avait une heure que nos amis nous attendaient quand nous sommes arrivés chez eux.	*Our friends had been waiting an hour for us when we arrived at their house.*

NOTES

1. Of the parallel constructions illustrated above, the one with **depuis** is more common than the one with **il y a (avait).**

2. Two common interrogative locutions are: **depuis quand? depuis combien de temps?** Both may be translated *how long . . .*

3. When the time of an action is both past and present, English emphasizes the past by using a past tense, often suggests the present by using a progressive form, such as "have been studying." No such form exists in French, which emphasizes the present by using a present tense, suggests the past by using **depuis** or **il y a** and an expression of time. Similarly, an English pluperfect progressive form, such as "had been waiting," is translated by the French imperfect tense.

D. USE OF DEFINITE ARTICLE WITH NAMES OF LANGUAGES

1. The definite article is regularly used with the name of a language.

Le français n'est pas facile à apprendre.	*French is not easy to learn.*
Nous étudions le français.	*We are studying French.*

2. No article is used (a) after **en,** (b) in adjective phrases with **de.**

Dites cela en français.	*Say that in French.*
un professeur de français	*a French teacher*
une classe de français	*a French class*

3. It is optional to use or omit the article after **parler.** When **parler** is followed closely by the name of a language, the article is *most often* omitted. When two or more words or a long adverb stand between **parler** and the name of a language, the article is most often used. In the following examples, (a) is more common than (b).

(a) Louise parle français.	*Louise speaks French.*
(b) Louise parle le français.	

(a) Elle parle très bien l'espagnol.	*She speaks Spanish very well.*
(b) Elle parle très bien espagnol.	

E. *LIRE,* "TO READ"

This irregular verb has the following forms:

PRESENT		IMPERFECT
lis [li]	lisons [lizɔ̃]	lisais, etc.
lis [li]	lisez [lize]	
lit [li]	lisent [liːz]	FUTURE
		lirai, etc.

IMPERATIVE	CONDITIONAL
lis, lisons, lisez	lirais, etc.

PAST PARTICIPLE	PAST DEFINITE
lu	lus, etc.

III. EXERCISES

A. *Read the following sentences out loud, translating the English words in parentheses:*

1. Veuillez m'aider à choisir une jolie robe. — 2. Eh bien, il y a plusieurs jolies robes ici; (*this one*) est peut-être plus jolie que (*that one*). — 3. Je n'aime pas (*those*)! — 4. Eh bien, voilà une robe qui est vraiment jolie. — 5. (*That*

one)? (*The one*) que cette vendeuse-là porte? 6. (*That dress*) n'est pas à vendre! 7. Vous savez très bien qu'on ne peut pas acheter les robes que les vendeuses portent! — 8. Vous m'avez demandé de vous aider à choisir une jolie robe; vous ne m'avez pas dit que vous vouliez en acheter une. 9. En tout cas, (*the ones*) que les vendeuses portent sont plus jolies que (*the ones*) qui sont à vendre! — 10. Regardez (*these*) deux robes-ci! Aimez-vous mieux (*this one*) ou (*that one*)? — 11. Pour vous, (*that one*); pour moi, (*this one*).

B. *Translate into idiomatic English:*

1. Depuis quand est-ce que Georges demeure chez vous? — Il ne demeure chez nous que depuis dix jours. 2. Depuis combien de temps nous attendez-vous? — Nous vous attendons depuis vingt minutes. 3. Depuis quand étudiez-vous le français? — Il y a plusieurs mois que je l'étudie.

4. Il y a deux heures que vous lisez ce livre-là! — 5. Oui, c'est un roman très intéressant. — 6. Quel est le titre du roman? — *L'Assassin de la rue d'Assas.* — 7. Qui l'a écrit? — Un jeune homme. Tout le monde parle de ce roman depuis des mois. Pourquoi ne le lisez-vous pas? — 8. Moi, je n'ai pas le temps de lire des romans policiers. Depuis plusieurs mois je suis très occupé. — 9. Que faites-vous? — J'écris un roman policier!

10. Depuis combien de temps êtes-vous en France? — 11. Il y a longtemps que je suis en France. Je suis ici depuis 1951.

12. Qui est-ce que David a épousé? — 13. Il a épousé une jeune fille française qu'il aimait depuis longtemps. — 14. Est-ce que David est en France depuis longtemps? — 15. Non, il n'est ici que depuis trois ans.

16. Quand vous êtes allé en France, depuis combien de temps étudiiez-vous le français? — 17. Quand je suis allé en France, j'étudiais le français depuis deux ans. — 18. Est-ce que vous parliez très bien le français? — 19. Je le lisais assez bien mais je ne le parlais pas comme un Parisien!

C. *Recite in French:*

1. Where is my book? — 2. Are you looking for this one? — 3. Yes, I'm looking for that one. I've been looking for it for an hour. Thank you very much.

4. Are you studying French and Spanish? — 5. No, I'm studying only French. — 6. Here's a letter written in French. Read it!

7. How does one say "machine" in French? — 8. One says "machine." — 9. Say that in French, please. — 10. I said "machine" in French!

D. READING

Une Lettre

M. Colladon, qui est un paysan riche mais ignorant, se trouve au milieu d'un groupe de ses amis qui se sont réunis chez lui. Le facteur lui remet une lettre.

LE FACTEUR. Voici une lettre pour vous, M. Colladon.

COLLADON. Merci bien! Ah, c'est de mon fils, de Sylvain, qui est depuis un mois à l'École de Grignan pour apprendre l'agriculture. Il voulait aller à l'université pour étudier le latin mais je lui ai dit . . .

CHAMPBOURCY. Vous nous avez expliqué tout cela plusieurs fois. Un fermier gagne plus qu'un professeur de latin. Lisez la lettre de votre fils, si elle n'est pas plus longue que celle que vous avez lue la semaine passée.

COLLADON. Celle-ci n'est pas très longue. « Mon cher papa, je vous écris pour vous dire que tous les professeurs sont très contents de moi. J'ai eu de l'avancement. On m'a mis à l'étable avec les vaches . . . »

MME COLLADON. Lis à voix basse! Cette lettre-là est pour toi, elle n'est pas pour tout le monde.

COLLADON. Si je lis à haute voix, ce n'est pas pour tout le monde, c'est pour moi. Si je ne lis pas à haute voix, je ne comprends pas bien. « . . . avec les vaches. Mais je n'ai pas de chance, j'ai une vache qui est malade. Depuis dix jours elle ne donne pas de lait, elle ne mange pas bien. »

CHAMPBOURCY. Pauvre bête! Autrefois j'avais un chien qui ne voulait pas manger . . .

MME COLLADON. Vous nous avez raconté cette histoire plusieurs fois. Laissez mon mari finir la lettre qu'il lisait.

COLLADON. « Moi, je vais bien . . . »

MME COLLADON. Qui va bien? Sylvain ou toi?

COLLADON. Sylvain et moi! Il dit qu'il va bien. « Moi, je vais bien, dit-il. Je suis avec respect votre fils respectueux, qui vous prie de lui envoyer de l'argent tout de suite. »

(Adapted from Labiche et Delacour:
La Cagnotte.)

E. READING

LES POULETS

Un paysan nommé Gombaud élevait des poulets. Un jour il en tua deux et les donna à sa femme Martine, qui était dans la cuisine.

— Ces poulets sont très beaux, lui dit-il; je vais inviter Alain et Georgette à venir les manger avec nous.

— Alain et Georgette ne sont pas nos amis, lui répondit sa femme. Tu sais bien que nous sommes ennemis depuis longtemps! Comment peux-tu les inviter à venir chez nous?

— C'est une bonne occasion de nous réconcilier, lui dit Gombaud. Pendant mon absence prépare un bon dîner. Il y a assez de pommes de terre, de pois et de laitue dans notre potager.

Le paysan s'en alla. La maison d'Alain et de Georgette était à plusieurs kilomètres.

Pendant l'absence de son mari Martine prépara les poulets et les mit dans le four.

Quand les poulets furent bien cuits, Martine les mit sur la table de la cuisine et les regarda. Sont-ils vraiment bien cuits? se demanda-t-elle. Elle en prit un morceau, puis deux morceaux, puis plusieurs morceaux. Bientôt on ne put voir sur la table que des os!

Qu'est-ce que Martine pourrait bien dire à son mari?

Martine attendait Gombaud depuis

longtemps quand enfin il arriva avec Alain et Georgette. Tout de suite elle dit à son mari d'aiguiser son couteau. Puis elle parla à voix basse à Alain et à Georgette:

— Mon mari vous a trompés. Vous savez bien que nous sommes ennemis depuis longtemps. Écoutez! Mon mari aiguise son couteau. Il va vous tuer. Sauvez-vous!

Les paysans eurent peur, sortirent de la maison et se mirent à couri que possible. Martine cria à s

— Au voleur! Au voleur! Georgette ont volé nos poulets! ᴜs les emportent chez eux! Les voilà! Attrape-les!

Gombaud, son couteau à la main, se mit à leur poursuite. Mais il ne les attrapa pas. Ils arrivèrent à leur maison, y entrèrent et fermèrent la porte à clef.

F. *Write in French:*

Robert has been in Paris for two months. One day the postman gives him two letters.

— You haven't any letters for me? asks Robert's friend, Maurice.

— I haven't any letters for you today, answers the postman. Your friend will read to you the ones which I have given him.

— Read out loud the letters which the postman gave you, says Maurice to Robert.

— Wait, says Robert. This one is from my father, this one is from Pauline. I shall read that one out loud, if you wish, but I shall not read this one out loud.

— I understand, says Maurice. If I were you, I would do the same thing. How is your father?

— My father has been sick for a week but he is better now. He is much pleased with (*de*) the letters which I have written to him. In the first letter I did not ask for any money and in the second letter I asked for only five dollars.

— Is Pauline well?

— Yes, she's fine, but girls are not reasonable. Listen to this: "You told me that you loved me and now you say that you are having a good time in Paris. If you love me, how can you have a good time in Paris when I am in New York?" What can I tell her?

— Tell her that all (the) young men (*gens*) have a good time in Paris, in spite of (*malgré*) the absence of the girls they love. Tell her that, if she were here in Paris with you, you would be the happiest man in the world!

IV. OPTIONAL EXERCISES

A. *Recite in French, translating the English words into French:*

FIRST STUDENT	SECOND STUDENT
1. Quel est le (*first*) jour de la semaine?	*It's Monday.*
2. Quel est le (*last*) jour de la semaine?	*It's Sunday.*
3. (*How many days*) y a-t-il dans une semaine?	*There are seven.*

THIRD STUDENT

4. Quel est le (*sixth*) jour de la semaine?
5. (*How many days*) y a-t-il entre (*Tuesday*) et (*Friday*)?
6. Quel jour (*did you arrive*) à Paris?

FOURTH STUDENT

It's Saturday.
There are two.
I arrived there Wednesday.

FIFTH STUDENT

7. Quel jour (*did you leave*) de Paris?
8. (*How much time*) avez-vous passé à Paris?
9. Quel jour (*did you go*) au Louvre?

SIXTH STUDENT

I left Wednesday.
I spent a week there.
I went there Sunday.

SEVENTH STUDENT

10. Quel jour (*did you visit*) Versailles?
11. Quel jour (*did you go*) au théâtre?
12. Quel jour (*did you take a walk*)?

EIGHTH STUDENT

I went there Thursday.
I went there Saturday.
I took a walk Friday.

NINTH STUDENT

13. Quel jour (*did you go*) au cinéma?
14. Quel jour (*did you go*) aux Halles?
15. Quel jour (*did you stay at home*)?

TENTH STUDENT

I went there Monday.
I went there Tuesday.
I did not stay at home!

B. *Answer in French* (*cf.* III, D):

1. Qui remet une lettre à M. Colladon? 2. Depuis combien de temps Sylvain est-il à l'école? 3. Qu'est-ce qu'il étudie à l'école? 4. Est-ce que Sylvain est un bon élève? 5. Où l'a-t-on mis? 6. Pourquoi M. Colladon lit-il à haute voix la lettre de son fils? 7. Pourquoi Sylvain n'a-t-il pas de chance? 8. Est-ce que Sylvain est malade? 9. Est-ce que son père est malade? 10. Qu'est-ce que Sylvain prie son père de faire?

11. Êtes-vous à l'école? 12. Depuis quand êtes-vous à l'école? 13. Êtes-vous un bon élève? 14. Étudiez-vous le français? 15. Parlez-vous français? 16. Depuis quand étudiez-vous le français? 17. Écrivez-vous des lettres à votre père? 18. Que priez-vous votre père de faire? 19. Le fait-il tout de suite?

C. *Answer in French* (*cf.* III, E):

1. Qu'est-ce que Gombaud a donné à sa femme? 2. Où était-elle? 3. Qui Gombaud voulait-il inviter à dîner? 4. Pourquoi Martine ne voulait-elle pas les inviter à dîner? 5. Qu'est-ce que Gombaud a dit à sa femme de faire? 6. Où Martine pourra-t-elle trouver des légumes? 7. Où est-ce que Martine a mis les poulets? 8. Quand les poulets étaient bien cuits, où les a-t-elle mis? 9. Qu'est-ce qu'elle s'est demandé? 10. Qu'est-ce qu'elle a mangé? 11. Est-ce que Gombaud est revenu seul chez lui? 12. Qu'est-ce que Martine a dit à Gombaud de faire? 13. L'a-t-il fait? 14. Qu'est-ce que Martine a dit à Alain et à Georgette de faire? 15. Pourquoi

Alain et Georgette sont-ils sortis de la maison? 16. Où ont-ils voulu aller aussi vite que possible? 17. Ont-ils emporté les poulets? 18. Est-ce que Gombaud les a attrapés?

VOCABULARY FOR EXERCISES

aiguiser [eg(ɥ)ize] *to sharpen*
avancement [avɑ̃smɑ̃] *m. promotion*
bête [bɛːt] *f. beast, animal*
chance [ʃɑ̃ːs] *f. luck*
clef [kle] *f. key;* fermer à —, *to lock*
courir [kuriːr] *to run*
couteau, –x [kuto] *m. knife*
crier [krie] *to cry, shout*
cuit [kɥi] *p.p. of* cuire, *to cook*
élever [elve] *to raise*
emporter [ɑ̃pɔrte] *to carry away, carry off*
ennemi [ɛnmi] *m. enemy*
espagnol [ɛspaɲɔl] *m. Spanish*
étable [etabl] *f. stable*
facteur [faktœːr] *m. letter carrier, postman*
fermier [fɛrmje] *m. farmer*
four [fuːr] *m. oven*
gens [ʒɑ̃] *m.pl. people;* jeunes —, *young men, young people*

occasion [ɔkazjɔ̃] *f. opportunity*
occupé [ɔkype] *busy*
os [ɔs], *pl.* [o] *m. bone*
passé [pɑse] *past;* la semaine passée *last week*
pois [pwɑ] *m. pea*
potager [pɔtaʒe] *m. vegetable garden*
poulet [pulɛ] *m. chicken*
poursuite [pursɥit] *f. pursuit*
prier (de) [prie] *to beg*
remettre [rəmɛtr] *to deliver*
réunir [reyniːr]: se —, *to meet, assemble, gather*
sauver [sove] *to save;* se —, *to run away*
vache [vaʃ] *f. cow*
voix: à — basse *in a low voice, in a whisper*
voler [vɔle] *to steal*
voleur [vɔlœːr] *m. thief;* au — ! *stop thief!*

VOCABULARY FOR REFERENCE

agriculture [agrikyltyːr] *f. agriculture*
cagnotte [kaɲɔt] *f. pool, "kitty"*
ceci [səsi] *this*
celui, celle; *pl.* ceux, celles [səlɥi, sɛl, sø, sɛl] *this (one), that (one), pl. these, those*
groupe [grup] *m. group*
ignorant [iɲɔrɑ̃] *ignorant*
latin [latɛ̃] *m. Latin (language)*
lire [liːr] *to read*

machine [maʃin] *f. machine*
malgré [malgre] *in spite of*
réconcilier [rekɔ̃silje] *to reconcile*
respect [rɛspɛ] *m. respect*
respectueux, respectueuse [rɛspɛktɥø, –øːz] *respectful*
université [ynivɛrsite] *f. university*
vingt-troisième [vɛ̃ttrwazjɛm] *twenty-third*

21 numeral.
22 reflexion in verb.

VINGT–QUATRIÈME LEÇON $\boxed{24}$

I. DIALOGUE

Use this brief dialogue as in preceding lessons:

LE COMTE ET LE DOCTEUR

— Qu'avez-vous, monsieur le comte?

— Je suis malade, monsieur.

— Si vous aviez bien voulu m'écouter, vous ne seriez pas tombé malade.

— *What is the matter with you, Count?*

— *I am sick, sir.*

— *If you had been willing to listen to me, you would not have become sick.*

II. GRAMMAR

A. OTHER COMPOUND TENSES

1. The pluperfect, future perfect, and conditional perfect tenses are formed by the use of the imperfect, future, and conditional tenses respectively of **avoir** or **être** and a past participle.

PLUPERFECT:	j'avais parlé, etc.	*I had spoken*
	j'étais sorti, etc.	*I had gone out*

FUTURE PERFECT:	j'aurai fini, etc.	*I shall have finished*
	je serai arrivé, etc.	*I shall have arrived*
CONDITIONAL PERFECT:	j'aurais vendu, etc.	*I would have sold*
	je serais revenu, etc.	*I would have returned*

2. The use of these tenses offers no great difficulty.

(a) The pluperfect in French is used like the pluperfect in English.

Je ne savais pas que vous aviez lu ce livre.	*I did not know that you had read this book.*
Quand je suis arrivé chez lui, il était déjà parti.	*When I arrived at his house, he had already left.*

(b) The future perfect in French, in addition to being used like the same tense in English, will be found, like the simple future, in a subordinate clause of implied futurity. (English, illogically, may use a past tense to express future time!)

Aussitôt que vous aurez lu cette lettre, rendez-la à ma sœur.	*As soon as you have read this letter, give it back to my sister.*

(c) The pluperfect is commonly used in the *if*-clause, the conditional perfect in the main clause or conclusion, of a conditional sentence.

Si la comtesse était venue ici, je l'aurais vue.	*If the countess had come here, I would have seen her.*

B. IL Y A, "AGO"

Il y a + an expression of time forms an adverbial phrase meaning *ago*.

Il y a un mois, M. Mortier est devenu fou.	*A month ago, Mr. Mortier became insane.*

NOTE

This use of **il y a** must not be confused with the meaning of *there is, there are*, nor with the construction **il y a** + expression of time + **que,** with verb in the present or imperfect tense to denote continuing action.

C. USE OF DEFINITE ARTICLE WITH TITLES

1. When a title of rank or profession or an adjective precedes a proper name, it is itself preceded by a definite article.

le docteur Diderot	*Doctor (Dr.) Diderot*
le comte Mortier	*Count Mortier*
la petite Claire	*little Claire*

2. In speaking to or about a person who has a title, one uses in formal style **monsieur** or **madame** and an article before the title.

Bonjour, monsieur le professeur.	*Good morning, Professor.*
Monsieur le général est arrivé.	*The General has arrived.*
Madame la comtesse est sortie.	*The Countess has gone out (is out).*

D. OUVRIR, "TO OPEN"

1. This irregular verb has the following forms:

PRESENT		IMPERFECT
ouvre [uvr]	ouvrons [uvrɔ̃]	ouvrais, etc.
ouvres [uvr]	ouvrez [uvre]	
ouvre [uvr]	ouvrent [uvr]	FUTURE
		ouvrirai, etc.

IMPERATIVE	CONDITIONAL
ouvre, ouvrons, ouvrez	ouvrirais, etc.

PAST PARTICIPLE	PAST DEFINITE
ouvert	ouvris, etc.

2. Like **ouvrir** are **couvrir,** *to cover,* and **découvrir,** *to discover, uncover.*

3. Note that these three verbs have peculiar past participles:

ouvrir: ouvert   couvrir: couvert   découvrir: découvert

4. **Ouvert** may be used both as a past participle meaning *opened* and as an adjective meaning *open.*

Avez-vous ouvert la porte?	*Did you open the door?*
Oui, la porte est ouverte.	*Yes, the door is open.*

5. These verbs resemble **offrir,** *to offer,* given in Lesson 21.

E. SUMMARY OF CONDITIONAL SENTENCES

1. The most common types of conditional sentences are:

(a) Present tense in **si** (*if*)-clause, present, future, or imperative in main clause or conclusion.

Je sors tous les jours s'il fait beau.	*I go out every day if the weather is good.*
Si vous ouvrez la porte, le chien sortira.	*If you open the door, the dog will go out.*
S'il fait chaud, ouvrez la fenêtre.	*If it is warm, open the window.*

(b) Imperfect tense in **si**-clause, conditional tense in main clause or conclusion.

S'il ouvrait la porte, le chien sortirait.	*If he opened the door, the dog would go out.*

(c) Pluperfect tense in **si**-clause, conditional perfect in main clause or conclusion.

Si vous aviez ouvert la porte, j'aurais pu sortir.	*If you had opened the door, I would have been able to go out.*

2. One may use a future or conditional tense in a **si**-clause *only* when **si** means *whether.*

Je ne sais pas si les agents de police découvriront le voleur.	*I don't know whether (or not) the policemen will discover the thief.*
Je ne savais pas si le comte tuerait ses enfants.	*I didn't know whether (or not) the Count would kill his children.*

3. One may use mixed conditions, not in accord with the above examples, to express one's thought exactly.

Si vous saviez cela, pourquoi n'avez-vous pas répondu aux agents?	*If you knew that, why didn't you answer the policemen?*
Si vous aviez étudié toutes les leçons, vous écririez mieux le français.	*If you had studied all the lessons, you would write French better.*

III. EXERCISES

A. *Read in French, translating the verbs into French:*

1. Si Paul vous (*speaks*), lui (*will you speak*)? 2. Si Paul vous (*spoke*), lui (*would you speak*)? 3. Si Paul vous (*had spoken*), lui (*would you have spoken*)? 4. (*Will you speak*) à Paul aussitôt qu'il vous (*has spoken*)?

5. Si je (*go out*), (*will you go out*) avec moi? 6. Si je (*went out*), (*would you go out*) avec moi? 7. Si j' (*had gone out*), (*would you have gone out*) avec moi? 8. (*Will you go out*) aussitôt que je (*have gone out*)?

9. Si j' (*open*) la fenêtre, (*will we be*) froid? 10. Si j' (*opened*) la fenêtre, (*would we be*) froid? 11. Si j' (*had opened*) la fenêtre, (*would we have been*) froid? 12. (*Will we be*) froid aussitôt que j' (*open*) la fenêtre?

B. *Recite in the same way as in* A:

1. Allons au cinéma. — Nous irons au cinéma aussitôt que vous (*will have finished*) votre travail. 2. Si vous (*had*) bien (*worked*) hier soir, vous n'auriez pas tant à faire ce soir. — 3. Je voulais travailler hier soir mais le médecin m' (*had told*) de sortir plus souvent. — 4. Pourquoi vous (*had he told*) de sortir plus souvent? — 5. Parce que je lui (*had told*) que je travaillais trop et que j'étais fatigué. — 6. Vous lui (*had told*) cela? Qu'avez-vous? Êtes-vous fou?

7. Si je vous (*had seen*) hier, j' (*would have been*) très heureux. — 8. Si vous (*had come*) ici, vous ne m' (*would have*) pas (*seen*) parce que j' (*had gone out*). 9. Mais si vous (*had gone*) à la Bibliothèque, vous m' (*would have found*) facilement parce que j'y ai passé la soirée. — 10. Je ne savais pas que vous (*had gone*) à la Bibliothèque; si je l' (*had known*), j'y (*would have gone*) vous voir. — 11. Si vous (*had come*) me voir à la Bibliothèque, nous (*would have studied*) le français ensemble, n'est-ce pas?

C. *Recite in French:*

1. Open the window, please . . . Please open the window. — 2. I shall open the window as soon as it is warm. 3. I always open all the windows when it is warm. 4. But I do not yet know whether it will be warm or cold today. 5. Where is my sister's letter?

— 6. The one that she wrote last week? I gave it to your brother. Hadn't you read it? — 7. Yes, I had read it. It was very interesting. My sister says that Robert married Pauline in Paris a month ago. — 8. Where is your sister? — She has gone to Paris to (*pour*) see her friend, Countess Terrapin.

D. *To review dates, complete and read out loud the following phrases:*

1. Il y a dix ans, c'était 19—. 2. Il y a 20 ans, c'était 19—. 3. Il y a 50 ans, c'était 19—. 4. Il y a 100 ans, c'était

18—. 5. Il y a 200 ans, c'était 17—. 6. Il y a 250 ans, c'était ——. 7. Il y a 300 ans, c'était ——. 8. Il y a 400 ans, c'était ——. 9. Il y a 500 ans, c'était ——. 10. Il y a mille ans, c'était ——.

E. READING

Le comte Mortier [1]

Hier matin, un peu avant midi, M. Pasquier est allé voir son amie, madame la comtesse de Boignes. Il l'a trouvée très agitée.

— Qu'avez-vous, madame?

— Mon Dieu! Lisez cette lettre qu'on m'a remise il y a seulement dix minutes.

M. Pasquier a pris la lettre et l'a lue. Elle était signée *Mortier* et disait en substance: « Madame, quand vous lirez cette lettre, mes deux enfants et moi, nous serons morts. »

[1] The story you are about to read is fact, not fiction. It is related by Victor Hugo in *Choses Vues.*

C'était le comte Mortier qui l'avait écrite. On savait qu'il était devenu fou. Il y a quatre ans, un rasoir à la main, il avait menacé de tuer sa femme. Il y a un mois, il avait fait la même chose. La comtesse l'avait quitté mais M. Mortier avait gardé ses enfants, un petit garçon de sept ans et une petite fille de cinq.

M. Pasquier est allé aussi vite que possible chez le comte. Il y a trouvé des agents de police. On avait déjà ordonné à M. Mortier d'ouvrir sa porte, il avait refusé. Les agents voulaient enfoncer la porte.

— Ne faites pas cela, dit M. Pasquier. Si vous enfonciez sa porte, vous mettriez le comte en colère et s'il n'a pas encore tué ses enfants, il les tuerait.

Depuis quelque temps, d'ailleurs, M. Mortier ne répondait pas aux questions et aux menaces des agents. Derrière la porte fermée il y avait un silence profond. On aurait dit que c'était la porte d'un tombeau.

— Monsieur le comte Mortier, c'est moi, monsieur Pasquier, votre ami. Vous entendez ma voix, n'est-ce pas?

Ici une voix répond : — Oui.

C'était la voix de M. Mortier.

— Eh bien, je vous prie d'ouvrir votre porte.

— Non, répond la même voix.

Pendant une heure M. Pasquier parle à son ami, qui répond seulement « oui » ou « non » et qui refuse d'ouvrir.

Cependant, le préfet de police est arrivé. A son tour il parle au comte.

— C'est moi, Delessert, votre camarade. (Ils avaient été camarades de collège.) Laissez-moi entrer !

— Non.

Il y avait deux heures que M. Pasquier et M. Delessert parlaient au comte quand enfin il a ouvert sa porte.

M. Mortier était dans le vestibule, un rasoir à la main. Derrière lui la porte de son appartement était fermée. Les enfants étaient-ils morts ou vivants? Quand le préfet de police lui avait posé cette question, le comte avait répondu : « Cela ne vous regarde pas. »

Les agents saisissent le comte. Ils trouvent des rasoirs dans toutes ses poches.

Les agents enfoncent la porte de l'appartement. Que trouvent-ils dans une chambre? Les deux enfants cachés sous un lit.

Le matin, de bonne heure, M. Mortier avait dit à ses enfants : — Je suis très malheureux, vous m'aimez bien et je vous aime bien, je vais mourir. Voulez-vous mourir avec moi?

Le petit garçon avait dit tout de suite : — Non, papa.

La petite fille avait hésité. Le père avait passé le dos du rasoir sur le cou de sa fille et lui avait dit : — Chère enfant, cela ne te fera pas plus de mal que cela.

— Eh bien, papa, avait dit l'enfant, je veux bien mourir.

Le père était sorti, on ne sait pas pourquoi. Peut-être pour envoyer à la comtesse de Boignes la lettre qu'elle avait montrée à M. Pasquier. Le petit garçon avait fermé la porte de l'appartement à clef. Puis il avait caché sa petite sœur sous un lit dans une des chambres. Il s'était caché aussi sous le même lit.

Les médecins ont déclaré que le comte Mortier était devenu fou furieux. On l'a enfermé dans une maison de santé.

F. *Write in French:*

Little Claire, a little girl of seven years (of age), has told (to) her aunt Antoinette that a handsome young man has entered the house. Antoinette goes to the drawing room.

— Good morning, Miss Marchand, says the young man who is there.

— Good morning, Doctor.

— How did you know that I had arrived?

— Little Claire, my niece, told me that you had come in.

— Your niece does not know my name.

— She did not tell me that Dr. Ribot had arrived, she said only that there was a young man in the drawing room. She did not know that you were coming here this morning, Doctor.

— Was she afraid of me? I like children . . . Well, what is the matter with you, Miss Antoinette? Your sister telephoned me.

— I am not sick, Doctor. I was sick yesterday but I am not sick today. I am fine. If I had known that you were going to come to see me, I would have telephoned to you.

— I am sorry . . . I am glad . . . I wanted to see you, Antoinette . . . I did not know whether you would be sick . . . If I had known . . . If your sister had told me . . . It is hot here! Let's open a window!

— But all the windows are open!

— Yes, yes, yes, you are right. They are open. I wanted to say . . . if you are not sick . . . if you were very nice . . . would you go to the theater with me tomorrow evening?

— With pleasure, Doctor!

IV. OPTIONAL EXERCISES

A. *Answer in French:*

1. Chez qui M. Pasquier est-il allé? 2. Depuis quand avait-elle la lettre du comte Mortier? 3. Avait-elle lu la lettre? 4. Quand le comte Mortier était-il devenu fou? 5. Qui avait-il menacé de tuer? 6. Où M. Pasquier est-il allé? 7. Qu'est-ce qu'on avait ordonné au comte de faire? 8. Qu'est-ce que les agents de police voulaient faire? 9. Est-ce que le comte avait tué ses enfants? 10. Est-ce que le comte a entendu la voix de son ami? 11. Qui a prié le comte d'ouvrir sa porte? 12. Qui a voulu entrer chez le comte? 13. Qui a enfin ouvert la porte? 14. Les enfants du comte étaient-ils morts ou vivants? 15. Qu'est-ce que leur père leur avait dit? 16. Quelle question leur avait-il posée? 17. Comment le petit garçon avait-il répondu? 18. Et la petite fille comment avait-elle répondu? 19. Qu'est-ce que le petit garçon avait fait pendant l'absence de son père? 20. Où a-t-on enfermé le comte Mortier?

B. *Write in French:*

A doctor asked a Count if he was sick. The Count replied that he was very sick. The doctor said that if the Count had been willing to listen to him, he would not have become sick.

C. *Complete the following sentences with original ideas:*

1. Si la porte est ouverte, . . . 2. S'il fait beau, . . . 3. Si vous avez chaud, . . . 4. Si vous êtes malade, . . . 5. Si vous n'êtes pas malade, . . .

6. Si le professeur Ribot vous a parlé, pourquoi . . . 7. Si le docteur Diderot ne m'avait pas parlé, . . . 8. Si la petite Claire ne vous avait pas vu, . . .

9. Si le comte Mortier n'était pas devenu fou, . . . 10. Si les agents de police avaient enfoncé sa porte, le comte . . . 11. Si le petit garçon n'avait pas fermé la porte à clef, . . .

12. Si vous aviez bien étudié cette leçon, . . .

VOCABULARY FOR EXERCISES

agent [aʒɑ̃] *m.:* — de police *policeman*
agité [aʒite] *agitated, excited*
cacher [kaʃe] *to hide*
cependant [səpɑ̃dɑ̃] *meanwhile*
colère [kɔlɛːr] *f. anger;* mettre en —, *to make angry*
collège [kɔlɛʒ] *m. school*
comte [kɔ̃ːt] *m. count (title)*
comtesse [kɔ̃tɛs] *f. countess*
dos [do] *m. back*
enfermer [ɑ̃fɛrme] *to shut up*
enfoncer [ɑ̃fɔ̃se] *to break in, smash in*
fou, folle [fu, fɔl] *adj. mad, insane; m. madman, maniac*
furieux, furieuse [fyrjø, –øːz] *furious, raging*
heure: de bonne —, *early*
mal [mal] *m. harm, pain;* faire du — à *to hurt*
malheureux, malheureuse [malœrø, –øːz] *unhappy*

médecin [mɛtsɛ̃] *m. doctor, physician*
menace [mənas] *f. threat*
menacer [mənase] *to threaten*
mort [mɔːr] *adj. dead*
ordonner [ɔrdɔne] (de) *to order*
préfet [prefɛ] *m. prefect;* — de police *police commissioner*
rasoir [razwaːr] *m. razor*
saisir [sɛziːr] *to seize*
santé [sɑ̃te] *f.:* maison de —, *insane asylum*
si [si] *if, whether*
tante [tɑ̃t] *f. aunt*
téléphoner [telefɔne] *to telephone*
tour [tuːr] *m. turn*

IDIOMS

un garçon de sept ans *a seven-year-old boy*
cela ne vous regarde pas *that does not concern you, that's none of your business*

VOCABULARY FOR REFERENCE

avoir [avwaːr] *to be the matter with (some one);* il y a *ago*
couvrir [kuvriːr] *to cover*
déclarer [deklare] *to declare*
découvrir [dekuvriːr] *to discover, uncover*
docteur [dɔktœːr] *m. doctor (title)*
ouvrir [uvriːr] *to open*

police [pɔlis]: *cf.* agent *and* préfet
profond [prɔfɔ̃] *profound, deep*
signer [siɲe] *to sign*
silence [silɑ̃ːs] *m. silence*
substance [sybstɑ̃ːs] *f. substance*
vestibule [vɛstibyl] *m. vestibule, hall*
vingt-quatrième [vɛ̃tkatrijɛm] *twenty-fourth*

VINGT–CINQUIÈME LEÇON 25

I. DIALOGUE

Use the following dialogue as in preceding lessons:

JE SUIS AMÉRICAIN !

— Êtes-vous Français ou Anglais?

— Ni l'un ni l'autre. Je suis Américain.

— Si vous n'étiez pas Américain, voudriez-vous être Français ou Anglais?

— Ni l'un ni l'autre. Si je n'étais pas Américain, je voudrais être Américain. Tant que je vivrai, même si je vis cent ans, je serai content d'être Américain !

— Et moi, je suis content et je serai toujours content d'être Français. Les Français sont aussi fiers que les Américains.

I AM AN AMERICAN !

— *Are you a Frenchman or an Englishman?*

— *Neither (one nor the other). I am an American.*

— *If you were not an American, would you like to be a Frenchman or an Englishman?*

— *Neither. If I were not an American, I would want to be an American. As long as I live, even if I live a hundred years, I shall be glad to be an American!*

— *And I am glad and I shall always be glad to be a Frenchman. The French are as proud as Americans.*

II. GRAMMAR

A. OMISSION OF INDEFINITE ARTICLE WITH PREDICATE NOUNS

1. The indefinite article is not used (contrary to English usage) with an unmodified noun after an intransitive verb when the noun denotes occupation, profession, nationality, or religion and indicates that the subject of the sentence belongs to a general class or group.

Le père d'Anatole France était médecin, n'est-ce pas? — Non, il était libraire.	*Anatole France's father was a doctor, wasn't he? — No, he was a bookseller.*
Êtes-vous Américain?	*Are you an American?*
Cette femme-là est Française.	*That woman is a Frenchwoman.*

2. If the noun in question is modified (usually by an adjective or clause) so as to indicate that the subject of the sentence has a distinguishing characteristic, an indefinite article (or in the plural, a partitive sign) is used.

Leur père est un médecin célèbre.	*Their father is a famous doctor.*
Victor Hugo et Alfred de Musset étaient des poètes français.	*Victor Hugo and Alfred de Musset were French poets.*
Ce jeune homme est un auteur qui a écrit plusieurs romans.	*That young man is an author who has written several novels.*

NOTE

A combination like **professeur de français** or **roi de France** may be considered a unit and thus not require an article. The subject of the sentence belongs to a class or group of persons described by these phrases.

Louis XIII est devenu roi de France en 1610.	*Louis XIII became king of France in 1610.*

3. The subject of such sentences as we are considering may be not a noun but a pronoun (in English, *he*, *she*, or *they*). In this case, if the greater emphasis is on the subject and the predicate noun (without article) has the force of an adjective, **il, elle, ils,** or **elles** is used in French.

Qui est ce vieillard? — Il est professeur.	*Who is that old man? — He is a professor.*

But if the greater emphasis is on the predicate noun, then the subject in French is **ce** and the noun requires an article.

Oui, c'est un professeur.	*Yes, he's a professor.*
Votre amie est Française?	*Your friend is a French girl?*
— Oui, { elle est Française. / c'est une Française.	— *Yes,* { *she is a French girl.* / *she's a French girl.* }

NOTES

1. The difference in emphasis just mentioned is shown in English more by tone and stress of voice in speaking than by any written sign. We might assume that there is a difference of tone and stress between "HE (emphatic) is a professor (unemphatic)" and "He's (unemphatic) a PROFESSOR (emphatic)," that is, between "he is" and "he's," or between "she is" and "she's." The French for "HE is a professor" would be **Il est professeur;** "He's a PROFESSOR" would be **C'est un professeur.**

2. That the unmodified predicate noun may have the force of an adjective is shown by the fact that the meaning is almost the same when one says **Il est Américain** (noun) and **Il est américain** (adjective).

4. Paragraph 3 considers only sentences in which the subject, in English, is a pronoun and the predicate noun denoting profession, nationality, etc., is *unmodified*. If such a predicate noun is modified, the third person subject pronoun is **ce.**

C'est un vieux médecin.   *He is an old doctor.*

B. USE OF *CE* (cont.)

1. Some uses of **ce** as subject pronoun have already been given: (1) When the subject is "it" and the verb is followed by a noun; e.g., **c'est un livre;** (2) when **c'est** is followed by a disjunctive pronoun; e.g., **c'est moi;** (3) as in par. A of this lesson.

2. **Ce,** in place of **il, elle, ils,** or **elles** is also used before **être** if the subject pronoun refers to a fact or idea or to something that cannot have a definite gender and number.

Allons chez moi. — C'est une bonne idée.	*Let's go to my house.* — *That's a good idea.*
Allons au cinéma. — C'est trop tard. Le film est fini. — C'est vrai.	*Let's go to the movies.* — *It's too late. The picture is over.* — *That's true.*

NOTE

Ce may be thought of as a sort of weak **cela.** It is sometimes translated by *it*, sometimes by *that*, sometimes (as in par. A above) by *he, she,* or *they.* In case of doubt, a student should translate "that" by **ce** before **être,** by **cela** before any other verb.

C. *MOURIR, NAÎTRE,* AND *VIVRE*

1. These irregular verbs have the following forms:

mourir, *to die*	**naître,** *to be born*	**vivre,** *to live*
	PRESENT	
meurs	nais	vis
meurs	nais	vis
meurt	naît	vit
mourons	naissons	vivons
mourez	naissez	vivez
meurent	naissent	vivent
	IMPERFECT	
mourais, etc.	naissais, etc.	vivais, etc.
	FUTURE AND CONDITIONAL	
mourrai, etc.	naîtrai, etc.	vivrai, etc.
mourrais, etc.	naîtrais, etc.	vivrais, etc.
	IMPERATIVE	
meurs	nais	vis
mourons	naissons	vivons
mourez	naissez	vivez
	PAST DEFINITE	
mourus, etc.	naquis, etc.	vécus, etc.
	PAST PARTICIPLE	
mort	né	vécu

2. **Mourir** and **naître** form their compound tenses with **être.**

Il est mort; il était mort.	*He has died; he had died.*
Elle est née; elle était née.	*She was born; she had been born.*

3. As the past participle of **mourir** is **mort,** *died,* and as the adjective *dead* is also **mort, l'homme est mort** may mean either *the man has died* or *the man is dead,* and likewise for similar cases.

4. The stem of **mourir** changes in sound when stressed; to represent the change in sound, the spelling changes (in the present tense) from **mour–** to **meur–.** (Cf. **pouvoir** and **vouloir.**)

5. In **naître,** there is a circumflex accent over **i** whenever **i** precedes **t.** All the forms of **naître** theoretically exist but it is obvious from their meanings that most of the forms are rarely used.

Observe particularly the past indefinite, for use in talking, and the past definite, which will be frequently found in reading.

6. **Vivre** means *to live* in the sense of *to be alive*, not like **demeurer** in the sense of *to dwell, reside*.

D. IDIOMS OF AGE

The following idioms are used in expressing age:

Quel âge avez-vous?	*How old are you?*
J'ai dix-sept ans.	*I am seventeen (years old).*
à l'âge de vingt ans	*at the age of twenty*
un enfant de dix ans	*a ten-year-old child*

III. EXERCISES

A. *Answer in French, beginning your answers with the formula* « Si j'étais —, je . . . »

1. Si vous étiez libraire, qu'est-ce que vous vendriez? 2. Si vous étiez modiste, qu'est-ce que vous feriez? 3. Si vous étiez boulanger, que vendriez-vous? 4. Si vous étiez tailleur, que feriez-vous? 5. Si vous étiez épicier, qu'est-ce que vous vendriez? 6. Si vous vendiez des lunettes, qu'est-ce que vous seriez? 7. Si vous étiez marchand de meubles, quels meubles pourriez-vous vendre? 8. Si vous étiez garçon de café, qu'est-ce que vous apporteriez à vos clients? 9. Si vous étiez garçon de restaurant, qu'est-ce que vos clients commanderaient? 10. Si vous aviez été femme de chambre à l'Hôtel de Rivoli, qu'est-ce que vous auriez apporté à M. et à Mme Lepic pour leur petit déjeuner?

11. Si vous étiez professeur de langues, quelles langues voudriez-vous enseigner? 12. Si vous étiez écrivain, qu'est-ce que vous écririez? 13. Si vous étiez mendiant, qu'est-ce que vous demanderiez? 14. Si vous aviez été facteur, qu'est-ce que vous auriez remis à M. Colladon? 15. Si vous aviez été Gombaud, qu'est-ce que vous auriez donné à votre femme Martine? 16. Si vous étiez capitaine, à qui pourriez-vous donner des ordres? 17. Si vous étiez roi, dans quel château voudriez-vous demeurer? 18. Si vous n'étiez pas vous, qui voudriez-vous être?

B. *Read the statements in French and answer the questions in French:*

1. Louis XIII est né en 1601. Il est devenu roi de France en 1610. Il est mort en 1643. Quel âge avait-il quand il est devenu roi? Quel âge avait-il à sa mort? Combien d'années a-t-il régné?

2. Louis XIV est né en 1638. Il est devenu roi de France en 1643. Il a épousé une princesse espagnole, Marie-Thérèse, en 1659. Il est mort en 1715. Quel âge avait-il (a) quand il est devenu roi? (b) au moment de son mariage? (c) à sa mort?

3. Louis XV, l'arrière-petit-fils de Louis XIV, est né à Versailles cinq ans

avant la mort de Louis XIV. Quel âge avait-il quand il est devenu roi? Il est mort en 1774. Combien d'années a-t-il vécu?

4. Louis XVI est né à Versailles en 1754. Quel âge avait-il quand il est devenu roi de France? A l'âge de seize ans il avait épousé Marie-Antoinette. En quelle année est-ce que ce mariage a eu lieu? Louis XVI a été guillotiné en 1793. Combien d'années a-t-il vécu?

C. *Recite in French:*

1. I am a student. My uncle is a doctor. He's a famous doctor. 2. If you are sick, go and see (= go to see) my uncle. — 3. I also, I am a student. My aunt is a teacher. She's an excellent teacher. 4. If you want to learn to (*à*) speak French, go and see (= go to see) my aunt. She's a charming woman. — 5. I don't want to learn to speak French but I shall go and (to) see your aunt. I should like to make the acquaintance of a charming woman. — 6. I am not sick, but I shall go and (to) see your uncle. I should like to make the acquaintance of a famous man.

7. You are an American, aren't you?
8. You speak French like an American. — 9. Yes, I am an American. I speak French rather well, don't I? — 10. When you have spent (= will have passed) two or three years in France, you will speak French — like an American!

11. Anatole France was a great writer. He wrote *My Friend's Book;* in this book, he speaks of little Pierre. 12. Little Pierre is really Anatole France. The father of Anatole France was a bookseller but in the book, the father of little Pierre is a doctor. 13. Why don't you read *My Friend's Book*, in French? — 14. That's a very good idea. Lend me that book, please.

D. READING

LE ROI EST MORT!   VIVE LE ROI!

En 987 le comte de Blois, Hugues Capet, est devenu roi de France et a fondé la dynastie capétienne. Depuis longtemps, les seigneurs et les évêques choisissaient les rois mais Hugues Capet a rétabli le principe de l'hérédité: aussitôt qu'un roi meurt, son fils aîné devient (*becomes*) roi.

Pendant plusieurs siècles, après la mort de Hugues Capet, les fils aînés des rois sont en effet devenus rois et ont ainsi augmenté le prestige de la dynastie capétienne et ont affermi le principe de la monarchie héréditaire. Mais examinons l'histoire de France entre 1600 et 1848, c'est-à-dire pendant près de deux cent cinquante ans, depuis le commencement du dix-septième siècle jusqu'au milieu du dix-neuvième siècle.

En 1600 Henri IV est roi de France. En 1601 il a un fils. En 1610 il est assassiné. Son fils aîné n'a que neuf ans mais malgré sa jeunesse, il devient roi sous le nom de Louis XIII.

En 1643 Louis XIII meurt; son fils aîné n'a que cinq ans mais il devient roi sous le nom de Louis XIV. C'est la dernière fois qu'un fils aîné devient roi de France à la mort de son père, la dernière fois que le principe de la monarchie héréditaire peut être appliqué rigoureusement.

En 1715 Louis XIV a soixante-dix-sept ans; il avait régné soixante-douze ans. Pendant ce long règne son fils aîné (le Grand Dauphin) et son petit-fils (le Dauphin) étaient morts. En 1715 ce n'est pas le fils aîné, c'est l'arrière-petit-fils de Louis XIV qui devient roi sous le nom de Louis XV.

Après un règne de cinquante-neuf ans, Louis XV meurt en 1774. Son fils aîné était déjà mort; le nouveau roi, Louis XVI, n'est donc pas le fils aîné mais le petit-fils de Louis XV.

Louis XVI est guillotiné en 1793. Les monarchistes ont donné le nom de Louis XVII à un fils de Louis XVI mais ce prince n'a pas régné; il est mort en prison en 1795. D'ailleurs, « Louis XVII » n'était pas le fils aîné, c'était le deuxième fils de Louis XVI et de Marie-Antoinette.

Pendant la Révolution et sous l'empire de Napoléon Iᵉʳ il n'y a pas eu de rois de France. En 1814 un frère de Louis XVI est devenu roi; c'est Louis XVIII, qui avait déjà soixante ans. A sa mort

en 1824 ce n'est pas le fils aîné du roi, c'est un frère, Charles X, qui est devenu roi.

Charles X n'a régné que six ans; la Révolution de 1830 l'a chassé du trône. On a choisi à sa place Louis-Philippe, qui était un descendant d'un frère de Louis XIV.

Le fils aîné de Louis-Philippe est mort en 1842 mais s'il avait vécu plus longtemps il ne serait pas devenu roi à la mort de son père, parce que la Révolution de 1848 a renversé Louis-Philippe et l'a chassé du pays. Peu après on a établi la Deuxième République. Louis-Philippe a été le dernier roi de France.

Combien de rois de France sont morts entre 1600 et 1848? Six. Combien de rois ont été chassés de France? Deux. Combien de fois un fils aîné est-il devenu roi à la mort de son père? Deux fois. Deux fois seulement, pendant près de deux cent cinquante ans, le principe de la monarchie héréditaire a été appliqué rigoureusement, et cela n'a pas eu lieu en France une seule fois depuis 1643. En théorie, le fils aîné d'un roi devient roi: six fois sur huit, la destinée s'y est opposée.

E. *Write in French:*

THE CAPETIAN KINGS

The Count of Blois became King of France in 987. He founded the dynasty which reigned in France until the year 1328.

During nearly two hundred years, the kings of this dynasty were not famous men. But always, when a king died, his eldest son became king. Thus the prin-

ciple of heredity was carried out. The first Capetian kings did not do a great deal for their country but they increased the prestige of the monarchy. The French people began to respect and to love their kings.

Finally, in the twelfth century, one of the greatest kings of the Capetian dynasty was born. This king, Philippe Auguste, founded the University of Paris in 1200. During his reign they (*on*) began to build the great cathedral, Notre-Dame de Paris. In 1214 Philippe Auguste won an important victory over his most dangerous enemies in the Battle of Bouvines. This French king had been the great rival of an English king, Richard (the) Lion-Hearted.

The son of Philippe Auguste reigned only three years but his grandson, Louis IX, was one of the greatest kings of France. Under a tree in the forest of Vincennes, Louis IX used to render (the) justice to all those who presented themselves before him. This great king was the leader of the seventh and of the eighth Crusades. He died in 1270. After his death, they (*on*) gave him the name of Saint Louis.

In 1328 the last Capetian king, Charles IV, died. He had no son. The principle of heredity could not be carried out. A cousin of Charles IV, Philippe de Valois, wanted to be king. A nephew of Charles IV, Edward III, who was king of England, wanted to become king of France also. The coronation of Philippe de Valois took place in the cathedral of Reims. Edward III went to France with an army. This (*C'*) was the beginning of the Hundred Years' War.

IV. OPTIONAL EXERCISES

A. *Answer in French:*

1. En quelle année Hugues Capet est-il devenu roi de France? 2. Quelle dynastie a-t-il fondée? 3. Quel principe a-t-il rétabli? 4. Expliquez ce principe. 5. Qui était roi de France en 1600? 6. Quel âge Louis XIII avait-il quand il est devenu roi? 7. Quel âge Louis XIV avait-il quand il est devenu roi? 8. Louis XIV est mort en 1715; quel âge avait-il à sa mort? 9. Pourquoi le fils aîné de Louis XIV n'est-il pas devenu roi? 10. Pourquoi le petit-fils de Louis XIV n'est-il pas devenu roi? 11. Est-ce que le fils aîné de Louis XV est devenu roi? 12. A qui les monarchistes ont-ils donné le nom de Louis XVII? 13. Nommez trois frères qui ont été rois de France. 14. Pourquoi Charles X n'a-t-il régné que six ans? 15. Quelle révolution a chassé Louis-Philippe du trône? 16. Est-ce que la France a eu des rois depuis 1848? 17. Qui a régné en France entre 1800 et 1814? 18. Deux fois seulement, entre 1600 et 1848, un fils aîné est devenu roi à la mort de son père; nommez les deux fils qui sont devenus rois ainsi.

B. *Written Dictation:*

1. La bataille d'Hastings eut lieu en 1066. 2. La bataille d'Orléans eut lieu en 1429. 3. Jeanne d'Arc fut brûlée sur la Place du Marché à Rouen en 1431. 4. La découverte de l'Amérique eut lieu en 1492. 5. L'océan Pacifique fut découvert en 1513. 6. Le président Washington naquit en 1732. 7. La bataille de Bunker Hill eut lieu en 1775. 8. La Grande Révolution éclata en France en 1789. 9. La bataille de Waterloo eut lieu en 1815. 10. Le président Lincoln fut assassiné en 1865. 11. La bataille de la Marne eut lieu en 1914.

VOCABULARY FOR EXERCISES

affermir [afɛrmiːr] *to strengthen*
aîné [ene] *eldest*
appliquer [aplike] *to apply, carry out*
arrière-petit-fils [arjɛɪrpətifis] *m. great-grandson*
augmenter [ɔgmɑ̃te] *to augment, increase*
bâtir [batiːr] *to build*
chef [ʃɛf] *m. leader, chief*
connaissance [kɔnɛsɑ̃ːs] *f. acquaintance*
croisade [krwazad] *f. crusade*
dauphin [dofɛ̃] *m. crown prince (title of heir to French throne)*
destinée [dɛstine] *f. destiny*
éclater [eklate] *to break out; (of war or revolution) begin*
enseigner [ɑ̃sɛɲe] *to teach*
établir [etabliːr] *to establish, set up*
évêque [evɛɪk] *m. bishop*
fonder [fɔ̃de] *to found, establish*
guerre [gɛɪr] *f. war;* — de Cent ans *Hundred Years' War*

jeunesse [ʒœnɛs] *f. youth*
langue [lɑ̃ːg] *f. language*
même [mɛɪm] *adv. even*
opposer [ɔpoze] *to oppose;* s' — à *to be opposed to, to oppose*
petit-fils [pətifis] *m. grandson*
présenter [prezɑ̃te] *to present*
principe [prɛ̃sip] *m. principle*
règne [rɛɲ] *m. reign*
régner [reɲe] *to reign*
renverser [rɑ̃vɛrse] *to overthrow*
respecter [rɛspɛkte] *to respect*
rétablir [retabliːr] *to re-establish*
rigoureusement [rigurøzmɑ̃] *strictly*
rival [rival] *m. rival*
seigneur [sɛɲœɪr] *m. lord, noble*
trône [troːn] *m. throne*
vive: *from* vivre; — le roi! *long live the king!*

VOCABULARY FOR REFERENCE

âge [aɪʒ] *m. age*
assassiner [asasine] *to assassinate*
capétien, capétienne [kapesjɛ̃, –ɛn] *Capetian*
Cœur-de-lion [kœɪrdəljɔ̃] *Lion-Hearted*
cousin [kuzɛ̃] *m. cousin*
date [dat] *f. date*
descendant [desɑ̃dɑ̃] *m. descendant*
dire: c'est-à-dire *that is to say*
dynastie [dinasti] *f. dynasty*
Édouard [edwaɪr] *m. Edward*
empire [ɑ̃piːr] *m. empire*
fier, fière [fjɛɪr] *proud*
film [film] *m. film, picture (at movies)*
Française [frɑ̃sɛɪz] *f. French woman, French girl*
guillotiner [gijɔtine] *to guillotine*

héréditaire [ereditɛɪr] *hereditary*
hérédité [eredite] *f. heredity*
justice [ʒystis] *f. justice*
monarchie [mɔnarʃi] *f. monarchy*
monarchiste [mɔnarʃist] *m. monarchist*
naître [nɛɪtr] *to be born*
ni [ni] *neither, nor;* ni . . . ni *neither . . . nor*
prestige [prɛstiːʒ] *m. prestige*
prison [prizɔ̃] *f. prison*
rendre [rɑ̃ːdr] *to render*
république [repyblik] *f. republic*
saint [sɛ̃] *m. saint*
tard [taɪr] *late*
théorie [teɔri] *f. theory*
vingt-cinquième [vɛtsɛ̃kjɛm] *twenty-fifth*
vivre [viɪvr] *to live*

FIFTH CULTURAL DIALOGUE

LES GRANDES ÉPOQUES DE L'HISTOIRE DE FRANCE

— Parlez-nous aujourd'hui de l'histoire de France, M. Asmodée, s'il vous plaît.

— La première grande époque de l'histoire de France, dit M. Asmodée, commence vers 500 avant Jésus-Christ quand les Gaulois sont venus ici des plaines de l'Europe centrale.

Les Gaulois ont été les premiers ancêtres véritables des Français d'aujourd'hui. Le dernier chef des Gaulois, Vercingétorix, est le premier héros national de la France.

— Pourquoi cet homme-là était-il un héros?

— Vercingétorix a uni les tribus

ARLES: LE THÉÂTRE ET LES ARÈNES

gauloises, il les a encouragées à s'opposer aux Romains qui sont entrés en Gaule. Il a perdu la bataille décisive d'Alésia, en 52 av. J.-C., mais il a représenté l'esprit d'indépendance et de liberté.

— Qui a gagné cette bataille?

— Jules César, répond M. Asmo-dée. La deuxième grande époque de l'histoire de France est celle de la domination romaine. Les Romains ont transformé la Gaule. Ils ont bâti les fameuses routes romaines. Dans les villes ils ont bâti des temples, des arènes, des théâtres et des arcs de triomphe et, à la campagne, des aqueducs. Le temple le mieux conservé est « la Maison Carrée » à Nîmes, bâtie pendant le règne de l'empereur Auguste. On peut admirer des arènes à Nîmes et à Arles. Du théâtre romain qui existait autrefois à Arles il n'y a maintenant que des ruines mais ces ruines sont belles. Il y a un grand arc de triomphe et un théâtre romain à Orange. Le plus beau monument romain est un aqueduc qui est aussi un pont: c'est le Pont du Gard, qui se trouve près de Nîmes.

— Combien de temps la domination romaine a-t-elle duré? [1]

[1] durer *to last.*

LA MAISON CARRÉE

— Cinq cents ans, à peu près. Peu à peu l'empire romain est devenu faible et les barbares allemands sont entrés en Gaule. A la fin du cinquième siècle la tribu la plus importante de ces barbares occupait la plus grande partie du pays. Vous savez le nom de cette tribu, n'est-ce pas?

— Vous parlez des Francs, qui ont donné leur nom au pays.

— Oui, mademoiselle. A la mort de Clovis, premier roi célèbre des Francs, commence (en 511) la troisième grande époque de l'histoire de France, une époque qui va durer six cents ans et qui va être marquée d'abord par la destruction de la civilisation gallo-romaine. Cette époque est le haut moyen âge.[2] Après près de trois cents ans de guerres et d'anarchie, Charlemagne a beaucoup fait,

[2] *Called in English "Dark Ages."*

pendant quelques années, pour le progrès de la civilisation. Il a fondé des écoles et des bibliothèques. Il a encouragé l'étude de la langue et de la littérature latines. Il a fait des lois justes. Il a défendu son empire, le Saint Empire romain, contre les barbares. Mais les successeurs de Charlemagne ont été aussi faibles que les successeurs de Clovis. Les petits-fils de Charlemagne ont divisé son empire en trois parties. Un traité célèbre, signé à Verdun en 843, a donné la France à l'aîné des trois frères, Charles le Chauve. La date de ce traité marque le commencement d'une France vraiment indépendante, d'une France qui est toujours restée indépendante jusqu'à nos jours. En 911 un roi de France a été obligé de donner une partie du pays aux Normands. Heureusement, les Nor-

CHARLEMAGNE A FAIT DES LOIS JUSTES

mands sont devenus de bons Français. En 987, qu'est-ce que le comte de Blois a fait?

— Le comte de Blois, Hugues Capet, est devenu roi de France et a ainsi fondé la dynastie capétienne.

— Très bien. La première Croisade, en 1096, marque le commencement d'une nouvelle époque, le moyen âge, qu'on peut diviser en deux parties: les douzième et treizième siècles sont une période de prospérité et de progrès; au quatorzième siècle le progrès s'arrête en grande partie, à cause de la guerre de Cent ans. Dans toutes les Croisades des Français ont joué des rôles importants. Par exemple, Pierre l'Hermite a prêché la première croisade; Philippe Auguste a été un des chefs de la troisième croisade; un écrivain français, Villehardouin, a été l'historien et un des chefs de la quatrième croisade; Saint Louis, enfin, a organisé les septième et huitième

croisades. Robert, qu'est-ce que les rois capétiens ont accompli pendant les douzième et treizième siècles?

— Ils ont augmenté le prestige de leur dynastie et ont rétabli le principe de la monarchie héréditaire.

— Très bien. Pour la première fois, la France a eu un gouvernement central fort.[3] En 1328, quand le dernier des Capétiens meurt, le roi est le maître d'un grand domaine, de la

[3] fort *adj. strong.*

SAINT LOUIS

En ce têps/ceftaffauoit durât ce fiege dozfe
ans Bne pucefle de.xiii.ans ou de.vp.côe dient
aufcuns natiue de lorraine appeflée tehâne qui
tout fon têps auoit garde les beftes aup châps
Sint au daufphin fup dire q̃ elle eftoit enuoyée
de dieu pour lup apẽer a côflter fon royaulme/

JEANNE D'ARC

BATAILLE D'AZINCOURT

Manche au Nord à la Méditerranée au Sud. Je ne vais pas mentionner tous les détails de la guerre de Cent ans. Vous en savez la cause principale, n'est-ce pas?

— Oui, c'est l'ambition d'Édouard III, roi d'Angleterre.

— Les Anglais ont remporté de grandes victoires à Crécy, à Poitiers et à Azincourt. Les Anglais et les Bourguignons ont occupé Paris. La France était sur le point de perdre la guerre. Qui a sauvé le pays?

— Jeanne d'Arc!

— Oui, Jeanne d'Arc remporte sa victoire décisive à Orléans et va avec Charles VII à Reims, où le sacre du roi a lieu dans la cathédrale. Les Français chassent les Anglais de France. Pendant le règne de Louis XI, le pays regagne sa prospérité économique. La cinquième grande époque de l'histoire de France commence.

— C'est la Renaissance?

— Oui. Vous savez déjà que la Renaissance artistique en France est en grande partie une imitation ou une adaptation de l'art et de l'architecture de l'Italie. Où peut-on voir cela?

— A Blois, à Chambord et à Fontainebleau, dit Robert.

— Et aussi, dit Charlotte, à Chenonceaux, le château que j'aime le mieux!

— Pendant la deuxième partie du seizième siècle une guerre civile effroyable entre Catholiques et Huguenots[4] a presque ruiné la France. Heureusement, Henri IV, un des plus grands rois de France, a proclamé, par l'Édit de Nantes de 1598, la liberté religieuse et a mis fin aux guerres de religion. Pendant son règne nous entrons dans la sixième grande époque de l'histoire de France, celle de la monarchie absolue. Cette époque se compose des dix-septième et dix-huitième siècles.

[4] Huguenot *m. a French Protestant.*

— Qui a été le premier roi absolu?

— La formation de la vraie monarchie absolue a été l'œuvre[5] de Henri IV, du cardinal de Richelieu, du cardinal Mazarin et de Louis XIV. Henri IV a été assassiné en 1610. Son successeur, Louis XIII, a eu le bon sens de donner à Richelieu, son premier ministre, toute l'autorité qui lui était nécessaire pour affermir la monarchie et pour faire de la France la nation la plus importante de l'Europe. Le cardinal Mazarin a continué l'œuvre de Richelieu pendant la jeunesse de Louis XIV. Sans Richelieu et Mazarin, Louis XIV n'aurait pas pu dire (s'il l'a dit): « L'État, c'est moi. »

— Pourquoi Louis XIV est-il si célèbre?

— De tous les rois de France, Louis XIV est le plus remarquable

[5] œuvre *f. work.*

HENRI IV ET SA FAMILLE

par son air de majesté et de grandeur. Sous son règne la civilisation française a eu son âge d'or. Louis XIV était brillant — en partie à cause de sa magnificence, en partie à cause du génie [6] des artistes et des écrivains de son siècle. Malheureusement, son successeur, Louis XV, qui a régné cinquante-neuf ans, était un mauvais roi. Les grands écrivains du dix-huitième siècle — Montesquieu, Voltaire, Rousseau — ont critiqué les principes de la monarchie absolue et ont ainsi préparé la Révolution de 1789. *dix sept cent - quatre vingt neuf*

— Est-ce que Louis XVI était un meilleur roi que Louis XV?

— Louis XVI était beau et sa jeune femme, Marie-Antoinette, était belle. Mais le roi était faible et la reine était

[6] génie *m. genius.*

BERNINI: LOUIS XIV

fière et frivole. Pendant leur règne les Français ont peu fait pour la France mais ils ont beaucoup fait pour l'Amérique.

— Oui, c'est l'époque de La Fayette et de Rochambeau.

— La septième grande époque de l'histoire de France est celle de la Révolution et de l'Empire, de 1789 à 1815. *dix huit cent quinze* Vous savez peut-être déjà, ou vous saurez un jour, la signification des grands événements de ces vingt-six ans: la prise de la Bastille; la fin du système féodal; la proclamation des Droits de l'Homme; la fondation de la Première République, qui marque le triomphe des principes de liberté, d'égalité et de fraternité; enfin, la Terreur.[7] *dix sept cent* En 1799 un jeune général, Napoléon Bonaparte, se fait Premier Consul, c'est-à-dire dictateur. La France avait besoin d'ordre et de paix; Bonaparte lui donne l'ordre et la paix. Quand il se pro-

[7] Terreur *f. Reign of Terror.*

CHAMPAIGNE: RICHELIEU

Russie et l'Angleterre sont invincibles. En 1814 les armées de ses ennemis entrent dans Paris; l'empereur abdique; il va à l'île d'Elbe. En 1815 il rentre en France; l'armée et le peuple sont avec lui. Mais il perd la bataille de Waterloo. C'est la fin de sa carrière extraordinaire.

— Et la fin de la septième époque aussi, n'est-ce pas?

— Vous avez raison. Pendant la huitième grande époque de l'histoire de France, de 1815 jusqu'à nos jours, on voit un conflit entre deux principes: le principe d'autorité et le principe de liberté. La Restauration, qui met Louis XVIII sur le trône, est d'abord une sorte de compromis: il y a une monarchie libérale, une monarchie constitutionnelle. Mais avec Charles X le principe d'autorité triomphe: Charles X veut être un

clame empereur (en 1804), les Français acceptent l'Empire avec enthousiasme. Mais la paix que le Premier Consul avait donnée au pays ne dure pas sous l'empereur. Napoléon remporte des victoires éclatantes [8] (Austerlitz, Wagram) mais la

[8] éclatant *bright, brilliant.*

DAVID: SACRE DE NAPOLÉON Ier

roi absolu. Ce triomphe ne dure pas: Charles X est renversé par la révolution de 1830. Son successeur, Louis-Philippe, est à la tête d'une monarchie libérale; ce n'est pas le roi, ce sont les bourgeois qui gouvernent la France. Mais les années passent, le vieux roi veut avoir plus d'autorité, les Républicains veulent avoir plus de liberté. Par la révolution de 1848 les Républicains chassent Louis-Philippe de France et fondent la Deuxième République. On choisit comme président de la République un homme très ambitieux: le neveu de l'empereur Napoléon Ier.

— C'est lui qui avait un petit fauteuil à la Malmaison?

— Oui, c'est Louis-Napoléon Bonaparte. En 1852 cet homme se fait empereur et se donne le titre de Napoléon III. L'esprit d'autorité triomphe. Le conflit, cependant, continue. Quand l'armée de Napoléon III perd la bataille de Sedan dans la guerre franco-prussienne de 1870, les Républicains de Paris proclament la Troisième République. Malgré les efforts des monarchistes, cette république dure soixante-dix ans. Elle montre sa force pendant la première Guerre mondiale. Après la seconde Guerre mondiale l'organisation de la Quatrième République, qui existe aujourd'hui, marque le triomphe de la démocratie et de la liberté.

— On dit qu'aujourd'hui la France est vieille et fatiguée.

— C'est vrai et ce n'est pas vrai. Oui, la France est vieille, mais à chaque époque de son histoire les Français ont toujours trouvé de nouvelles ressources d'énergie. La France est vieille mais l'esprit de la France est un esprit de jeunesse éternelle.

VINGT–SIXIÈME LEÇON 26

I. DIALOGUE

Use the following dialogue as in preceding lessons:

— Quelle est la différence entre ce qu'un homme veut et ce qu'une femme veut?

— Un homme veut avoir tout ce qu'il peut avoir.

— Et une femme?

— Elle veut avoir tout ce qu'elle ne peut pas avoir.

— *What is the difference between what a man wants and what a woman wants?*

— *A man wants to have everything he can have.*

— *And a woman?*

— *She wants to have everything that she cannot have.*

II. GRAMMAR

A. THE RELATIVE PRONOUNS

1. The relative pronouns of most frequent use were given in Lesson 8: **qui,** *who, which, that,* used as subject of a verb and **que,** *whom, which, that,* used as direct object of a verb.

258

2. When the relative pronoun is the object of a preposition, one uses **qui** or **lequel** (**laquelle, lesquels, lesquelles**) when the antecedent is a person; **lequel,** etc., when the antecedent is a thing. **Lequel** agrees in gender and number with its antecedent.

L'homme avec qui (avec lequel) je parlais est mon oncle.	*The man with whom I was talking is my uncle.*
Le stylo avec lequel j'écris cette lettre n'est pas très bon.	*The pen with which I am writing this letter is not very good.*

3. **A** or **de** + **lequel, lesquels,** and **lesquelles** makes the regular contractions:

auquel	auxquels	auxquelles	*to whom, to which*
duquel	desquels	desquelles	*of whom, of which*

Qui est le garçon auquel vous parliez?	*Who is the boy to whom you were speaking?*

B. DONT AND OÙ

1. **De** + a relative pronoun is usually replaced by **dont.**

Les amis dont (= desquels, de qui) je vous parlais sont partis.	*The friends about whom I was talking to you have left.*
Qui a écrit la comédie dont (= de laquelle) vous avez parlé?	*Who wrote the comedy of which you spoke?*

NOTE

The use of **dont** in place of **de qui** or **de** + a form of **lequel** is optional but advisable.

2. **Dans** (or some other preposition of position) + a relative pronoun may be replaced by **où.**

La ville où (= dans laquelle) je demeure n'est pas loin de Paris.	*The city where (in which) I live is not far from Paris.*

NOTE

As a rule, when English "in which" may be replaced by "where," French **dans lequel** (**laquelle,** etc.) may be replaced by **où.**

C. COMPOUND RELATIVES

1. *What* or *which,* when equivalent to *that which,* as subject is **ce qui,** as object of verb is **ce que,** and as object of a preposition is **ce . . . quoi.** (**Ce de quoi** is usually replaced by **ce dont.**)

Ce qui m'amuse ne vous amuse pas toujours.	*What amuses me does not always amuse you.*
Je ne comprends pas bien ce que vous dites.	*I don't understand well what you are saying.*
J'ai acheté ce dont j'ai besoin.	*I've bought what I need.*

2. **Ce qui** and **ce que** may be preceded by **tout.**

Donnez-moi tout ce qu'il y a sur la table.	*Give me all (everything) that there is on the table.*
Racontez-moi tout ce que vous avez fait.	*Tell me everything you did.*

D. WORD ORDER IN RELATIVE CLAUSES

1. A preposition governing a relative pronoun must *precede* it. (As stated in Lesson 8, a relative pronoun cannot be omitted in French.) Therefore:

The man I spoke to	*must be construed as*	The man to whom I spoke
The play we are talking about	*must be construed as*	The play about which we are talking

2. (a) When *whose* means "of whom," a definite article must precede a following noun in French. Therefore:

The Frenchman whose daughter	*must be construed as*	The Frenchman of whom the daughter

(b) If the noun is the subject of the verb in the relative clause, it precedes the verb; if the noun is the object of the verb in the relative clause, it follows the verb. (This logical order is not obligatory in English. Therefore one must decide whether a noun following *whose* in English is the subject or the object of the verb.)

Le Français dont la fille est mon amie est M. Dupin. (**la fille,** *daughter*, is the subject of the verb)	*The Frenchman whose daughter is my friend is Mr. Dupin.*
M. Dupin est le Français dont j'ai vu la fille au théâtre. (**la fille,** *daughter*, is the object of the verb)	*Mr. Dupin is the Frenchman whose daughter I saw at the theater.*

E. TABLE OF RELATIVE PRONOUNS

The following table represents the rules that have been given:

FUNCTION	ANTECEDENT	
	PERSON	THING
Subject of Verb	qui	qui
Object of Verb	que	que
Object of Preposition	qui, lequel	lequel

De + relative pronoun = **dont**
Dans + relative pronoun = **où**

COMPOUND RELATIVES

Subject of Verb	ce qui
Object of Verb	ce que
Object of Preposition	ce . . . quoi

F. *VENIR,* "TO COME"

1. This irregular verb has the following forms:

PRESENT		FUTURE
viens [vjɛ̃]	venons [vənɔ̃]	viendrai, etc.
viens [vjɛ̃]	venez [vəne]	
vient [vjɛ̃]	viennent [vjɛn]	CONDITIONAL
		viendrais, etc.

IMPERFECT
venais, etc.

PAST DEFINITE

vins	vînmes
vins	vîntes
vint	vinrent

IMPERATIVE
viens, venons, venez

PAST PARTICIPLE
(être) venu

2. Observe particularly: (a) that **venir** forms its compound tenses with **être;** (b) that this verb has a peculiar stem in the future and conditional tenses.

3. **Venir de** + infinitive is a common idiom meaning *to have just.* (It is to be used only in the present and imperfect tenses.)

Je viens de la voir.	*I have just seen her.*
Mon ami venait de partir.	*My friend had just left.*

4. Like **venir** are its compounds: **devenir,** *to become;* **revenir,** *to come back, return.*

III. EXERCISES

A. *Translate the English words into French:*
1. Les hommes (*with whom*) je causais sont partis. 2. Le garçon (*to whom*) j'ai prêté mon stylo s'en est allé. 3. La jeune fille (*to whom*) j'écris cette lettre est ma fiancée. 4. Les amis (*about whom*) je vous ai parlé viennent d'arriver. 5. La pièce (*which*) nous allons voir au théâtre est une comédie. 6. Ce n'est pas la pièce (*of which*) nous parlions hier. 7. Je ne sais pas exprimer (*what*) je veux dire. 8. Avez-vous (*everything that*) vous avez besoin? 9. Je n'ai pas encore acheté (*everything that*) je voulais acheter. 10. La femme (*whose*) la fille vient d'arriver ici vient de mourir. 11. La femme (*whose*) j'admire les enfants est la meilleure amie de ma mère. 12. Ce sont ses fils (*with whom*) je suis allé à Paris.

B. *Recite in French:*
1. Robert! What are you doing? — 2. I'm writing a letter. — 3. I want to see you. Come here! — 4. Wait! I'll come as soon as I have finished this letter. — 5. Come right away! — 6. Wait! If I wanted to see you, you would not come right away. — 7. What did you say? I can't understand what you are saying. — 8. If you want to hear what I'm saying, come here! — 9. I'm sick. I can't leave this room. Come here, please. — 10. Ah, you have said "please"! I'm coming, I'm coming.

C. *Recite in French:*
1. What are you going to do tomorrow? — 2. I don't yet know what I shall do tomorrow. — 3. Go to the theater to (*pour*) see a comedy by (*de*) Molière. I have just seen it. The play amused me a great deal. — 4. What amuses you does not always amuse me. — 5. The play I'm talking about amuses everyone. It's a play in which Molière shows us a man who is rich and conceited and who wishes to imitate the noblemen of his time. — 6. I read that play in my French class. Our French teacher told us to see it. It's *le Bourgeois gentil-* *homme*, isn't it? — 7. You're right! I did not understand everything Mr. Jourdain said. He talks very fast! 8. If you want to go and see the play tomorrow, I'll go to the theater with you. I have just seen it, but I should like to see it again. — 9. I'm going to a bookstore to buy a copy of the play we are talking about. 10. I'll read it today, we'll go and see it tomorrow. If I read it, I'll understand it better. 11. Will you be here when I come back from the bookstore? — 12. I'll go to the theater to (*pour*) get (*prendre*) our tickets. Then I'll come back here.

D. READING

LE BOURGEOIS GENTILHOMME

Le Bourgeois gentilhomme est une des comédies les plus amusantes de Molière, qui était un grand écrivain français du dix-septième siècle. C'est une pièce dans laquelle l'auteur montre la folie d'un homme qui n'est pas content d'être bourgeois et qui veut imiter les marquis et les comtes de son temps.

M. Jourdain, qui est devenu très riche,

prend des leçons de musique et de danse, d'escrime (*fencing*) et de philosophie. Les leçons que son maître de philosophie lui donne sont très élémentaires — et très amusantes. En voici un exemple, qu'on peut trouver au deuxième acte de la pièce.

M. JOURDAIN. Je suis amoureux d'une belle personne et je veux écrire un petit billet que je pourrai laisser tomber à ses pieds.

MAÎTRE DE PHILOSOPHIE. Fort bien. Je vous aiderai à l'écrire.

M. JOURDAIN. Cela sera galant, oui?

MAÎTRE DE PHILOSOPHIE. Sans doute. Est-ce que ce sont des vers que vous voulez lui écrire?

M. JOURDAIN. Non, non, pas de vers.

MAÎTRE DE PHILOSOPHIE. Vous ne voulez que de la prose?

M. JOURDAIN. Non, je ne veux pas de prose.

MAÎTRE DE PHILOSOPHIE. Mais, monsieur, il n'y a pour exprimer une pensée que la prose ou les vers.

M. JOURDAIN. Il n'y a que la prose ou les vers?

MAÎTRE DE PHILOSOPHIE. Tout ce qui n'est pas prose est vers, et tout ce qui n'est pas vers est prose.

M. JOURDAIN. Et comme on parle, qu'est-ce que c'est donc que cela?

MAÎTRE DE PHILOSOPHIE. De la prose.

M. JOURDAIN. Quoi? quand je dis: « Nicole, apportez-moi mes pantoufles et donnez-moi mon bonnet de nuit », c'est de la prose?

MAÎTRE DE PHILOSOPHIE. Oui, monsieur.

M. JOURDAIN. Par ma foi! Je ne savais pas cela! Il y a bien longtemps que je dis de la prose! Je vous suis fort obligé de m'avoir appris cela . . .

Au troisième acte nous faisons la connaissance de madame Jourdain, à qui le bourgeois gentilhomme veut apprendre ce que le Maître de Philosophie vient de lui enseigner.

M. JOURDAIN. Savez-vous ce que vous dites à cette heure?

MME JOURDAIN. Oui, je sais que ce que je dis est fort bien dit.

M. JOURDAIN. Je ne parle pas de cela. Je vous demande, qu'est-ce que c'est que les paroles que vous dites ici?

MME JOURDAIN. Ce sont des paroles bien raisonnables.

M. JOURDAIN. Je ne parle pas de cela, vous dis-je. Je vous demande: ce que je parle avec vous, ce que je vous dis à cette heure, qu'est-ce que c'est?

MME JOURDAIN. Des bêtises!

M. JOURDAIN. Non, non! Ce n'est pas cela. Ce que nous disons, vous et moi, le langage que nous parlons?

MME JOURDAIN. Eh bien?

M. JOURDAIN. C'est de la prose, ignorante!

MME JOURDAIN. De la prose?

M. JOURDAIN. Oui, de la prose. Tout ce qui est prose n'est pas vers, et tout ce qui n'est pas vers n'est pas prose. Voilà ce que c'est d'étudier!

E. *Write in French:*

1. Did your friend who has just left tell you the news (= piece of news, *sing.*) about (of) which everyone is talking? — 2. What news? My friend did not tell me any news. — 3. Pierre's fiancée

has just arrived here. — 4. For a long time you have been wanting to see her. Have you seen her? — 5. Yes. She is very homely! I cannot understand why (= the reason for which) Pierre is in love with her. — 6. Pierre admires intelligence more than beauty. His fiancée is perhaps more intelligent than you! — 7. I know that Pierre is more polite than you! — 8. Is Pierre really polite? That's perhaps the reason why his fiancée loves him! — 9. Well, there is one thing I am sure of: they love each other very much.

IV. OPTIONAL EXERCISES

A. *Read aloud, with especial attention to rhythm and intonation:*

1. Les leçons / que nous venons d'étudier / sont élémentaires.   2. Qui est le garçon / auquel vous parliez / quand je vous ai vu?   3. Ce qui m'amuse / n'amuse pas toujours / mon père et ma mère.   4. J'ai fait la connaissance / d'une personne charmante.   5. Je veux écrire une lettre / à cette personne charmante / dont j'ai fait la connaissance.

B. *Recite in French:*
1. What a husband wants to do is not always what his wife wants to do. — 2. Well, then, what do they do? — 3. Here, they do what the wife wants to do but in France they do what the husband wants to do.   4. For example, Mr. Dupin wants to watch (= look at) television, his wife wants to go to the movies.   5. If they are Americans, they go to the movies.   6. If they are French, they stay at home.

C. *Answer in French:*
1. Qui a écrit *le Bourgeois gentilhomme?*
2. Est-ce un roman ou une comédie?
3. En quel siècle l'auteur de cette pièce a-t-il vécu? 4. Qui M. Jourdain veut-il imiter? 5. A qui veut-il écrire une lettre? 6. Est-ce qu'il veut écrire des vers ou de la prose? 7. Sera-t-il obligé d'écrire des vers ou de la prose? 8. Pourquoi?
9. Quelle question M. Jourdain pose-t-il à sa femme? 10. Mme Jourdain comprend-elle bien ce que son mari lui dit? 11. Qu'est-ce que M. Jourdain a appris? 12. Qui lui avait enseigné cela?

VOCABULARY FOR EXERCISES

apprendre [aprɑ̃:dr] *to learn, teach*
beauté [bote] *f. beauty*
bêtise [beti:z] *f. stupidity, foolish thing, nonsense*
billet [bijɛ] *m. ticket, note, letter, bill*

bonnet [bɔne] *m. bonnet, cap*
danse [dɑ̃:s] *f. dance*
doute [dut] *m. doubt;* sans —, *doubtless, of course*
exprimer [ɛksprime] *to express*

foi [fwa *or* fwɑ] *f. faith;* par ma —! *upon
my word!*

folie [fɔli] *f. folly*

gentilhomme [ʒɑ̃tijɔm] *m. nobleman*

imiter [imite] *to imitate*

intelligence [ɛ̃tɛliʒɑ̃ɪs] *f. intelligence*

langage [lɑ̃gaɪʒ] *m. language, style*

maître [mɛɪtr] *m. master, teacher*

nouvelle [nuvɛl] *f. news, piece of news*

pantoufle [pɑ̃tufl] *f. slipper*

parole [parɔl] *f. word*

pensée [pɑ̃se] *f. thought*

pièce [pjɛs] *f. play; room*

poli [pɔli] *polite*

quoi [kwa] *what*

télévision [televizjɔ̃] *f. television*

vers [vɛɪr] *m. verse, line of poetry; pl. poetry*

VOCABULARY FOR REFERENCE

acte [akt] *m. act*

ce qui, ce que *that which, what*

comédie [kɔmedi] *f. comedy*

dont [dɔ̃] *of whom, of which, whose*

élémentaire [elemɑ̃tɛɪr] *elementary*

escrime [ɛskrim] *f. fencing*

fiancée [fjɑ̃se] *f. fiancée*

galant [galɑ̃] *gallant*

lequel, laquelle, lesquels, lesquelles [ləkɛl,
lakɛl, lekɛl] *which, that, whom*

marquis [marki] *m. marquis (title)*

obligé [ɔbliʒe] *obliged, grateful*

prose [proɪz] *f. prose*

vingt-sixième [vɛ̃tsizjɛm] *twenty-sixth*

Chez moi
chez toi - you
chez lui -
chez elle
chez nous
chez vous
chez eux
chez elles

VINGT–SEPTIÈME LEÇON

I. ANECDOTE

Use this anecdote as in previous lessons:

Un Américain qui ne connaît pas très bien le français voit près de la porte d'une petite boutique l'écriteau: AMERICAN SPOKEN. Il entre dans la boutique et parle au propriétaire en anglais.

— Je ne parle pas anglais, répond le propriétaire.

— Qui parle anglais ici?

— Je ne parle pas anglais mais je sais très bien l'américain.

— Quelle est la différence entre l'anglais et l'américain?

An American who does not know French very well sees near the door of a small shop the sign: AMERICAN SPOKEN. *He enters the shop and speaks to the owner in English.*

— *I don't speak English, answers the owner.*

— *Who speaks English here?*

— *I don't speak English but I know American very well.*

— *What is the difference between English and American?*

— En Amérique du Nord on parle anglais, comme en Angleterre, mais en Amérique du Sud on parle américain, n'est-ce pas? Il y a toujours à Paris beaucoup de personnes qui sont venues d'Argentine, du Mexique, du Chili, du Pérou et ainsi de suite. Eh bien, je parle leur langue! J'ai fait un voyage en Amérique du Sud.

— *In North America they speak English, as in England, but in South America they speak American, don't they? There are always in Paris a lot of people who have come from Argentina, Mexico, Chile, Peru, and so forth. Well, I speak their language! I have traveled in South America.*

II. GRAMMAR

A. USE OF ARTICLE WITH GEOGRAPHICAL NAMES

1. A name of a continent, country, province, or state regularly takes a definite article when it is the subject or object of a verb or the object of any preposition except **de** and **en.**

La France n'est pas si grande que les États-Unis.

France is not as large as the United States.

Nous partirons pour la France au mois de juin.

We shall leave for France in the month of June.

2. *In* or *to* before a *masculine* name of a country is **au** or **aux.**

J'ai voyagé au Canada et au Mexique.

I have traveled in Canada and in Mexico.

Nos amis français viendront aux États-Unis par avion.

Our French friends will come to the United States by plane.

3. *In* or *to* before the masculine name of an American state is most often **dans le,** sometimes **au;** usage is not definitely fixed.

dans l'Illinois

in or *to Illinois*

au Texas

in or *to Texas*

4. *In* or *to* before an *unmodified feminine* name of a continent, country, province, or state is **en,** with no article.

en Europe

in or *to Europe*

en France

in or *to France*

en Normandie

in or *to Normandy*

en Californie

in or *to California*

5. *In* or *to* before a *modified* feminine name of a country, continent, province, or state is either **dans** + definite article or **en** without article.

dans l'Amérique du Sud ⎫
en Amérique du Sud   ⎬   *in* or *to South America*
                      ⎭

NOTE

Formerly the construction with **dans** + definite article was obligatory before a modified feminine noun. This is still correct and is generally used when a modifier precedes the noun (e.g., **dans toute la France**). Today **en,** without article, is becoming more and more common when a modifier follows the noun, as in the example given.

6. When **de,** preceding the name of a country, means *from,* it is usually followed by a definite article before a masculine but not before a feminine word; when **de** means *of,* it is optional to use or omit the article.

Je viens des États-Unis.   *I come from the United States.*
Cet avion est venu du Chili.   *That plane came from Chile.*
Nos amis viennent d'arriver de   *Our friends have just arrived from*
France.   *France.*
Quelles sont les plus grandes   *What are the largest cities of*
villes { de France?   *France?*
       { de la France?

NOTE

As paragraphs 1–6 indicate, the proper translation of *in, to,* or *from* before a geographical name depends upon the gender of the noun. Most names of countries ending in **–e** are feminine, but **le Mexique** is a notable exception.

7. *In* or *to* before names of cities is **à;** no article is used except in the few cases where a definite article is a part of a French name.

Nous voici à Paris.   *Here we are in Paris.*
La Nouvelle-Orléans est en   *New Orleans is in America.*
Amérique.
Nos amis vont au Havre.   *Our friends are going to Le Havre.*

NOTE

Among commonly used names of cities that have an article as a part of the name are:

Le Havre   La Nouvelle-Orléans (*New Orleans*)
La Haye (*The Hague*)   La Rochelle

B. CONNAÎTRE, "TO KNOW, BE ACQUAINTED WITH" *Know*

1. This irregular verb has the following forms:

PRESENT		IMPERFECT
connais	connaissons	connaissais, etc.
connais	connaissez	
connaît	connaissent	**FUTURE**
		connaîtrai, etc.

IMPERATIVE
connais, connaissons, connaissez

CONDITIONAL
connaîtrais, etc.

PAST PARTICIPLE
connu

PAST DEFINITE
connus, etc.

2. Conjugated like **connaître** is **reconnaître,** *to recognize.*

3. Note the circumflex accent over **i** whenever in the conjugation it precedes **t.**

C. DISTINCTION BETWEEN *SAVOIR* AND *CONNAÎTRE*

1. Whereas **savoir** means *to know* a fact, *know of the existence of, know how to,* **connaître** means *to be acquainted with, be able to recognize* a person, place, or thing. **Savoir,** basically, refers to knowledge gained by learning (a mental process); **connaître,** to knowledge gained by perception (seeing, hearing, etc.).

Savez-vous que Musset a écrit des vers?	*Do you know that Musset wrote poetry?*
Oui, je connais ses vers.	*Yes, I know his poetry.*
Je sais quelques vers par cœur.	*I know a few lines by heart.*

2. Used with languages, **savoir** usually means to have a good command, **connaître** to have a slight knowledge, of a language.

Ma sœur sait bien le français.	*My sister knows French very well.*
Elle connaît l'espagnol assez bien pour le lire.	*She knows Spanish well enough to read it.*

D. IDIOMS PERTAINING TO TRAVELING

The following idioms are of frequent occurrence:

faire un voyage	*to take a trip*	en avion	} *by plane*
en automobile	*by automobile*	par avion	
en bateau	*by boat*	à bicyclette	*by bicycle*
en chemin de fer	*by railroad*	à cheval	*on horseback*
par le train	*by train*	à pied	*on foot*

III. EXERCISES

A. *Fill the blanks in the sentences in column 1 with the correct word from column 2, reading in French the completed sentences:*

1	2
1. —— est la capitale de l'Angleterre.	Bonn
2. —— est la capitale de l'Italie.	Lisbonne
3. —— est la capitale du Portugal.	Londres
4. —— est la capitale de l'Espagne.	Rome
5. —— est la capitale de la Suisse.	Berne
6. —— est la capitale de l'Allemagne.	Madrid

B. *Place the correct French word or words for* in *or to* in the blanks: 1. Allons —— France. 2. Allons —— Normandie. 3. Allons —— Rouen. 4. Demeurez-vous —— Amérique? 5. Demeurez-vous —— Amérique du Nord ou —— Amérique du Sud? 6. Demeurez-vous —— Canada, —— États-Unis ou —— Mexique? 7. On parle français et anglais —— Canada et —— Louisiane. 8. On parle espagnol —— Mexique et —— Amérique du Sud. 9. Je voudrais faire un voyage —— Europe. 10. Je voudrais aller —— Afrique. 11. Si je faisais un voyage —— France, je voudrais aller —— Paris, —— Marseille et —— Havre.

C. *Answer in complete French sentences:* 1. Dans quel État demeurez-vous? 2. Quand vous allez chez vous, à quelle ville allez-vous? 3. Dans quel État allez-vous à l'école?

4. Savez-vous quelle ville est la capitale de la France? 5. Connaissez-vous cette ville?

6. Peut-on aller des États-Unis en France par le train? par avion? en automobile? 7. Peut-on aller de France en Italie par le train? en bateau? en automobile? 8. Si on n'aime pas voyager en avion, comment peut-on aller de France aux États-Unis?

9. Quel océan se trouve à l'ouest de la France? 10. Quelle mer se trouve au sud de la France? 11. Qu'est-ce qu'on traverse pour aller de France en Angleterre? 12. Quelles montagnes traverse-t-on pour aller de France en Italie par avion? 13. Et pour aller de France en Espagne?

14. Avez-vous étudié le latin et l'espagnol? 15. Quelle langue savez-vous le mieux?

D. *The teacher asks students in turn:* Comment peut-on aller de Paris à ——?, *supplying the name of a city (cf. Exercise A above and Optional Exercise A later). Students reply:* On peut aller de Paris à ——, *repeating the name of the city and adding a* *proper phrase or phrases from* II, D, *of this lesson.* E.g., TEACHER: Comment peut-on aller de Paris à Londres? STUDENT:

On peut aller de Paris à Londres par avion ou par le train et en bateau.

E. READING

Conversation entre un Vieillard et un jeune Homme

LE VIEILLARD. Savez-vous que Germaine Smith vient de partir de New-York pour la France?

LE JEUNE HOMME. Oui, je le sais. Je lui ai souhaité « Bon voyage » quand elle est partie de la Nouvelle-Orléans.

LE VIEILLARD. Je ne savais pas que vous connaissiez Germaine.

LE JEUNE HOMME. Je la connais depuis très longtemps, depuis cinq ans.

LE VIEILLARD. Où avez-vous fait sa connaissance?

LE JEUNE HOMME. A Cambridge.

LE VIEILLARD. A Cambridge en Amérique ou à Cambridge en Angleterre?

LE JEUNE HOMME. A Cambridge en Amérique. Je n'ai pas été en Angleterre. Mais j'ai passé quatre ans dans le Massachusetts.

LE VIEILLARD. Ah, oui, votre père m'a dit que vous y avez été à l'école. Germaine est très gentille. Je connais très bien son père et sa mère. Elle sait bien le français. Dans quelques mois elle le parlera comme un Français — ou comme une Française. Alors, vous n'êtes pas allé en France?

LE JEUNE HOMME. Non, monsieur, je ne suis pas allé en Europe. Mais j'ai l'intention d'y aller bientôt.

LE VIEILLARD. Avant le retour de Germaine aux États-Unis, n'est-ce pas? Je sais pourquoi vous voulez y aller bientôt. Germaine est vraiment charmante.

LE JEUNE HOMME. Vous êtes allé à Paris, n'est-ce pas?

LE VIEILLARD. Oui, j'y ai passé deux ans quand j'étais jeune.

LE JEUNE HOMME. Qu'est-ce que vous y avez fait?

LE VIEILLARD. J'ai fait des études à la Sorbonne, j'ai écrit une thèse. Pour l'écrire, j'ai lu beaucoup de livres à la Bibliothèque Nationale.

LE JEUNE HOMME. Quand vous étiez à Paris, vous n'avez pas passé tout votre temps dans les bibliothèques?

LE VIEILLARD. Mais non! Je me suis bien amusé. A Paris on s'amuse facilement.

LE JEUNE HOMME. Comment vous êtes-vous amusé?

LE VIEILLARD. Vous êtes trop curieux! Je suis allé très souvent au théâtre et . . . Mais je ne vais pas vous dire tout ce que j'ai fait à Paris quand j'étais aussi jeune que vous. Naturellement, j'avais des amis, je connaissais des étudiants.

LE JEUNE HOMME. Vous connaissiez aussi des étudiantes, n'est-ce pas? Vous sortiez tous les soirs avec vos camarades pour aller aux cafés ou au Moulin Rouge.

LE VIEILLARD. Parlons d'autre chose. J'ai visité Versailles, la Malmaison, Fontainebleau et les châteaux qui se trouvent au bord de la Loire. J'ai fait des voyages à bicyclette et en chemin de fer. Je suis allé à Reims, qui est la plus grande ville de la Champagne; à Marseille, qui se trouve en Provence; à Toulouse, qui est la plus grande ville du

Languedoc; à Dijon, qui était autrefois la capitale de la Bourgogne; à Rouen, où Jeanne d'Arc . . .

LE JEUNE HOMME. Ne me faites pas une conférence sur la géographie et l'histoire de la France, s'il vous plaît. Quand j'irai en France, je visiterai toutes ces villes-là. Je ferai des voyages en automobile.

LE VIEILLARD. Avec Germaine?

LE JEUNE HOMME. Je vous dirai un secret. Germaine est ma fiancée. J'irai en France en juin. Aussitôt que j'arriverai à Paris, nous nous marierons. Puis nous passerons l'été à voyager en France, en Espagne, en Italie, en Suisse, en Allemagne, en Belgique et en Hollande. En octobre nous serons de retour à Paris pour faire, comme vous, des études à la Sorbonne, et nous ne reviendrons aux États-Unis qu'au mois de juillet ou d'août de l'année suivante.

LE VIEILLARD. Je vous félicite!

F. (a) *Review and memorize, if you do not already know them, the names of the months of the year:*

janvier	avril	juillet	octobre
février	mai	août	novembre
mars	juin	septembre	décembre

(b) *Write in French:*

WHAT ONE OFTEN SAYS

1. In January and in February it is cold.

2. In March and in April it is warmer than in January.

3. In May and in June, one finds everywhere a great many flowers.

4. In July and in August, we (*on*) do not go to school.

5. In September and in October trees have red and yellow leaves.

6. In November we see snow for the first time.

7. In December the year ends.

THE TRUTH

1. In Europe and in North America it is cold but in South America it is warm.

2. That is not true everywhere. In Chile, for example, January is the warmest month, July the coldest month, of the year.

3. One does not find flowers everywhere; there are not any on the surface of the sea!

4. In Mexico the academic year (*année scolaire*) begins the first of March; children do not go to school in January and in February.

5. That is not true of pine trees.

6. In Florida and in Louisiana there isn't any snow.

7. Not for the students! In the United States they go to school until the month of June and in France until the fourteenth of July.

IV. OPTIONAL EXERCISES

A. *Students in turn say in French:* "If I went to Europe, I would like to go ——," *completing the sentence in one of the following ways:*

1. To Paris, because it is the most beautiful city in the world. 2. To Spain, because I am studying Spanish. 3. To England, because I would be able to understand what the English would say to me. 4. To London, because it is the capital of England. 5. To Italy, because it is warm there in winter. 6. To Rome, because I have studied the history of that city. 7. To Switzerland, because the Alps are magnificent. 8. To Reims, because I want to see the cathedral which is located there. 9. To Rouen, because I want to see the square where Joan of Arc died. 10. To Germany, because I want to see the Rhine. 11. To Touraine, because one can see there many châteaux. 12. To Normandy, because it is a beautiful province. 13. To Arles, because I would see there some Roman ruins. 14. To Nîmes, because I should like to see the "Maison Carrée." 15. To Marseilles, because this city is located on the shores of (*au bord de*) the Mediterranean. 16. To Bordeaux, because there is a university there. 17. To Versailles, because I want to see the largest palace in the world. 18. To Le Havre, because one goes there to (*pour*) return to the United States by boat.

B. DICTATION. *With books closed, students should write the following sentences as the teacher reads them:*

1. Le premier janvier est le Jour de l'an. 2. Le mois de février est le plus court de l'année. 3. Le 21 mars est le premier jour du printemps. 4. A Paris le mois de mai est le plus beau de l'année. 5. Le 21 juin est le premier jour de l'été. 6. Le 14 juillet est la fête nationale française. 7. En août il fait souvent très chaud à Paris; les Parisiens vont au bord de la mer ou dans les montagnes. 8. Le 21 septembre est le premier jour de l'automne. 9. Aux États-Unis le mois d'octobre est presque partout le plus beau mois de l'année. 10. Le 31 octobre est la veille de la Toussaint, le premier novembre est la Toussaint. 11. Le 21 décembre est le premier jour de l'hiver. 12. Le 25 décembre est la fête de Noël.

VOCABULARY FOR EXERCISES

bicyclette [bisiklɛt] *f. bicycle*
chemin: — de fer [ʃəmɛ̃dəfɛɪr] *m. railroad*
chose: autre —, *something else*
conférence [kɔ̃ferɑ̃ɪs] *f. lecture*
étude [etyd] *f. study;* faire des —, *to study, carry on studies*

étudiant [etydjɑ̃] *m. student (at French university)*
étudiante [etydjɑ̃t] *f. student (at French university)*
féliciter [felisite] *to congratulate*
intention: avoir l'— de *to intend to*
jaune [ʒoɪn] *yellow*

marier [marje]: se —, *to get married*
mer [mɛr] *f. sea*
montagne [mɔ̃taɲ] *f. mountain*
moulin [mulɛ̃] *m. mill*
naturellement [natyrɛlmɑ̃] *naturally*
partout [partu] *everywhere*
pin [pɛ̃] *m. pine tree*
retour [rətuːr] *m. return;* être de —, *to be back*

romain [rɔmɛ̃] *Roman*
ruine [rɥin] *f. ruin*
souhaiter [swɛte] *to wish*
surface [syrfas] *f. surface*
thèse [tɛız] *f. thesis*
veille [vɛıj] *f. eve*
vérité [verite] *f. truth*

VOCABULARY FOR REFERENCE

ainsi: et — de suite *and so forth*
an [ɑ̃] *m. year;* le Jour de l'—, *New Year's Day*
capitale [kapital] *f. capital*
connaître [kɔnɛıtr] *to know, be acquainted with*
fête [fɛıt] *f. holiday*
géographie [ʒeɔgrafi] *f. geography*
Noël [nɔɛl] *m. Christmas*
reconnaître [rəkɔnɛıtr] *to recognize*

scolaire [skɔlɛır] *academic*
secret [səkrɛ] *m. secret*
Sorbonne [sɔrbɔn] *f. divisions of humanities and sciences at University of Paris*
suite [sɥit] *cf.* ainsi
Toussaint [tusɛ̃] *f. All Saints' Day*
vingt-septième [vɛ̃tsɛtjɛm] *twenty-seventh*

PROPER NOUNS
(not previously given in lessons) [1]

Afrique [afrik] *f. Africa*
Argentine [arʒɑ̃tin] *f.*
Berne [bɛrn]
Bonn [bɔn]
Bourgogne [burgɔɲ] *f. Burgundy*
Californie [kalifɔrni] *f.*
Canada [kanada] *m.*
Champagne [ʃɑ̃paɲ] *f.*
Chili [ʃili] *m. Chile*
États-Unis [etazyni] *m.pl. United States*
Floride [flɔrid] *f.*
Hollande [ɔlɑ̃d] *f.*
Languedoc [lɑ̃gdɔk] *m.*

La Haye [laɛ] *The Hague*
La Nouvelle-Orléans [lanuvɛlɔrleɑ̃]
La Rochelle [larɔʃɛl]
Lisbonne [lizbɔn]
Londres [lɔ̃dr] *London*
Louisiane [lwizian] *f.*
Madrid [madrid]
Mexique [mɛksik] *m. Mexico*
Pérou [peru] *m. Peru*
Portugal [pɔrtygal] *m.*
Provence [prɔvɑ̃s] *f.*
Rome [rɔm]

---

[1] Cf. Reference List of Geographical Names at end of Lesson 9.

VINGT–HUITIÈME LEÇON   **28**

I. DIALOGUE

Use the following dialogue as in preceding lessons:

— Est-ce que vous vous servez de votre stylo maintenant? Je voudrais l'emprunter.

— Je ne m'en sers pas en ce moment mais je dois m'en servir tout à l'heure pour écrire des lettres que j'aurais dû écrire hier soir.

— Pourquoi ne les avez-vous pas écrites hier soir?

— J'étais trop fatigué pour les écrire.

— Vous êtes toujours fatigué; vous devriez vous coucher plus tôt.

— Le soir je me couche toujours de bonne heure; je devrais me réveiller plus tard le matin.

— Are you using your pen now? I'd like to borrow it.

— I am not using it just now but I am to use it in a little while to write some letters which I ought to have written last night.

— Why didn't you write them last night?

— I was too tired to write them.

— You are always tired; you ought to go to bed earlier.

— In the evening I always go to bed early; I ought to wake up later in the morning.

— Mon Dieu! Vous arrivez à la Sorbonne presque toujours en retard pour les conférences du professeur Davy. Vous n'y arrivez qu'à dix heures et quart.

— Vous vous trompez. Je n'y arrive qu'à dix heures et demie!

— Good Heavens! You almost always get to the Sorbonne late for Professor Davy's lectures. You don't get there until quarter past ten.

— You're mistaken. I don't get there until half past ten!

II. GRAMMAR

A. TWO PRONOUN OBJECTS WITH VERBS

1. When two pronoun objects or pronominal adverbs come before a verb, they stand in the following relation to each other:

$$
\left.\begin{array}{l} \text{me} \\ \text{te} \\ \text{nous} \\ \text{vous} \\ \text{se} \end{array}\right\} \textit{before} \left\{\begin{array}{l} \text{le} \\ \text{la} \\ \text{les} \end{array}\right\} \textit{before} \left\{\begin{array}{l} \text{lui} \\ \text{leur} \end{array}\right\} \textit{before} \text{ y } \textit{before} \text{ en}
$$

Qui vous a donné ces cravates?
Ma tante me les a données.
Elle m'en donne souvent.

Who gave you those ties? My aunt gave them to me. She gives me some often.

2. When two pronoun objects or pronominal adverbs follow a verb (which is possible only in the affirmative imperative), a direct object precedes an indirect object; **en,** however, always stands last.

Prêtez-le-moi.
Donnez-lui-en.
Rendez-les-lui.
Donnez-m'en.

Lend it to me.
Give him some.
Give them back to him (to her).
Give me some.

NOTE

Moi and **toi** replace **me** and **te** respectively after an imperative, as stated in Lesson 8. Note that, as in the last example, **moi** becomes **me** and then **m'** before **en.** The same would be true before **y.**

B. *DEVOIR,* "TO OWE, OUGHT, MUST"

1. This irregular verb has the following forms:

PRESENT		IMPERFECT
dois [dwa]	devons [dəvɔ̃]	devais, etc.
dois [dwa]	devez [dəve]	
doit [dwa]	doivent [dwaːv]	

(*No imperative*)

PAST PARTICIPLE

dû (*f.* due)

FUTURE AND CONDITIONAL

devrai, etc.   devrais, etc.

PAST DEFINITE

dus, etc.

2. **Devoir** has the following uses in the various tenses:

PRESENT: owe, ought, must, be to

Il me doit cent francs.	*He owes me a hundred francs.*
On doit dire la vérité.	*One ought to tell the truth* (a general moral duty).
Marie n'est pas ici? Elle doit être malade.	*Mary is not here? She must be sick* (an inference or conjecture based on circumstances).
Nous devons aller au théâtre ce soir.	*We are to go to the theater this evening* (*tonight*). (= We have arranged to go, we are planning to go, etc.)

IMPERFECT: owed, was to

Autrefois il me devait beaucoup d'argent.	*Formerly he owed me a great deal of money.*
Il devait venir me voir mais il n'est pas venu.	*He was to (was supposed to) come and see me but he didn't.*

FUTURE: shall (will) have to

Je ne l'ai pas vue ce matin: je devrai lui téléphoner.	*I have not seen her this morning; I shall have to telephone to her.*

CONDITIONAL: should, ought

Vous devriez travailler beaucoup mieux.	*You ought to (should) work much better* (not a general moral duty but an individual, specific duty).

PAST INDEFINITE: must have; have been obliged to, had to

There are two distinct uses of the past indefinite tense of **devoir.**

(1) Je ne le vois pas; il a dû partir.	*I don't see him; he must have left* (inference or conjecture, based upon circumstances, concerning past action).
(2) Nous avons dû fermer les fenêtres parce qu'il faisait froid.	*We had to close the windows because it was cold* (necessity).

CONDITIONAL PERFECT: ought to have, should have
This tense expresses an idea contrary to actual fact.

Vous auriez dû lui parler.	*You should (ought to) have spoken to him.* (The fact is, you didn't speak to him.)
Elle n'aurait pas dû vous quitter.	*She ought not to have left you.* (The fact is, she did leave you.)

C. DEFINITE ARTICLE WITH DAYS OF THE WEEK

The definite article used with days of the week indicates regular or habitual action.

Je le vois le dimanche.	*I see him on Sundays* (every Sunday).
Je l'ai vu dimanche.	*I saw him Sunday* (one Sunday only).

NOTE

The plural of the definite article and of the day of the week is sometimes used instead of the singular of each, with the same force.

En Amérique les enfants ne vont pas à l'école les samedis.	*In America children do not go to school Saturdays.*

D. EXPRESSIONS OF TIME

The following are of frequent occurrence:

la semaine dernière la semaine passée	*last week*	ce matin	*this morning*
la semaine prochaine	*next week*	demain matin	*tomorrow morning*
le matin	*in the morning*	demain soir	*tomorrow evening*
le soir	*in the evening*	de bonne heure	*early*
hier soir	*last night*	plus tôt	*earlier*
ce soir	*tonight*	tard	*late*
		en retard	*late (behind time)*

tout à l'heure   *just now; presently, in a little while*

E. *SERVIR*, "TO SERVE"

1. This irregular verb has the following forms:

PRESENT		IMPERFECT
sers	servons	servais, etc.
sers	servez	
sert	servent	FUTURE AND CONDITIONAL

IMPERATIVE

sers, servons, servez

servirai, etc.
servirais, etc.

PAST PARTICIPLE
servi

PAST DEFINITE
servis, etc.

2. **Se servir de** has the idiomatic meaning of *to use, make use of.*

Est-ce que vous vous servez
de mon savon?

Are you using my soap?

Je ne m'en sers pas.

I am not using it.

III. EXERCISES

A. *Pronounce rapidly (but be sure you know what you are saying)*:

1. Il ne me les a pas donnés la semaine passée. 2. Il ne vous les donnera pas la semaine prochaine. 3. Il ne m'en a pas encore donné. 4. Il ne vous en donnera pas demain matin. 5. Elle ne me l'a pas prêté hier soir mais elle me le prêtera ce soir. 6. Donnez-le-moi, ne le lui donnez pas. 7. Montrez-la-moi, ne la leur montrez pas. 8. Voilà votre stylo, prêtez-le-moi. 9. Je ne vous le prêterai pas parce que je vais m'en servir tout à l'heure. 10. Allez-vous-en! 11. Je ne m'en irai pas. 12. Allez au cinéma. 13. Est-ce que vous m'y rencontrerez? 14. Oui, je vous y rencontrerai.

B. (a) *Review and memorize, if you do not already know them, the names of the days of the week:* lundi, mardi, mercredi, jeudi, vendredi, samedi, dimanche.

(b) *Recite in French:*

1. Tell me what you did Monday. — 2. I had a French class. I studied French. I always have a French class on Monday. — 3. Do you always study French on Monday? — 4. Yes, ten minutes before the beginning of the class. — 5. Tell me what you learned in your French class last Monday. — 6. I have already forgotten what I learned.

— 7. Tell me what you did Tuesday. — 8. I went to the movies. I always go to the movies on Tuesday. — 9. What do you think of the picture (the film) you saw last Tuesday. — 10. The picture did not interest me. I came out before the end. — 11. Tell me what you did Wednesday. — 12. I went to a friend's house to watch (= look at) his TV set. I always go to his house on Wednesdays. — 13. Tell me what you did Thursday. — 14. I was sick and did not go out of the house. — 15. Are you always sick on Thursdays? — 16. Not always but often! Our English teacher always gives us an examination on Thursday.

— 17. Today is Friday. How are you today? — 18. As I was sick yesterday, I have not been able to study French and I shall not go to my French class; but I shall take a ride with my friends who have just bought a new car. — 19. What will you do on Saturday and Sunday? — 20. I do not have any classes Saturdays and Sundays. I'll have a good time!

C. *Recite in French:*

1. A gentleman meets a lady whom he knows. Ought the gentleman to speak to the lady or ought the lady to speak first (*la première*) to the gentleman? — 2. Are the lady and the gentleman French or Americans? — 3. Why do you ask me that question? — 4. In America, the lady ought to speak first; in France, the gentleman should speak first (*le premier*).

5. Your friends were to come and see me last night but they did not come. — 6. They ought to have telephoned to you. — 7. You're right; they haven't telephoned to me this morning. — 8. You ought to telephone to them. — 9. I shall not do what they ought to do.

10. Mr. and Mrs. Lepic must have got married when they were very young. — 11. She must have been rich or Mr. Lepic must have been crazy (*fou*)! 12. He ought to have known that she would always be disagreeable. 13. His friends ought to have told him that he would always be unhappy. — 14. Is he always unhappy? — 15. He's the husband of Mrs. Lepic, isn't he? He must be unhappy.

D. READING

NOUS NOUS LEVONS

Mon camarade de chambre et moi, nous nous sommes couchés à minuit hier soir. Nous venons de nous réveiller.

— Levez-vous vite, me dit mon camarade. Il est déjà neuf heures et demie. Nous aurions dû nous lever de bonne heure ce matin.

Je saute du lit et je regarde à ma montre.[1]

— Vous vous trompez, il est déjà dix heures.

Je vais au lavabo qui se trouve dans un coin de notre chambre.

— Où est le savon? Où l'avez-vous mis? Je ne peux pas le trouver. Donnez-le-moi.

— Je ne peux pas vous le donner parce que je ne sais pas où il est.

— Mais cherchez-le!

Mon camarade le trouve par terre, sous le lavabo, et me le donne.

— Merci bien, lui dis-je. Et ma serviette? Où est ma serviette? Donnez-la-moi.

— La voici, sur votre lit, sous vos couvertures. Pourquoi l'y avez-vous cachée? Vous ne devriez pas la cacher sous les couvertures.

— Je ne l'y ai pas cachée. C'est vous qui l'y avez mise . . . Merci bien . . . Je cherche maintenant mes brosses. Où

---

[1] "To look at a watch" as one looks at any other object is **regarder une montre;** but to look at a watch or clock to see what time it is, is **regarder à une montre (à une horloge).**

sont-elles? Vous vous en êtes servi, n'est-ce pas? Où les avez-vous mises?

— Moi? Je ne m'en suis pas servi. Vous avez dû les mettre dans le tiroir de la toilette.

— Oh!... Vous avez raison... Les voici... Très bien... Voulez-vous bien me passer mon complet, celui qui est dans la grande armoire? Passez-le-moi, s'il vous plaît.

— Voici le complet que vous avez acheté au Marché aux Puces. C'est celui que vous voulez?

— Oui, donnez-le-moi... Merci bien... Mes souliers! Où sont mes souliers?

— Je ne les ai pas vus. Vous avez peut-être oublié de les ôter quand vous vous êtes couché hier soir! On devrait ôter ses souliers quand on se couche.

— Ne vous moquez pas de moi! Je ne les portais pas hier soir quand je me suis couché. Je peux vous le prouver. La preuve, c'est que je portais mon pyjama, que j'ai ôté tout à l'heure.

— Je viens de trouver vos souliers dans le panier à papier. Vous avez dû les y jeter hier soir.

— Donnez-les-moi... Merci bien... Maintenant, aussitôt que j'aurai mis cette belle cravate verte que ma tante m'a donnée, je serai prêt... Voilà!... Êtes-vous prêt à sortir?

— Moi? Mais non! Je n'ai pas encore commencé à m'habiller. Je n'ai fait que chercher vos vêtements et vous les donner.

— Dépêchez-vous! lui dis-je. Vous auriez dû vous lever plus tôt. Vous vous habillez toujours très lentement. Je n'aime pas être obligé de vous attendre tous les matins. Dépêchez-vous!

E. *Write in French:*

Paul and Charles went to the theater last night. They got home (use *rentrer*) at eleven-thirty. They went to bed at midnight.

At eight-thirty A.M. Paul told Charles to get up at once. He told him that he ought to have gotten up at eight o'clock or even earlier. On Wednesdays Charles ought to be at the Sorbonne at nine o'clock.

Charles looked at his watch. It was already twenty minutes to nine. He did not want to be late.

Charles went quickly to the washstand and looked for some soap. He could not find any. He asked Paul to give him some. Paul did not have any. In France, travelers ought to buy soap; hotelkeepers do not give them any. Paul and Charles had not bought any.

Charles asked for his towel. Paul found it on the bed, under the blankets, and gave it to him. Then Charles got dressed very fast. Paul found some shoes under the bed and gave them to him. Unfortunately, there were two shoes for the right foot and there was no shoe (not any shoe) for the left foot. Charles put on one shoe and one slipper. Paul had not begun to get dressed.

— You ought to hurry, said Charles.

— Go to your class! Hurry up! *I'm* going to stay here. I don't like to get up early. The chambermaid will bring me my breakfast. I'm glad to be in France. I'm glad to be in Paris, I'm glad to be at the Hôtel de Vaugirard, where one can have his breakfast in his room. Aren't you hungry?

Charles was starving (was dying of hunger). But he went out of the room as fast as possible. When he arrived at the Sorbonne, ten minutes late, he found there the following sign: "Professor Davy will not be able to give his lecture today."

IV. OPTIONAL EXERCISES

A. *Read these sentences out loud several times, with especial attention to clear pronunciation:*

1. Vous devriez vous coucher maintenant. — 2. Mais non! Il n'est que neuf heures et demie. — 3. A quelle heure vous êtes-vous couché hier soir? — 4. Je me suis couché à une heure du matin. — 5. Vous auriez dû vous coucher à dix heures.

6. A quelle heure vous réveillez-vous d'ordinaire le matin? — 7. Si je me couche à dix heures du soir, je me réveille à dix heures du matin mais si je me couche à minuit je me réveille à midi. — 8. Vous vous moquez de moi! — 9. Je ne me moque pas de vous! Ce que je viens de vous dire est presque la vérité. Je suis très paresseux!

B. *Recite in French:*

1. You have a fine pen! Show it to me. Did Louise give it to you or did she lend it to you? 2. She lent it to me. I'll give it back to her tomorrow morning. — 3. Lend it to me. I want to write a letter. — 4. You can use the pen which your mother sent to you last week. — 5. That pen is not good. — 6. It's a good pen but you haven't put any ink in it (*y*). — 7. Ought I to have put some ink in it? I didn't know that! I haven't any. — 8. I'll give you some. Here's some in this bottle. You ought to have put some ink in it last week!

C. *Answer in French:*

1. Est-ce que vous vous servez de votre stylo? 2. Voulez-vous bien me le prêter? — 3. Pourquoi voulez-vous l'emprunter? 4. Qu'est-ce que vous voulez écrire?

5. A quelle heure est-ce que vous vous couchez le soir? 6. A quelle heure vous êtes-vous couché hier soir? 7. A quelle heure vous réveillez-vous le matin? 8. A quelle heure vous êtes-vous réveillé ce matin?

9. A quelle heure cette classe de français commence-t-elle? 10. A quelle heure arrivez-vous ici? 11. Êtes-vous en retard?

(*Cf. Ex.* III, D.) 12. A quelle heure votre camarade de chambre et vous, vous êtes-vous couchés hier soir? 13. Qui saute du lit le premier? 14. Où se trouve votre lavabo? 15. Qu'est-ce que vous cherchez? 16. Où votre camarade trouve-t-il votre savon? 17. Où trouve-t-il votre serviette? 18. Où sont vos brosses? 19. Où est votre complet? 20. Où avez-vous acheté votre complet? 21. Qui vous a donné votre cravate verte? 22. Pourquoi votre camarade ne s'est-il pas habillé aussi vite que vous? 23. Qu'est-ce que vous lui dites de faire?

VOCABULARY FOR EXERCISES

brosse [brɔs] *f. brush*

camarade [kamarad] *m. comrade;* — de chambre *roommate*

coin [kwɛ̃] *m. corner*

complet [kɔ̃plɛ] *m. suit (men's)*

coucher [kuʃe]: se —, *to go to bed*

couverture [kuvɛrtyːr] *f. blanket*

dépêcher [depeʃe]: se —, *to hurry*

emprunter [ɑ̃prœ̃te] *to borrow*

encre [ɑ̃ːkr] *f. ink*

examen [ɛgzamɛ̃] *m. examination*

habiller [abije] *to dress;* s'—, *to dress, get dressed*

jeter [ʒəte] *to throw*

lavabo [lavabo] *m. washstand*

lever [ləve] *to raise, lift;* se —, *to get up*

montre [mɔ̃ːtr] *f. watch*

moquer [mɔke]: se — de *to make fun of*

ôter [ote] *to take off*

panier [panje] *m. basket;* — à papier *waste basket*

poste [pɔst] *m.:* — de télévision *television set, TV set*

prêt [prɛ] *ready*

preuve [prœiv] *f. proof*

prouver [pruve] *to prove*

puce [pys] *f. flea;* Marché aux Puces *Flea Market (a vast market on edge of Paris, where both new and old articles of all kinds are sold)*

pyjama [piʒama] *m. pajamas*

rencontrer [rɑ̃kɔ̃tre] *to meet*

réveiller [revɛje]: se —, *to wake up*

sauter [sote] *to jump, leap*

savon [savɔ̃] *m. soap*

serviette [sɛrvjɛt] *f. towel*

terre [tɛir]: par —, *on the ground, on the floor*

tiroir [tirwaːr] *m. drawer*

toilette [twalɛt] *f. dressing table*

VOCABULARY FOR REFERENCE

devoir [dəvwaːr] *to owe, ought, must, should, be to*

heure: tout à l'—, *just now, presently; in a little while*

hier: — soir *last night*

moment: en ce —, *just now*

prochain [prɔʃɛ̃] *next*

servir [sɛrviːr] *to serve;* se — de *to use, make use of*

soir: ce —, *this evening, tonight*

tôt [to] *soon, early;* plus —, *earlier*

vingt-huitième [vɛ̃tɥitjɛm] *twenty-eighth*

VINGT–NEUVIÈME LEÇON 29

I. ANECDOTE

Use this anecdote as in previous lessons:

LES SOULIERS	THE SHOES
Madame Deluse a donné une paire de souliers à sa petite fille, Lisette. L'enfant veut aller tout de suite au Parc Monceau pour les montrer à ses petites amies. Quand sa mère l'habille, Lisette est très impatiente. Sa mère prend tant de temps à lui laver les mains et la figure, à lui peigner les cheveux, à lui mettre sa robe, ses bas et enfin ses beaux souliers! Puis c'est le tour de sa mère à se laver les mains et la figure, à se brosser les cheveux, à mettre un chapeau, un manteau et des gants.	*Mrs. Deluse has given a pair of shoes to her little daughter, Lisette. The child wants to go immediately to the Parc Monceau to show them to her little friends. When her mother dresses her, Lisette is very impatient. Her mother takes so much time to wash her hands and her face, to comb her hair, to put on her dress, her stockings, and finally her beautiful shoes. Then it's her mother's turn to wash her hands and face, to brush her hair, to put on a hat, a coat, and gloves.*

— Dépêche-toi, maman, s'écrie Lisette, les larmes aux yeux; ou bien quand j'arriverai au Parc mes souliers neufs seront déjà vieux!

— Hurry, mama, exclaims Lisette, tears in her eyes; or else when I get to the Park my new shoes will already be old!

II. GRAMMAR

A. THE POSSESSIVE PRONOUNS

1. The possessive pronouns have the following forms:

SINGULAR		PLURAL		
MASC.	FEM.	MASC.	FEM.	
le mien	la mienne	les miens	les miennes	*mine*
le tien	la tienne	les tiens	les tiennes	*thine, yours*
le sien	la sienne	les siens	les siennes	*his, hers, its*
le nôtre	la nôtre	les nôtres		*ours*
le vôtre	la vôtre	les vôtres		*yours*
le leur	la leur	les leurs		*theirs*

2. Possessive pronouns, like the possessive adjectives, agree in person with the possessor and in gender and number with the object possessed.

Avez-vous vos gants ou les miens?   *Do you have your gloves or mine?*
Est-ce que Marie a les siens?   *Does Mary have hers?*
Est-ce que Georges a les siens?   *Does George have his?*

3. **De** and **à + le mien**, etc., contract as usual.

Je parle de mes amis et des vôtres.   *I am speaking of my friends and of yours.*

NOTE

The possessive pronouns, like the possessive adjectives, express relationship as well as actual possession.

Qui est venu? Votre père ou le sien?   *Who has come? Your father or his?*

B. DEFINITE ARTICLE WITH POSSESSIVE FORCE

Instead of a possessive adjective before a noun denoting a part of one's body or of one's clothing, a definite article is frequently used. Meaning is made clear, when necessary, by the use of an indirect object pronoun, often a reflexive pronoun, to indicate the person to whom the part of the body or of the clothing belongs.

Levez la main.	*Raise your hand.*
Fermez les yeux.	*Close your eyes.*
Georges a les mains dans les poches.	*George has his hands in his pockets.*

(In the above examples, it is clear whose hand, eyes, hands, and pockets are meant.)

Mme Duval se lave les mains.	*Mrs. Duval is washing her hands.*
Mme Duval est avec sa fille; elle lui lave les mains.	*Mrs. Duval is with her daughter; she is washing her (the daughter's) hands.*

(In these examples the indirect object pronouns indicate clearly whose hands are meant.)

NOTE

This use of the definite article for the possessive adjective with a part of the body or clothing is very common but not always obligatory. It is preferable (a) when the sense is perfectly clear, as in these examples: **elle a les yeux bleus,** *her eyes are blue;* **elle a levé la tête,** *she raised her head;* (b) in phrases standing apart from a sentence, as in **Le petit garçon est entré dans le salon, la casquette sur la tête,** *The little boy entered the drawing room, his cap on his head;* and (c) when an indirect object pronoun identifies the possessor, as in **elle s'est brossé les dents,** *she brushed her teeth.* On the other hand a possessive adjective is preferable when the part of the body is modified by an adjective — except directly after **avoir,** as in (a); e.g., **je l'ai vu de mes propres yeux,** *I saw it with my own eyes.* One must not use a possessive adjective and an indirect object pronoun at the same time to refer to the same person. French authors use sometimes a possessive adjective, sometimes a definite article, without any apparent reason for choosing one or the other of these two possibilities.

C. *DORMIR,* "TO SLEEP," AND *SOUFFRIR,* "TO SUFFER"

1. These irregular verbs have the following forms:

dormir		**souffrir**	
	PRE	SENT	
dors [dɔːr]	dormons [dɔrmɔ̃]	souffre [sufr]	souffrons [sufrɔ̃]
dors [dɔːr]	dormez [dɔrme]	souffres [sufr]	souffrez [sufre]
dort [dɔːr]	dorment [dɔrm]	souffre [sufr]	souffrent [sufr]

IMPERFECT

dormais, etc.	souffrais, etc.

FUTURE AND CONDITIONAL

dormirai, etc.	dormirais, etc.	souffrirai, etc.	souffrirais, etc.

IMPERATIVE

dors, dormons, dormez   souffre, souffrons, souffrez

PAST PARTICIPLE

dormi   souffert

PAST DEFINITE

dormis, etc.   souffris, etc.

2. Like **dormir** is **s'endormir,** *to go to sleep.*

3. **Souffrir** is conjugated like **ouvrir, couvrir, découvrir,** and **offrir.**

D. IDIOMS OF HEALTH AND SICKNESS

The following are of frequent occurrence.

1. **aller,** *to be*

Ça va? Comment ça va? }	*How are you?* (Familiar usage)
Comment allez-vous?	*How are you?* (Informal usage)
Comment vous portez-vous?	*How are you?* (Formal usage)
Comment se porte madame la comtesse?	*How is the countess?* (Formal)
Je vais bien.	*I am well.*
Je me porte mieux.	*I am better.*

2. **avoir**

Qu'avez-vous? Qu'est-ce que vous avez? }	*What's the matter with you?*

avoir mal à + definite article and part of body = *to have an ache* or *pain*

J'ai mal à la tête.	*I have a headache.*
J'ai mal aux dents.	*I have a toothache.*

3. **être malade,** *to be sick*

NOTE

Do not confuse **avoir mal . . .** and **être malade.**

4. **être souffrant,** *to be indisposed, to be slightly ill, not to feel well*

Ma mère est souffrante.	*My mother does not feel well.*

NOTE

Do not confuse **être souffrant** and **souffrir.**

| Je suis souffrant. | *I am slightly ill.* |
| Je souffre. | *I suffer (am suffering).* |

5. **guérir,** *to cure*

être guéri ⎫
être remis ⎭   *to be cured, be recovered, be well again*

6. **se remettre,** *to recover* (from sickness), *get well again*

| Je me suis tout à fait remis; je suis donc tout à fait remis. | *I recovered entirely; I am therefore entirely well again.* |

III. EXERCISES

A. How does one say in French (a) mine, (b) yours, (c) his, (d) ours, (e) theirs, *with reference to each of the following items:* [1]

face	mouth	head	eye	fingers
nose	chin	hair	ears	tongue
cheek	forehead	hands	teeth	feet

B. Recite in French:

1. My hat is prettier than yours. 2. I like yours better than hers. 3. Her gloves are warmer than mine. 4. Your necktie is bad but his is even worse.

5. Marie's conversation is more interesting than yours. 6. The letters she writes are more interesting than yours. 7. She speaks French better than you. 8. Her accent is better than yours.

C. Change the verbs from the present tense to the past indefinite:

1. Je me brosse les dents. 2. Je me peigne les cheveux. 3. Je me lave la figure. 4. Elle se brosse les cheveux.

5. Elle se lave la figure. 6. Elle se regarde dans la glace. 7. Nous nous mettons à étudier. 8. Nous nous couchons. 9. Nous nous endormons. 10. Nous nous réveillons.

D. Recite in French:

1. Lie down! (use *se coucher*). 2. Close your eyes! 3. Go to sleep! 4. Sleep well! 5. Have you gone to sleep? 6. Are you sleeping well? — 7. How can I go to sleep if you ask me questions? — 8. Wake up! 9. Get up!

10. Have you washed your hands? 11. Have you brushed your teeth? 12. Have you combed your hair? 13. Have you got dressed? 14. Yes? Well then, you can go out. 15. What's the matter with you? 16. Are you ill? — 17. Me? I'm fine!

[1] Most of these words were first given in Lessons 2 and 3.

E. READING

La Barbe et les Cheveux [1]

Un vieillard et son petit-fils sont entrés chez un coiffeur. Les voici assis dans les fauteuils du coiffeur.

LE VIEILLARD. Vous me couperez les cheveux, s'il vous plaît. Sur le front et autour des oreilles.

LE COIFFEUR. Je vois votre front et vos oreilles, monsieur, mais vos cheveux? Je ne les vois pas! Vous êtes chauve!

LE VIEILLARD. Vous êtes coiffeur, n'est-ce pas? Alors, vous devriez savoir où les cheveux se trouvent! Veuillez me couper les cheveux! C'est votre métier!

LE COIFFEUR. Mais, monsieur, vous n'en avez pas!

L'ENFANT. Vous allez me faire la barbe, s'il vous plaît.

LE COIFFEUR. Vous faire la barbe?

L'ENFANT. Vous avez un rasoir, n'est-ce pas? Vous savez vous en servir, n'est-ce pas? Vous avez de l'eau chaude, du savon et une brosse. Alors, faites-moi la barbe!

LE COIFFEUR. J'ai une brosse, de l'eau chaude, du savon et un rasoir, mais vous, vous n'avez pas de barbe! (*A ses deux clients*) Est-ce que vous voulez vous moquer de moi? Veuillez sortir!

LE VIEILLARD. N'oubliez pas que votre salon de coiffure est ouvert au public. Nous connaissons les règlements comme si nous les avions faits. Je sortirai aussitôt que vous m'aurez coupé les cheveux mais pas avant!

L'ENFANT. Moi, je sortirai aussitôt que vous m'aurez fait la barbe, mais pas avant!

LE COIFFEUR. Je sais bien que vous êtes entrés ici pour vous moquer de moi! (*Au vieillard*) Si je trouvais sur votre tête le plus petit cheveu et (*au petit garçon*) si je trouvais sur votre menton un seul poil, je serais très content de vous les couper, et comment! Avec un rasoir ou avec des ciseaux, comme vous voudriez. Mais je n'en trouve pas! Revenez dans deux ou trois ans, je pourrai peut-être trouver du travail à faire! En attendant, donnez une de vos places à ce monsieur qui vient d'entrer et qui a une belle barbe et de longs cheveux. Il a vraiment une barbe et des cheveux formidables, n'est-ce pas? Regardez cette barbe-là! Elle est magnifique! Regardez ces cheveux-là! C'est comme une forêt! Monsieur est artiste ou musicien ou étudiant. Êtes-vous étudiant, monsieur?

LE TROISIÈME CLIENT. Je suis artiste, monsieur le coiffeur. Vous et moi, nous sommes artistes! Si j'avais des cheveux courts, je ne pourrais pas être artiste, je ne ferais pas de tableaux. Mais vous pouvez me faire la barbe, s'il vous plaît.

LE COIFFEUR. Attendez un quart d'heure, monsieur l'artiste. Ce vieillard n'a pas de cheveux, il est chauve; je vais donc lui faire la barbe. Ce garçon-là n'a pas de barbe, il est trop jeune; je vais donc lui couper les cheveux. Quant à vous, monsieur l'artiste, aussitôt que j'aurai fini de faire la barbe de ce vieux monsieur-là et de couper les cheveux de ce petit monsieur-ci, je vous ferai la barbe et je vous couperai les cheveux — oh, un peu, seulement — et alors, messieurs, quand vous sortirez de mon salon, vous serez les plus beaux hommes du monde!

---

[1] Suggested by *La Barbe ou les Cheveux*, Heath-Chicago Graded French Readers, Book Two, Alternate.

F. *Write in French:*

1. How are you? How is your mother? — 2. I'm well, thank you. My mother was indisposed yesterday but today she is better. And you? — 3. I've had a headache for several hours. — 4. Didn't you sleep well? Take an aspirin tablet. When I have a headache or a toothache, I take some aspirin and soon I'm all right (= cured or recovered). You ought to have gone to bed early last night. When did you go to bed? — 5. I went to bed early but I could not go to sleep. — 6. What! You didn't sleep! — 7. I went to sleep at two A.M. Now I'm suffering. — 8. You are really suffering? What is the matter with you? — 9. I just told you that I have a headache! Can't you understand what I tell you? — 10. Well, you are not really sick. Take an aspirin tablet. It will cure you very quickly. — 11. Did you give one to your mother? — 12. Yes, I gave her one and today she is well again.

IV. OPTIONAL EXERCISES

A. (1) *Write in parallel columns the present tense of* partir *and* sortir *(given in Lesson* 19), *of* servir *(given in Lesson* 28), *and of* dormir *(given in this lesson). What similarities do you notice in the forms of these four verbs?*

(2) *Write in parallel columns the present tense of* offrir *(given in Lesson* 21), *of* ouvrir *(given in Lesson* 24), *and of* souffrir *(given in this lesson). What similarities do you notice in the forms of these three verbs? What are their respective past participles?*

B. *Write in French:*

Eugene Scribe and Alfred de Musset are two authors of the nineteenth century who wrote comedies. One day Scribe met the poet and said to him:

— Monsieur de Musset, your comedies are very, very good. What is your secret for doing so well? [1]

— I shall tell you my secret when you have told me yours.

— Mine? My secret is very simple. I always want to amuse the public. And yours?

— Well, my secret is very simple also. I always want to amuse myself. [2]

C. WRITTEN DICTATION

With books closed, students should write the following anecdote as the teacher reads it:

Les coiffeurs ont depuis longtemps la réputation de trop parler quand ils coupent les cheveux ou font la barbe de leurs clients. Plutarque, qui est l'auteur d'un livre célèbre, *Vies des hommes illustres,* raconte l'anecdote suivante à propos d'un coiffeur qui a exercé son métier à la cour d'un roi grec il y a plus de deux mille ans.

— Comment vous couperai-je les cheveux, Sire? demanda le coiffeur au roi.

— En silence, répondit le roi.

---

[1] "for doing so well." Construe: "in order so well to do."   [2] Add **moi-même** for emphasis: **"m'amuser moi-même."**

VOCABULARY FOR EXERCISES

accent [aksɑ̃] *m. accent*
aspirine [aspirin] *f. aspirin;* comprimé
d'—, *aspirin tablet*
attendant [atɑ̃dɑ̃]: en —, *meanwhile*
barbe [barb] *f. beard;* faire la —, *to shave,
trim one's beard*
brosser [brɔse] *to brush*
chauve [ʃoːv] *bald*
coiffeur [kwafœːr] *m. barber, hairdresser*
comprimé [kɔ̃prime] *m. tablet*
couper [kupe] *to cut*
exercer [egzɛrse] *to exercise, practice*

figure [figyːr] *f. face*
grec, grecque [grɛk] *Greek*
laver [lave] *to wash*
peigner [peɲe] *to comb*
poil [pwal] *m. hair*
public [pyblik] *m. public*
quant [kɑ̃t]: — à *as for, as to*
règlement [rɛgləmɑ̃] *m. regulation*
salon de coiffure [salɔ̃dəkwafyːr] *m. barber
shop*
simple [sɛ̃ːpl] *simple*

VOCABULARY FOR REFERENCE

anecdote [anɛgdɔt] *f. anecdote*
artiste [artist] *m. artist*
bas [bɑ] *m. stocking*
bien: ou —, *or else*
dormir [dɔrmiːr] *to sleep*
endormir [ɑ̃dɔrmiːr]: s'—, *to go to sleep*
guérir [geriːr] *to cure*
illustre [illystr] *illustrious, famous*
impatient [ɛ̃pasjɑ̃] *impatient*
larme [larm] *f. tear*
leur [lœːr]: le —, la —, les —s *theirs*
mal [mal]: avoir — à *to have an ache or pain*
mien, mienne (le, la) [mjɛ̃, mjɛn] *mine; pl.*
les miens, miennes
musicien [myzisjɛ̃] *m. musician*
neuf, neuve [nœf, nœːv] *new, brand new*
nôtre (le, la) [noːtr] *ours; pl.* les nôtres
paire [pɛːr] *f. pair*

Plutarque [plytark] *Plutarch*
porter: se —, *to be (of health)*
propos [prɔpo]: à — de *about, concerning*
propre [prɔpr] *own*
quart [kaːr] *m. quarter;* un — d'heure *a
quarter of an hour*
remettre [rəmɛtr]: se —, *to recover, get well*
réputation [repytasjɔ̃] *f. reputation*
sien, sienne (le, la) [sjɛ̃, sjɛn] *his, hers, its; pl.*
les siens, siennes
sire [siːr] *m. sir (used to address kings or emperors)*
souffrant [sufrɑ̃] *ill, indisposed, not well*
souffrir [sufriːr] *to suffer*
tien, tienne (le, la) [tjɛ̃, tjɛn] *thine, yours; pl.*
les tiens, tiennes
vingt-neuvième [vɛ̃tnœvjɛm] *twenty-ninth*
vôtre (le, la) [voːtr] *yours; pl.* les vôtres

Part I REVIEW

A. *Translate into idiomatic English:*

1. Ne me trompez pas. 2. Vous vous êtes trompé. 3. Où se trouve Bordeaux? 4. Pourriez-vous trouver Bordeaux sur une carte de France? 5. Arrêtez cet homme! Arrêtez-le! Au voleur! 6. Pourquoi vous êtes-vous arrêté? 7. A quelle heure vous êtes-vous endormi? 8. Avez-vous bien dormi? 9. Elle a dû se réveiller à huit heures. 10. Elle aurait dû se réveiller à sept heures. 11. Quelle robe allez-vous porter aujourd'hui? 12. Comment vous portez-vous aujourd'hui? 13. On m'a dit que vous étiez souffrante hier; est-ce vrai? 14. C'est vrai, mais je me porte beaucoup mieux maintenant. 15. Je suis tout à fait remis.

B. *Recite in French:*

1. I'm going to take a trip. — 2. Are you going to travel by automobile? — 3. First I'm going to Europe. — 4. By airplane or by boat? — 5. I prefer (like better) to go there by boat. 6. When I arrive at Le Havre, I shall go to Paris by train. 7. Later, I shall go to Bordeaux by automobile. 8. Last week I offered him a thousand francs. — 9. Didn't he accept them? — 10. No, but now he needs them and he has asked me for them (asked for them to me). What ought I to do? — 11. Lend them to him. — 12. Will he give them back to me? — 13. Oh yes, he will give them back to you. 14. He always does what he ought to do.

C. *Recite in French:*

— You are studying art,[1] aren't you? What days do you go to the Louvre?

— Usually I go there Tuesdays but last week I went there Wednesday and next week I am to go there Monday.

— You go to the Louvre Tuesdays?

That's (It's) impossible! In Paris all the museums are closed on Tuesdays.

— You're right. The Louvre is not open to the public on Tuesdays. But those who are studying art can enter it (*y*) every day. I am a student of the École du Louvre and I am proud of it!

D. *Write in French:*

Two friends meet (*refl.*) in front of a café.

— Let's go to the movies, says (the) one to the other.

— I don't want to go there this evening, replies his friend. I am too tired.

— What have you done?

— Well, last night I went to the theater. I went to bed at midnight. This morning I woke up at ten o'clock. A maid brought me my breakfast — a cup of coffee, two rolls, and a piece of butter. At eleven o'clock I got dressed and went out. I walked (went on foot) as far as (*jusqu'à*) the rue Vavin, I bought a detective novel, I returned home, I read the book which I had just bought.

— Is it far from your room to the rue Vavin?

— I can go there on foot in (*en*) five minutes. At half past twelve I went out a second time, I went as far as the Boulevard du Montparnasse, I had lunch in a little restaurant which I know.

— Is it far from your room to that restaurant?

— I can go there on foot in (*en*) six minutes. In Paris everyone spends two hours eating lunch (*à déjeuner*). Then I

walked slowly, I arrived home at a quarter past three. I read the detective novel until (*jusqu'à*) half past four. Then I went out and went to the rue de Rennes, to a café which I know well and to which I go often.

— Is it far from your room to the café?

— I can go there on foot in seven minutes. I was thirsty, I ordered some beer, I remained at the café almost an hour. At half past five I went home, I read five or six pages of the detective novel, and, seated in my armchair, I slept a quarter of an hour. Then I washed my face and my hands and at a quarter to seven I went out — it's the fourth time, isn't it? — to go (and) dine at Chapelain's "where everything is fine."

— Is it far from your room to that restaurant?

— I can go there on foot in eight minutes. I finished my dinner at twenty minutes to nine, I left the restaurant, and I was going to return home, but when I saw you in front of this café I stopped. I have done so many important things today that I am tired. I want to go to bed. We'll go to the movies tomorrow evening. Good night!

— Sleep well!

---

[1] **l'art**, *m.*

Part II TEST

A. *Each French word is accompanied by four English words. Write on your answer-paper the number of the English word which is a correct translation of the French word:*

1. mer: (1) mother; (2) aunt; (3) sea; (4) only
2. louer: (1) to look; (2) to reign; (3) to rent; (4) to spend
3. vers: (1) about; (2) under; (3) glass; (4) story
4. client: (1) key; (2) customer; (3) beggar; (4) gently
5. parole: (1) pardon; (2) prison; (3) thought; (4) word
6. cacher: (1) to hide; (2) to go to bed; (3) to seek; (4) to find
7. prochain: (1) approach; (2) next; (3) procedure; (4) last
8. fier: (1) firm; (2) yesterday; (3) to do; (4) proud
9. vache: (1) cow; (2) horse; (3) stable; (4) beast
10. écriteau: (1) language; (2) writer; (3) sign; (4) written
11. exprimer: (1) to excuse; (2) to express; (3) to exceed; (4) to serve
12. prêt: (1) lend; (2) almost; (3) late; (4) ready

(Deduct ½ point for each mistake. Perfect Score: 6)

B. *Each English word is followed by four French words. Write on your answer-paper the number of the French word which is a correct translation of the English word:*

1. left: (1) droit; (2) gauche; (3) rive; (4) bord
2. under: (1) entre; (2) autour; (3) sous; (4) vers
3. thus: (1) ainsi; (2) partout; (3) d'ailleurs; (4) si
4. beard: (1) barbe; (2) chauve; (3) menton; (4) poil
5. soap: (1) encre; (2) lavabo; (3) savon; (4) somme
6. towel: (1) toilette; (2) serviette; (3) pantoufle; (4) couverture
7. green: (1) jaune; (2) jeune; (3) rouge; (4) vert
8. knife: (1) complet; (2) montre; (3) tiroir; (4) couteau
9. war: (1) guerre; (2) gare; (3) cœur; (4) mur
10. truth: (1) travail; (2) veille; (3) vérité; (4) pensée
11. to think: (1) enseigner; (2) rendre; (3) penser; (4) apprendre
12. to fall: (1) laisser; (2) enfoncer; (3) éclater; (4) tomber

(Deduct ½ point for each mistake. Perfect Score: 6)

C. *Give the proper form of the past participle of each verb in parentheses:*
1. Elle s'est (arrêter). 2. Elles se sont (parler). 3. Ils se sont (rencontrer). 4. Ils se sont (regarder). 5. Elle s'en est (aller). 6. Elles se sont (écrire) des lettres. 7. Marie s'est (mettre) à lire un livre. 8. Paul et Charles se sont (mettre) à manger.

(Deduct 1 point for each wrongly spelled form. Perfect Score: 8)

D. (1) *What form of the demonstrative adjective would precede each of the following nouns?*

1. cravate. 2. chapeau. 3. couteau. 4. moments. 5. minutes.

(2) *What form of the demonstrative pronoun would replace each of the above nouns?*

(*Deduct* 1 *point for each wrong adjective or pronoun. Perfect Score:* 10)

E. *Supply a relative pronoun for each blank:*

1. Qui a écrit la comédie —— vous avez parlé? 2. Molière a écrit la pièce —— nous avons vue. 3. —— m'amuse ne vous amuse pas. 4. Je ne sais pas —— vous voulez. 5. Avez-vous tout —— vous voulez? 6. Avez-vous tout —— vous avez besoin? 7. Qui est la dame avec —— vous avez dîné? 8. C'est une personne charmante —— j'ai fait la connaissance l'année passée. 9. Où est le stylo avec —— vous avez écrit cette lettre-là? 10. Qui est le garçon avec —— vous êtes allé au cinéma?

(*Deduct* 1 *point for each wrong pronoun. Perfect Score:* 10)

F. *Insert an article in each of the blanks or leave unfilled as may be correct:*

1. Louise part pour —— France. 2. Elle va passer l'été en —— France. 3. Elle va visiter —— Paris, —— Versailles et —— Malmaison. 4. Elle doit visiter aussi —— Belgique et —— Hollande. 5. A la fin de l'été elle reviendra —— États-Unis.

(*Deduct* 1 *point for each error. Perfect Score:* 8)

G. *Give the past participles of the following irregular verbs:*

1. mourir. 2. naître. 3. vivre. 4. souffrir. 5. offrir. 6. lire.

(*Deduct* 1 *point for each wrong form. Perfect Score:* 6)

H. *Translate the words in parentheses:*

1. Si vous m'(*had written*), j'(*would have been*) heureux. 2. Pourquoi ne m'(*have you not yet written*)? 3. Quand vous m'(*write*), je serai heureux.

4. Quand (*I arrived*) chez lui, il (*had gone out*). 5. Ses amis (*did not know*) quand il (*would come back*). 6. Il ne (*had not told them*) où il allait. 7. Ils m'ont dit qu'il (*had left*) (*ago*) deux heures. 8. Il (*had been*) absent depuis deux heures. 9. He (*goes out*) tous les jours. 10. Il (*had been*) malade mais maintenant il (*is*) bien.

(*Deduct* 1 *point for each error. Perfect Score:* 15)

I. *Write out the following numbers:*

(1) 20. (2) 21. (3) 33. (4) 44. (5) 55. (6) 66. (7) 77. (8) 88. (9) 99. (10) 100.

(*Deduct* 1 *point for each error. Perfect Score:* 10)

J. *Write out the following expressions of time of day:*
(1) 8 A.M.   (2) 9:15.   (3) 10:30.   (4) 10:45.   (5) 12:00.

(Deduct 1 point for each error. Perfect Score: 5)

K. *Translate the words in parentheses:*

1. Mon père est (*a doctor*); (*yours*) est (*a professor*), n'est-ce pas?
— 2. Oui, (*mine*) gagne moins d'argent que (*yours*). — 3. Est-ce que
votre père est (*French*) ou (*American*)? — 4. Son père était (*an American*),
sa mère était (*a Frenchwoman*). Il (*was born*) (*in America*). Il est maintenant
(*a French teacher*). — 5. Quel âge a-t-il? — 6. Il (*is sixty years old*). Si
vous voulez apprendre (*French*), allez le voir! — 7. Si vous avez (*a
headache*), allez voir mon père! Il vous (*will cure*)!

(Deduct 1 point for each error. Perfect Score: 16)
Total Perfect Score: 100)

REIMS: LA VIERGE

SIXTH CULTURAL DIALOGUE

LES BEAUX-ARTS

L'ARCHITECTURE ET LA SCULPTURE

Asmodée, Charlotte, Robert et Philippe sont assis à une table du Café des Deux Magots, au coin du boulevard Saint-Germain et de la rue Bonaparte.

— Dites donc, monsieur, dit Charlotte à Asmodée, nous avons vu, grâce à votre bâton magique, des châteaux et des palais, mais nous n'avons pas encore vu les églises et les cathédrales célèbres de la France. Voulez-vous bien nous les montrer?

— Moi? dit Asmodée. Je pourrais vous montrer l'extérieur des églises et des cathédrales mais les diables n'entrent pas dans ces édifices-là! Philippe peut très bien vous expliquer ce qu'on doit admirer à l'intérieur des monuments religieux.

— Je ne suis pas professeur d'art, dit Philippe, mais j'admire beaucoup nos belles églises et nos grandes cathédrales et j'aimerais bien les montrer à nos amis américains.

— Pour commencer, dit Asmodée, regardons cette église qui se trouve de l'autre côté de cette place. C'est la plus vieille église de Paris, Saint-Germain des Prés. Cet édifice a été commencé au neuvième siècle, bientôt après la mort de Charlemagne. Vous voyez, n'est-ce pas, que le style de la tour de l'église est très simple; les arcs des fenêtres et des colonnes

SAINT-GERMAIN DES PRÉS

MOISSAC: STATUES D'UNE ÉGLISE ROMANE

Janet le Caisne

sont ronds, comme ceux des monuments romains. Saint-Germain des Prés est un exemple de l'architecture romane (*Romanesque*), qui est une adaptation de l'architecture romaine (*Roman*). Une église romane a des fenêtres étroites.[1] Les murs sont faits d'énormes blocs de pierre. Cela donne une impression de lourdeur.[2] Je vais agiter mon bâton magique; vous allez voir d'autres églises romanes ...

Voilà, à Poitiers, Notre-Dame-la-Grande, qui est remarquable par la richesse de la décoration de sa façade.

[1] étroit *narrow*.　　[2] lourdeur *f. heaviness*.

On trouve l'art roman, qui accompagne l'architecture romane, dans les statues qui ornent les façades et les portails des vieilles églises... Voilà la Cathédrale Saint-Pierre d'Angoulême... Et voilà le portail principal de l'église de l'Abbaye de Conques... Toutes les statues des églises romanes ne sont pas belles. Pendant le haut moyen âge les sculpteurs avaient presque perdu l'art de représenter en pierre des personnages vivants. D'ailleurs, les artistes nous montrent le Christ, des anges, des saints — mais ils nous montrent aussi des personnages fort laids...

AUTUN: L'ART ROMAN Janet le Caisne

À L'ABBAYE DE CONQUES

Ici Asmodée s'arrête, embarrassé.

— Je sais pourquoi vous vous arrêtez, dit Philippe. Ces personnages laids sont des diables! Mais vous ne leur ressemblez pas!

— Au douzième siècle, les architectes ont trouvé un moyen [3] de remplacer les blocs de pierre, en grande partie, par des piliers ou des colonnes. Grâce aux nervures [4] croisées, le poids du toit,[5] au lieu de tomber sur les murs, tombe sur les piliers.

[3] moyen *m. means, way.*   [4] nervure *f. rib (architecture).*   [5] toit *m. roof.*

NERVURES CROISÉES, BORDEAUX

— Qu'est-ce que c'est qu'une nervure croisée? demande Charlotte.

— Entrez dans une église gothique avec Philippe. Il vous montrera des nervures croisées.

Asmodée transporte ses amis au parvis Notre-Dame, c'est-à-dire à la place qui se trouve devant la façade de cette cathédrale.

— Entrons, dit Philippe. M. Asmodée nous attendra ici . . . Voyez les nervures qui se croisent au-dessus de nos têtes et qui supportent la voûte et le toit. Les piliers ne remplacent pas entièrement les murs, mais les murs sont moins importants que dans les églises romanes. Par conséquent les fenêtres sont plus grandes et plus nombreuses.

— Et beaucoup plus belles! s'écrie Charlotte.

— Vous avez raison. Nos cathédrales gothiques ont des vitraux [6] magnifiques. Regardez cette grande fenêtre ronde qu'on nomme « une rose »! Remarquez que l'arc formé par les nervures, là où elles se croisent, n'est pas rond mais brisé.[7] Cet arc brisé est un arc ogival ou un arc en ogive. Quand nous sortirons de la cathédrale, nous verrons que les arcs des fenêtres et des portails imitent les arcs formés par les nervures croisées. Cela donne une harmonie à l'édifice entier. Mais je suis sûr que M. Asmodée veut vous parler de l'extérieur de la cathédrale. Sortons . . .

— Est-ce qu'il y a beaucoup de

[6] vitrail (*pl.* vitraux) *m. stained glass window.*
[7] brisé *broken, pointed.*

NOTRE–DAME DE PARIS

cathédrales gothiques en France?

— Il y en a environ soixante. Il y a aussi de belles églises gothiques, — par exemple, Saint-Denis; l'église de Saint-Ouen, à Rouen; le Mont-Saint-Michel; et surtout la Sainte-Chapelle, ici à Paris.

— Est-ce que toutes les cathédrales gothiques se ressemblent? Quand on en a vu une, est-ce qu'on les a vues toutes?

— Chaque cathédrale a son indivi-dualité. Regardez! La façade de Notre-Dame de Paris est une des plus belles du monde à cause de ses pro-portions presque géométriques.

— Les côtés de Notre-Dame de Paris sont aussi beaux que la façade, dit Asmodée . . . Regardez les arcs-boutants,[8] qui aident les piliers à sup-porter le poids du toit. Vous devriez revenir voir Notre-Dame de Paris le soir, quand on illumine l'immense

[8] arc-boutant m. *flying buttress.*

302

bâtiment; c'est merveilleusement beau!... Mais allons maintenant à Chartres...

— Notre-Dame de Chartres n'est pas purement gothique, dit Asmodée. La façade a trois portails romans et une tour romane. N'aimez-vous pas la simplicité, la sobriété de cette façade? Les portails Nord et Sud sont gothiques. Les statues innombrables de tous ces portails — ou de ces porches, comme on dit souvent — sont très intéressantes. Aux portails de la façade on trouve des figures aussi raides [9] que celles de l'art roman mais les statues des deux autres portails, qu'on a ajoutés à la cathédrale au treizième siècle, montrent les grands progrès faits par les sculpteurs.

[9] raide *stiff*.

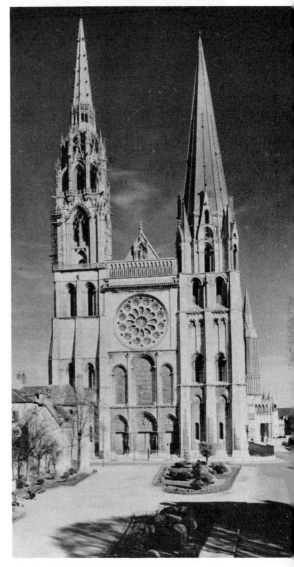

NOTRE-DAME DE CHARTRES

NOTRE-DAME DE PARIS

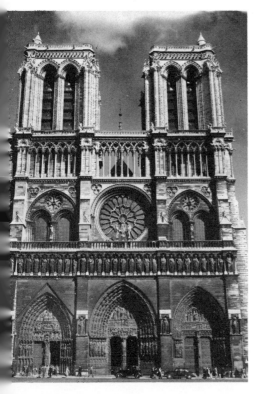

Elles ressemblent à des êtres humains, n'est-ce pas? Entrez dans la cathédrale; je vous attendrai à ce café là-bas...

— Ce qu'on admire surtout à Chartres, dit Philippe, ce sont les plus beaux vitraux de l'Europe.

303

TROIS STATUES DE CHARTRES

CHARTRES: UN SAINT

— J'aime beaucoup la simplicité, la sobriété de cet intérieur, dit Robert. Les piliers sont plus délicats que ceux de Notre-Dame de Paris.

— Tout ce qu'on voit ici, dit Charlotte, est très beau . . .

Le bon petit diable transporte ses amis à Amiens.

— Ici vous voyez l'œuvre d'un architecte audacieux. De toutes les cathédrales françaises, Notre-Dame d'Amiens est la plus vaste. Comme à Chartres, nous voyons ici des statues d'une vérité remarquable. Mais je veux vous montrer une autre cathédrale majestueuse: allons à Reims! . . . On a passé près de deux cent cinquante ans à construire cet édifice. Sur la façade il y a 530 statues! Il y en a beaucoup d'autres au portail Nord. L'intérieur est aussi beau que celui de Notre-Dame de Paris ou de Chartres. Entrez-y . . .

— Quels grands événements ont eu lieu ici? demande Philippe à Robert et à Charlotte.

— Le sacre de Charles X, répond Robert, a eu lieu ici en 1824. On dit qu'un Anglais a dépensé trente mille francs pour louer une grande maison qui se trouvait près de la cathédrale.

— C'est ici que les sacres de tous les rois de France ont eu lieu, n'est-ce pas? demande Charlotte.

— Oui, Charlotte. C'est donc ici

REIMS: UN ANGE

AMIENS: LE CHRIST

que Jeanne d'Arc a vu le sacre de Charles VII, pendant la guerre de Cent ans.

— Avons-nous le temps d'aller à Bourges?

— Oui, si M. Asmodée veut bien nous y transporter . . .

— Quels sont les traits distinctifs de Notre-Dame de Bourges? demande Charlotte.

— Il y en a deux, répond Asmodée. D'abord, sa grandeur. Comme Bour-

BOURGES: CHEFS–D'OEUVRE DE L'ART GOTHIQUE

NOTRE–DAME DE REIMS

— Des châteaux et des palais.

— Les sculpteurs n'ont pas voulu représenter le Christ, la Vierge et les saints. Qui ont-ils représenté?

— Les dieux [11] et les déesses [12] de la Grèce, — Apollon, Vénus, par exemple.

— Oui, l'art religieux s'arrête, l'art néo-classique commence. Cet art néo-classique domine le dix-septième siècle, comme nous l'avons vu à Versailles; il domine le dix-huitième siècle, comme on peut voir si on regarde le Grand Trianon; et il

[11] dieu *m. god.*   [12] déesse *f. goddess.*

ges se trouve au centre d'une vaste plaine, on peut voir de loin la masse énorme de cette cathédrale. Ensuite, les cinq porches de sa façade, où on trouve, comme à Chartres, beaucoup de chefs-d'œuvre de la sculpture du treizième siècle.

— Presque toutes les cathédrales ont été construites au moyen âge, dit Philippe. Savez-vous pourquoi on n'a pas bâti de grandes églises pendant la Renaissance? C'est qu'au seizième siècle, on méprise le moyen âge et on admire l'antiquité grecque et latine. L'art de la Renaissance n'est pas religieux; au contraire, il est païen.[10] Qu'est-ce que les architectes de la Renaissance ont construit?

[10] païen, païenne *adj. pagan.*

domine aussi une partie du dix-neuvième siècle, — regardez l'Arc de Triomphe de l'Étoile, l'Église de la Madeleine. Vers la fin du dix-neuvième siècle, les architectes adaptent la forme d'un édifice à sa fonction. Les dix-neuvième et vingtième siècles forment une époque d'imitation et d'expérimentation. M. Eiffel, par exemple, a montré ce qu'on pouvait faire avec de l'acier.[13]

— Qu'est-ce que les sculpteurs ont fait depuis la Renaissance?

— Sous Louis XIV les sculpteurs ont fait des statues néo-classiques pour les jardins de Versailles. Au dix-huitième siècle un sculpteur de génie, Houdon, a fait des portraits-bustes de plusieurs grands hommes de son temps: son buste du vieux Voltaire est admirable. Vers la fin du dix-neuvième siècle, Rodin a commencé à faire des statues d'une vigueur et d'une vitalité remarquables. Son œuvre la plus célèbre est sans doute « le Penseur »[14] . . . Mais nous avons assez parlé, assez voyagé pour aujourd'hui. Retournons au Café des Deux Magots . . .

[13] acier *m. steel*.   [14] penseur *m. thinker*.

BOURGES: LES CINQ PORCHES

TRENTE ET UNIÈME LEÇON 31

I. ORAL INTRODUCTION

Use the following dialogue as in preceding lessons:

Un jeune homme dit à son amie: Que faut-il que je fasse pour vous plaire?

La jeune fille répond:

Il faut que vous me racontiez des histoires amusantes.

Il faudra que vous m'aidiez quand j'étudierai le français.

Je regrette que vous ne soyez pas riche; je veux que vous gagniez beaucoup d'argent.

Je voudrais que vous me donniez beaucoup de cadeaux.

Il sera nécessaire que vous me présentiez à tous vos amis.

A young man says to his girl-friend: What must I do to please you?

The girl answers:
You must tell me some amusing stories.

You will have to help me when I study French.

I am sorry that you are not rich; I want you to earn a lot of money.

I would like you to give me a lot of gifts.

You will have to introduce me to all your friends.

Il faut que vous croyiez tout ce que
je vous dis.

*You must believe everything that I say
to you.*

Il ne faut pas que vous cessiez de
m'aimer.

You must not stop loving me.

II. GRAMMAR

A. THE SUBJUNCTIVE MOOD

1. *Introductory Note.* Up to now, all verb forms have been of the various tenses of the indicative mood (present, imperfect, future, conditional, past definite, or compound tenses) or of the imperative mood. The indicative mood, in general, is used to express fact, certainty, or probability. The imperative mood is used to express a command. The subjunctive mood, which includes the present, imperfect, perfect, and pluperfect tenses, is used to denote (1) something whose existence or truth is open to doubt, or (2) something which does not have an independent existence but is subordinate to an idea or feeling. The use of the subjunctive sometimes cannot be explained by any rule of grammar but only by the degree of certainty or uncertainty which one wishes to express. Students must, however, depend upon rules. Some rules are given in this lesson, others will be given in Lessons 32 and 35.

2. *Present Subjunctive Forms.* Verbs of the three regular conjugations have the following forms in the present tense of the subjunctive mood:

1. **donner**	2. **finir**	3. **perdre**
donn **e** [dɔn]	finiss **e** [finis]	perd **e** [pɛrd]
donn **es** [dɔn]	finiss **es** [finis]	perd **es** [pɛrd]
donn **e** [dɔn]	finiss **e** [finis]	perd **e** [pɛrd]
donn **ions** [dɔnjɔ̃]	finiss **ions** [finisjɔ̃]	perd **ions** [pɛrdjɔ̃]
donn **iez** [dɔnje]	finiss **iez** [finisje]	perd **iez** [pɛrdje]
donn **ent** [dɔn]	finiss **ent** [finis]	perd **ent** [pɛrd]

3. **Avoir** and **être** have the following forms:

avoir		être	
aie [ɛ]	ayons [ɛjɔ̃]	sois [swa]	soyons [swajɔ̃]
aies [ɛ]	ayez [ɛje]	sois [swa]	soyez [swaje]
ait [ɛ]	aient [ɛ]	soit [swa]	soient [swa]

B. USES OF THE SUBJUNCTIVE

Among the commoner uses of the subjunctive mood are the following:

1. In a subordinate clause introduced by **que,** *that,* after expressions of desiring and willing.

Je désire que vous restiez ici.	*I desire that you stay here (I want you to stay here).*
Je voudrais que vous m'aidiez.	*I wish you would help me.*

NOTE

It is absolutely impossible to keep in French the English construction, *I want you to stay.* In such cases French must have a subordinate clause with the subjunctive.

2. Similarly, after expressions of emotion such as joy, pleasure, sorrow, and surprise.

Je suis content que vous soyez ici.	*I am glad that you are here.*
Je regrette que Paul ne soit pas avec nous.	*I am sorry that Paul is not with us.*
Je m'étonne que Jeanne croie cela.	*I am surprised that Joan believes that.*

3. So also after expressions of necessity, possibility, and impossibility.

Il est nécessaire que je finisse ce livre tout de suite.	*I must (It is necessary that I) finish this book right away.*
Il faut que je le rende à la Bibliothèque.	*I must (It is necessary that I) take it back to the Library.*
Est-il possible qu'il vende son automobile?	*Is it possible that he will sell his automobile?*

4. Likewise after expressions of believing and thinking when doubt or uncertainty is implied by negation or interrogation.

Je ne crois pas qu'il la vende.	*I don't think that he will sell it.*
Pensez-vous qu'il croie ce que vous lui avez dit?	*Do you think he believes what you have told him?*

NOTES

1. **Que** must be used in French to introduce the subordinate clauses with the subjunctive even though *that* may be used or omitted in English.

2. As there is no future tense in the subjunctive mood, the present tense serves both for the present and the future. See examples under 3 and 4.

C. IMPERSONAL VERBS

An impersonal verb, or a verb so used, is one conjugated in the third singular only, with the subject **il**, *it, there,* used indefinitely. Several impersonal verbs, or verbs so used, have been used in preceding lessons.

1. **avoir: il y a,** *there is, there are.*

2. **faire,** *to be,* of the weather or temperature.

Il fait froid, il fait beau.   *It is cold, the weather is fine.*

3. **pleuvoir,** *to rain.*

Il pleut, il pleuvait.   *It is raining, it was raining.*

NOTE

Pleuvoir is an irregular verb; for forms, see the table of irregular verbs in the Appendix.

4. **être,** used impersonally with an adjective, is often followed by **de** and infinitive.

Il est dangereux de conduire très   *It is dangerous to drive very fast.*
    vite.

NOTE

It is permissible, in conversational French, to use **c'est** instead of **il est,** in this construction.

C'est facile de faire des fautes.   *It's easy to make mistakes.*

5. **être** + adjective + dependent clause. The use of the indicative or subjunctive in the dependent clause depends upon the degree of certainty or uncertainty expressed by the adjective.

Examples of adjectives followed by indicative	*Examples of adjectives followed by subjunctive*
Il est certain que . . .	Il est nécessaire que . . .
Il est probable que . . .	Il est possible que . . .
Il est vrai que . . .	Il est impossible que . . .

Il est certain que j'ai raison.   *It is certain that I am right.*
Il est possible que vous ayez tort.   *It is possible that you are wrong.*

D. FALLOIR, "TO BE NECESSARY, MUST"

1. The following are the most important forms of this irregular impersonal verb:

PRES.	il faut		FUT.	il faudra
IMPERF.	il fallait		COND.	il faudrait
PAST INDEF.	il a fallu		PAST DEF.	il fallut

2. If **falloir** is followed by a **que**-clause, the subjunctive must be used in this clause, without exception. **Falloir** may be followed by an infinitive. In this case, it may have in French an indirect object.

Il faut qu'il parte.	*It is necessary that he leave (It is necessary for him to leave. He must leave).*
Il lui faut partir.	*It is necessary for him to leave (He must leave).*
Il leur a fallu partir.	*They had to leave.*

3. **Il faut** and **il est nécessaire** have approximately the same meaning, *it is necessary (one must)*, but whereas **il n'est pas nécessaire** means *it is not necessary*, **il ne faut pas** means *one must not, one should not*, or *one ought not* . . .

Il faut travailler.	
Il est nécessaire de travailler.	*It is necessary to work (One must work).*
Il faut qu'on travaille.	
Il est nécessaire qu'on travaille.	
Il n'est pas nécessaire de dormir douze heures par jour.	*It is not necessary to sleep twelve hours a day.*
Il ne faut pas dormir douze heures par jour.	*One must (should, ought) not (to) sleep twelve hours a day.*

4. In general, **falloir** refers to physical necessity (compulsion from without), **devoir** to a moral obligation (compulsion from within). But as the English word *must* is often vague in its connotations, it is not always easy to decide whether to translate *must* by **falloir** or **devoir.**

I must leave. (Why? Circumstances oblige me to.)	Il faut que je parte.
I must leave. (Why? It is my duty to.)	Je dois partir.
You should not go there. (Why? Reason not clear.)	Il ne faut pas y aller. / Vous ne devriez pas y aller.
We had to leave. (Why? Reason not stated.)	Il nous a fallu partir. / Nous avons dû partir.

E. *CROIRE*, "TO BELIEVE"

This irregular verb has the following forms:

PRESENT

crois [krwa]   croyons [krwajɔ̃]
crois [krwa]   croyez [krwaje]
croit [krwa]   croient [krwa]

IMPERATIVE

crois
croyons
croyez

PAST PART.

cru

IMPERFECT

croyais, etc.

FUTURE AND CONDITIONAL

croirai, etc.; croirais, etc.

PAST DEFINITE

crus, etc.

PRESENT SUBJUNCTIVE

croie   croyions
croies   croyiez
croie   croient

F. PRESENT SUBJUNCTIVE FORMS OF IRREGULAR VERBS

Irregular verbs have the same endings in the subjunctive as regular verbs. Some irregular verbs have the same stem in the subjunctive as in the infinitive, others have a different stem, still others have one stem in the singular and for the third person plural but a different stem for the first and second persons plural. Correct forms may be found in the table of irregular verbs in the Appendix. The following verbs, given here for easy reference, are used in the Exercises of this lesson. (They have all been previously introduced.)

aller	comprendre	connaître	dire
aille	comprenne	connaisse	dise
ailles	comprennes	connaisses	dises
aille	comprenne	connaisse	dise
allions	comprenions	connaissions	disions
alliez	compreniez	connaissiez	disiez
aillent	comprennent	connaissent	disent

dormir	faire	partir	pouvoir
dorme	fasse	parte	puisse
dormes	fasses	partes	puisses
dorme	fasse	parte	puisse
dormions	fassions	partions	puissions
dormiez	fassiez	partiez	puissiez
dorment	fassent	partent	puissent

revenir	savoir	sortir	voir
revienne	sache	sorte	voie
reviennes	saches	sortes	voies
revienne	sache	sorte	voie
revenions	sachions	sortions	voyions
reveniez	sachiez	sortiez	voyiez
reviennent	sachent	sortent	voient

III. EXERCISES

A. *Read aloud, supplying the proper forms of the verbs in parentheses. (Use subjunctive only when required by rule!)*

1. Je veux que Charles (rester) ici mais que Pierre (s'en aller). — 2. Pourquoi voulez-vous que Pierre (s'en aller)? — 3. Parce que je ne veux pas qu'il (voir) ma sœur. — 4. Je m'étonne que Pierre (aimer) votre sœur. — 5. Qu'avez-vous dit? Pourquoi êtes-vous surpris que Pierre l'(aimer)? C'est dommage que vous ne la (connaître) pas. Si vous la (connaître), vous l'aimeriez autant que Pierre. — 6. Je ne (croire) pas cela! On m'a dit que votre sœur (être) laide! — 7. Je suis heureux que ma sœur ne (être) pas ici! Si elle vous avait entendu!... — 8. Croyez-vous que votre sœur (revenir) demain? Je voudrais la voir. — 9. Il est impossible qu'elle (revenir) demain mais il est possible qu'elle (revenir) après-demain. — 10. Alors, moi aussi, je (revenir) après-demain pour la voir. — 11. Mais non! je ne veux pas que vous la (voir)!

12. Où est Jeanne? Il faut que je la (voir). — 13. Elle est souffrante; il est impossible que vous la (voir). Il ne (falloir) pas entrer dans sa chambre. — 14. Mais il est nécessaire que je lui (parler) tout de suite. — 15. Je ne crois pas que vous (avoir) quelque chose d'important à lui dire. En tout cas, il faut que vous (attendre) jusqu'à demain. 16. Je regrette que vous ne (pouvoir) pas la voir mais le médecin veut qu'elle (rester) seule. Il faut que vous (s'en aller). 17. Il faut que Jeanne (dormir) et elle ne dormira pas si elle sait que vous êtes ici. — 18. C'est dommage que Jeanne (être) souffrante. Donnez-lui de l'aspirine!

B. *Recite in French:*

1. What do you want me to do? (What do you wish that I do?) — 2. I want you to go away. I want you to go out at once. But I want you to come back tomorrow.

3. What do you want Pierre to do? — 4. I want him to study French. I want him to visit Paris. I want him to have a good time.

5. What do you want the chambermaid to do this morning? — 6. She must close the windows. She must bring me my breakfast. She must find the shoe which I lost. She must look for it everywhere.

7. What do you want Paul and Pauline to do today? — 8. I wish they would take a walk in the Jardin du Luxembourg. They must see the children and their mothers. I shall want them to tell me what they have (will have) seen. — 9. I do not think that they will have time to go there today. — 10. It's a pity that they cannot go there. — 11. I too, I am sorry that they cannot go there.

C. READING

Une Visite

Il est dix heures du matin. Madame Lebrun sonne à la porte de madame Lenoir.

— Bonjour, madame, dit Mme Lenoir à son amie. Entrez, je vous prie.

— Bonjour, madame, répond Mme Lebrun. Je suis enchantée de vous trouver chez vous.

— Entrons dans le salon. Pardon si je ne suis pas bien habillée. Je ne m'attendais pas à avoir une visite ce matin.

— Je passais, je n'ai pas pu résister à la tentation de monter vous voir. Je suis sortie de bonne heure pour faire des courses.

— Veuillez vous asseoir, madame. Où allez-vous?

— Il faut que je sois chez la couturière avant onze heures. Elle veut que j'essaye encore une fois la robe que je dois porter à l'Opéra demain soir. Ensuite j'irai au marché aux fleurs. Je veux porter des fleurs à une amie qui est un peu souffrante. Je voudrais que vous m'accompagniez chez elle. Il faut que vous fassiez la connaissance de mon amie, madame Giroud, elle est charmante. Elle a peu d'amies à Paris. Je ne crois pas que vous la connaissiez et elle désire que je lui présente toutes mes amies. C'est assez loin mais nous pourrions prendre un autobus qui passe devant sa porte. Si vous pouvez m'y accompagner, je reviendrai vous prendre ici à deux heures et demie.

— C'est dommage que je ne puisse pas vous accompagner chez votre amie, chère madame, je voudrais faire sa connaissance, mais j'ai mal aux dents depuis hier. Il faut que j'aille chez le dentiste, j'ai rendez-vous pour deux heures. Il va peut-être m'arracher une dent. Je voudrais bien aussi aller avec vous chez votre couturière parce que moi aussi, j'ai besoin d'une robe; je n'en ai qu'une que je porte depuis longtemps. Je m'étonne que mon mari ne comprenne pas cela, mais quand on parle de robes, je ne crois pas qu'il y ait un homme qui . . . sauf les grands couturiers, bien entendu . . . un homme qui . . .

— Je suis d'accord avec vous, chère madame. Mon mari . . . mais il ne faut pas dire ce que je pense . . . Je ne vais pas chez les grands couturiers de la rue de la Paix pour commander mes robes parce que pour moi, le bon goût est plus important que la grande renommée . . . Mais il faut que je me sauve, je ne veux pas être en retard chez ma couturière.

— Vous avez tout à fait raison, madame, le bon goût avant tout! Je regrette que vous soyez obligée de partir. Merci de votre bonne visite.

— C'est dommage que vous alliez chez le dentiste. Comme je le disais à mon

pauvre mari hier soir, il ne faut pas négliger les dents. Il a perdu presque

D. *Write in French:*
— Come in! ... Oh, it's you! Why
did you ring at my door? You woke me
up!
— At ten o'clock in the morning?
You told me yesterday that you must be
at the dentist's at eleven o'clock.
— You're quite right. I had forgotten that I have an appointment with
him this morning.
— Do you still (*toujours*) have a toothache? Is it possible that the dentist will
pull out one of your teeth?
— I don't know.
— I'm surprised that you don't know
if you have a toothache. If I had a
toothache, I would know it.
— I have a toothache, I'm suffering.
But I don't know what the dentist will
do.
— Do you want me to go with you to
the dentist's?
— No, you must stay here. We'll

toutes les siennes. Au revoir, madame.
— Au revoir, madame.

have our lunch together. I'm not well
but at noon I'll be hungry. I'm not
going to die. Who said that it is necessary to eat in order to live but that one
must not live in order to eat?
— It's Molière, in *l'Avare*. Valère says
to Harpagon, the miser: It is necessary
to eat to (*pour*) live, and not (*non pas*)
live to eat. Harpagon is delighted to
hear that but when he wants to say it
himself, he makes a mistake (use *se
tromper*). One must live to eat and not
eat to live, says he. To what dentist are
you going?
— Dr. Giroud. I don't think that
you know him. I don't think that there
is a better dentist than he in this city ...
But I must get dressed at once, I must
leave at a quarter to eleven. I don't
want to be late ... Good Heavens! It's
already ten minutes to eleven ... I'll
see you when I come back.

IV. OPTIONAL EXERCISES

A. *Answer in French:*
1. Qui sonne à la porte de Mme
Lenoir? 2. Quelle heure est-il? 3. Où
les deux dames entrent-elles? 4. Pourquoi Mme Lebrun est-elle sortie de
bonne heure? 5. Où Mme Lebrun va-
t-elle d'abord? 6. Pourquoi y va-t-elle?
7. A qui va-t-elle porter des fleurs?
8. Où va-t-elle acheter des fleurs?
9. Pourquoi Mme Lebrun veut-elle que
Mme Lenoir fasse la connaissance de
son amie? 10. A quelle heure veut-elle

aller chez cette amie? 11. Comment
peut-elle y aller?
12. Est-ce que Mme Lenoir se porte
bien? 13. Où faut-il qu'elle aille?
14. A quelle heure faut-il qu'elle y soit?
15. Est-ce que les maris veulent d'ordinaire que leurs femmes aient beaucoup
de robes? 16. Est-ce que le mari de
Mme Lebrun est allé souvent chez un
dentiste? 17. Quand faut-il aller chez
un dentiste? 18. Qu'est-ce que M.
Lebrun avait négligé?

B. *Write in French:*

CHARLES. Tell me, in French, an amusing story.

PAUL. I don't believe that you know the story of the donkey (*l'âne, m.*) and the dog.

CHARLES. It's one of the oldest stories in the world. But tell it to me.

PAUL. A man had a donkey and a little dog. The donkey used to work but the dog amused himself all the time. When the dog gave his paw (*la patte*) to his master, the latter (*celui-ci*) gave him a piece of sugar.

One day the donkey said to himself: It's a pity that I am not a little dog. I have to (must) work, my master wants me to work all the time, and if I don't work well, he gives me some blows. I am surprised that our master gives sugar to the one who does not work and blows to the one who always works. It is probable that work and blows go together. If I did not work, my master would not give me any blows. I must do what the little dog does. I'll go into the dining room, I'll give my (the) paw to my master and he will give me a piece of sugar.

The donkey enters the dining room. He wants to give his paw to his master but he hits (*frapper*) the table. The master thinks that the donkey has become crazy, he drives the poor beast from the dining room with more than a hundred blows. The donkey was stupid, wasn't he?

CHARLES. The poor beast was not stupid! The donkey knew (how) to use the subjunctive in French!

VOCABULARY FOR EXERCISES

accord [akɔːr]: être d'— avec *to agree with*

après-demain [apredəmɛ̃] *day after to-morrow*

arracher [araʃe] *to extract, pull out*

asseoir [aswaːr]: s'—, *to sit down*

attendre [atãːdr]: s'— à *to expect*

avare [avaːr] *m. miser*

bête [bɛit] *n. f. beast; adj. stupid*

course [kurs] *f.*: faire des —s *to go shopping, do errands*

couturière [kutyrjɛːr] *f. dressmaker*

dentiste [dãtist] *m. dentist*

dommage [dɔmaːʒ]: c'est — que *it's a pity that, it's too bad that*

enchanté [ãʃãte] *delighted, glad*

entendu [ãtãdy]: bien —, *of course*

essayer [eseje] *to try; (of clothing) to try on*

étonner [etɔne]: s'—, *to be astonished, surprised*

goût [gu] *m. taste*

marché: — aux fleurs *flower market*

monter [mɔ̃te] *to come up*

négliger [negliʒe] *to neglect*

rendez-vous [rãdevu] *m. appointment*

renommée [rənɔme] *f. renown, fame*

sauf [sof] *except*

subjonctif [sybʒɔ̃ktif] *m. subjunctive*

tentation [tãtasjɔ̃] *f. temptation*

tout à fait [tutafɛ] *entirely, altogether, quite*

visite [vizit] *f. visit, call, caller*

VOCABULARY FOR REFERENCE

âne [ɑːn] m. donkey
cadeau, –x [kado] m. gift, present
certain [sɛrtɛ̃] certain, sure
cesser (de) [sese] to cease, stop
croire [krwɑːr or krwaːr] to believe
falloir [falwaːr] to be necessary, must
merci (de) [mɛrsi] thanks (for)
nécessaire [neseseːr] necessary

patte [pat] f. paw
plaisir [plɛziːr]: faire — à to please
présenter [prezɑ̃te] to introduce
probable [prɔbabl] probable
rendre [rɑ̃ːdr] to return, take back
résister [reziste] to resist (takes indirect object)
surpris [syrpri] surprised
trente et unième [trɑ̃teynjɛm] thirty-first

TRENTE–DEUXIÈME LEÇON 32

I. DIALOGUE

1. *Use the following dialogue as in preceding lessons:*

LUI. Vous êtes la plus belle femme que j'aie jamais vue.

— *You are the most beautiful woman I have ever seen.*

ELLE. Vous me dites cela, quoique vous ne le pensiez pas, seulement pour me flatter.

— *You tell me that, although you do not think so, only to flatter me.*

LUI. Même si je ne vous le disais pas, vous le croiriez!

— *Even if I did not tell you so, you would think so!*

ELLE. Vous êtes méchant! Si vous étiez mon mari, je vous donnerais du poison.

— *You are mean! If you were my husband, I'd give you poison.*

LUI. Si vous étiez ma femme, je le boirais!

— *If you were my wife, I'd drink it!*

2. *Memorize the following proverbs:*

(a) Vouloir, c'est pouvoir.

(a) *Where there's a will there's a way.*

(b) Voir, c'est croire.

(b) *Seeing is believing.*

(c) Mieux vaut tard que jamais.

(c) *Better late than never.*

II. GRAMMAR

A. FURTHER USES OF THE SUBJUNCTIVE

1. The subjunctive is used in a relative clause whose antecedent is uncertain, nonexistent, a superlative, or an expression with the force of a superlative.

Je cherche un bon hôtel qui ne soit pas trop loin de la gare.	*I'm looking for a good hotel which isn't too far from the station.* (It is uncertain whether or not such a hotel exists.)
Jacques est le meilleur ami que j'aie.	*Jim is the best friend I have.*
Louise est la seule amie que Jeanne ait à Paris.	*Louise is the only friend that Joan has in Paris.*

2. The subjunctive is used in adverbial clauses introduced by certain conjunctions:

(Of time)	**avant que,** *before;* **jusqu'à ce que,** *until*
(Of purpose)	**pour que,** *in order that;* **afin que,** *in order that*
(Of condition)	**à moins que,** *unless*
(Of concession)	**bien que,** *although;* **quoique,** *although*
(Of negation)	**sans que,** *without*

Je veux parler à Jean avant qu'il s'en aille.	*I want to speak to John before he goes away.*
Restez ici jusqu'à ce que je revienne.	*Stay here until I return.*
Je le lui dirai trois fois pour qu'elle le sache bien.	*I shall tell her so three times in order that she may know it well.*
Nous serons de retour de bonne heure à moins que nous n'ayons un accident.	*We shall be back early unless we have an accident.*
Quoiqu'ils soient pauvres, ils sont heureux.	*Although they are poor, they are happy.*
N'y allez pas sans que Pierre vous accompagne.	*Don't go there without Pierre's going with you.*

NOTE

A "pleonastic" (superfluous) **ne** is used with the verb in clauses introduced by **à moins que,** *unless.* See the fourth example.

B. THE PERFECT SUBJUNCTIVE

This tense is formed from the present subjunctive of **avoir** or **être** and a past participle.

(que) j'aie donné	(que) je sois parti
tu aies donné	tu sois parti
etc.	etc.

NOTE

This tense obviously corresponds to the past indefinite of the indicative mood.

C. TENSE SEQUENCE IN THE SUBJUNCTIVE

The present or future indicative of the main verb may be followed in the **que**-clause by either a present or a perfect subjunctive. The present subjunctive denotes present or future *incomplete* action or condition, the perfect subjunctive denotes *completed* action or condition.

Je m'étonne que vous ne sachiez pas cela.	*I am surprised that you do not know that.*
Je m'étonne que vous ayez fait cela.	*I am surprised that you did that.*
Bien qu'il le dise, je ne le crois pas.	*Although he says so, I don't believe it.*
Bien qu'il l'ait dit, je ne le crois pas.	*Although he said so, I don't believe it.*

D. *BOIRE*, "TO DRINK"; *VALOIR*, "TO BE WORTH"

1. These irregular verbs have the following forms:

boire		**valoir**	
PRESENT			
bois [bwa]	buvons [byvɔ̃]	vaux [vo]	valons [valɔ̃]
bois [bwa]	buvez [byve]	vaux [vo]	valez [vale]
boit [bwa]	boivent [bwaɪv]	vaut [vo]	valent [val]
IMPERFECT			
buvais, etc.		valais, etc.	
FUTURE AND CONDITIONAL			
boirai, etc.	boirais, etc.	vaudrai, etc.	vaudrais, etc.
PAST DEFINITE			
bus, etc.		valus, etc.	

IMPERATIVE

bois, buvons, buvez   vaux, valons, valez

PAST PARTICIPLE

bu   valu

PRESENT SUBJUNCTIVE

boive	buvions	vaille	valions
boives	buviez	vailles	valiez
boive	boivent	vaille	vaillent

2. Used impersonally with **mieux, valoir** means *to be better* and may be followed by either an infinitive or a **que**-clause. A verb in the **que**-clause must be in the subjunctive.

Il vaut mieux dormir beaucoup que d'être malade. — *It is better to sleep a great deal than to be sick.*

Dois-je partir? — Il vaut mieux que vous restiez ici. — *Should I leave? — It is better that you stay here (You'd better stay here).*

E. SUBJUNCTIVE FORMS OF IRREGULAR VERBS (cont.)

The irregular verbs which are used in the subjunctive in this lesson for the first time have the following forms:

apprendre	écrire	lire	permettre
apprenne	écrive	lise	permette
apprennes	écrives	lises	permettes
apprenne	écrive	lise	permette
apprenions	écrivions	lisions	permettions
appreniez	écriviez	lisiez	permettiez
apprennent	écrivent	lisent	permettent

III. EXERCISES

A. *Read aloud the following sentences, giving the proper forms (indicative or subjunctive, as may be required) of the verbs in parentheses:*

1. Il est possible que nous ne (voir) pas nos jeunes amis ce matin. 2. Bien que je les (avoir) cherchés partout dans l'hôtel, je ne les ai pas trouvés. 3. Je ne sais pas pourquoi ils (être) sortis de si bonne heure. — 4. Il est possible qu'ils (avoir) voulu aller faire des courses dans les grands magasins sans que nous les (accompagner). 5. Comme ils (être) plus jeunes que nous, ils marchent plus rapidement que nous. 6. Ils croient peut-être que nous (marcher) trop lente-

ment. 7. Eh bien, voulez-vous que nous (rester) ici jusqu'à ce qu'ils (revenir)? — 8. Non! Il est possible qu'ils ne (revenir) pas avant midi. 9. Je veux que nous (sortir), nous aussi, pour qu'ils (apprendre), s'ils reviennent, que nous (pouvoir) nous tirer d'affaire sans eux. 10. Je ne veux pas qu'ils nous (trouver) ici à leur retour. — 11. Où voulez-vous que nous (aller)? — 12. Cela m'est égal. Il faut que nous (sortir) avant que nos jeunes amis (revenir). — 13. Sortez, si vous voulez; moi, je vais rester ici jusqu'à ce qu'ils (revenir) parce que je ne (pouvoir) pas m'amuser si je ne (sa-voir) pas où ils sont et ce qu'ils font. — 14. Venez avec moi! Je veux vous montrer quelque chose dans une partie de Paris que vous ne (connaître) pas; c'est la rue la plus pittoresque que j'(avoir) jamais vue. Je ne crois pas que vous y (avoir) été. — 15. Serons-nous de retour ici à midi? — 16. Oui, à moins que nous ne nous (perdre) dans les petites rues du Quartier latin. 17. Si nous nous perdons, nous pourrons demander à un agent quelles rues il (falloir) prendre pour rentrer à cet hôtel. Allons! En route!

B. *Recite in French:*

1. When I am thirsty, I drink a great deal of cold water. 2. When Paul is thirsty, he drinks beer. 3. When you are thirsty, what do you drink? — 4. I am not thirsty! — 5. Well, when you were thirsty, what did you drink? — 6. When I was in Paris, I used to drink wine. 7. If I were in France, I would drink wine. 8. When I go to France, I shall drink wine. 9. If I went to France, I would drink wine. — 10. What do children drink in France? — 11. They drink water, milk, — and wine.

C. *Recite in French:*

1. I am sorry that you did not go with us to Mr. Madeleine's house. 2. You would have met (made the acquaintance of) Mr. Madeleine's daughter. — 3. They (On) say that Mr. Madeleine's daughter is homely. — 4. I am surprised that someone (on) told you that. 5. I do not believe that they told you the truth. 6. It's a pity that you do not know Antoinette. 7. Pierre has met her (made her acquaintance); I'm surprised that he did not tell you so (it). 8. I am sure that Pierre thinks that Antoinette is charming. — 9. It's Pierre who told me that she is homely.

D. READING

PENSION OU HÔTEL?

DANIEL. Eh bien, alors, vous voulez aller en France?

MAURICE. Bien entendu! J'irai à Paris si je gagne une bourse ou un prix qui me permette d'y aller.

DANIEL. A quel hôtel descendrez-vous?

MAURICE. Je ne sais pas. Qu'est-ce que vous me conseillez de faire?

DANIEL. La dernière fois que je suis

allé à Paris, je suis descendu à un hôtel modeste de la Rive droite.

MAURICE. Qu'est-ce que c'est que la Rive droite? Je ne crois pas que mon professeur en ait parlé.

DANIEL. C'est la partie de Paris qui se trouve au nord de la Seine. Bien que les hôtels de la Rive droite soient assez chers, beaucoup d'Américains aiment y demeurer quand ils sont à Paris. Un des hôtels les plus chers qu'on puisse trouver à Paris est situé sur la Place Vendôme, qui est sur la Rive droite. Je parle de l'Hôtel Ritz.

MAURICE. Est-ce que vous me conseillez de descendre à l'Hôtel Ritz?

DANIEL. N'y allez pas à moins que vous ne soyez plus riche que moi! Je vous conseille de chercher un hôtel qui soit beaucoup moins cher.

MAURICE. Que pensez-vous de l'hôtel où vous êtes descendu?

DANIEL. C'était un bon petit hôtel. Quand j'y étais, je n'avais pas d'amis à Paris. J'y ai mené une vie solitaire. Il vaut mieux peut-être que vous cherchiez une pension où vous puissiez faire la connaissance de quelques Français.

MAURICE. Oui, je voudrais faire la connaissance de quelques Parisiens avec qui je puisse parler français. Je voudrais trouver une bonne pension qui soit près de la Sorbonne.

DANIEL. La meilleure pension que je connaisse n'est pas loin de la Sorbonne. Mais il y a des gens qui croient qu'il vaut mieux demeurer dans un hôtel que dans une pension. Si on demeure dans une pension, il faut y rentrer deux fois par jour pour le déjeuner et pour le dîner. Il faut qu'on cause avec les mêmes personnes tous les jours. Dans un hôtel, on est plus libre.

MAURICE. Mais si on n'a pas d'amis avec qui on puisse causer . . .

DANIEL. Vous avez raison. N'allez pas à l'hôtel, à moins que vous n'ayez déjà des amis à Paris.

MAURICE. Alors, c'est décidé. Vous croyez qu'il vaut mieux que je descende dans une pension.

DANIEL. Je ne dis pas cela. Pour connaître la vie de famille en France il faut demeurer chez des Français. Quand vous irez à Paris, cherchez une famille qui vous loue une chambre.

MAURICE. Voilà une bonne idée. Alors, c'est décidé. Il vaudra mieux que je cherche une famille qui ait des chambres à louer.

DANIEL. Oui, mais vous ne voulez pas vivre chez un vieil homme et une vieille femme qui n'ont pas d'enfants. Il faut faire la connaissance de jeunes gens et de jeunes filles de votre âge, n'est-ce pas? Donc, vous ferez bien de louer une chambre dans un des bâtiments de la Cité Universitaire, où vous trouverez quatre mille étudiants et étudiantes qui viennent de toutes les parties du monde. Dans un bâtiment qu'on nomme la Fondation des États-Unis vous trouverez des Américains et des Français de votre âge.

MAURICE. Voilà une bonne idée. Alors, c'est décidé. Vous voulez que j'écrive au directeur de la Fondation des États-Unis pour louer une chambre.

DANIEL. Je ne dis pas cela. Les hôtels, les pensions, les familles, la Cité Universitaire ont leurs avantages et leurs inconvénients. Il n'est pas nécessaire de prendre une décision aujourd'hui. Vous n'êtes pas certain de gagner une bourse ou un prix qui vous permette d'aller en France.

MAURICE. Hélas, c'est vrai!

DANIEL. Eh bien alors, il faut attendre. Je vous aiderai à prendre une décision avant que vous partiez.

E. *Write in French:*

1. My teacher wants me to read a French novel. — 2. What novel does he want you to read? — 3. I don't know what novel he wants me to read. — 4. If you read three or four novels, he will be satisfied, unless all the novels are too short. — 5. Three or four? Although I like French, I haven't time to read a lot of novels in French. — 6. You must read several novels in order to learn to (*à*) read French easily. — 7. Must I read several books in order to learn to read? Unless I know (how) to read French, I cannot read a single book in French. — 8. You read French slowly; you must be able to read it rapidly. That's (*Voilà*) what your teacher wants you to do. 9. Although you can understand quite (*assez*) well what you read, he wants you to understand it better. 10. He wants you to be able to read and to understand the masterpieces of (the) French literature.

IV. OPTIONAL EXERCISES

A. *Read and translate:*

1. Êtes-vous content que Georges ne soit pas ici? Moi, je regrette qu'il soit parti. — Moi, je suis content qu'il soit parti. S'il était resté ici, il aurait bu tout notre Coca-Cola! — Je m'étonne que vous ayez dit cela! Il ne faut pas dire des choses désagréables. Si Georges était ici, il ne boirait pas plus de Coca-Cola que vous!

2. (a) Savez-vous qui est arrivé? (b) Savez-vous ce qui est arrivé? (c) Je ne crois pas que vous sachiez qui est arrivé. (d) Je ne crois pas qu'on vous ait dit ce qui m'est arrivé.

3. Nous cherchons un jeune homme qui sache l'anglais. — Il n'y a pas d'homme qui sache l'anglais mieux que moi! Je le parle depuis longtemps... Il y a longtemps, j'ai fait un voyage en Amérique du Sud. — Mais on ne parle pas anglais en Amérique du Sud!

— Vous vous trompez. Quand j'y étais, je parlais anglais. Le français et l'anglais sont les seules langues que je sache. Les gens qui ne savaient pas le français ont été obligés de parler anglais avec moi.

4. Est-ce que Françoise est la meilleure amie que vous ayez à Paris? — Françoise est la seule amie que j'aie à Paris.

5. Je vous écris cette lettre pour que vous sachiez la vérité, que tout le monde a voulu vous cacher. Savez-vous pourquoi M. Thomas est mort? Il a bu le poison que sa femme lui a donné.

6. Voici une lettre pour Louis. Donnez-la-lui, s'il vous plaît. — Je la lui donnerai demain matin avant qu'il sorte. — Demain matin Louis sortira sans que vous le sachiez. Il sortira avant que vous vous réveilliez. Hier matin il est sorti sans que je l'aie su. Quand je me suis réveillé, il était déjà sorti.

B. *Answer in French:*

1. De quoi Maurice a-t-il besoin pour pouvoir aller en France? 2. Qu'est-ce que c'est que la Rive droite? 3. Qu'est-ce que c'est que la Rive gauche? 4. Où est l'Hôtel Ritz? 5. Pourquoi Daniel ne conseille-t-il pas à Maurice de descendre à l'Hôtel Ritz? 6. Qu'est-ce qu'on peut faire plus facilement à une pension qu'à un hôtel? 7. Si on loue une chambre dans une pension, où prend-on d'ordinaire ses repas? 8. Avec qui cause-t-on tous les jours? 9. Pourquoi Maurice veut-il faire la connaissance de quelques Parisiens? 10. Qu'est-ce que c'est que la Sorbonne?

11. Quel est l'inconvénient de demeurer dans une pension? 12. Daniel croit-il que les pensions soient toujours meilleures que les hôtels? 13. Est-ce que Maurice a déjà des amis à Paris? 14. Pourquoi doit-on louer une chambre chez des Parisiens? 15. Si on veut louer une chambre à la Fondation des États-Unis, à qui faut-il écrire? 16. Combien d'étudiants y a-t-il à la Cité Universitaire?

17. Croyez-vous qu'il soit toujours vrai que vouloir c'est pouvoir? 18. Croyez-vous seulement ce que vous pouvez voir? 19. Faut-il croire tout ce qu'on voit?

VOCABULARY FOR EXERCISES

avantage [avɑ̃taːʒ] *m. advantage*
bourse [burs] *f. scholarship*
chef-d'œuvre [ʃedœːvr] *m. masterpiece*
conseiller [kɔ̃sɛje] (de) *to advise*
descendre [desɑ̃ːdr *or* dɛsɑ̃ːdr] *to stay, stop (at a hotel or boarding-house)*
égal [egal]: cela m'est —, *that's all the same to me*

gagner [gaɲe] *to earn, win*
hélas [elɑːs] *alas!*
heure: de si bonne —, *so early*
inconvénient [ɛ̃kɔ̃venjɑ̃] *m. disadvantage*
littérature [literatyːr] *f. literature*
mener [məne] *to lead*
prix [pri] *m. prize*
solitaire [sɔlitɛːr] *solitary*

VOCABULARY FOR REFERENCE

accident [aksidɑ̃] *m. accident*
afin que [afɛ̃kə] *in order that, so that*
avant que [avɑ̃kə] *conj. before*
bien que [bjɛ̃kə] *although*
boire [bwaːr] *to drink*
Cité Universitaire *a group of 23 dormitories and an International House, on edge of Paris*
directeur [dirɛktœːr] *m. director*
flatter [flate] *to flatter*
fondation [fɔ̃dasjɔ̃] *f. foundation, establishment*
jamais [ʒamɛ] *ever, never*

jusqu'à ce que [ʒyskas(ə)kə] *until*
moins: à — que *unless*
permettre [pɛrmɛtr] (de) *to permit, allow*
poison [pwazɔ̃] *m. poison*
pour que [purkə] *in order that, so that*
quoique [kwakə] *although*
sans que [sɑ̃kə] *without*
tirer [tire]: se — d'affaire *to get along, manage*
trente-deuxième [trɑ̃tdøzjɛm] *thirty-second*
valoir [valwaːr] *to be worth;* — mieux *to be better*

TRENTE–TROISIÈME LEÇON 33

I. DIALOGUES

Use the following dialogues as in preceding lessons:

1. — Il n'y a personne dans le salon.

— Cela ne fait rien. Entrez-y quand même.

— Il y fait si noir qu'on ne peut rien voir.

— Qu'est-ce que cela vous fait? Avez-vous peur?

— Cela ne me fait rien. Je n'ai peur de rien.

— There is no one in the living room.

— That doesn't matter (That makes no difference). Go in there just the same.

— It's so dark in there that one cannot see anything (that one can see nothing).

— What difference does that make to you? Are you afraid?

— That's all the same to me (That does not make any difference to me). I'm not afraid of anything.

* * *

2. — Je suis entré dans le salon, j'y suis resté une demi-heure; quand j'en suis sorti, personne ne m'a parlé.

* * *

— I went into the living room, I stayed there half an hour; when I came out, no one spoke to me.

327

— Personne? Pourquoi est-ce que personne ne vous a parlé?

— Parce qu'il n'y avait personne dans le salon!

— No one? Why didn't anybody speak to you?

— Because there wasn't anyone in the living room!

II. GRAMMAR

A. INDEFINITE ADJECTIVES AND PRONOUNS

1. **Chaque,** *each, every,* is an adjective; **chacun(e),** *each one,* is a pronoun.

Chaque fois que je vais chez lui, il est sorti.	*Each time that I go to his house, he is out.*
J'ai posé la même question à tous mes amis; chacun a fait une réponse différente.	*I asked all my friends the same question; each one gave me a different answer.*

2. **Quelque,** *some,* pl. *a few,* is an adjective; **quelqu'un (quel-qu'une, quelques-uns, quelques-unes),** *someone, some, a few,* is a pronoun.

Nous allons passer quelques jours à Lyon.	*We are going to spend a few days in Lyons.*
Il y a quelqu'un à la porte.	*There is someone at the door.*
Je connais déjà quelques-uns de vos amis.	*I already know some of your friends.*

NOTE

Quelque, adjective, is not commonly used in the singular. To translate "some," before a singular noun, it is usually better to use the partitive construction; e.g., *some work* = **du travail,** not **quelque travail.**

3. **Plusieurs,** *several,* is both adjective and pronoun. It is always plural and does not vary to show gender.

Plusieurs hommes, plusieurs femmes.	*Several men, several women.*
Avez-vous vu des Américains? — Oui, j'en ai vu plusieurs.	*Have you seen any Americans? — Yes, I've seen several.*

4. **Quelque chose** = *something, anything.* Although **chose,** meaning *thing,* is feminine, **quelque chose** is masculine. **Quelque chose** requires **de** before an adjective, which is always masculine.

J'ai vu quelque chose d'obscur qui ressemblait à un canon.	*I saw something dark which looked like a cannon.*

5. **Personne** = *no one, nobody, not anybody.* **Rien** = *nothing, not anything.* (a) If either **personne** or **rien** is used with a verb, a **ne** must precede the verb. (b) When used as the object of a verb in a compound tense, **personne** follows, **rien** precedes, a past participle. (c) **Rien** (like **quelque chose**) requires a **de** before an adjective, which is always masculine.

Personne n'est venu.	*No one (Nobody) has come.*
Je n'ai vu personne.	*I have seen no one (I have not seen anyone).*
Rien d'intéressant n'est arrivé pendant votre absence.	*Nothing interesting has happened during your absence.*
Je n'ai rien acheté parce que je n'avais besoin de rien.	*I bought nothing (did not buy anything) because I didn't need anything.*

NOTE

Personne and **rien,** standing alone or without a verb, have negative force.

Qui est à la porte? — Personne.	*Who is at the door? — No one.*
Qu'avez-vous dit? — Rien.	*What did you say? — Nothing.*

6. Two negative words may stand in the same sentence in French without making a double negative.

Je n'ai rien dit à personne.	*I did not say anything to anyone.*
Il n'y a plus personne là.	*There is no longer anyone there.*

B. LA PLUPART, "MOST"

La plupart, an indefinite noun of quantity, is followed by **de** and a definite article (unlike other expressions of quantity). If the sense is plural, **la plupart** is followed by a plural verb.

La plupart des Français aiment la musique.	*Most French people like music.*

C. BIEN, "MUCH, MANY"

Bien meaning *much* or *many* is followed by **de** and a definite article.

bien des fois	*many times*
bien des années	*many years*

NOTE

The examples just given are more common than **beaucoup de fois** or **beaucoup d'années.**

D. NEGATIVE ADVERBS

1. The following negative expressions are of frequent occurrence.

ne . . . pas	*not*	ne . . . jamais	*never*
ne . . . pas du tout	*not at all*	ne . . . plus	*no longer, no more*
ne . . . guère	*hardly, scarcely*	ne . . . ni . . . ni	*neither . . . nor*

2. After **ni . . . ni,** the entire partitive sign is omitted before nouns.

On ne m'a offert ni thé ni café.   *They offered me neither tea nor coffee.*

3. **Jamais** with a verb but without **ne** = *ever;* without a verb = *never.*

Avez-vous jamais vu une telle   *Have you ever seen such a thing?*
chose? — Jamais!   *— Never!*

E. *COURIR,* "TO RUN"

This irregular verb has the following forms:

PRESENT		IMPERFECT	
cours	courons	courais, etc.	
cours	courez		
court	courent	**FUTURE AND CONDITIONAL**	
		courrai, etc. courrais, etc.	

IMPERATIVE
cours
courons
courez

PAST DEFINITE

courus, etc.

PAST PARTICIPLE
couru

PRESENT SUBJUNCTIVE

coure	courions
coures	couriez
coure	courent

III. EXERCISES

A. READING

UN RÊVE

Cette nuit, j'ai rêvé ceci . . . — On avait parlé d'émeutes toute la soirée à cause des troubles de la Place de la République. — Je rêvais donc. J'entrais dans un passage où il faisait si noir que je ne pouvais rien voir. Plusieurs hommes passèrent près de moi dans l'ombre. La plupart de ces hommes couraient. Je sortis du passage. J'étais dans une grande place, plus longue que large, entourée d'une espèce de vaste muraille ou de haut édifice qui ressemblait à une muraille et qui la fermait des quatre côtés. Il n'y avait ni portes ni fenêtres, seulement quelques trous. A l'extrémité de la place je vis quelque chose d'obscur qui ressemblait à un canon. Je vis une lumière près du canon.

Tout à coup quelqu'un me cria à l'oreille: — Sauvez-vous!

— Où sommes-nous donc? demandai-je. Qu'est-ce que c'est que cet endroit-ci?

— Vous n'êtes pas de Paris? répondit une voix. Vous n'avez jamais été ici? C'est le Palais-Royal.

Je regardai alors et malgré l'obscurité je reconnus en effet, dans cette place affreuse qui ressemblait à la cour d'une prison, le Jardin du Palais-Royal, où j'avais été bien des fois. Je voulais courir mais je ne pouvais pas. J'entendis encore une fois quelqu'un crier: — Sauvez-vous! On va tirer!

Je ne voyais personne. La place était déserte.

Une femme passa près de moi. Elle portait un enfant sur son dos. Elle n'avait pas peur, elle ne courait pas, elle marchait lentement. Elle était jeune, pâle, froide, terrible.

Elle me dit: — C'est bien malheureux! Le pain coûte trente-quatre sous et les boulangers nous trompent sur le poids. Vous allez entendre quelque chose d'effroyable.

Je vis un éclair à l'extrémité de la place et j'entendis le canon.

Je me réveillai. Quelqu'un venait de fermer la porte de la maison avec un grand bruit.

(Adapted from Victor Hugo: *Choses vues.*)

B. READING

L'Amour de Chateaubriand

Quand Chateaubriand était encore assez jeune, ses parents l'obligèrent à faire un « mariage de convenance » avec une jeune fille riche et laide qu'il n'aimait pas. Bientôt après le mariage, il quitta sa femme et devint soldat dans l'armée des monarchistes. Il fut blessé dans une des batailles de la guerre civile qui eurent lieu pendant la Révolution entre les monarchistes et les républicains. Pour sauver sa vie il alla en Angleterre, où il resta sept ans. Chateaubriand et sa femme ne s'étaient guère vus, ils ne se connaissaient guère, ils ne s'écrivaient pas. Après quelques années Chateaubriand avait presque oublié cette femme qu'il n'avait jamais aimée.

En Angleterre, dans un village, Chateaubriand fit la connaissance d'une jeune Anglaise. Le jeune homme était beau, la jeune fille était belle. Ils firent souvent de longues promenades ensemble. Bientôt les deux jeunes gens s'aimaient. Chateaubriand, cependant, n'avait jamais dit à la jeune fille qu'il voulait l'épouser.

Un soir Charlotte et ses parents se trouvaient avec Chateaubriand dans le salon de leur maison. D'abord la jeune fille, puis la mère, sortirent. Le père regarda le jeune homme attentivement.

— Monsieur, lui dit-il, vous êtes Français, vous ne connaissez peut-être pas nos coutumes anglaises. Ici en Angleterre, quand on voit qu'un jeune homme et une jeune fille sont très souvent ensemble et que cette situation dure depuis longtemps, on s'étonne que le jeune homme ne demande pas la main de la jeune fille en mariage. Monsieur, quelles sont vos intentions? Sont-elles sérieuses? Ma femme, ma fille et moi, nous sommes Anglais, nous sommes fiers. Si vous ne voulez pas épouser Charlotte, il faut que vous sortiez tout de suite de cette maison et que vous ne reveniez jamais ici.

— Monsieur, s'écria Chateaubriand,

votre fille est très gentille, je l'aime, . . . mais je suis déjà marié !

Le pauvre jeune homme courut à la porte, sortit de la maison et ne revit jamais la jeune fille qu'il aimait.

C. *Write in French:*

1. If you don't speak to anyone, no one will speak to you. 2. Is there anyone at the door? — Yes, some of your friends have come to see you. 3. Each time that I come here you are doing nothing. — What difference does that make to you? I don't owe you anything. 4. Have you ever gone to France? — Yes, I went there many years ago. 5. Where are you? It is so dark that I cannot see you. — Are you afraid?

— I'm not afraid of anything. 6. Who is coming to see you this afternoon? — Several of my friends. — I already know a few of your friends. Most of your friends are very nice. I'll stay here this afternoon to see again the ones I know. 7. Why are you always running? Each time (that) I see you, you are running. Do you like to run or are you always late? I never run. — What do you do if you are late? — I take a taxi.

D. *Write in French:*

PAUL. Tell me about (= Relate to me) your visit to the house of Countess Bonaventure. Whom did you see? What did you see? Were there many beautiful ladies and handsome gentlemen?

ALICE. I went there yesterday afternoon with a few American girls who are studying at the Sorbonne. The Countess had invited us because she likes Americans.

PAUL. Did you see a great many counts and countesses, dukes and duchesses, princes and princesses?

ALICE. I don't know. I cannot recognize a count or a duke or a prince when I see one. In the drawing room of the Countess, there were many old men who were bald and many women whose hair was red. If a man is bald, is he (a) duke or (a) prince?

PAUL. All princes are young, handsome and charming, aren't they?

ALICE. Only in books.

PAUL. Did you talk with some of the handsome young men?

ALICE. There were hardly any. I knew no one and no one knew me. No one spoke to me.

PAUL. You did not say anything to anyone?

ALICE. When a servant gave me a cup of tea, I said "Thank you very much." If someone had spoken to me, I would not have understood anything because everyone was talking French as fast and as loud (*haut*) as possible. The noise was frightful. I talked only with a few of the American girls whom I knew already.

PAUL. It's a pity that you have wasted (lost) your time at the Countess'.

ALICE. I did not waste my time there. Now I can say to all my American friends that I have been in the drawing room of a Countess.

IV. OPTIONAL EXERCISES

A. *Invent questions in French, to which the following sentences would be answers.*

MODEL: Il n'y a personne à la porte.
POSSIBLE QUESTION: Qui a sonné à la porte?

1. Il n'y a plus personne dans le salon. 2. Non, je ne peux pas vous voir. 3. Nous allons passer quelques jours à Lyon. 4. Chaque élève doit répondre aux questions. 5. Je ne vous ai pas posé de questions. 6. Je ne vous ai pas parlé du tout. 7. J'ai parlé à Charles. 8. Oui, bien des fois. 9. Oui, plusieurs fois. 10. Oui, il y a bien des années. 11. Non, merci. 12. Oui, tout de suite. 13. Rien! 14. Jamais! 15. J'en ai acheté quelques-uns hier. 16. J'en ai acheté quelques-unes hier. 17. Pour vous? Non! 18. Il y fait noir. 19. J'étais en retard. 20. Je me suis sauvé.

B. *Answer in French:*

1. Pourquoi Victor Hugo ne pouvait-il rien voir dans le passage dans lequel il est entré? 2. Est-ce qu'il était seul dans le passage? 3. Quand il est sorti du passage, où se trouvait-il? 4. Qu'est-ce qu'il avait devant lui? 5. Qu'est-ce qu'il a vu à l'extrémité de la place? 6. Qu'est-ce qu'on lui a crié à l'oreille? 7. Savait-il qui lui avait parlé? 8. Savait-il où il était? 9. Dans quel jardin était-il? 10. Savez-vous les noms d'autres jardins à Paris? 11. Qui a passé près de lui? 12. Qu'est-ce que cette personne portait? 13. Qu'est-ce que Victor Hugo a vu à l'extrémité de la place? 14. Qu'est-ce qu'il a entendu? 15. Quel bruit a réveillé Hugo?

C. *Invent twenty questions based upon the selection entitled* L'AMOUR DE CHATEAUBRIAND.

VOCABULARY FOR EXERCISES

affreux, affreuse [afrø, –ø:z] *frightful*
Anglaise [ãglɛɪz] *f. English girl*
blesser [blɛse] *to wound*
bruit [brɥi] *m. noise*
canon [kanɔ̃] *m. cannon*
cause [koːz]: à — de *because of*
cour [kuːr] *f. yard, courtyard*
coutume [kutym] *f. custom*
domestique [dɔmɛstik] *m. or f. servant*

duc [dyk] *m. duke*
duchesse [dyʃɛs] *f. duchess*
durer [dyre] *to last, go on*
éclair [eklɛɪr] *m. flash*
effroyable [ɛfrwajabl] *frightful, dreadful*
émeute [emœːt] *f. riot*
espèce [ɛspɛs] *f. kind*
extrémité [ɛkstremite] *f. end*
haut [o] *high, tall, loud*

lumière [lymjɛːr] f. *light*
marié [marje] *adj. married*
muraille [myraːj] f. *wall*
noir [nwaːr] *black, dark*
nuit [nɥi] f. *night;* cette —, *last night*
obscur [ɔpskyːr] *dark*
obscurité [ɔpskyrite] f. *darkness*
ombre [ɔ̃ːbr] f. *darkness, shadow*
perdre [pɛrdr] *(of time) to waste*
poids [pwɑ] m. *weight*

ressembler [rəsɑ̃ble] *to resemble, look like*
    (requires à *before object)*
rêve [rɛːv] m. *dream*
rêver [rɛve] *to dream*
roux [ru] *red (used of hair)*
sou [su] m. *cent*
tirer [tire] *to shoot*
tromper [trɔ̃pe] *to cheat*
trou [tru] m. *hole*

VOCABULARY FOR REFERENCE

attentivement [atɑ̃tivmɑ̃] *attentively*
bien (de *plus def. art.*) *much, many*
chacun [ʃakœ̃] *each one*
convenance [kɔ̃vənɑ̃ːs]: mariage de —, *"mar-
    riage of convenience" (marriage for interest, not
    love)*
demi-heure [dəmiœːr] f. *half an hour*
faire: qu'est-ce que cela vous fait? *what dif-
    ference does that make to you?* cela ne fait rien
    *that doesn't matter, that doesn't make any
    difference;* cela ne me fait rien *that does not
    make any difference to me, that's all the same
    to me*
guère [gɛːr]: ne . . . —, *hardly, scarcely*
passage [pɑsaːʒ] m. *passage*
personne (*pron.*) *nobody, no one, not anybody, not
    anyone*

plupart (la) [plypaːr] f. *(the) most*
plus: ne . . . —, *no longer, no more*
quand même *just the same*
quelque [kɛlkə] *some;* quelqu'un (quelqu'une,
    quelques-uns, quelques-unes) *someone, some,
    a few;* quelques *a few;* — chose *anything,
    something*
républicain [repyblikɛ̃] m. *Republican*
rien [rjɛ̃] *nothing, not anything*
sérieux, sérieuse [serjø, –øːz] *serious*
tel, telle [tɛl] *such*
tout: pas du —, *not at all*
trente-troisième [trɑ̃ttrwazjɛm] *thirty-third*
trouble [trubl] m. *trouble, disorder*
vaste [vast] *vast*

NOTE

Tel, *such*, regularly stands between an indefinite article and a noun; e.g., **une telle chose,** *such
a thing.*

TRENTE–QUATRIÈME LEÇON 34

I. ORAL INTRODUCTION

Read aloud and translate:

1. Les petits gâteaux se vendent (*are sold*) au kilo.
2. Le lait se vend au litre.
3. Les œufs se vendent à la douzaine ou à la pièce.
4. Les cigarettes se vendent au paquet.
5. Les billets de chemin de fer se vendent au guichet.

II. GRAMMAR

A. PASSIVE VOICE

1. The passive voice of a transitive verb is formed from the auxiliary **être** and the past participle, which agrees with the subject of the verb in gender and number.

Tous les gâteaux ont été vendus.   *All the cakes have been sold.*

2. The agent or cause of an action after a passive is introduced by **par,** to express a specific, physical act, or by **de,** to express a mental or emotional relation.

La fenêtre a été ouverte par un élève.	*The window was opened by a student.*
Est-ce que le professeur est respecté de ses élèves?	*Is the professor respected by his students?*

3. It is the *auxiliary* of a passive verb which shows the tense of the verb. The auxiliary has the same tense that an active verb would have in the same circumstances. To narrate a definite occurrence in the past, therefore, the past indefinite of the auxiliary is used in conversational or informal style, the past definite in literary or formal style.

INFORMAL STYLE

La cathédrale a été bâtie au treizième siècle.	*The cathedral was built in the thirteenth century.*

FORMAL STYLE

La cathédrale fut bâtie au treizième siècle.	*The cathedral was built in the thirteenth century.*

NOTE

The imperfect tense of **être** and a past participle frequently denote not a passive action but a static condition. A real passive must state or imply action upon the subject.

Son bureau était couvert de papiers.	*His desk was covered with papers.* (Not a real passive; nothing was being done to the desk.)

B. SUBSTITUTES FOR PASSIVE

The passive is less frequent in French than in English because of the following possible substitutes:

1. An active verb with the indefinite pronoun **on.**

On a bâti (On bâtit) la cathédrale au treizième siècle.	*The cathedral was built in the thirteenth century.*
Où est-ce qu'on vend du papier?	*Where is paper sold?*

2. A reflexive construction.

Les livres se vendent dans une librairie.	*Books are sold in a bookstore.*

NOTE

The passive cannot be replaced by one of these substitutes when the agent or instrument of an action is expressed.

L'enfant a été tué par une automobile.	*The child was killed by an automobile.*

C. OMISSION OF PARTITIVE SIGN AFTER *DE*

The entire partitive sign (**de** + definite article) is omitted after a prepositional (as distinguished from a partitive) **de,** meaning *of, from, by, with,* etc.

une bouteille pleine de vin	*a bottle full of wine*
une table couverte de livres	*a table covered with books*
J'ai besoin d'argent.	*I need (have need of) money.*

D. INTERROGATIVE PRONOUNS (cont.)

The following interrogative pronouns were presented in Lessons 9 and 14:

PERSONS			THINGS		
qui	subject of verb	*who*	**que**	} object of verb *what*	
qui	object of verb	*whom*	**qu'est-ce que**		
qui	object of preposition	*whom*			

The idiomatic locutions, **qu'est-ce que c'est?** *what is it?* and **qu'est-ce que c'est que ...?** *what (sort of thing) is ...?* were given in Lesson 3.

The following interrogative pronouns must also be learned:

1. *What?* as subject of verb = **qu'est-ce qui?** (There is no short form.)

Qu'est-ce qui vous a intéressé le plus dans le musée?	*What interested you most in the museum?*

2. *What?* as object of preposition = **quoi?**

De quoi parlez-vous?	*Of what are you speaking?* (*What*
De quoi est-ce que vous parlez?	*are you talking about?*)

3. **Lequel (laquelle, lesquels, lesquelles)** = *which (one)* or *what (one).* It agrees in gender with the noun to which it refers, both parts (**le** and **quel**) are inflected (as just shown), and the usual contractions with **à** and **de** take place. (All this was true of **lequel** used as a relative pronoun.)

Laquelle des comédies de Molière avez-vous vue?	*Which of Molière's comedies did you see?*
De tous les châteaux que vous avez visités, lequel vous a intéressé le plus? (lesquels vous ont intéressé le plus?)	*Of all the châteaux you have visited which (one) interested you most? (which (ones) interested you most?)*

4. **A qui** and **de qui** (interrogative), before **être,** may mean *whose,* the former generally indicating ownership, the latter relationship.

A qui est ce livre?	*Whose book is this?*
A qui sont ces livres?	*Whose books are these?*
De qui êtes-vous le fils?	*Whose son are you?*

E. TABLE OF INTERROGATIVE PRONOUNS

FUNCTION	ANTECEDENT	
	PERSONS	THINGS
Subject of verb	qui	qu'est-ce qui
Object of verb	qui	que
Object of preposition	qui	quoi

Which (one, ones) = **lequel, laquelle, lesquels, lesquelles**
Whose = **à qui, de qui**
What (sort of thing) is . . .? = **Qu'est-ce que c'est que . . .?**

The short forms may be combined with **est-ce qui** or **est-ce que,** with appropriate changes in word order.

PERSONS

Subject of verb	**qui**	or	**qui est-ce qui**
Object of verb	**qui**	or	**qui est-ce que**
Object of preposition	**qui**	or	**qui est-ce que**

THINGS

Subject of verb	—		**qu'est-ce qui**
Object of verb	**que**	or	**qu'est-ce que**
Object of preposition	**quoi**	or	**quoi est-ce que**

F. *RECEVOIR,* "TO RECEIVE"

This irregular verb has the following forms:

PRESENT		IMPERFECT
reçois [rəswa]	recevons [rəsəvɔ̃]	recevais, etc.
reçois [rəswa]	recevez [rəsəve]	
reçoit [rəswa]	reçoivent [rəswaɪv]	

FUTURE AND CONDITIONAL

recevrai, etc.   recevrais, etc.

IMPERATIVE

reçois
recevons
recevez

PAST DEFINITE

reçus, etc.

PRESENT SUBJUNCTIVE

reçoive	recevions
reçoives	receviez
reçoive	reçoivent

PAST PARTICIPLE

reçu

III. EXERCISES

A. *Read aloud and translate:*

1. Je ne vous ai dit que ce qu'on dit partout. 2. Vous devriez avoir honte de ce que vous avez fait. 3. Cela ne se fait pas en France. 4. Si vous travaillez bien, combien d'argent recevez-vous? 5. Si vous travaillez bien, combien d'argent recevrez-vous? 6. Si vous travailliez bien, com- bien d'argent recevriez-vous? 7. Est-ce que vous voudrez emprunter tout ce que je recevrai? 8. Voudrez-vous emprun- ter tout ce que j'aurai reçu?

9. Lesquels des rois de France furent assassinés? — Henri III et Henri IV. 10. Laquelle des reines de France fut la femme de Louis XVI? — Marie-An- toinette.

B. *Change the following sentences from passive to active:*

1. Jeanne d'Arc fut brûlée à Rouen. 2. Henri IV fut assassiné en 1610. 3. Charles X fut couronné dans la cathé- drale de Reims.

4. Si vous êtes généreux, vous serez aimé. 5. Si vous êtes injuste, vous serez détesté. 6. Si vous réussissez, vous serez loué et admiré.

7. Tous les gâteaux ont été vendus. 8. La fenêtre a été ouverte.

C. *Change the following sentences from active to passive:*

1. Un élève a fermé la porte. 2. Tout le monde respecte le professeur Blanc.

3. Tout le monde aime la reine d'Angle- terre. 4. On a choisi un président de la République. 5. On bâtit le palais de Versailles au dix-septième siècle.

D. *Translate* what *or* which *in the follow- ing sentences:*

1. De (*what*) parlez-vous? 2. De (*what*) avez-vous besoin? 3. (*What*) vous a intéressé dans le musée? 4. Je ne sais pas (*what*) m'a intéressé le plus. 5. (*What*) salles avez-vous visitées?

6. (*What*) fruits aimez-vous le mieux?

7. Voici des oranges et des bananes: (*which*) aimez-vous mieux? 8. Voici des pommes de terre et des carottes: (*which*) voulez-vous? 9. Voici deux bouteilles de vin — du vin blanc et du vin rouge: (*which*) voulez-vous? 10. Voici des ro- mans français: (*which one*) est le plus intéressant?

E. *Recite in French:*

1. In France, oranges are sold by the kilogram. 2. Bread is sold in a bakery. 3. Clothes are made by tailors. 4. Hats are made by milliners. 5. Books are sold in bookstores. 6. Meals are served by waiters. 7. Beer, wine, and coffee are served at the cafés. 8. At the cafés, tables and chairs are placed on the side- walks. 9. Pictures are found in mu- seums.

10. The museums are full of pictures

and of statues. 11. They are also full of tourists. 12. The parks are full of trees and of flowers. 13. On Thursdays they are also full of children.

14. Everyone needs money. 15. Tips are given to waiters and to chambermaids. 16. But they never receive enough money.

17. Whose hat is this? — Leave my hat on the table!

18. Whose gloves are these? — Don't put them on! They are too small for you.

19. Whose is this desk which is always covered with books and papers? — Don't look at me! It is not mine!

20. What has happened? — Nothing interesting!

21. Whom did you see in the living room? — No one.

F. READING

Les Maximes de La Rochefoucauld

Le duc de la Rochefoucauld, qui naquit en 1613 et mourut en 1680, est un des auteurs les plus pessimistes de la littérature française. Son chef-d'œuvre se compose de maximes, qui sont des expressions concises de vérités générales. La plupart des maximes montrent l'ironie aussi bien que le pessimisme de l'auteur. Tantôt La Rochefoucauld se moque de la nature humaine, tantôt il la méprise. Voici d'abord quelques-unes de ses maximes pessimistes:

« Les vertus se perdent dans l'intérêt (selfishness), comme les fleuves se perdent dans la mer. »

« Nous aurions honte de nos plus belles actions, si le monde voyait tous les motifs qui les produisent (produce, cause). »

« Ce qui nous empêche souvent de nous abandonner à un seul vice est que nous en avons plusieurs. »

Dans d'autres maximes La Rochefoucauld parle de la vanité, de la reconnaissance, de la justice, de la générosité et de l'amour:

« Le refus des louanges est un désir d'être loué deux fois. »

« On ne loue d'ordinaire que pour être loué. »

« La reconnaissance en la plupart des hommes n'est qu'une forte et secrète envie (desire) de recevoir de plus grands bienfaits. »

« L'amour de la justice n'est en la plupart des hommes que la crainte de souffrir l'injustice. »

« Ce qu'on nomme libéralité n'est le plus souvent que la vanité de donner, que nous aimons mieux que ce que nous donnons. »

« Il n'y a guère de gens qui ne soient honteux de s'être aimés quand ils ne s'aiment plus. »

Quelques maximes ne sont guère pessimistes; elles ne sont que des bons mots ironiques. En voici des exemples:

« On ne donne rien si libéralement que ses conseils. »

« Nous ne trouvons guère de gens de bon sens que (except) ceux qui sont de notre avis. »

La philosophie de La Rochefoucauld se résume dans cette phrase célèbre:

« Nos vertus ne sont le plus souvent que des vices déguisés. »

G. *Write in French:*

1. What is a maxim? — It's the concise expression of a general truth.

2. In (*En*) what century did La Rochefoucauld live? — He lived in the seventeenth century.

3. To what does La Rochefoucauld compare our virtues? — He compares them to rivers which are lost in the sea.

4. Are all the maxims of La Rochefoucauld pessimistic? — Most of his maxims are pessimistic but some are ironical and some are only witticisms.

5. Why ought we to be ashamed sometimes of our fine actions? — Because the motives which cause them are not always fine.

6. Give me an example of a motive which is not fine. — Sometimes we are generous only because we want to have the reputation of being (*d'être*) generous.

7. Are we always ashamed of our bad actions? — No, not always. Most often no one sees the motives which produce them.

8. Why don't we abandon ourselves to one vice? — We don't know to which one of our vices we want to abandon ourselves.

9. Which of our vices is the strongest? — Selfishness. Most virtues are lost in selfishness, as rivers are lost in the sea.

10. Give me another example of a virtue which is a disguised vice. — Modesty is a virtue; we praise the one who does not want to be praised. But sometimes one is modest because he (one) wants to be praised for his modesty!

11. We ought to praise those who have done fine things; we ought not to praise our friends only in order to be praised by our friends.

12. You admire generosity? Well, then, give me something! — Very well, I'll give you some (a) good advice: read the maxims of La Rochefoucauld.

IV. OPTIONAL EXERCISES

A. *The following sentences may be used either for written dictation or for additional reading:*

La Bruyère est un écrivain français du dix-septième siècle, qui, comme La Rochefoucauld, a écrit des maximes. En voici quelques-unes:

1. On dit du bien de quelqu'un pour deux raisons: la première, afin qu'il apprenne que nous disons du bien de lui; la seconde, afin qu'il en dise de nous.

2. Il y a dans l'art un point de perfection . . . Celui qui le sent et qui l'aime a le goût parfait, celui qui ne le sent pas . . . a le goût défectueux. Il y a donc un bon et un mauvais goût.

3. Il y a beaucoup plus de vivacité que de goût parmi les hommes; ou pour mieux dire, il y a peu d'hommes dont l'esprit soit accompagné d'un goût sûr et d'une critique judicieuse.

4. Combien de siècles se sont écoulés avant que les hommes, dans les sciences et les arts, aient pu revenir au goût des anciens et reprendre enfin le simple et le naturel!

5. On peut définir l'esprit de politesse, on ne peut pas en fixer la pratique . . . Il me semble que l'esprit de politesse est une certaine attention à faire [1] que par nos paroles et par nos manières les

---

[1] to act in such a way that.

autres soient contents de nous et d'eux-mêmes.

6. La cour [1] est comme un édifice bâti de marbre : je veux dire qu'elle est composée d'hommes fort durs, mais fort polis.

7. Il n'y a pour l'homme que trois événements : naître, vivre et mourir. Il ne se sent pas naître, il souffre à mourir, et il oublie de vivre.

B. *Drill in Irregular Verbs.   Recite in French:*

1. I am going away. — 2. Why are you leaving? — 3. I must go away; you want me to leave, don't you? — 4. Why must you leave? — 5. I don't want to stay here. — 6. Where do you want to go? — 7. I want to go home but I can't go there. — 8. Why can't you go there? — 9. There's nobody home.

10. I've received some money. — 11. I receive some each week. — 12. I have just received a thousand francs. — 13. Tomorrow I shall receive two thousand. — 14. How many francs did you receive last week? — 15. Two thousand.   Each week, I receive two thousand. — 16. Have you been receiving two thousand francs a (*par*) week for a long time? — 17. Yes, for several months. — 18. What have you done with (*de*) all that money? — 19. Two thousand francs are not worth a great deal in (*en*) American money (*monnaie, f.*).   20. You will learn that when you study the thirty-fifth lesson.

VOCABULARY FOR EXERCISES

abandonner [abɑ̄dɔne] *to abandon*

avis [avi] *m. opinion*

bienfait [bjɛ̃fɛ] *m. benefit*

bureau, −x [byro] *m. desk; office*

comparer [kɔ̃pare] *to compare*

composer [kɔ̃poze]: se — de *to be composed of*

concis [kɔ̃si] *concise*

conseil [kɔ̃sɛ:j] *m. advice*

couronner [kurɔne] *to crown*

crainte [krɛ̃:t] *f. fear*

critique [kritik] *f. criticism, judgment*

déguiser [degize] *to disguise*

dur [dy:r] *hard*

écouler [ekule]: s'—, *to elapse, pass (of time)*

empêcher [ɑ̄peʃe] (de) *to prevent*

envie [ɑ̄vi] *f. desire*

esprit [ɛspri] *m. spirit, mind*

événement [evɛnmɑ̄] *m. event*

fort [fɔ:r] *adj. strong; adv. very*

générosité [ʒenerɔzite] *f. generosity*

guichet [giʃɛ] *m. ticket window*

honte [ɔ̃:t] *f. shame;* avoir — de *to be ashamed of*

honteux, honteuse [ɔ̃tø, −ø:z] *ashamed*

intérêt [ɛ̃terɛ] *m. selfishness*

ironique [irɔnik] *ironical*

kilo, kilogramme [kilo, kilɔgram] *m. kilogram (2⅕ lbs.)*

libéralement [liberalmɑ̄] *liberally, generously*

---

[1] i.e., the royal court.

litre [litr] *m. liter (app. 1 qt.)*
louange [lwɑ̃ːʒ] *f. praise*
louer [lwe *or* lue] *to praise*
maxime [maksim] *f. maxim*
modestie [mɔdɛsti] *f. modesty*
mot [mo] *m. word;* bon —, *joke, witticism*
motif [mɔtif] *m. motive*
parmi [parmi] *among*
pessimiste [pɛsimist] *pessimistic*
pièce [pjɛs] *f. piece*
plein [plɛ̃] *full*

poli [pɔli] *polished, polite*
reconnaissance [rəkɔnɛsɑ̃ːs] *f. gratitude*
refus [rəfy] *m. refusal*
réussir [reysiːr] (à) *to succeed*
sembler [sɑ̃ble] *to seem*
sens [sɑ̃ːs] *m. sense*
sentir [sɑ̃tiːr] *to feel (conjugated like* servir)
tantôt . . . tantôt *now . . . now*
trottoir [trɔtwaːr] *m. sidewalk*
vertu [vɛrty] *f. virtue*
vice [vis] *m. vice*

VOCABULARY FOR REFERENCE

ancien [ɑ̃sjɛ̃] *m. ancient*
attention [atɑ̃sjɔ̃] *f. attention*
banane [banan] *f. banana*
bien [bjɛ̃] *m. good, something good*
défectueux, défectueuse [defɛktɥø, -øːz] *defec-tive*
définir [definiːr] *to define*
expression [ɛksprɛsjɔ̃] *f. expression*
fixer [fikse] *to fix*
humain [ymɛ̃] *human*
injuste [ɛ̃ʒyst] *unjust*
ironie [irɔni] *f. irony*
judicieux, judicieuse [ʒydisjø, -øːz] *judicious*
lequel (laquelle, *etc.*) *interrog. pron. which (one), what (one)*
libéralité [liberalite] *f. liberality*
marbre [marbr] *m. marble*
nature [natyːr] *f. nature*

naturel, naturelle [natyrɛl] *natural*
parfait [parfɛ] *perfect*
perfection [pɛrfɛksjɔ̃] *f. perfection*
pessimisme [pɛsimism] *m. pessimism*
placer [plase] *to place*
pratique [pratik] *f. practice, application*
produire [prɔdɥiːr] *to produce, cause*
quelquefois [kɛlkəfwa] *sometimes*
qui: à —, de —, *whose*
recevoir [rəsəvwaːr] *to receive*
reprendre [rəprɑ̃ːdr] *to take up again, resume*
résumer [rezyme]: se —, *to be summed up*
science [sjɑ̃ːs] *f. science*
secret, secrète [səkrɛ, -ɛt] *secret*
trente-cinquième [trɑ̃tsɛ̃kjɛm] *thirty-fifth*
trente-quatrième [trɑ̃tkatrijɛm] *thirty-fourth*
vanité [vanite] *f. vanity*
vivacité [vivasite] *f. vivacity, liveliness*

TRENTE–CINQUIÈME LEÇON 35

I. DIALOGUE

The following conversation contains modern, useful phrases. Meanings may be found in the Vocabulary at the end of this lesson. The conversation may be translated, or be read aloud in French by pairs of students, or, with students' books closed, be read aloud in French by the teacher and translated by the students, or, with books closed, be read in English by the teacher and translated into French by students acting as interpreters.

— Bonjour, madame. Avez-vous une chambre meublée à louer? Je veux une chambre avec salle de bain.

— Bonjour, monsieur. Il y a une chambre libre au deuxième étage. Venez par ici, s'il vous plaît. Voici l'escalier. L'ascenseur ne marche pas. Il fait noir ici, n'est-ce pas? Je tourne le commutateur. Voilà !

— Est-ce qu'il y a un poste de TSF dans la chambre? Avez-vous un poste de télévision chez vous?

— Vous pouvez louer un poste de radio, si vous voulez écouter les radiodiffusions, qui sont excellentes à Paris. Nous avons un poste de télévision au salon . . . Voici le téléphone, dans le corridor, près de la chambre que je vais vous montrer. Si vous entendez la sonnerie, décrochez le récepteur. Quand vous aurez fini de parler, ne manquez pas de raccrocher le récepteur . . .

— Quelle belle chambre ! Je voudrais la louer pour quatre ou cinq mois. Ce sera combien?

344

— Cette chambre se loue mille francs par jour.

— Combien ça fait-il en monnaie américaine?

— Un peu moins de trois dollars par jour.

— C'est un peu cher pour moi, madame. Mais c'est la plus belle chambre que j'aie vue dans ce quartier de Paris. Je voudrais donc la louer.

— C'est entendu. Vous serez bien ici, monsieur.

—J'en suis certain, madame.

II. GRAMMAR

A. FURTHER USES OF THE SUBJUNCTIVE

1. The subjunctive is used in a subordinate clause introduced by **que,** *that*, after verbs and expressions denoting fear. (*To fear, to be afraid* = **craindre,** irreg. (see D) or **avoir peur.**)

Elle craint que vous ne partiez.	*She is afraid that you are leaving (may leave).*
J'ai peur qu'elle ne vienne pas.	*I am afraid that she may not come (is not coming).*

NOTE

A so-called pleonastic **ne** (which is not to be translated) precedes the subjunctive after affirmative verbs of fearing, as in the first example. Though it is not a serious error to omit this **ne** in modern French, it is preferable to use it.

2. The subjunctive is used after **quoi que,** *whatever*.

Quoi qu'elle dise, je ferai ce que je voudrai.	*Whatever she says (may say), I'll do what I want.*

3. The third person singular and plural subjunctive may be used, without any preceding or governing words, with the force of an imperative, expressing a command or a wish.

Qu'il s'en aille!	*Let him go away!*
Que les enfants fassent une promenade au parc!	*Let the children take a walk in the park!*

NOTE

Do not confuse this construction with the use of **laisser,** *to let, to permit.*

Laissez-le s'en aller s'il veut.	*Let him go away if he wants to.*

B. USE OF INFINITIVE INSTEAD OF SUBJUNCTIVE

1. An infinitive rather than a **que**-clause with subjunctive should be used when the subject of the governing verb and of the governed verb is the same.

(*Different subjects*)

Voulez-vous bien venir me voir avant que je parte?	*Will you please come and see me before I leave?*

(*Same subject*)

Voulez-vous bien venir me voir avant de partir?	*Will you please come and see me before you leave?*

(*Different subjects*)

J'ai peur que vous ne tombiez.	*I am afraid that you may fall.*

(*Same subject*)

J'ai peur de tomber.	*I am afraid that I may fall.*

2. Often either an infinitive or a **que**-clause is possible, the choice between the two depending upon style.

(a) Il ne croit pas être malade.
(b) Il ne croit pas qu'il soit malade. } *He doesn't think he is sick.*

(a) Je regrette d'être obligé de vous quitter maintenant.
(b) Je regrette que je sois obligé de vous quitter maintenant. } *I am sorry I am obliged to leave you now.*

NOTE

The subjunctive in a **que**-clause cannot be avoided after a verb of wanting or wishing when the subject of the dependent clause is different from the subject of the main verb.

Je veux que vous le fassiez.	*I want you to do it.*
Je voudrais que vous le fassiez.	*I wish you would do it.*

C. EXCLAMATIONS

1. **Quel (quelle, quels, quelles)** is frequently used before nouns in exclamations. No indefinite article is used in the singular.

Quel homme!	*What a man!*
Quel beau jardin!	*What a beautiful garden!*
Quels beaux tableaux!	*What beautiful pictures!*

2. The regular word order in exclamatory sentences is: (1) *how*, (2) subject and verb, (3) adjective or adverb. (*How* is **comme** or **que**, *how much* or *how many* is **que de**.)

Comme je suis fatigué!	*How tired I am!*
Que vous parlez bien le français!	*How well you speak French!*
Que de peintures il y a dans ce musée!	*How many paintings there are in this museum!*

D. CRAINDRE, "TO FEAR"

1. This irregular verb has the following forms:

PRESENT		IMPERFECT
crains [krɛ̃]	craignons [krɛɲɔ̃]	craignais, etc.
crains [krɛ̃]	craignez [krɛɲe]	
craint [krɛ̃]	craignent [krɛɲ]	

FUTURE AND CONDITIONAL

craindrai, etc.   craindrais, etc.

IMPERATIVE

crains, craignons, craignez

PAST DEFINITE

craignis, etc.

PAST PARTICIPLE

craint

PRESENT SUBJUNCTIVE

craigne, etc.

2. **Craindre** requires a **de** before an infinitive and is followed by a subjunctive in a **que**-clause, with the pleonastic **ne**.

La vieille dame craint de traverser la rue.	*The old lady is afraid to cross the street.*
Je crains qu'elle ne tombe.	*I am afraid she may fall.*

3. Like **craindre** are **peindre**, *to paint*, and **plaindre**, *to pity*. **Se plaindre** = *to complain*.

Quel artiste a peint la Mona Lisa?	*What artist painted the Mona Lisa?*
De quoi vous plaignez-vous?	*What are you complaining about?*

III. EXERCISES

A. *Students should close their books and translate the following sentences as they are read aloud by the teacher:*

1. Quel village pittoresque! Que ce village est pittoresque! 2. Quelle belle musique! Que ces musiciens jouent bien! 3. Quel joli tableau! Où l'avez-vous acheté? 4. Quels jolis tableaux! Quel artiste les a peints? 5. Quel enfant malheureux! Que je le plains! 6. Quel chien! Que je le crains! 7. Qu'il fait chaud! 8. Qu'il fait chaud depuis trois jours! 9. Que cet appartement est bien meublé! Que je suis content de l'avoir trouvé! 10. Quel mauvais temps! Que je regrette que nous n'ayons pas de parapluie!

B. *Make exclamatory phrases or sentences from the following phrases:*

MODEL: Une belle avenue. — Quelle belle avenue! Que cette avenue est belle!

1. Une longue rue. 2. Une grande

place. 3. Un bel édifice. 4. Une belle église. 5. Du bon fromage. 6. Un repas délicieux. 7. Un complet cher. 8. Une automobile élégante. 9. Une mer calme. 10. Un paysage tranquille.

C. *Recite in French:*

1. I am afraid that you will fall. — 2. ʻAre you afraid that I may fall? 3. I am not afraid of falling. — 4. I don't want you to fall. — 5. Don't be afraid of that! I don't want to fall! — 6. Whatever you do, don't fall! — 7. Whatever you may say, I am not going to fall. — 8. What has happened? — 9. I have fallen.[1]

D. *Recite in French:*

1. Let me go out of this room, please! — 2. Let's go out of this room! — 3. Let the children go out of this room. 4. Let's study! 5. Let everyone begin to study. — 6. No, the weather is fine, let's take a walk. — 7. What a good idea!

E. *Recite in French:*

1. Is Colette afraid that Gérard will leave her? — 2. She wants him to go away. — 3. How you surprise me! Doesn't she love him? — 4. She loves him — but Gérard does not love her. She knows that he will never love her, whatever she does. — 5. She wants him to go away, although she loves him? — 6. Yes. She does not say to herself: I don't love him, I'll leave him. She says to herself: I love him, let him leave me! — 7. I don't believe that she said that. I'm afraid that you are making fun of me! Whatever you may say, I shall not believe it.

F. READING

La Valeur du Franc

Tout le monde sait que l'unité monétaire dont on se sert en France depuis longtemps est le franc. Mais beaucoup d'Américains ne savent pas ce que vaut le franc en monnaie américaine. Quand ces Américains iront en France, ils voudront acheter toutes sortes de choses. Quoi qu'ils veuillent acheter, il faudra qu'ils sachent la valeur du franc.

D'ailleurs, si un Américain lit des livres français, il aura souvent l'occasion de se poser les questions suivantes: Quelle était la valeur du franc au moment où ce livre a été écrit? Combien le franc valait-il il y a cent ans? Il y a cinquante ans? Combien le franc vaut-il aujourd'hui?

Dans un livre qui a été publié en 1901,[2] on trouve cette explication de la valeur du franc: « En France on indique la valeur des objets par francs et centimes.

---

[1] **Tomber,** like **aller, arriver,** etc., forms its compound tenses with **être.**   [2] Fraser & Squair: *French Grammar*, Boston: Heath.

Le franc vaut à peu près vingt « cents » de la monnaie américaine ou canadienne. Le centime est la centième partie du franc. On compte souvent aussi par sous pour les petites sommes. Un sou . . . vaut cinq centimes (ou la vingtième partie d'un franc). Pour trouver la valeur, en monnaie américaine, d'une somme quelconque, exprimée en francs, on la divise par cinq . . . Pour trouver la valeur en francs d'une somme quelconque, exprimée en dollars, on la multiplie par cinq. »

A cette époque-là, cinq francs valaient donc un dollar, dix francs deux dollars, et ainsi de suite. Un franc valait vingt sous (ou vingt « cents »), deux francs valaient quarante sous. Deux francs cinquante (centimes) valaient cinquante sous. Cette valeur du franc existait depuis longtemps.

En 1901 on pouvait acheter un complet pour cent dix francs (vingt-deux dollars) et un chapeau pour vingt-deux francs (quatre dollars quarante sous). Si on déjeunait dans un restaurant de la rue de Rivoli, l'addition était de deux francs vingt-cinq (quarante-cinq sous américains) et on donnait un pourboire de cinq sous (cinq « cents ») au garçon. Si on voulait voir une pièce au Théâtre-Français, les meilleures places coûtaient deux francs cinquante.

Voici maintenant quelques phrases d'un livre qui a été publié trente ans plus tard, en 1931.[1] « Ma pension est de 45 francs par jour, ce qui fait environ 1.350 francs par mois . . . Un de mes amis a une chambre, dans un petit hôtel, qui lui coûte 18 francs 75 centimes par jour. Il dîne dans un petit restaurant à 6 francs 25. Si on prend un appartement meublé, il faut payer de 1.800 à 3.000 francs par mois . . . J'ai acheté un parapluie 110 francs et une bonne paire de gants 35 francs 50 . . . Une automobile américaine coûte en France 25.600 francs . . . Pour passer une année en France, il faudra compter au moins sur 30.000 ou 40.000 francs de dépenses. »

Si le franc avait valu vingt sous américains en 1931, comme en 1901, que la vie aurait été chère pour un Américain à Paris ! Sa pension lui aurait coûté 9 dollars par jour, son parapluie lui aurait coûté 22 dollars, une automobile plus de 5.000 dollars. Il lui aurait fallu dépenser au moins six mille dollars pour passer une année en France.

Mais en 1931 le franc avait déjà perdu une grande partie de sa valeur et au lieu de vingt sous américains n'en valait que quatre. En 1901 un dollar avait valu cinq francs; en 1931, il valait vingt-cinq francs. Pour trouver le prix, en monnaie américaine, d'un objet quelconque, on divisait le nombre de francs par vingt-cinq. La pension d'un Américain n'aurait coûté que cinquante-quatre dollars par mois. Il aurait pu dîner pour vingt-cinq sous américains. Il n'aurait dépensé pendant une année entière en France que mille deux cents ou mille six cents dollars.

Le franc avait perdu une grande partie de sa valeur à cause de la première Guerre mondiale. Pendant la seconde Guerre mondiale et après il en a perdu

---

[1] Fraser-Squair-Carnahan: *Standard French Grammar*, Heath.

une plus grande partie encore. En 1901, un Américain à Paris recevait cinq francs pour un dollar et en 1931 vingt-cinq francs; en 1951, pour chaque dollar il recevait trois cent cinquante francs!

Les prix, cependant, ont beaucoup augmenté depuis 1901. Les déjeuners de deux francs cinquante sont devenus des déjeuners de trois cent cinquante ou quatre cent cinquante francs. Les places au Théâtre-Français qui coûtaient, comme les repas, deux francs cinquante coûtent aujourd'hui plus de huit cents francs. Pour passer une année en France, il faut avoir maintenant deux mille dollars: — au lieu de trente mille francs, comme en 1931, il faut en avoir sept cent mille!

Voulez-vous être millionnaire? Allez en France et achetez des francs avec vos dollars américains. Pour trois mille dollars vous pourrez avoir plus d'un million de francs!

G. *Write in French:*

1. Good morning, madam. I am looking for a room which is not too expensive. Have you a room to rent? — 2. Yes, sir, I have a very good room, well furnished, for one person, on the third floor. — 3. I should like to see it. — 4. Let's take the elevator ... Here is the room. — 5. What a fine room! How much is it, the room and three meals a day? — 6. The complete *pension* is one thousand five hundred francs a day. — 7. Service included? Everything included? — 8. The room, breakfast, lunch, and dinner. I don't think that you can find a better room at that price. 9. This room is well furnished: there's a washstand, a large wardrobe, a comfortable bed, a table, chairs. — 10. Where is the bathroom? — 11. There is one on (*à*) each floor. Baths cost two hundred and fifty francs. The chambermaid prepares them for you. 12. If you wish to have wine with your meals, you will have to buy some yourself. Except (*Sauf*) the baths and the wine, everything is included. — 13. May I have a radio in my room? — 14. You can rent a radio, if you wish, at a shop in (*de*) the rue Vavin. Of course, you must not disturb the people in the other rooms. 15. You may use the telephone, which is in the hall; do you know how to use a telephone? Do they have many telephones in America? — 16. Yes, madam, there are a great many. — 17. We have a TV set in the drawing room. Do they have (the) television in America? — 18. We have had it for a long time, madam. Where is the (electric light) switch? — 19. Here it is, near the door. — 20. Well, I should like to stay here an entire year. At what hours are luncheon and dinner served? — 21. At noon and at seven-thirty. The maid will bring you your breakfast at eight o'clock. 22. You will make the acquaintance of some young people with whom you will be able to speak French. — 23. I'm afraid that I do not speak French well enough to talk with them. — 24. Some of the young people are Americans. But you speak French very well!

IV. OPTIONAL EXERCISES

A. *Fill the numbered blanks in the following sentences as follows: in* (1), 5, 10, 20, 50, 100, 500, 1000, 5000, *or* 10,000 (*which are the denominations of actual French bills*); *in* (2) *the correct number of francs left after the designated transaction.*

MODEL: J'avais un billet de (1) francs; j'ai acheté un crayon qui m'a coûté 3 francs; j'ai reçu (2) francs de monnaie. — (1) 100; (2) 97.

1. J'avais un billet de (1) francs; j'ai acheté un stylo qui m'a coûté 3.500 francs; j'ai reçu (2) francs de monnaie.

2. J'avais un billet de (1) francs; j'ai acheté des livres qui m'ont coûté 800 francs; j'ai reçu (2) francs de monnaie.

3. J'avais un billet de (1) francs; j'ai acheté des oranges qui m'ont coûté 175 francs; j'ai reçu (2) francs de monnaie.

B. *Construct sentences like those in* A, *using the following items and prices for your purchases:*

du savon, à 95 fcs	des gants, à 750 fcs
du thé, à 225 fcs	un chapeau, à 2.750 fcs
des pâtisseries, à 200 fcs	un sac à main, à 3.500 fcs
des cerises, à 350 fcs	une chaise, à 3.250 fcs
des cartes postales, à 175 fcs	un tapis, à 5.250 fcs
des tasses à thé, à 375 fcs	un petit tableau, à 1.750 fcs
des cuillères, à 100 fcs	un grand tableau, à 9.800 fcs
des verres, à 1.000 fcs	des souliers, à 2.200 fcs

des tickets d'autobus, à 200 fcs
des tickets de métro, à 300 fcs
des billets de théâtre, à 1.600 fcs

C. *Find equivalents in American currency for the sums used in preceding sentences.*

D. *Construct sentences like those in* A, *using the following items as purchases, and giving approximate prices in francs, figured at the rate of 350 francs for $1.00.*[1]

une lampe	des allumettes	un litre de lait
un cahier	des lunettes	un kilo de sucre
un dictionnaire	des assiettes	une douzaine d'œufs
une automobile	des cigarettes	une bouteille de vin

E. *From the Vocabularies of Lessons* 12–34, *find suitable items for purchases.* (*Most of the items used in* A, B, *and* D *have been taken from Lessons* 2–11.) *Construct sentences, with these items, like those in* A.

---

[1] If the official rate changes after the date of publication of this book, the new rate should be substituted.

F. (*Alternate pattern for* B, D, *or* E.) *One student may say to another:* « Je vous ai donné (*large sum in round figures*) francs: qu'en avez-vous fait? » *The second student replies:* « J'ai acheté (*item*) qui m'a (m'ont) coûté (*price*). » — FIRST STUDENT: « Combien de francs avez-vous maintenant? » — SECOND STUDENT: « Je n'en ai que (*appropriate number*). » *Continue similarly with other pairs of students.*

VOCABULARY FOR EXERCISES

ascenseur [asãsœːr] *m. elevator*
bien: être — (*of persons*) *to be comfortable*
centième [sãtjɛm] *hundredth*
cerise [səriːz] *f. cherry*
commutateur [kɔmytatœːr] *m.* (*electric light*) *switch*
complet, complète [kɔ̃plɛ, –ɛt] *complete*
compter [kɔ̃te] *to count*
corridor [kɔridɔːr] *m. hall*
décrocher [dekrɔʃe] *to take off*
dépense [depãːs] *f. expense, expenditure*
déranger [derãʒe] *to disturb*
entendu: c'est —, *it's agreed*
environ [ãvirɔ̃] *about*
escalier [ɛskalje] *m. stairs, stairway*
étage [etaːʒ] *m. floor* (*cf. note at end of Vocab.*)
explication [ɛksplikasjɔ̃] *f. explanation*
ici: par —, *this way*
indiquer [ɛ̃dike] *to indicate*

jouer [ʒwe] *to play*
libre [libr] *free, vacant, unoccupied*
marcher (*of machines*) *to run, work*
manquer [mãke] (de) *to fail*
mondial [mɔ̃djal] *adj. world*
monétaire [mɔnetɛːr] *monetary*
parapluie [paraplɥi] *m. umbrella*
peinture [pɛ̃tyːr] *f. painting*
pension [pãsjɔ̃] *f. board* (*meals*)
poste [pɔst] *m. set;* — de radio, — de TSF *radio;* — de télévision *TV set*
quelconque [kɛlkɔ̃k] *any, whatsoever*
raccrocher [rakrɔʃe] *to hang up*
radiodiffusion [radjodifyzjɔ̃] *f. broadcast*
récepteur [resɛptœːr] *m. receiver*
sonnerie [sɔnri] *f. ringing*
surprendre [syrprãːdr] *to surprise*
TSF [teɛsɛf] *f. radio*
unité [ynite] *f. unit*

NOTE

étage, *m. floor.* The first or ground floor of a building is, in French, **le rez-de-chaussée**; the second floor (up *one* flight) is **le premier étage;** the third floor (up *two* flights) is **le deuxième étage;** etc.

VOCABULARY FOR REFERENCE

calme [kalm] *calm*
canadien, canadienne [kanadjɛ̃, –jɛn] *Canadian*
centime [sãtim] *m. centime*
cigarette [sigarɛt] *f. cigarette*
comme [kɔm] *how*
craindre [krɛ̃ːdr] (de) *to fear*
millionnaire [miljɔnɛːr] *m. millionaire*
multiplier [myltiplie] *to multiply*

peindre [pɛ̃ːdr] *to paint*
plaindre [plɛ̃ːdr] *to pity;* se —, *to complain*
publier [pyblie] *to publish*
que [kə] *how;* — de *how much, how many*
quoi que [kwakə] *whatever*
radio [radjo] *f. radio; cf.* poste
sauf [sof] *except*
tourner [turne] *to turn*
vie [vi] *f. life, living, cost of living*

DANS LA GROTTE DE LASCAUX

SEVENTH CULTURAL DIALOGUE

LES B.EAUX—ARTS

La Peinture [1]

— Je voudrais vous présenter Mlle Hélène Vivonne, dit M. Asmodée à Charlotte et à Robert. Hélène, voici mes amis américains, Charlotte et Robert.

— Je suis enchantée de faire votre connaissance, mademoiselle, dit Charlotte.

— Enchanté, mademoiselle, dit Robert.

— Très honorée, dit Hélène.

— Mlle Vivonne étudie depuis

longtemps l'histoire de l'art français, dit M. Asmodée. Posez-lui des questions sur l'histoire de la peinture en France, elle pourra y répondre.

— Quand l'histoire de la peinture en France commence-t-elle? demande Charlotte. Au moyen âge?

— Longtemps avant ça. Il y a vingt-cinq ou trente mille ans, répond Hélène.

— Il y a trente mille ans! s'écrie Charlotte. Vous vous moquez de nous! A cette époque-là, la France

[1] peinture *f. painting.*

353

UNE FRESQUE

n'avait pas été découverte !

— Il y a trente mille ans, dit Robert, c'était l'âge de pierre, n'est-ce pas? Les hommes — et les femmes — vivaient dans des cavernes.

— Oui, Robert, dit Hélène. Dans des cavernes ou dans des grottes. C'est sur les murs de leurs cavernes qu'on peut voir aujourd'hui les premiers dessins et les premières peintures qui aient été faits ici en France. Si vous allez à la grotte de Lascaux, dans le sud-ouest de la France, vous pourrez voir, par exemple, des chevaux, des bisons, des rennes,[2] que nos ancêtres ont peints. Les hommes primitifs ont laissé, à Lascaux et dans d'autres grottes, un grand nombre de ces peintures.

[2] renne *m. reindeer.*

— Est-ce qu'il y a des peintures de tous les siècles?

— Non, Charlotte. Il faut sauter[3] sur bien des siècles. Nous venons tout de suite au moyen âge. On peut découvrir des vestiges de peintures religieuses dans des églises romanes du douzième siècle; ce sont des fresques, ce ne sont pas des tableaux, à proprement parler. Dans les tableaux du siècle suivant on trouve presque toujours des sujets religieux.

— Qui est le premier grand artiste français? demande Charlotte.

— C'est Jean Fouquet, répond Hélène. Il a vécu au quinzième siècle. Il a fait des miniatures, où il représente des batailles et des paysages avec un réalisme frappant;[4] il

[3] sauter *to leap, jump, skip.* [4] frappant *striking.*

354

a fait des portraits de rois et d'autres hommes importants; il a fait aussi des tableaux de la Vierge [5] avec l'Enfant Jésus.

— Nous avons appris qu'il y a une grande différence entre le moyen âge et la Renaissance. Est-ce vrai aussi dans l'histoire de la peinture?

— Oui et non! En grande partie, des sujets païens remplacent les sujets religieux du moyen âge. Cela se voit surtout dans la décoration du palais de Fontainebleau. Mais les portraits continuent à être populaires. Les bourgeois riches, aussi bien que les nobles et les rois, veulent se voir dans des portraits. Les deux meilleurs portraitistes du seizième siècle ont été un père et son fils, Jean et François Clouet. Tout le monde admire le portrait du roi François Ier, fait par Jean Clouet. Parlons maintenant de l'âge classique. On peut diviser les grands artistes du dix-septième siècle en trois groupes: ceux qui s'intéressent à la nature, ceux qui ont peint la vie aristocratique et ceux qui ont représenté la vie du peuple. Dans le premier groupe se trouve le plus grand peintre du dix-septième siècle, Nicolas Poussin. Ses tableaux — « Les Bergers [6] d'Arcadie », « Saint Jean à Patmos », par exemple — ont des qualités classiques: pour lui la nature est noble et tranquille. Il trouve ses sujets dans l'antiquité. Claude Lorrain a réussi à reproduire dans ses tableaux la lumière brillante du soleil. Dans le deuxième groupe est le portraitiste officiel, pour ainsi

[5] la Vierge *the Virgin Mary*. [6] berger *m. shepherd*.

FRANÇOIS CLOUET: UN PORTRAIT

POUSSIN: LES BERGERS D'ARCADIE

dire, du dix-septième siècle, Philippe de Champaigne. Que son portrait de Richelieu évoque bien la volonté [7] ferme du cardinal ! Cet artiste a peint aussi des scènes religieuses qui sont émouvantes.[8] Le portrait de

[7] volonté *f. will, will-power.* [8] émouvant *moving, stirring.*

Louis XIV, par Rigaud, nous aide à voir la majesté magnifique de ce roi. N'oublions pas Le Brun, le grand décorateur du palais de Versailles. Dans le troisième groupe se trouvent les frères Le Nain, — Antoine, Louis et Mathieu. On admire surtout « Le Repas villageois » de Louis Le Nain.

LOUIS LE NAIN: LE REPAS VILLAGEOIS

— Trouve-t-on trois groupes d'artistes au dix-huitième siècle?

— Je n'en trouve que deux. Antoine Watteau, le premier, le plus original et le plus grand des artistes de ce siècle, combine les paysages et les personnages pour en faire des tableaux admirables. Quelle grâce délicate! Quel goût exquis! Watteau nous invite à regarder des dames belles et élégantes qui dansent avec des cavaliers [9] beaux et élégants ou bien à accompagner des amoureux et des amoureuses qui quittent ce monde prosaïque pour aller à une île de rêves et d'amour. François Boucher s'intéresse aussi à la vie aristocratique et lui aussi, il l'idéalise. Dans les portraits de Boucher, est-ce des femmes ou des déesses qu'on voit? Cette dame-là! — est-ce madame de Pompadour ou Vénus? Son élève Fragonard a aussi peint des jeunes filles et de belles dames. La grâce, la légèreté et la vivacité heureuse des

[9] cavalier *m. partner.*

personnages de Fragonard nous disent que le dix-huitième siècle était, pour les nobles, une époque charmante. En effet, on peut dire que Watteau, Boucher et Fragonard ont représenté un monde charmant qui allait être emporté par le vent [10] de la Révolution.

— Quels artistes se sont intéressés à la vie du peuple?

— Chardin et Greuze ont trouvé leurs sujets dans la vie de tous les jours. Que les sujets de Chardin sont donc différents de ceux de Watteau! Chardin a vu dans la vie réelle une beauté sentimentale. Il peint, par exemple, un jeune homme qui

[10] vent *m. wind.*

WATTEAU: DAME ET MUSICIEN

TABLEAU DE FRAGONARD

DAVID: LE SERMENT DES HORACES

s'amuse à faire des bulles de savon. Greuze aussi a voulu peindre la vie simple et naturelle, mais il n'a pas pu s'empêcher de donner des leçons de vertu bourgeoise. Pour être heureux, il faut être sincère et vertueux, nous dit-il.

— Parlez-nous maintenant de l'époque de la Révolution et de l'Empire.

— Le seul grand artiste de cette époque est Louis David, qui s'est inspiré, pour ses sujets, de l'histoire de la Grèce et de Rome.

— Il est donc néo-classique, dit Robert.

— Vous avez raison, Robert. Dans « la Mort de Socrate » ou dans « le Serment [11] des Horaces » on retrouve les qualités classiques: l'ordre, la proportion, la symétrie, un souci [12] de composition raisonnable. Dans la première moitié du dix-neuvième siècle, nous trouvons surtout le romantisme, qui est en grande partie l'antithèse du classicisme. Le premier grand peintre romantique est Géricault. Dans ses tableaux les passions violentes remplacent la froideur raisonnable. Un navire,[13] *la Méduse*, fait naufrage;[14] les survivants flottent longtemps sur un

[11] serment *m. oath.*   [12] souci *m. care, concern.*
[13] navire *m. ship.*   [14] naufrage *m. shipwreck.*

CHARDIN: LES BULLES DE SAVON

GÉRICAULT: LE RADEAU DE LA MÉDUSE

radeau; [15] enfin ils commencent à mourir de faim. Quel sujet pour un romantique! Quand Géricault a peint « le Radeau de la Méduse », en 1819, il a fait sensation! Jamais on n'avait vu, dans la peinture française, une si grande intensité d'émotions!

— Est-ce que Géricault a été le chef de l'école romantique?

— Le plus grand artiste romantique, le chef de l'école, a été Eugène Delacroix, qui a cherché ses sujets dans les littératures étrangères, dans les pays pittoresques, dans les scènes historiques. Pour David le dessin était plus important que la couleur; Delacroix, au contraire, aimait les couleurs riches aussi bien que les

[15] radeau m. raft.

DELACROIX: LE MASSACRE À SCIO

359

COROT: CHARTRES

imite la nature, mais en même temps il l'interprète. Dans « Casseurs [16] de Pierres » il nous montre la vie dure des pauvres. Les peintres réalistes ont fait une révolution : pendant des siècles les artistes avaient accepté l'idéal de la beauté. Ils avaient voulu créer quelque chose de beau. Les réalistes se sont libérés de cette tyrannie du beau ; ils ont montré la vie comme elle est. Ils n'ont pas caché le laid et le vulgaire.

— J'aime mieux le beau que le laid, dit Charlotte.

— Moi aussi, dit Hélène, mais la vie est quelquefois laide, n'est-ce pas ? Le laid peut être très intéressant.

— Est-ce que Courbet est le seul réaliste ?

— Pas du tout. Daumier est un grand peintre réaliste. Édouard

[16] casseur *m. breaker.*

sujets frappants. Ses contemporains, Corot et Millet, sont plus réalistes que romantiques. Au lieu de composer des scènes artificielles ils ont peint ce qu'ils ont vu. Ils ont travaillé en plein air, surtout à Barbizon, près de la forêt de Fontainebleau.

— On voit des reproductions de leurs tableaux partout en Amérique.

— Les tableaux de ces artistes sont faciles à comprendre.

— Corot et Millet ne sont pas les seuls artistes de l'« École de Barbizon » ?

— Il y a aussi Daubigny, Dupré, Théodore Rousseau, d'autres encore, dont les paysages sont très agréables. Le successeur de ces artistes a été Gustave Courbet, chef de l'école réaliste. Son art s'approche de la photographie. Il peint ce qu'il voit, tout ce qu'il voit. Bien entendu, il n'est pas photographe, il est artiste ; il

DAUMIER: LA BLANCHISSEUSE

Manet a été réaliste mais il est devenu le chef d'une nouvelle école, celle des Impressionnistes, qui se sont intéressés surtout aux effets de la lumière. Comme la lumière change tout le temps, l'apparence des objets change tout le temps. Claude Monet, un des meilleurs Impressionnistes, a peint dix-sept fois la cathédrale de Rouen, et chacun de ces tableaux est différent des autres parce que la lumière est chaque fois différente.

— Quels sont les autres artistes Impressionnistes?

— Degas est célèbre pour ses danseuses, dont il a si bien représenté les poses fugitives. Renoir, comme Boucher ou Fragonard, a fait de beaux tableaux; il a peint toutes sortes de sujets. Van Gogh, né en Hollande, a passé la plus grande partie de sa vie en France; quelques-uns de ses tableaux ont les couleurs les plus brillantes qu'on ait jamais vues. Les Impressionnistes ont enrichi la peinture française d'un très grand nombre de chefs-d'œuvre. Mais ils se sont

TABLEAU DE VAN GOGH

CÉZANNE: PINS ET ROCS

The Museum of Modern Art, New York, Lillie P. Bliss Collection

intéressés trop, peut-être, au côté superficiel des choses, — à la façade d'une cathédrale, aux couleurs des fleurs. Un bon tableau ne doit-il pas avoir plus de profondeur? Cézanne veut que l'art soit solide et durable, que les artistes découvrent des formes géométriques dans la nature. Ainsi, à la fin du dix-neuvième siècle, Cézanne fait encore une révolution dans l'art de la peinture. La profondeur devient aussi importante que la longueur et la largeur. Pour quelques disciples de Cézanne, la nature se compose de formes géométriques.

— Vous parlez des Cubistes, n'est-ce pas?

— Oui, Robert. On dit souvent que Henri Matisse a été un disciple de Cézanne, mais que les tableaux de Matisse sont différents de ceux de Cézanne! Jusqu'à sa mort, en 1954, à l'âge de 85 ans, Matisse a employé des couleurs avec un plaisir presque enfantin.

— Matisse a été un artiste moderne, n'est-ce pas? Qu'est-ce que c'est que l'art moderne?

— Voilà une question difficile! Une définition exacte de l'art moderne est impossible parce que les artistes de nos jours sont trop individualistes. Mais je vous donnerai une explication élémentaire. Autrefois les tableaux se composaient de trois éléments: les lignes (ou la forme), les couleurs et le sujet. Les tableaux des artistes modernes ont des lignes et des couleurs, ils n'ont pas de sujets. Aujourd'hui les artistes sont com-

TABLEAU DE MATISSE

plètement libres. Ils peuvent représenter, s'ils veulent, ce qui n'existe pas ou ce qu'ils croient trouver dans l'inconscient.[17] Si vous voulez comprendre ce qu'ils font, vous ne comprenez pas ce qu'ils veulent faire. Beaucoup de gens n'aiment pas l'art moderne parce qu'ils ne le comprennent pas. Mais les noms de quelques artistes français du vingtième siècle sont bien connus: par exemple, Rouault, Braque, Utrillo, Dufy, Derain, Léger, d'autres encore. Pour bien connaître la peinture française, allez au Louvre; allez aussi au Musée des Arts Modernes.

— Merci bien, mademoiselle, dit Charlotte. Nous irons à ces deux musées aussitôt que possible.

[17] inconscient *m. unconscious, subconscious.*

BRAQUE DANS SON ATELIER   The Museum of Modern Art, New York, Lillie P. Bliss Collection

TRENTE–SIXIÈME LEÇON 36

I. ANECDOTE

Use the following anecdote as in preceding lessons. (*Cf. also Optional Exercise* B.)

UN CHIEN REMARQUABLE

Dans le Jardin du Luxembourg il y a un bassin où les enfants jouent avec leurs petits bateaux. Un jour un homme, suivi d'un chien, s'est approché du bassin. Il a jeté un bâton au milieu du bassin et a dit au chien de le lui rapporter.

Le chien a couru tout de suite sur la surface de l'eau jusqu'au bâton, qu'il a pris entre les dents et rapporté à son maître.

Un spectateur s'est écrié : — Quel chien remarquable ! Au lieu de

In the Luxembourg Garden there is a pool where the children play with their little boats. One day a man, followed by a dog, approached the pool. He threw a stick into the middle of the pool and told the dog to bring it back to him.

The dog immediately ran over the surface of the water to the stick, which he took in his teeth and brought back to his master.

A spectator exclaimed: "What a remarkable dog! Instead of swimming he

nager il court sur la surface de l'eau ! Comment expliquez-vous cela ?

Sans hésiter, le maître du chien lui a répondu, du ton le plus naturel :

— Mon chien court sur l'eau parce qu'il ne sait pas nager !

runs over the surface of the water!   How do you explain that?"

Without hesitating, the dog's master answered, in the most natural tone of voice:

"My dog runs over the water because he doesn't know how to swim!"

II. GRAMMAR

A. PRESENT PARTICIPLES

1. The present participle of French verbs is formed by adding –**ant** (= English –*ing*) to a stem.   (Second conjugation verbs contain the syllable **iss,** as in the plural of the present tense.)

INFINITIVE	PRESENT PARTICIPLE	
donn **er**	donn **ant**	*giving*
fin **ir**	finiss **ant**	*finishing*
perd **re**	perd **ant**	*losing*

2. Certain irregular verbs have the same stem in the present participle as in the infinitive; e.g.,

aller	allant	*going*
mettre	mettant	*putting*
ouvrir	ouvrant	*opening*

Other irregular verbs have a special stem in the present participle; e.g.,

avoir	ayant	*having*
être	étant	*being*
faire	faisant	*doing*
prendre	prenant	*taking*
voir	voyant	*seeing*

In case of doubt, consult the table of irregular verbs in the Appendix.

3. The present participle in French has two principal uses:

(1) as an adjective, in which case it modifies and agrees with a noun.

une scène amusante	*an amusing scene*

(2) as a verb, to denote accessory action or condition, in which case it is invariable.

Étant malade, elle n'est pas sortie.	*Being sick, she did not go out.*
Voyant qu'il n'y avait personne dans le salon, ils n'y sont pas entrés.	*Seeing that there was no one in the drawing room, they did not go in.*

When the present participle is governed by **en,** meaning *by, in, while,* etc., it usually denotes manner, motive, cause, or an accompanying action.

M. Richard est devenu riche en vendant des automobiles.	*Mr. Richard became rich by selling automobiles.*
La pauvre femme est tombée en traversant la rue.	*The poor woman fell while crossing the street.*

NOTE

The present participle with **en** must refer to the subject of a sentence.

Je l'ai vu en traversant la rue.	*I saw him while (I was) crossing the street.* (It must be I, not he, who was crossing the street.)

B. INFINITIVES AFTER PREPOSITIONS

1. All prepositions except **en** are followed by the infinitive of a verb.

Il est parti sans dire un mot.	*He left without saying a word.*
Au lieu de nager, le chien court sur l'eau.	*Instead of swimming, the dog runs over the water.*

2. *Before,* preceding an infinitive, is **avant de.**

Avant de sortir du restaurant, il faut payer l'addition.	*Before leaving the restaurant, it is necessary to pay the bill.*

3. **Après,** *after,* is regularly followed by a perfect infinitive.

Après avoir payé l'addition, je suis sorti.	*After paying the bill, I left.*

C. *FAIRE* CAUSAL

1. **Faire** followed by an infinitive = *make, cause to, have, order,* etc.

Louis IX a fait construire la Sainte-Chapelle.	*Louis IX had the Sainte-Chapelle built.*
Ma mère a fait venir un médecin.	*My mother had a doctor come.*

2. Noun objects follow the dependent infinitive but pronoun objects go with **faire.** (For examples with noun objects, see the preceding sentences.)

Louis IX l'a fait construire.	*Louis IX had it built.* (= *had some one build it.*)
Vos cheveux sont trop longs; faites-les couper.	*Your hair is too long; have it cut.*

3. If the dependent infinitive has a direct object (noun or pronoun), the object of **faire** itself is indirect.

Le professeur a fait écrire leurs devoirs aux élèves.	*The professor made the students write out their exercises.*
Il leur a fait écrire leurs devoirs.	*He had (made) them write out their exercises.*
Il les leur a fait écrire.	*He had them write them out.*

4. The past participle of **faire** causal is invariable.

Il les a fait étudier.	*He made them study.*

5. Occasionally, for clarity, the indirect object of **faire** is replaced in this causal construction by a **par**-phrase.

Le professeur a fait lire deux romans par ses élèves.	*The teacher had his students read two novels.* (**A ses élèves** might mean that he had someone read the novels to his students.)
Je ne peux pas me faire comprendre par les Français.	*I cannot make myself understood by the French.* (*I cannot make the French understand me.*)

D. CONDUIRE, SOURIRE, AND SUIVRE

1. These irregular verbs have the following forms:

conduire, *to conduct*		**sourire,** *to smile*		**suivre,** *to follow*	
		PRESENT			
conduis	conduisons	souris	sourions	suis	suivons
conduis	conduisez	souris	souriez	suis	suivez
conduit	conduisent	sourit	sourient	suit	suivent
		IMPERFECT			
conduisais, etc.		souriais, etc.		suivais, etc.	

Future and Conditional

| conduirai, etc. | sourirai, etc. | suivrai, etc. |
| conduirais, etc. | sourirais, etc. | suivrais, etc. |

Past Definite

| conduisis, etc. | souris, etc. | suivis, etc. |

Imperative

conduis	souris	suis
conduisons	sourions	suivons
conduisez	souriez	suivez

Present and Past Participles

| conduisant | souriant | suivant |
| conduit | souri | suivi |

Present Subjunctive

| conduise, etc. | sourie, etc. | suive, etc. |

2. Like **conduire** is **construire,** *to construct, build.*
3. **Conduire** may mean *to drive* (an automobile).
4. Like **sourire** is **rire,** *to laugh.*
5. **Suivre un cours** = *to take a course* (of study).

Quels cours suivez-vous?   *What courses are you taking?*

III. EXERCISES

A. *Complete the question:* Où va-t-on . . .? *with the items in column 1 and then answer each question successively with the correct item from column 2:*

1. Où va-t-on . . .?	2. On va . . .
1. pour faire faire une robe?	1. chez une modiste.
2. pour faire faire un complet?	2. chez un horloger.
3. pour faire faire un chapeau?	3. chez un marchand de meubles.
4. pour faire laver du linge?	4. chez un architecte.
5. pour faire réparer une montre?	5. chez un pharmacien.
6. pour se faire couper les cheveux?	6. chez un couturier.
7. pour acheter un fauteuil?	7. chez un tailleur.
8. pour acheter de l'aspirine?	8. chez une blanchisseuse.
9. pour se faire arracher une dent?	9. chez un coiffeur.
10. pour faire construire une maison?	10. chez un dentiste.

B. *Recite in French:*

1. Hélène is having a dress made.
2. She is having a famous dressmaker make it. 3. Marguerite has had a suit made. 4. She had a famous tailor make it. 5. Marie has had her hair cut. 6. She had a barber cut it. 7. Virginie has also had her hair cut. 8. The two girls had their hair cut at the same time. 9. Jeanne has gone to the dentist's to have a tooth pulled. 10. Charlotte has gone to a drugstore to buy some aspirin for Jeanne.

C. *Write in French:*

1. The professor made the student write a sentence on the (*au*) blackboard. 2. He made him read the sentence which he had written. 3. He made him read it out loud. 4. The professor knows (how) to make the students study their lessons. 5. The students do not want to be ashamed in front of their comrades. 6. Each evening, every student studies French — for (*pendant*) a few minutes.

D. *Recite in French the following miniature dialogues:*

1. Who is driving that car? Cécile? — Yes, she drives very well. — I did not know that she knew (how) to drive a car. — Formerly her father used to drive always but now Cécile always drives. — Does she drive fast or slowly? — If you follow her, you'll see that she drives very fast.

2. I can't make the French understand me! — You would be able to make yourself understood by speaking more correctly. After taking several French courses, you will speak much better. — The course I am taking is very hard!

3. Don't go away without saying good-bye. Don't go out without putting on your gloves. Don't speak to a lady without bowing. — You have too many rules! — If you wish to be polite, you must follow the rules of (the) politeness.

4. After saying good-bye, Pierre didn't leave. After putting on his gloves, Jacques didn't go out. After bowing, Frederick did not speak to the lady. — How stupid they are!

E. READING

Une Querelle au Restaurant

scène première

Deux hommes et deux femmes viennent de finir leur dîner dans un restaurant. Avant de sortir ils demandent l'addition au garçon.

M. CHAMPBOURCY. Garçon, l'addition, s'il vous plaît!

LE GARÇON. Tout de suite, monsieur. (*Il sort.*)

MME CHAMPBOURCY. Après avoir payé l'addition nous pourrons aller nous amuser, n'est-ce pas?

LE GARÇON, *rentrant.* Voici l'addition, monsieur.

M. CHAMPBOURCY, *la prenant.* Voyons ... total ... Comment! cinq mille huit cents francs!

M. COLLADON. Cinq mille huit cents francs! C'est impossible!

M. CHAMPBOURCY, *au garçon.* Vous vous

êtes dit: ce sont des paysans, on peut les tromper facilement. On peut leur faire payer une somme énorme. Mais vous vous trompez! Vous ne pouvez pas nous tromper! Les prix sont sur la carte! (*La prenant et la regardant.*) J'en étais sûr! Vin, trente francs. Pourquoi avez-vous mis trois cents francs sur l'addition?

LE GARÇON. C'est trois cents francs, monsieur. C'est le cadre [1] qui cache un zéro.

TOUS, *regardant.* Oh!

M. CHAMPBOURCY. Le bifteck, sur la carte, cinquante francs.

LE GARÇON. Cinq cents francs, monsieur. C'est le cadre qui cache un zéro.

TOUS, *regardant.* Oh!

M. COLLADON, *prenant la carte.* Pour chaque plat il y a un zéro qui est caché par le cadre!

MME COLLADON. Nous sommes volés! Cinq mille huit cents francs! Service compris?

LE GARÇON, *après avoir écrit quelque chose sur un morceau de papier.* Mais non! Avec le service, c'est six mille quatre cent quatre-vingt-seize francs!

MME COLLADON. Vous voulez nous faire payer presque six mille cinq cents francs! Si nous faisions cela, nous serions ruinés!

M. CHAMPBOURCY. Faites venir le patron!...

LE PATRON, *entrant.* Qu'est-ce qu'il y a, mesdames et messieurs?

M. CHAMPBOURCY. Il y a qu'on a caché les zéros! Nous ne voulons pas payer les zéros!

LE PATRON. Ah, vous ne voulez pas payer? (*Au garçon.*) Faites venir un agent!

MME CHAMPBOURCY. Un agent? Pourquoi?

LE PATRON. Pour faire payer l'addition à monsieur votre mari ou pour vous faire conduire tous en prison! C'est le commissaire qui vous fera payer!

M. CHAMPBOURCY, *après avoir regardé les autres.* Nous n'avons pas peur de vos menaces!

TOUS. Allons chez le commissaire!

SCÈNE II

Chez le Commissaire

Les deux hommes et les deux femmes sont assis sur un banc devant la table du commissaire.

LE COMMISSAIRE, *entrant, avec des papiers à la main et les examinant.* Ah, vous êtes quatre! [2]

M. CHAMPBOURCY, *parlant aux autres et montrant le commissaire du doigt.* Regardez-le, l'air calme, la bouche souriante, comme des gens qui n'ont rien à se reprocher. (*Tous se mettent à sourire.*) Très bien! Restez comme ça!

LE COMMISSAIRE, *les voyant sourire.* Pourquoi me regardez-vous en souriant?

M. CHAMPBOURCY. Le sourire est l'indice d'une conscience tranquille!

LE COMMISSAIRE, *à part.* Qu'ils sont bêtes! Trop bêtes pour être dangereux! (*Parlant à haute voix.*) Écoutez-moi. Je ne veux pas vous faire conduire en prison. Donnez au patron six mille francs et je vous ferai mettre en liberté.

MME COLLADON. Nous ne voulons pas payer les zéros! Mais nous respectons la loi et nous ne voulons pas que nos

---

[1] In many French restaurants, the bill of fare is enclosed in a frame to protect it from spots.

[2] "Ah, there are four of you!"

enfants se disent que leurs parents ont été en prison. Si mes amis veulent accepter votre proposition . . .

M. COLLADON, *donnant six billets de mille francs au patron.* Sortons d'ici, rentrons chez nous!

TOUS. Sortons d'ici!

MME CHAMBOURCY, *au patron.* Jamais plus nous ne mettrons les pieds dans votre restaurant!

LE PATRON. Si vous entrez chez moi, je vous ferai arrêter tout de suite, avant que vous puissiez dîner!

MME CHAMPBOURCY. Vous nous avez caché les zéros! Vous ne devriez pas faire payer les zéros à vos clients!

LE COMMISSAIRE, *parlant à tout le monde.* Sortez d'ici à l'instant ou je vous ferai conduire tous en prison!

(Adapted from Labiche et Delacour: *La Cagnotte.*)

F. *Write in French:*

ESTULA

A rich bourgeois has a dog to which he has given the name of "Estula." Being afraid of thieves, he puts the dog in his garden each evening, before going to bed.

One night the bourgeois, hearing some noise in the garden, says to his son: "Go into the garden to (*pour*) see what is making that noise."

The little boy, going out of the house, enters the garden. Not seeing anyone there and wishing to call (= make come) the dog, he shouts: "Estula! Estula!"

In the garden two thieves were approaching the house. When the boy cries "Estula!," one (*l'un*) of the thieves believes that his comrade is speaking to him. He answers: "Here I am! Here I am!"

The child is afraid and goes back into the house.

"Papa! Papa!" he exclaims (exclaims he). "Our dog knows how to talk! He just talked to me! When I shouted 'Estula' he answered 'Here I am! Here I am!'"

"Stay here! Don't go out!" exclaims his father. "I'm going to our neighbor's, the doctor. I'll have him come here."

The bourgeois comes back soon with the doctor. "Follow me!" says the bourgeois. Entering the garden, the two men look for the dog. In the darkness they lose each other. Not being able to find the dog, the bourgeois shouts: "Estula! Estula!" This time it's the doctor who answers: "Here I am! Here I am!" Now the bourgeois believes that his dog has spoken, he is afraid, and, running as fast as possible, he goes back into the house.

At that moment one of the thieves says out loud to the other: "You have a good knife, haven't you? Well, kill him if you find him!"

The thief is speaking of the dog but the doctor believes that he is speaking of him! This time it's the doctor who is afraid and who shouts: "Go away! Go away!"

Each thief thinks that it is his comrade who is telling him to go away. Going out of the garden, they do go away. The doctor runs home. The dog "Estula" remains alone, sleeping quietly under a tree in a corner of the garden.

IV. OPTIONAL EXERCISES

A. *For written dictation or additional reading:*

Un jour j'entre dans un café. Un homme est assis à une table. En face de lui je vois un chien qui est assis sur une chaise. Sur la table il y a un échiquier. De temps en temps l'homme pousse une pièce sur l'échiquier avec sa main. Bientôt après, le chien pousse une pièce avec sa patte.

— Est-ce que votre chien sait jouer aux échecs?

— Mais oui! répond l'homme, du ton le plus naturel.

— Quel chien extraordinaire! lui dis-je. Qu'il est intelligent! C'est le chien le plus intelligent que j'aie jamais vu!

— Mais non! me dit l'homme. Mon chien n'est pas très intelligent. Il a perdu les deux dernières parties.

B. *Answer in French:*
(*Cf. Section* I.)

1. Avec quoi les enfants jouent-ils au bassin du Jardin du Luxembourg? 2. Quel animal suivait l'homme qui s'est approché du bassin? 3. Qu'est-ce que l'homme a jeté? 4. Qu'est-ce qu'il a fait faire au chien? 5. Comment le chien est-il allé jusqu'au bâton? 6. Comment un chien ordinaire y serait-il allé? 7. A qui le chien a-t-il rapporté le bâton? 8. Si vous aviez vu cela, auriez-vous été surpris? 9. Si vous aviez vu cela, auriez-vous continué à croire que voir, c'est croire? 10. Auriez-vous pu expliquer l'action extraordinaire du chien? 11. Quelle explication le maître du chien a-t-il donnée? 12. Croyez-vous que ce conte soit un conte véritable?

(*Cf.* III, D.)

13. Qui conduit cette voiture-là, Cécile ou Claudine? 14. Sait-elle bien conduire? 15. Conduit-elle vite? 16. Savez-vous conduire?

17. Si vous allez en France, pourrez-vous vous faire comprendre par les Français, en parlant français? 18. Avez-vous suivi plusieurs cours de français? 19. Quel cours suivez-vous maintenant? 20. Quel cours suivrez-vous l'année prochaine? 21. Combien de cours suivez-vous cette année-ci? 22. Suivez-vous un cours d'espagnol? 23. Un cours d'anglais? 24. Un cours de littérature?

(*Cf.* III, E.)

25. Est-ce que votre professeur de français écrit des phrases au tableau noir? (Tous les jours? De temps en temps?) 26. Est-ce qu'il fait écrire des phrases au tableau noir par les élèves?

27. Avant de venir à cette classe, que faites-vous? 28. Est-ce que les élèves sortent de la salle de classe sans dire au revoir au professeur? 29. Est-ce que le professeur sort avant ou après les élèves?

C. *Give the present participle, the past participle, the first person singular of the present indicative, and the first person singular of the past definite,[1] of the following verbs:*

---

[1] These forms, with the infinitive, are known as the principal parts of a verb.

1. donner.   2. choisir.   3. perdre.
4. vendre.   5. avoir.   6. être.   7. faire.
8. écrire.   9. dire.   10. lire.   11. aller.
12. venir.   13. prendre.   14. savoir.

15. pouvoir.   16. ouvrir.   17. construire.
18. suivre.   19. partir.   20. mettre.
21. sourire.   22. conduire.   23. voir.
24. vouloir.   25. comprendre.

VOCABULARY FOR EXERCISES

arrêter [arɛte] *to arrest*
blanchisseuse [blɑ̃ʃisø:z] *f. laundress*
cadre [kɑ:dr] *m. frame*
commissaire [kɔmisɛ:r] *m. chief*
correctement [kɔrɛktəmɑ̃] *correctly*
costume [kɔstym] *m. suit (ladies')*
cours [ku:r] *m. course*
échecs [eʃɛk] *m.pl. chess*
échiquier [eʃikje] *m. chessboard*
face [fas]: en — de *across from, opposite*
horloger [ɔrlɔʒe] *m. watchmaker*
indice [ɛ̃dis] *m. sign, indication*
instant [ɛ̃stɑ̃]: à l'—, *at once*
liberté [libɛrte] *f. liberty;* mettre en —,
    to set free
linge [lɛ̃:ʒ] *m. linen, underwear*
loi [lwa] *f. law*
montre [mɔ̃:tr] *f. watch*
part: à —, *aside*

partie [parti] *f. game*
patron [patrɔ̃] *m. boss*
pharmacie [farmasi] *f. drugstore*
pharmacien [farmasjɛ̃] *m. pharmacist, drug-
    gist*
plat [pla] *m. dish*
pousser [puse] *to push*
querelle [kərɛl] *f. quarrel*
règle [rɛgl] *f. rule*
rentrer [rɑ̃tre] *to return, come back, go back,
    enter again*
réparer [repare] *to repair*
reprocher [rəprɔʃe] *to reproach*
saluer [salɥe] *to bow (to)*
temps: de — en —, *from time to time*
ton [tɔ̃] *m. tone*
tranquillement [trɑ̃kilmɑ̃] *quietly*
véritable [veritabl] *true*
voler [vɔle] *to steal, rob*

VOCABULARY FOR REFERENCE

air [ɛ:r] *m. air, appearance*
animal, animaux [animal, -o] *m. animal*
architecte [arʃitɛkt] *m. architect*
bassin [basɛ̃] *m. pool*
bâton [bɑtɔ̃] *m. stick*
conduire [kɔ̃dɥi:r] *to conduct, drive*
conscience [kɔ̃sjɑ̃:s] *f. conscience*
construire [kɔ̃strɥi:r] *to construct, build*
devoir [dəvwa:r] *m. exercise, homework*
extraordinaire [ɛkstrɔrdinɛ:r] *extraordinary*
nager [naʒe] *to swim*
payer [pɛje] *to pay, pay for*
proposition [prɔpozisjɔ̃] *f. proposition*

rapporter [rapɔrte] *to bring back*
remarquable [rəmarkabl] *remarkable*
rire [ri:r] *to laugh*
ruiner [rɥine] *to ruin*
scène [sɛn] *f. scene*
sourire [suri:r] *to smile*
sourire [suri:r] *m. smile*
spectateur [spɛktatœ:r] *m. spectator*
suivre [sɥivr] *to follow, take (courses)*
total [tɔtal] *m. total*
trente-sixième [trɑ̃tsizjɛm] *thirty-sixth*
zéro [zero] *m. zero*

TRENTE–SEPTIÈME LEÇON 37

I. DIALOGUE

Use the following conversation as in preceding lessons:

— A quoi pensez-vous, mademoiselle Duval?

— Je ne m'appelle pas Duval.

— Comment vous appelez-vous?

— Je m'appelle Charlotte Dumont.

— Eh bien, à quoi pensez-vous?

— Je pense à une pièce de théâtre que j'ai vue.

— Comment s'appelle la pièce? Qu'en pensez-vous?

— Elle s'appelle *l'Avare.* Je l'ai trouvée très amusante. J'espère que je pourrai aller voir une autre pièce de Molière avant de quitter Paris.

— *What are you thinking about, Miss Duval?*

— *My name is not Duval.*

— *What is your name?*

— *My name is Charlotte Dumont.*

— *Well, what are you thinking about?*

— *I'm thinking about a play which I saw.*

— *What is the name of the play? What do you think of it?*

— *It is called* The Miser. *I found it (I thought it was) very amusing. I hope that I shall be able to go and see another play by Molière before leaving Paris.*

374

II. GRAMMAR

A. *PENSER* À AND *PENSER DE*

Penser, *to think,* takes **à** in French, to translate "of" or "about" in English, when it means "to have a thought concerning," "to have something in mind"; it takes **de** in French when it means "to have an opinion."

A quoi pensez-vous?	*What are you thinking of (about)?*
A qui pensez-vous?	*Whom are you thinking of (about)?*
Je pense à l'argent qu'il faudra dépenser pour aller en France.	*I'm thinking of the money it will be necessary to spend in order to go to France.*
J'y pense aussi.	*I'm thinking of it, too.*
Que pensez-vous du chien qui a couru sur l'eau?	*What do you think of the dog which ran over the water?*

NOTE

Observe that **y** may represent **à** plus pronoun.

B. ORTHOGRAPHICAL CHANGES IN VERBS

Certain verbs exhibit changes in spelling in various forms. These changes are made in order that the written forms may represent the spoken sound. Among such verbs the following are important:

1. Verbs whose stem ends in **c.** Such verbs add a cedilla to keep the **c** soft [s] whenever the **c** comes before **a** or **o** of an ending. (Without the cedilla, the sound of **c** would change from [s] to [k].)

commencer, *to commence*

		IMPERFECT	
PRESENT	nous commençons	commençais	commencions
PRESENT PARTICIPLE	commençant	commençais	commenciez
PAST DEFINITE	commençai, etc.	commençait	commençaient

2. Verbs whose stem ends in **g.** Such verbs insert an **e** after the **g** to keep the **g** soft [ʒ] whenever the latter comes before **a** or **o** of an ending. (Without the **e,** the sound of **g** would change from [ʒ] to [g].)

manger, *to eat*

		IMPERFECT	
PRESENT	nous mangeons	mangeais	mangions
PRESENT PARTICIPLE	mangeant	mangeais	mangiez
PAST DEFINITE	mangeai, etc.	mangeait	mangeaient

3. Verbs containing an unaccented **e** in the final syllable of the stem. Such verbs change this **e** to **è** when followed by a mute **e.**

lever, *to raise* (**se lever,** *to get up*)

PRESENT	lève	levons	FUTURE	lèverai	CONDITIONAL	lèverais
	lèves	levez		lèveras		lèverais
	lève	lèvent		etc.		etc.

4. Verbs containing an **é** in the final syllable of the stem. Such verbs change the **é** to **è** in the present indicative and present subjunctive when the ending contains a mute **e.** (They do not, however, change the **é** in the future and conditional.)

espérer, *to hope*

PRESENT INDICATIVE	espère	espérons	FUTURE	espérerai
	espères	espérez		espéreras
	espère	espèrent		etc.
PRESENT SUBJUNCTIVE	espère	espérions	CONDITIONAL	espérerais
	espères	espériez		espérerais
	espère	espèrent		etc.

NOTE

When **espérer** is affirmative, a verb in a dependent **que-**clause is in the indicative; when **espérer** is negative or interrogative, a dependent verb is in the subjunctive.

> J'espère que Marie arrivera demain. *I hope that Mary will arrive tomorrow. Do*
> Espérez-vous qu'elle vienne? *you hope that she is coming?*

5. **Appeler** and **jeter** are exceptions in that, instead of adding a grave accent to the **e** of the stem, they double the consonant before a mute **e.**

	appeler, *to call*		jeter, *to throw*	
PRESENT INDICATIVE	appelle	appelons	jette	jetons
	appelles	appelez	jettes	jetez
	appelle	appellent	jette	jettent
FUTURE	appellerai, etc.		jetterai, etc.	
CONDITIONAL	appellerais, etc.		jetterais, etc.	
PRESENT SUBJUNCTIVE	appelle	appelions	jette	jetions
	etc.	etc.	etc.	etc.

C. POSITION OF ADJECTIVES (cont.)

1. Certain adjectives vary in meaning as they precede or follow a noun. (When used as predicate adjectives, their meaning depends upon the context.)

ADJECTIVE		MEANING
	BEFORE NOUN	AFTER NOUN
ancien, ancienne	*former*	*ancient, old*
brave	*good, worthy*	*brave*
cher, chère	*dear*	*expensive*
dernier, dernière	*last* (of a series)	*last* (just passed)
pauvre	*poor* (pitiable)	*poor* (without money)
propre	*own, very*	*clean, exact, proper*
seul	*only, single*	*alone*

une ancienne demeure *a former residence*   une église ancienne *an old church*

une brave femme *a good woman*   une femme brave *a brave woman*

ma chère amie *my dear friend*   une robe chère *an expensive dress*

la dernière semaine (du mois) *the last week (of the month)*   la semaine dernière *last week*

Pauvre homme ! *Poor man!*   un homme pauvre *a poor man*

mes propres yeux *my own eyes*   des mains propres *clean hands*

    le mot propre *the exact word*

    un nom propre *a proper name*

la seule raison *the only reason*   un homme seul *one man alone*

NOTE

Poor in the sense of "not good" is **mauvais.**

	une mauvaise école	*a poor school*
	un mauvais élève	*a poor student*

2. **Même,** *same, even, very, self,* has special distinctions, as shown in the following examples:

la même chose *the same thing*   même ce jour-là *even that day*

le même jour *the same day*   moi-même *myself*

ce jour même *that very day*   nous-mêmes *ourselves*

NOTE

As an adverb, **même** = *even.*

    On a même refusé de nous parler.   *They even refused to speak to us.*

D. REVIEW AND SUMMARY OF POSITION OF ADJECTIVES

The position of adjectives before or after a noun is, for the American student, one of the most difficult points of French grammar because the choice of position often depends more upon rhetorical or stylistic considerations than upon rules. The following principles should, however, be helpful:

1. Possessives (**mon, ma,** etc.), demonstratives (**ce, cette,** etc.), interrogatives (**quel,** etc.), numerals (**un, deux,** etc., **premier, deuxième,** etc.) and most indefinites (**chaque, plusieurs,** etc.) precede a noun, as in English; they offer no special difficulty.

2. A number of common adjectives regularly precede a noun; of these the most important are:

autre	grand	long, longue	petit
beau, belle	gros, grosse	mauvais	tel, telle
bon, bonne	jeune	meilleur	vieux, vieille
court	joli	nouveau, nouvelle	

3. Adjectives denoting physical quality (color, shape, etc.) and nationality regularly follow a noun.

des cheveux blancs	*white hair*
une table ronde	*a round table*
de l'eau chaude	*hot water*
un roman français	*a French novel*

4. Certain adjectives vary in meaning as they precede or follow. See C.

5. Sometimes the position of an adjective depends entirely upon usage.

à haute voix	*in a loud voice, out loud*
à voix basse	*in a low voice*
l'année prochaine	*next year*
la prochaine fois	*the next time*

6. When two adjectives modify a noun, one may precede, the other follow, in accordance with the category to which each belongs.

une jeune fille française	*a French girl*

7. When two adjectives modify a noun, both may precede or both follow; in this case, the one which is the more closely allied to the noun stands next to it. (This principle is found also in English, but the application of the principle to adjectives following a noun is peculiarly French.)

une bonne petite fille	*a good little girl*
un roman français intéressant	*an interesting French novel*

III. EXERCISES

A. *With students' books closed, the teacher should read aloud the following sentences to be translated orally or written down:*

1. Si on espère trop longtemps, on désespère. 2. « Contentement passe richesse. » Un homme pauvre n'est donc pas toujours un pauvre homme. 3. Renée est arrivée ici le même jour que vous mais elle s'en est allée le jour même de son arrivée. 4. La semaine dernière n'a pas été la dernière semaine du mois. 5. Corrigeons nos propres fautes avant de corriger les fautes de nos amis. 6. Commençons à parler français avant de partir pour la France. 7. Voulez-vous que je répète la première phrase ? 8. Faut-il que je répète la dernière phrase ?

B. *Answer the following questions in French, making complete sentences:*

1. Comment vous appelez-vous? 2. Savez-vous comment je m'appelle? 3. A quelle heure vous êtes-vous couché hier soir? 4. A quelle heure vous êtes-vous levé ce matin? 5. A quelle heure vous levez-vous d'ordinaire? 6. Depuis quand êtes-vous levé? 7. Qu'espérez-vous faire aujourd'hui? 8. Voulez-vous vous promener? 9. Vous promenez-vous souvent? 10. Est-ce que vous achetez un journal tous les jours? 11. Quel journal achetez-vous? 12. Pourquoi l'achetez-vous? 13. Après avoir lu un journal, le jetez-vous? 14. Où le jetez-vous? 15. A quoi pensez-vous? 16. A qui pensez-vous?

C. *Recite the following phrases in French, with particular attention to the position of the adjective before or after the noun:*

1. A modest hotel. 2. A magnificent hotel. 3. Large windows. 4. Wide windows. 5. A charming woman. 6. A homely woman. 7. The first lesson. 8. The last lesson. 9. Square tables. 10. Round tables. 11. A little book. 12. A big book. 13. A good school. 14. A poor school. 15. An easy lesson. 16. A long lesson. 17. A long, difficult lesson. 18. A French boy. 19. An English boy. 20. An American girl.

D. *Recite in French:*

1. My room is smaller than yours. 2. Your furniture is (are) more elegant than mine. 3. I have a comfortable armchair but my bed is too small. 4. My round table is always covered with (de) French newspapers.
5. The dinner we have just had is the best dinner we have had in Paris. What delicious wine! ... Why aren't you happy? What are you thinking about? — 6. What will we do when the waiter brings the check? We don't have enough money! We can't leave the restaurant without paying!
7. There is a famous picture in the Louvre. — 8. You are thinking of the Mona Lisa, aren't you? You think of

it a lot. Well, what do you think of it?
— 9. The first time I saw it, I was astonished that it is so small. I like to look
at it. The lady has a charming smile!

E. READING (*A professor speaks to his students*)

LES NOMS PROPRES

Mes chers élèves, nous étudions le français depuis plusieurs mois. Commençons maintenant à étudier l'histoire et la littérature de la France. Nous trouverons souvent que les noms propres des personnages fameux offrent d'assez grandes difficultés. Par exemple, savez-vous quel roi est devenu Saint Louis? De son vivant ce roi s'appelait Louis IX.

Au dix-septième siècle il y avait un homme qui s'appelait Armand-Jean du Plessis. Vous ne savez pas de qui je parle, n'est-ce pas? Eh bien, on n'exagère pas quand on dit que cet homme est devenu un des hommes les plus importants du siècle. Quand on parle de lui aujourd'hui, on l'appelle le cardinal de Richelieu.

Quand on pense au théâtre du dix-septième siècle, à quel homme pense-t-on tout de suite? A Jean-Baptiste Poquelin. Vous demandez pourquoi? Parce que c'est le nom véritable de Molière.

Une femme célèbre de la seconde moitié du dix-septième siècle a écrit à ses amis et à sa fille des lettres qu'on lit encore. Avant son mariage cette femme s'appelait Marie de Rabutin-Chantal; après son mariage elle s'appelait madame de Sévigné.

Si vous avez vu *Cyrano de Bergerac*, d'Edmond Rostand, au théâtre ou au cinéma, vous savez qu'un des ennemis principaux de Cyrano était un seigneur qui s'appelait le comte de Guiche; au cinquième acte ce monsieur s'appelle le maréchal de Grammont.

Autrefois les membres d'une même famille aristocratique n'avaient pas toujours le même nom! Par exemple, pensez à madame la marquise de Rambouillet. Sa fille aînée s'appelait Julie d'Angennes — après son mariage, madame de Montausier. Le fils aîné de madame de Rambouillet s'appelait le marquis de Pisani.

Au dix-huitième siècle une belle jeune femme qui s'appelait Antoinette Poisson — quel nom bourgeois! — est devenue une femme très célèbre, madame de Pompadour.

Un des plus grands écrivains du même siècle s'appelait vraiment François-Marie Arouet. On l'appelle toujours Voltaire.

Vous savez, mes chers élèves, que Napoléon Ier, avant de devenir empereur, s'appelait Napoléon Bonaparte. Qui se rappelle le nom de sa première femme, avec qui il vivait à la Malmaison? . . . Oui, c'est Joséphine. Joséphine de la Pagerie est née à la Martinique; elle a épousé le vicomte de Beauharnais. Après la mort de son premier mari, Joséphine de Beauharnais est devenue la femme du général Bonaparte, madame Bonaparte. Quand le général est devenu empereur, madame Bonaparte est devenue l'impératrice Joséphine . . . Qui se rappelle le nom de la seconde femme de Napoléon? C'est Marie-Louise.

Croyez-vous que Napoléon III ait été le fils ou le petit-fils de Napoléon Iᵉʳ? Ni l'un ni l'autre. Charles-Louis-Napoléon Bonaparte, qui est devenu président de la Deuxième République et qui s'est fait empereur du Second Empire, est le neveu de Napoléon Iᵉʳ. Son père était Louis Bonaparte, frère de Napoléon; sa mère était Hortense de Beauharnais, fille du vicomte et de Joséphine de Beauharnais. Si, en étudiant l'histoire de France ou en lisant des romans historiques, vous vous intéressez à la famille Bonaparte, vous aurez de la difficulté à vous rappeler tout cela!

Maintenant je pense à une femme qui a vécu au dix-neuvième siècle, qui a écrit beaucoup de romans, et qui s'appelait Aurore Dupin. Quel joli nom! Elle s'est mariée, elle est devenue Aurore Dudevant. En commençant à écrire des romans, elle a pris le nom de George Sand.

Un dernier exemple: Jacques-Anatole Thibault a écrit des livres charmants. J'espère que vous en lirez quelques-uns. Sous le titre de chaque livre vous trouverez le nom d'Anatole France.

Les jeunes filles me diront peut-être que tout ce que je viens de dire n'est pas extraordinaire. Elles changeront de nom, n'est-ce pas? quand elles se marieront!

Espérez-vous vous marier, mesdemoiselles? Vous l'espérez, n'est-ce pas? Et moi aussi, je l'espère. Je suis sûr que les jeunes hommes l'espèrent, eux aussi.

Au revoir, mes chers élèves.

F. *Write in French:*

PAUL. Get up at once!

CHARLES. I don't want to get up! What! You are already up? Go out of the room! Let me sleep!

PAUL. Get up! I repeat it! Get up! Today we are going to Chartres and we must be at the station at eight o'clock.

CHARLES. Why do you want us to go to Chartres?

PAUL. I want you to see the beautiful cathedral.

CHARLES. What cathedral? What is its name?

PAUL. There is only one cathedral at Chartres, Notre-Dame de Chartres.

CHARLES. Poor me! I was beginning to go to sleep, you tell me to get up to (*pour*) go (and) see a cathedral. I have already seen a cathedral.

PAUL. You have slept nine hours. I hope that you are not going to sleep (any) longer. Get up! Do you want me to throw some water in your face?

CHARLES. I'm getting up, I'm getting up. But I've already seen a famous cathedral, here in Paris. Why do you want me to go to Chartres?

PAUL. Chartres has the most beautiful stained glass windows I have ever seen.

CHARLES. If you want to see some stained glass windows, go to the Sainte-Chapelle, here in Paris.

PAUL. I have gone there but you have never gone to Chartres.

CHARLES. There are so many beautiful churches, so many magnificent cathedrals, so many interesting museums, so many little streets, so many long avenues, so many wide boulevards, so many famous cities that we cannot see them before we go back to the United States. We'll have to come back to France next year. The next time that we come here, we'll buy a car, we'll see everything. I'm tired, I'm not going to get up now. I hope that ... Oh! Why did you throw that glass of water in my face? . . . Give me a towel, quick!

IV. OPTIONAL EXERCISES

A. *Recite in French:*

1. Every day I get up early. 2. Last year I used to get up late. 3. Next year I shall not get up early. 4. Yesterday I got up at seven o'clock. 5. If I had not got up at seven o'clock, I would not have had time to have breakfast.

6. Every morning I drink some coffee and I eat two eggs. 7. When I was in Paris, I used to drink coffee or chocolate and I used to eat only some rolls. I didn't have eggs for my breakfast. 8. I went to England, where I used to drink tea for my breakfast, tea with my lunch, tea at four o'clock in the afternoon, tea with my dinner.

9. A few months ago, I used to take a walk (use *se promener*) every day. 10. I no longer have time to take walks. 11. Moreover, I have taken walks in all the parks of Paris and I have seen all the stained glass windows of all the churches of Paris. 12. But my friend Thomas, who has just arrived in Paris, takes a walk every day. 13. He gets up early, walks everywhere, and comes back late.

B. *For Oral or Written Dictation:*

1. Quelle différence y a-t-il entre un fleuve et une rivière? — 2. Un fleuve se jette dans la mer, une rivière se jette dans un fleuve ou dans une autre rivière. — 3. Est-ce un fleuve ou une rivière qui traverse Paris? — 4. C'est un fleuve. — 5. Comment s'appelle-t-il? — 6. Il s'appelle la Seine. — 7. Où est-ce que la Seine se jette dans la mer? — 8. Au Havre. — 9. Dans quelle mer la Seine se jette-t-elle? — 10. Elle se jette dans la Manche. — 11. Qu'est-ce que c'est que la Marne? — 12. C'est une rivière qui se jette dans la Seine. — 13. Et l'Oise, l'Yonne et l'Aube? — 14. Ce sont des rivières qui se jettent dans la Seine. — 15. Très bien! J'espère que vous n'oublierez pas tout ce que vous avez appris.

VOCABULARY FOR EXERCISES

arrivée [arive] *f. arrival*
contentement [kɔ̃tɑ̃tmɑ̃] *m. contentment, satisfaction*
corriger [kɔriʒe] *to correct*
désespérer [dezɛspere] *to despair, lose hope*
exagérer [ɛgzaʒere] *to exaggerate*

faute [foːt] *f. fault*
gros, grosse [gro, –oːs] *big*
intéresser: s'— à *to be or become interested in*
maréchal [mareʃal] *m. marshal (military title)*

nom [nõ] *m. name, noun*

principal, principaux [prẽsipal, –o] *principal*

promener [prɔmne]: se —, *to walk, take a walk or ride*

rappeler [raple]: se —, *to remember*

répéter [repete] *to repeat*

richesse [riʃɛs] *f. wealth*

vicomte [vikõːt] *m. viscount (title)*

vitrail (*pl.* vitraux) [vitraːj, vitro] *m. stained glass window*

vivant: de son —, *in his lifetime*

VOCABULARY FOR REFERENCE

ancien, ancienne [ãsjẽ, –jɛn] *ancient, former, old*

appeler [aple] *to call;* s'—, *to be named, be called*

aristocratique [aristɔkratik] *aristocratic*

brave [braːv] *brave, good, worthy*

cardinal [kardinal] *m. cardinal*

changer [ʃãʒe] *to change*

difficulté [difikylte] *f. difficulty*

espérer [ɛspere] *to hope*

historique [istɔrik] *historical*

marquise [markiːz] *f. marchioness (title)*

Martinique [martinik] *f. an island (one of the West Indies)*

membre [mãːbr] *m. member*

même [mɛːm] *even, same, self, very*

propre [prɔpr] *clean, exact, proper, own, very*

trente-septième [trãtsɛtjɛm] *thirty-seventh*

TRENTE–HUITIÈME LEÇON 38

I. DIALOGUE

Use the following dialogue as in preceding lessons:

— Pierre parle trop, n'est-ce pas? dit Louise à son amie.

— Oui, répond son amie, Pierre m'ennuie même quand il parle de moi! Et je pense qu'il s'ennuie aussi.

— Préférez-vous qu'il parle de lui-même?

— Oui, je préfère cela, parce qu'au moins je suis sûre qu'il s'intéresse à ce qu'il dit!

— Pierre talks too much, doesn't he? says Louise to her friend.

— Yes, answers her friend, Pierre bores me even when he talks about me! And I think that he is bored also.

— Do you prefer to have him talk (that he talk) about himself?

— Yes, I prefer that, because at least I am sure that he is interested in what he is saying!

II. GRAMMAR

A. VERBS WITH ORTHOGRAPHICAL CHANGES (cont.)

1. Verbs whose stems end in –**ay** may or may not change the **y** to **i** before a mute **e**.

payer, *to pay (for)*

PRESENT	FUTURE	PRESENT SUBJUNCTIVE
paie *or* paye	paierai *or* payerai	paie *or* paye
paies *or* payes	paieras *or* payeras	paies *or* payes
paie *or* paye	etc.	etc.
payons		
payez	CONDITIONAL	
paient *or* payent	paierais *or* payerais	
	etc.	

2. Verbs whose stems end in **–oy** or **–uy** must change the **y** to **i** before mute **e**.

envoyer, *to send*

PRESENT

envoie	envoyons
envoies	envoyez
envoie	envoient

ennuyer, *to bore*

PRESENT		FUTURE	COND.	PRES. SUBJ.
ennuie	ennuyons	ennuierai	ennuierais	ennuie
ennuies	ennuyez	ennuieras	ennuierais	ennuies
ennuie	ennuient	etc.	etc.	etc.

B. *ENVOYER*, "TO SEND"

This irregular verb has the following forms in the future and conditional tenses. All other forms are regular.

FUTURE		CONDITIONAL	
enverrai	enverrons	enverrais	enverrions
enverras	enverrez	enverrais	enverriez
enverra	enverront	enverrait	enverraient

C. IDIOMS WITH *CHERCHER*

aller chercher, *to go and get*   **envoyer chercher**, *to send for*

venir chercher, *to come and get*

In the case of **aller chercher** and **venir chercher**, pronoun objects go with **chercher** but in the case of **envoyer chercher**, a single pronoun object goes with **envoyer**. (The literal meaning is to send some one to get something.)

Allez chercher vos billets.	*Go and get your tickets.*
Je les ai déjà envoyé chercher.	*I've already sent for them.*

D. *PAYER*, "TO PAY, PAY FOR"

1. This verb may govern at the same time (a) a direct object of the thing paid for, (b) an indirect object of the person paid, and (c) an "adverbial accusative" of the price paid.

Enfin Paul a payé la voiture qu'il a achètée il y a six mois.	*At last Paul has paid for the car he bought six months ago.*
Il l'a payée au marchand d'automobiles de la Place Belfort.	*He paid the automobile dealer of Belfort Square for it.*
Il la lui a payée plus de mille dollars.	*He paid him more than a thousand dollars for it.*

2. If a person is the only object, it is direct.

J'ai déjà payé le dentiste.	*I've already paid the dentist.*

E. *JOUER*, "TO PLAY"

To play a musical instrument is **jouer de,** *to play* a game is **jouer à.**

Jouez du piano.	*Play the piano.*
Jouons aux cartes.	*Let's play cards.*

F. REVIEW AND SUMMARY OF USES OF INDEFINITE ARTICLE

The indefinite article is, in general, used in French as in English. There are only two special points to remember.

1. In French, an indefinite article is repeated before each noun in a series.

un frère et une sœur	*a brother and sister*

2. There is no indefinite article in French with an unmodified predicate noun after **être,** when the noun denotes occupation, profession, nationality, or religion and indicates that the subject of the sentence belongs to a general class or group.

M. Dubois est musicien.	*Mr. Dubois is a musician.*

G. REVIEW AND SUMMARY OF USES OF DEFINITE ARTICLE

1. Used in French, though not used in English:
   (1) With an abstract or general noun.

la liberté	*liberty*
les automobiles	*automobiles*

   (2) With names of languages.

Sait-il le français?   *Does he know French?*
Apprendre le français n'est   *To learn French is not easy.*
   pas facile.

Exceptions: not used in French after **en,** in adjective phrases with **de,** and usually not after **parler.**

Si vous parlez français, dites quel-   *If you speak French, say something in*
   que chose en français.   *French.*
Suivez-vous un cours de français?   *Are you taking a French course?*

(3) With geographical names, used as subjects or objects of verbs or objects of prepositions.

J'espère visiter la France.   *I hope to visit France.*
Quand partez-vous pour la   *When are you leaving for France?*
   France?

Important exceptions: no article with cities, unless article is part of name; no article after **en.**

A Paris; en France   *In Paris; in France*

(4) Sometimes with parts of body or clothing, instead of possessive adjective.

Il s'est fait mal à la tête.   *He hurt his head.*

(5) With days of the week, to indicate regular occurrence.

Je vais à l'église le dimanche.   *I go to church on Sundays.*

(6) With titles and adjectives before names.

le professeur Ribot   *Professor Ribot*
la petite Louise   *little Louise*

(7) In many idioms.

aller à l'école   *to go to school*
aller à la maison   *to go home*

2. The Partitive Article (or Partitive Sign)

To translate *some* or *any*, expressed or implied, **de** and the definite article are used in French.

du pain   *(some) bread*

The article is omitted:
(1) When the partitive is the direct object of a negative verb.

Je n'ai pas de montre.	*I haven't any watch.*

(2) When an adjective precedes a plural noun.

Mlle Dubois a de jolies robes.	*Miss Dubois has some pretty dresses.*

Exception: when adjective and noun form a virtual compound.

des jeunes filles	*girls*
des petits pains	*rolls*

Both **de** and the article are omitted:

(1) After nouns and adverbs of quantity (which require the preposition **de** but not the **de** of the partitive sign).

un verre d'eau	*a glass of water*
beaucoup d'amis	*many friends*

Exceptions: **la plupart,** *most,* and **bien,** *much, many,* require **de** and article.

la plupart des élèves	*most students*
bien des fois	*many times*

(2) After nouns, adjectives, and verbs which must be followed by the preposition **de.**

Hier cette bouteille était pleine de vin!	*Yesterday this bottle was full of wine!*
La table est couverte de journaux.	*The table is covered with newspapers.*

(3) In idioms:

avoir faim, soif, etc.	*to be hungry, thirsty, etc.*

III. EXERCISES

A. *Write in French:*

1. I am trying to learn to play the piano. — 2. Who is paying for your lessons? — 3. I am paying for them myself. — 4. If I take some music lessons (lessons of music), will you pay for them? — 5. No, you will have to pay for them yourself. — 6. If Alice wanted to play the violin, would you pay for her lessons? — 7. Of course. I wish Alice would learn to play the violin. — 8. Don't you want me to learn to play the piano?

B. *Write in French:*

1. Are you bored? — 2. Yes, I cannot interest myself in (à) what I am trying to read. — 3. What are you trying to read? — 4. A dictionary. — 5. I am not surprised that you are bored!

C. *Recite in French:*

1. If you are sick, I'll send for a doctor. — 2. Don't send for a doctor; I'm not well, but I am not sick. — 3. What is the matter with you? — 4. I have a headache. Go and get some aspirin, please, at a drugstore. — 5. I don't want to leave you. I'll send for some aspirin tablets. — 6. Whom can you send for them? — 7. I'll send the son of Professor Ribot; he'll be glad to earn a few francs.

D. *Recite rapidly in French:*

1. A man and woman. 2. A boy and girl. 3. He is a musician. 4. He is a great musician. 5. He plays the piano and the violin. 6. Does Charles speak French? 7. Is Charles taking a French course? 8. Is he in your French class? 9. Is he a poor student? 10. What time is it? — 11. I don't know, I haven't any watch. — 12. Don't you need a watch? Didn't you buy a watch in Switzerland? Watches are cheap in that country. — 13. If I had enough money, I would buy a very good watch. How much did you pay for yours? — 14. My father and mother paid seventy-five dollars for it. They gave it to me last year.

E. READING

MADAME PERNELLE ESSAIE D'ACHETER
UNE ROBE

Madame Pernelle, qui est à Paris depuis quelques mois, va rentrer bientôt en Amérique. Mais elle n'a pas encore acheté de robe. Quand elle sera de retour aux États-Unis, ses amies lui diront: « Montrez-nous les belles robes que vous avez achetées à Paris! » Elles ne pourront pas croire qu'elle n'en a pas acheté. « Comment! lui diront-elles, vous avez été à Paris, la capitale de la mode, et vous n'avez pas rapporté plusieurs robes! »

Madame Pernelle ne voudra pas dire à ses amies qu'elle n'est pas allée rue de la Paix. Elle y va donc, espérant trouver chez un des couturiers célèbres une belle robe qui ne soit pas trop chère. Elle y trouve beaucoup de belles robes — des robes pour la ville, des robes pour la campagne, des robes pour le matin, des robes pour l'après-midi, d'autres robes pour le soir. Mais que toutes ces robes sont chères! Qui peut donc les acheter? Certainement pas madame Pernelle, qui est Américaine mais qui n'est pas millionnaire.

Une amie dit à madame Pernelle qu'elle ne trouvera rien qui soit joli et bon marché chez les couturiers célèbres ou dans les grands magasins de la Rive droite. « Allez donc chercher votre robe dans une des petites boutiques de la Rive gauche! »

Madame Pernelle va à la rue de Vaugirard. Elle entre dans une boutique; elle n'y trouve rien qui lui plaise. Elle entre dans une deuxième boutique, dans une troisième, dans une quatrième. Rien! Jamais rien. Les belles robes sont trop chères, les robes qui ne sont pas chères ne sont pas belles. Ou bien, les robes qu'elle aime ressemblent à celles qu'on peut acheter facilement dans toutes les villes américaines. Si elle en achetait une, ses amies ne voudraient pas croire qu'elle l'avait achetée à Paris.

Tout à coup elle se trouve devant une jolie petite boutique, « Chez Ariane ».

— Quel joli nom ! se dit madame Pernelle. J'essaierai d'y trouver quelque chose.

Elle entre chez Ariane. Que voit-elle, en entrant? Une magnifique robe bleue pendue au mur ! Qu'elle est jolie ! Qu'elle est élégante ! Elle est vraiment *chic !*

— Quel est le prix de cette robe bleue? demande-t-elle à une vendeuse qui s'est approchée d'elle.

La vendeuse cherche l'étiquette qui porte le prix de la robe. Elle ne la trouve pas.

— Je m'étonne qu'il n'y ait pas d'étiquette, dit la vendeuse. Il est probable que nous venons de recevoir cette robe. Je suis sûre qu'elle n'était pas ici il y a une heure. C'est combien, cette robe-ci?

demande-t-elle à une autre vendeuse qui s'approche.

— Cette robe-là? Elle n'est pas à vendre ! C'est la robe que la propriétaire de cette boutique portait quand elle est arrivée ici tout à l'heure. Elle a changé de robe et elle vient de pendre celle-là au mur. Ne la vendez pas !

Pauvre madame Pernelle ! Si une Américaine n'achète pas une robe à Paris, ses amies croiront qu'elle est folle ! Madame Pernelle, cependant, est trop fatiguée pour continuer à chercher une robe qui lui plaise et qui ne soit pas chère. Ses amies américaines ne savent pas combien il est difficile, quand on n'est pas riche, de trouver une belle robe à Paris !

— Si je n'achète pas de robe, se dit-elle, j'achèterai au moins du parfum. Il est facile d'en trouver à Paris ! Le parfum se vend partout. Et toutes les marques de parfum ont de jolis noms français !

F. READING

MOLIÈRE

Jean-Baptiste Poquelin naquit à Paris en 1622. Il suivit des cours dans une bonne école, le Collège de Clermont. Quand le jeune homme avait vingt ans, il organisa une compagnie d'acteurs, qui s'appela *l'Illustre Théâtre*. En devenant acteur, il prit le nom de Molière.

Malheureusement la compagnie n'était pas assez illustre pour réussir. Elle perdit beaucoup d'argent et Molière fut mis en prison. Son père paya ses dettes.

Mis en liberté, Molière quitta Paris avec les acteurs et les actrices de sa troupe et passa douze ans à voyager de ville en

ville, de village en village, donnant des représentations. Molière devint le chef de la troupe et enfin l'auteur de quelques pièces que la troupe joua. Pendant ces douze ans Molière apprit à bien connaître la France et les Français.

Après son retour à Paris, Molière mena une vie très active. Il fut en même temps acteur, directeur et auteur. Il écrivit les comédies qui l'ont rendu célèbre. Dans ces comédies il créa des personnages qui vivront tant qu'il y aura des théâtres en France: un avare, Harpagon; un bourgeois gentilhomme, M. Jourdain; un hypocrite, Tartuffe; un misanthrope, Alceste; une coquette, Célimène; une femme savante, Philaminte; un malade imaginaire, M. Argan; d'autres encore. Il montra les aspects ridicules des mœurs de son temps. Son idéal, c'est ce qui est naturel et raisonnable.

Molière mourut en 1673, à l'âge de cinquante et un ans. Ses chefs-d'œuvre nombreux font de lui le plus grand écrivain français.

G. *Write in French:*

L'Avare is the title of one of Molière's masterpieces. In this comedy a miser, whose name is Harpagon, has made a lot of money but has spent very little. He is therefore very rich. As he is afraid of thieves, he has put a large sum of money in a box, which he has hidden in his garden.

Harpagon has a son, whose name is Cléante, and a daughter, whose name is Élise. Cléante loves a poor girl, Mariane; Élise loves a poor young man, Valère. The miser gives very little money to his children. Cléante, who buys expensive clothes, has large (use *grosses*) debts. Harpagon discovers that, without knowing it, he has loaned money to a man who has loaned the miser's money to Cléante! The son owes a great deal of money to his own father! Moreover, Harpagon, whose wife is dead, wants to marry the beautiful Mariane. The miser is the rival of his own son!

Harpagon will not allow his daughter to marry Valère because Valère has no money. He wants her to marry a rich man, M. Anselme, who is willing to marry her without a dowry (*sans dot*).

Will Harpagon succeed in marrying Mariane and in preventing his daughter Élise from marrying Valère? In a comedy everything must end well!

Cléante has a valet, whose name is La Flèche. This valet finds the box of money which the miser has hidden in the garden. When Harpagon discovers that he has lost almost his entire fortune, he is very angry. He accuses everyone, even the spectators, of having robbed him!

La Flèche gives the money he has found to his master, Cléante. "If you let me marry Mariane, says Cléante to his father, your money will be given back to you."

At that very moment, it is found that M. Anselme is the father of Valère and of Mariane. As M. Anselme is very rich, his son Valère will be very rich. The miser no longer opposes the marriage of Élise and Valère. To get (use *avoir*) his money, he allows his son to marry Mariane.

Harpagon, the miser, is one of the most famous characters of the comedies of Molière.

IV. OPTIONAL EXERCISES

A. *Answer in French sentences:*

1. Est-ce que Mme Pernelle vient d'arriver à Paris? 2. Qu'est-ce qu'elle veut acheter avant de partir de Paris? 3. Qu'est-ce que la plupart des Américaines achètent à Paris? 4. Dans quelle rue trouve-t-on quelques-uns des couturiers fameux? 5. Pourquoi Mme Per-

nelle n'achète-t-elle pas de robe chez un des couturiers de la rue de la Paix? 6. Pourquoi n'en achète-t-elle pas une dans un grand magasin? 7. Où est-ce qu'une amie lui dit d'aller? 8. Des deux rives de la Seine, laquelle est la Rive droite? 9. Laquelle est la Rive gauche? 10. La rue de Vaugirard est-elle longue ou courte? 11. Pourquoi est-il difficile pour Mme Pernelle de trouver une robe qu'elle puisse acheter?

12. Dans quelle boutique entre-t-elle enfin? 13. Qu'est-ce qu'elle y voit? 14. Quelle question pose-t-elle à la vendeuse? 15. Qu'est-ce que la vendeuse cherche? 16. A qui est la robe que Mme Pernelle veut acheter?

17. Si Mme Pernelle n'achète pas de robe, qu'est-ce qu'elle achètera? 18. Que faut-il avoir pour pouvoir acheter de belles choses à Paris? 19. En avez-vous?

B. *Answer in French sentences:*

1. Quand Molière est-il né? 2. Quand a-t-il pris le nom de Molière? 3. Pourquoi le jeune homme a-t-il été mis en prison? 4. Qui a payé ses dettes? 5. Combien d'années la troupe de Molière a-t-elle passées dans les provinces de la France? 6. Pourquoi Molière a-t-il été très occupé après son retour à Paris? 7. Comment s'appelle l'avare dans la comédie de Molière? 8. Comment s'appelle le bourgeois gentilhomme? 9. Vous rappelez-vous quel maître a donné des leçons au bourgeois gentilhomme? 10. Qu'est-ce que ce maître lui a enseigné? 11. Quel est l'idéal de Molière? 12. En quelle année Molière est-il mort?

VOCABULARY FOR EXERCISES

accuser [akyze] *to accuse*
acteur [aktœːr] *m. actor*
actrice [aktris] *f. actress*
boîte [bwat] *f. box*
campagne [kɑ̃paɲ] *f. country*
chic [ʃik] *smart, stylish*
coquette [kɔkɛt] *f. flirt*
créer [kree] *to create*
dette [dɛt] *f. debt*
fâché [faʃe] *angry*
essayer [eseje] (de) *to try*
étiquette [etikɛt] *f. label*
malade [malad] *m. invalid, sick person*

misanthrope [mizɑ̃trɔp] *m. misanthropist*
mode [mɔd] *f. fashion*
mœurs [mœrs] *f.pl. manners*
parfum [parfœ̃] *m. perfume*
pendre [pɑ̃ːdr] *to hang*
personnage [pɛrsɔnaːʒ] *m. character (in play)*
plaire [plɛːr] *to please (irreg. verb; for forms, cf. table in Appendix)*
représentation [rəprezɑ̃tasjɔ̃] *f. performance*
savant [savɑ̃] *learned*
troupe [trup] *f. troupe, company*

VOCABULARY FOR REFERENCE

actif, active [aktif, –iːv] *active*
aspect [aspɛ] *m. aspect*
carte [kart] *f. card*
chercher [ʃɛrʃe] *to look for;* aller —, *to go and get;* envoyer —, *to send for;* venir —, *to come for*
compagnie [kɔ̃paɲi] *f. company, troupe*
dot [dɔt] *f. dowry*
ennuyer [ãnɥije] *to bore;* s'—, *to be bored*

hypocrite [ipɔkrit] *m. hypocrite*
idéal [ideal] *m. ideal*
imaginaire [imaʒinɛːr] *imaginary*
organiser [ɔrganize] *to organize*
piano [pjano] *m. piano*
trente-huitième [trãtɥitjɛm] *thirty-eighth*
valet [valɛ] *m. valet*
violon [vjɔlɔ̃] *m. violin*

TRENTE–NEUVIÈME LEÇON 39

I. ORAL INTRODUCTION

Read carefully, noticing particularly expressions of measurement:

QUELQUES FAITS CURIEUX

Il y a des choses qu'il est utile (*useful*) de savoir, il y a d'autres choses qu'il est inutile de savoir. Quelquefois les connaissances inutiles (*useless knowledge*) sont plus intéressantes que les connaissances importantes. Voici quelques faits curieux: [1] est-il utile ou inutile de les savoir?

La ville de Paris a 11 kilomètres de longueur et 9 kilomètres de largeur.

Il y a moins de 3.000.000 de Parisiens véritables mais plus de 6.000.000 de gens habitent Paris et les environs de Paris.

Parmi les Parisiens il y a 11.000 personnes qui vendent des boissons, 6.000 qui donnent des leçons de musique, 5.000 médecins, 4.000 coiffeurs, 4.000 épiciers, 2.500 bouchers et 2.000 boulangers.

La Tour Eiffel a trois cents mètres

[1] The author is indebted to an article in the French magazine *Réalités*, issue of June, 1951, for some of the following information.

de haut (*is* 300 *meters high*); en été, sous l'action de la chaleur, elle est plus haute de 15 à 20 centimètres (*it is from* 15 *to* 20 *centimeters taller*).

La Bibliothèque Nationale est une des plus grandes bibliothèques du monde. Si on mettait tous les livres sur un seul rayon (*shelf*), ce rayon aurait près de 100 kilomètres de long (*would be almost* 62 *miles long*).

II. GRAMMAR

A. *MONTER* AND *DESCENDRE*

These verbs form their compound tenses with **être** when they are used without an object, with **avoir** when they have a direct object.

Paul est monté au sommet de la Tour Eiffel.	*Paul went up to the top of the Eiffel Tower.*
André a monté l'escalier très lentement.	*André went upstairs (up the stairs) very slowly.*
Renée est descendue il y a long-temps, mais la femme de chambre n'a pas encore descendu sa valise.	*Renée came down a long time ago, but the maid has not yet brought down her valise.*

B. VERBS WITH DIRECT OR INDIRECT OBJECTS

1. Certain verbs which do not take direct objects in English do so in French. Important verbs of this type include the following, all of which, except **habiter,** have been introduced in preceding lessons:

attendre, *to wait for*	**demander,** *to ask for*	**payer,** *to pay for*
chercher, *to look for*	**écouter,** *to listen to*	**regarder,** *to look at*
	habiter, *to live in*	

Attendons nos amis ici.	*Let's wait for our friends here.*
Cherchons un bon hôtel.	*Let's look for a good hotel.*
Qui vous a demandé de l'argent?	*Who asked you for some money?*
Quelle ville habitez-vous?	*What city do you live in?*

2. Certain verbs which take direct objects in English require indirect objects in French. Important verbs of this type include:

obéir, *to obey*	**répondre,** *to answer*
plaire, *to please*	**ressembler,** *to resemble, look like*

Vous ne pouvez pas plaire à tout le monde.	*You cannot please everybody.*
Vous ressemblez à votre père.	*You look like your father.*
Vous n'avez pas répondu à ma question; vous n'y avez pas encore répondu.	*You haven't answered my question; you haven't answered it yet.*

C. EXPRESSIONS OF MEASUREMENT

1. Idiomatic constructions used for height, length, width, and depth are illustrated in the following examples:

La Tour Eiffel a trois cents mètres de haut (ou de hauteur). La Tour Eiffel est haute de trois cents mètres.	*The Eiffel Tower is three hundred meters high.*
Les Champs-Élysées ont 1.880 mètres de long (de longueur) (sont longs de 1.880 mètres).	*The Champs-Élysées is* 1,880 *meters long.*
Le lac a 400 mètres de large (de largeur) (est large de 400 mètres).	*The lake is* 400 *meters wide.*
Le fleuve a dix mètres de profondeur (est profond de dix mètres).	*The river is ten meters deep.*

2. 1 mètre = about 39 inches or 1.09 yards
   1 centimètre = about $\frac{2}{5}$ of an inch or .39 inch
   1 kilomètre = about $\frac{5}{8}$ of a mile or .62 mile
   100 kilomètres = about 62 miles

D. IMPERATIVE OF *AVOIR* AND *ÊTRE*

The imperative of **avoir** and **être** may be derived from the present subjunctive of each verb.

avoir	être
aie	sois
ayons	soyons
ayez	soyez

Ayez la bonté de m'attendre ici.	*Have the kindness to wait for me here.*
Soyez assez bon pour répondre à ma question !	*Be kind enough to answer my question!*

E. IMPERFECT AND PLUPERFECT SUBJUNCTIVE — FORMS

1. Verbs of the three regular conjugations have the following forms in the imperfect tense of the subjunctive mood:

donner	finir	perdre
donn **asse**	fin **isse**	perd **isse**
donn **asses**	fin **isses**	perd **isses**
donn **ât**	fin **ît**	perd **ît**
donn **assions**	fin **issions**	perd **issions**
donn **assiez**	fin **issiez**	perd **issiez**
donn **assent**	fin **issent**	perd **issent**

2. The imperfect subjunctive forms of **avoir** and **être**.

avoir		être	
eusse	eussions	fusse	fussions
eusses	eussiez	fusses	fussiez
eût	eussent	fût	fussent

3. The imperfect subjunctive of irregular verbs may be obtained by dropping the final letter of the first person singular of the past definite and adding the endings –sse, –sses, –t, –ssions, –ssiez, –ssent; the last vowel of the third person singular has a circumflex accent.

INFINITIVE	PAST DEFINITE	IMPERFECT SUBJUNCTIVE	
aller	alla(i)	allasse	allassions
		allasses	allassiez
		allât	allassent
faire	fi(s)	fisse	fissions
		fisses	fissiez
		fît	fissent

NOTE

The third person singular of the past definite tense has no accent: **il vint, il vit, il vainquit** = *he came, he saw, he conquered.* The third person singular of the imperfect subjunctive always has a circumflex accent: **Auriez-vous cru qu'il vînt, qu'il vît, et qu'il vainquît?** — *Would you have believed that he might come, might see, and might conquer?*

4. The imperfect subjunctive of **avoir** or **être** and a past participle form the pluperfect subjunctive.

Je ne croyais pas qu'il eût fini.   *I did not think that he had finished.*
Je ne croyais pas qu'il fût parti.   *I did not think that he had left.*

F. IMPERFECT AND PLUPERFECT SUBJUNCTIVE — USES

1. In literary French, any other tense than the present or future in the governing statement used to require the imperfect subjunctive (for an incomplete action) or the pluperfect subjunctive (for a completed action) in the dependent clause.

Je voulais qu'il restât.   *I wanted him to remain.*
Je ne croyais pas qu'il eût dit cela.   *I did not think that he had said that.*

2. Informal, conversational, and modern written French avoid using the imperfect and pluperfect subjunctives by using instead the present or perfect subjunctives or an entirely different construction.

Je voulais qu'il s'en aille.   *I wanted him to go away.*
Je ne croyais pas qu'il ait dit cela.   *I didn't think that he had said that.*

NOTES

1. Modern French writers may still use the simple third person singular forms like **eût, fût, fît,** etc., but usually avoid the longer forms, like **donnassions, perdissiez,** etc.

2. One should be able to recognize the imperfect and pluperfect subjunctive forms because of their frequent occurrence in literary French, especially in that of past centuries; but as they are not common in modern French, no practice in their use is given in this elementary book.

III. EXERCISES

A. *Change verbs from present tense to past indefinite:*

1. Paul et Charles rentrent chez eux à minuit. 2. Ils montent l'escalier. 3. Ils entrent dans leur chambre. 4. Ils tombent sur leurs lits. 5. Ils s'endorment tout de suite.

6. Ils se réveillent à huit heures. 7. Ils se lavent les mains et la figure. 8. La femme de chambre monte leurs petits déjeuners. 9. Ils les prennent. 10. Ils descendent l'escalier. 11. Ils sortent de la maison. 12. Ils vont à la Sorbonne.

B. *Recite in French:*

1. Go downstairs. 2. Don't fall. 3. Hurry. 4. Have the kindness to telephone to me at noon. 5. Be back here at four o'clock.

6. If the child goes away, follow him. 7. If he gets lost (loses himself), look for him. 8. Jacques, listen to me. 9. Pierre is your friend; obey him. 10. If he asks you a question, answer him.

C. *Recite in French:*

1. What are you doing, André? — I've lost my dog and I'm looking for him. — 2. And you, Charles? — Mary is playing the piano and I'm listening to her. — 3. And you, John? — My friend said that he is coming here and I'm waiting for him. — 4. And you, Henri? — I bought a picture and I'm looking at it. — 5. And you, Gérard? — I've received several letters and I'm answering them. — 6. And you, Pierre? — I'm thinking of what you said, that one cannot please everybody. — Am I right? — How right you are! — 7. And you, Albert? — I'm doing nothing. — 8. And you, Robert? — I'm helping Albert.

D. READING

HISTOIRE DE PARIS

Il y a bien des siècles, des hommes bâtirent des maisons dans une petite île, au milieu de la Seine. Le jour, ils gagnaient leur vie en pêchant dans le fleuve. La nuit, ils mettaient des chaînes d'une rive à l'autre pour empêcher leurs ennemis de descendre le fleuve et de les attaquer. Ces pêcheurs étaient des « Parisii ». A leur petit village ils avaient donné le nom de Lutèce.

Les Parisii étant des Gaulois, ils furent obligés de se défendre contre les Romains, quand Jules César voulut conquérir la Gaule. En 52 av. J.-C., les Romains détruisirent le petit village de Lutèce. Mais, après avoir vaincu Vercingétorix, le dernier chef des Gaulois, Jules César fit reconstruire le village des Parisii.

Se trouvant bien situé au milieu d'une région riche, le village devint de plus en plus grand. Il fut bientôt nécessaire de construire des maisons sur les deux rives du fleuve. Dans l'île elle-même et surtout sur la rive gauche, les Romains bâtirent des arènes et d'autres édifices, dont on a découvert les ruines.

Au troisième siècle, ou peut-être au quatrième, les habitants de la petite ville, n'ayant pas tout à fait oublié ses premiers habitants, lui donnèrent le nom de Paris.

Au milieu du cinquième siècle, Attila et ses Huns entrèrent en France et s'approchèrent de Paris. Les Parisiens voulaient s'enfuir. Mais une jeune fille les fit rester dans leur ville et la leur fit défendre. Ayant appris qu'il ne pourrait pas saisir la ville facilement, Attila s'en alla sans l'attaquer. La jeune fille héroïque est devenue Sainte Geneviève, la Patronne de Paris.

Les Francs avaient commencé à entrer en Gaule au troisième siècle. Peu à peu ils la conquirent tout entière. Le plus grand roi des Francs, Clovis (466–511), fit de Paris sa capitale. Pendant bien des siècles, cependant, sous les faibles successeurs de Clovis, Paris resta une petite ville.

Au douzième siècle, enfin, les rois capétiens commencèrent à faire de Paris une ville digne d'être leur capitale. Philippe Auguste fit paver les rues principales. En 1200 ce roi donna une charte à l'Université de Paris, qui avait déjà commencé à attirer des étudiants de tous les pays de l'Europe. A cette époque la ville avait peut-être cent mille habitants.

Pendant la guerre de Cent ans, Paris souffrit, comme tout le reste de la France. La ville fut occupée par les Anglais et les

Bourguignons; Jeanne d'Arc ne réussit pas à les en chasser.

Après la guerre, cependant, Paris regagna vite son importance et sa prospérité. Les bourgeois bâtirent de belles maisons. En 1600 Paris avait plus de cinq cent mille habitants.

Au dix-septième siècle Louis XIII ajouta à la ville des quartiers neufs, tels que le quartier du Marais, sur la Rive droite, où on trouve aujourd'hui la belle Place des Vosges.

Sous le règne de Louis XIV, Versailles devint la capitale politique de la France mais Paris en resta la capitale artistique et littéraire. C'est à Paris, par exemple, qu'on représenta les comédies de Molière et que La Rochefoucauld écrivit ses *Maximes*.

Au dix-huitième siècle Louis XV fit construire la belle place qui s'appelle aujourd'hui la Place de la Concorde.

Au cours de la Révolution les Parisiens obligèrent Louis XVI et Marie-Antoinette de rentrer à Paris. Ainsi la ville redevint la capitale politique du pays. En 1800 il y avait peut-être un million de Parisiens.

Malgré la construction continuelle de rues, de places et de quartiers, Paris resta, jusqu'au milieu du dix-neuvième siècle, une ville ancienne. Il y avait trop de rues étroites, trop de vieilles maisons malsaines. Napoléon III demanda au Baron Haussmann de transformer la capitale. Haussmann fit détruire beaucoup de vieilles maisons, beaucoup de vieilles rues étroites. A leur place il construisit de larges et longues avenues, qui, en reliant les grandes places de la ville, facilitèrent la circulation. Haussmann voulut aussi faire ressortir la beauté des édifices: grâce à son travail surtout, Paris est la ville des perspectives magnifiques. On peut voir de loin, par exemple, l'Opéra, la Madeleine, l'Arc de Triomphe et le Panthéon.

Paris est aujourd'hui une ville de près de trois millions d'habitants, la capitale artistique, littéraire, commerciale, industrielle, politique et sociale de la France, une ville que tous les visiteurs regardent comme la plus belle ville du monde.

E. *Write in French:* [1]

History of Some of the Famous Buildings of Paris

1. In the middle of the twelfth century, they (*on*) began to build the cathedral of Notre-Dame de Paris. The construction of this building was continued under Philippe Auguste and finished under Louis IX in the thirteenth century.

2. Before leaving for the seventh Crusade, St. Louis (Louis IX) had the Sainte-Chapelle built. It is often said that St. Louis brought back from Jerusalem, at the end of the seventh Crusade, the crown of thorns and a piece of the true cross, and that he had the church built at that time in order to shelter these relics. It is certain, however, that the Sainte-Chapelle was fin-

[1] If a teacher so desires, some of the paragraphs of this section may be used as an Optional Exercise.

ished in 1248, before the departure of St. Louis for the seventh Crusade. It is probable that the relics were in the church before the king left Paris. The king did not return to Paris until (returned to Paris only in) 1254. Some (*Les uns*) say that St. Louis bought the relics from the (*au*) king of Constantinople, others (*les autres*) say that he bought them from the (*à la*) Repúblic of Venice. It is difficult to (*de*) know the facts.

3. St. Louis lived in the Palace of the Ile de la Cité, which is called now the Palais de Justice. His successors lived in a new palace on the right bank of the Seine: the Louvre. It is impossible to (*de*) say which king had it built because several kings had parts added to the original palace.

4. In the seventeenth century, Marie de Médicis, who was the wife of Henry IV, had the palace of the Luxembourg built on the left bank of the Seine. The palace was surrounded by (*de*) beautiful gardens. These gardens are now the park which is called the Jardin du Luxembourg.

5. In order to honor the soldiers of his army, Napoleon I wanted to have an arch of triumph built in (*sur*) the Place de l'Étoile. Napoleon wanted the arch to be the largest in the world. The Arch was finished, however, only in 1836, fifteen years after the death of the Emperor. It is the largest in the world: it is 50 meters high, and 45 meters wide.

6. The church which one can see from the Place de la Concorde and which looks like a classic temple is the (*la*) Madeleine. This church was begun in the eighteenth century. Louis-Philippe had it finished in 1842.

7. In 1889, the French wanted to celebrate (*fêter*) the anniversary of the Revolution of 1789. They organized a Universal Exposition, which attracted two million visitors. In order to show what one could make with steel, a French engineer constructed a very high tower, which at that time was the tallest building in the world. The tower is three hundred meters high. To the tower was given (one gave) the name of the man who built it: it is the Eiffel Tower.

VOCABULARY FOR EXERCISES

abriter [abrite] *to shelter, house*
acier [asje] *m. steel*
anniversaire [anivɛrsɛir] *m. anniversary*
arènes [arɛn] *f.pl. arena*
attirer [atire] *to attract*
charte [ʃart] *f. charter*
circulation [sirkylasjɔ̃] *f. traffic*
classique [klasik] *classic*
conquérir [kɔ̃keriːr] (*pp.* conquis) *to conquer*
croix [krwɑ *or* krwa] *f. cross*

détruire [detrɥiːr] *to destroy*
digne [diɲ] *worthy*
enfuir [ɑ̃fɥiːr]: s'—, *to flee*
épine [epin] *f. thorn*
étroit [etrwɑ *or* etrwa] *narrow*
exposition [ɛkspozisjɔ̃] *f. exposition, exhibition*
faciliter [fasilite] *to facilitate, make easy*
faible [fɛbl] *feeble, weak*
fait [fɛ] *m. fact*
Gaule [gol] *f. Gaul (country)*

Gaulois [golwɑ *or* golwa] *m. Gaul (person)*
grâce [grɑɪs]: — à *thanks to*
honorer [ɔnɔre] *to honor*
île [il] *f. island*
ingénieur [ɛ̃ʒenjœɪr] *m. engineer*
malsain [malsɛ̃] *unhealthy*
mètre [mɛtr] *m. meter*
patronne [patrɔn] *f. patron saint*
paver [pave] *to pave*
pêcher [pɛʃe] *to fish*
pêcheur [pɛʃœɪr] *m. fisherman*
perspective [pɛrspɛktiːv] *f. view, vista*

primitif, primitive [primitif, –iːv] *primitive, original*
regagner [rəgaɲe] *to regain, recover*
relier [rəlje] *to join, connect*
relique [rəlik] *f. relic*
représenter [rəprezɑ̃te] *to perform*
ressortir [rəsɔrtiːr] *to bring out, stand out*
temple [tɑ̃pl] *m. temple*
universel, universelle [ynivɛrsɛl] *universal*
vaincre [vɛ̃kr] (*pp.* vaincu) *to conquer, defeat*
Venise [vəniːz] *f. Venice*

VOCABULARY FOR REFERENCE

action [aksjɔ̃] *f. influence*
artistique [artistik] *artistic*
av. J.-C. = avant Jésus-Christ [avɑ̃ʒezykri] *B.C.*
baron [barɔ̃] *baron (title of nobility)*
bon, bonne *kind*
boucher [buʃe] *m. butcher*
centimètre [sɑ̃timɛtr] *m. centimeter ($\frac{1}{100}$ of a meter)*
chaîne [ʃɛn] *f. chain*
chaleur [ʃalœɪr] *f. heat*
commercial [kɔmɛrsjal] *commercial*
connaissance [kɔnɛsɑ̃s] *f. knowledge*
construction [kɔ̃stryksjɔ̃] *f. construction*
continuel, continuelle [kɔ̃tinɥɛl] *continual*
défendre [defɑ̃dr] *to defend*
descendre [desɑ̃dr] *to come or go down, to bring, carry, or take down*
environs [ɑ̃virɔ̃] *m.pl. vicinity, surroundings*
fêter [fɛte] *to celebrate*
habiter [abite] *to live in*
hauteur [otœɪr] *f. height*
héroïque [erɔik] *heroic*

importance [ɛ̃pɔrtɑ̃s] *f. importance*
industriel, industrielle [ɛ̃dystriɛl] *industrial*
inutile [inytil] *useless*
lac [lak] *m. lake*
largeur [larʒœɪr] *f. width*
littéraire [literɛɪr] *literary*
longueur [lɔ̃gœɪr] *f. length*
monter [mɔ̃te] *to come or go up, to bring, carry, or take up*
obéir [ɔbeiːr] *to obey*
peu: — à —, *little by little*
profondeur [prɔfɔ̃dœɪr] *f. depth*
prospérité [prɔsperite] *f. prosperity*
rayon [rɛjɔ̃] *m. shelf*
reconstruire [rəkɔ̃strɥiːr] *to rebuild, reconstruct*
redevenir [rədəvniːr] *to become again*
région [reʒjɔ̃] *f. region*
reste [rɛst] *m. rest, remainder*
Romain [rɔmɛ̃] *m. Roman*
successeur [syksɛsœɪr] *m. successor*
trente-neuvième [trɑ̃tnœvjɛm] *thirty-ninth*
utile [ytil] *useful*
valise [valiːz] *f. valise*

Part I REVIEW

A. *Recite in French:*

1. I wish $\left\{\begin{array}{l}\text{that you would write me a long letter.} \\ \text{that you would answer the letter I wrote to you.}\end{array}\right.$

2. I am glad $\left\{\begin{array}{l}\text{that your best friend is coming to see you.} \\ \text{that your best friend has arrived.}\end{array}\right.$

3. I am sorry $\left\{\begin{array}{l}\text{that Pierre cannot come.} \\ \text{that Pierre hasn't yet arrived.}\end{array}\right.$

4. I do not believe $\left\{\begin{array}{l}\text{that you will see him today.} \\ \text{that you saw him yesterday.}\end{array}\right.$

5. It is possible $\left\{\begin{array}{l}\text{that you are mistaken.} \\ \text{that you were mistaken.}\end{array}\right.$

6. It is necessary $\left\{\begin{array}{l}\text{to spend money in order to go to France.} \\ \text{that you have some money if you wish to go to France.}\end{array}\right.$

7. I am afraid $\left\{\begin{array}{l}\text{that you may spend more than twenty thousand francs a (\textit{par})} \\ \quad\text{month.} \\ \text{that you have already spent more than a million francs.}\end{array}\right.$

8. You will have to stay in Bordeaux $\begin{cases} \text{until your father sends you some money.} \\ \text{unless you have a friend who will drive} \\ \text{you to Paris.} \end{cases}$

9. Visit Dijon, $\begin{cases} \text{whatever your friends may say to you.} \\ \text{whatever your friends may have said to you.} \end{cases}$

10. I shall go to Dijon, $\begin{cases} \text{although I know no one there.} \\ \text{although I have already gone there.} \end{cases}$

11. I'll rent a car $\begin{cases} \text{in order that we may go to Fontainebleau.} \\ \text{unless our friends drive us there in their car.} \end{cases}$

12. Paris is the most beautiful city $\begin{cases} \text{which I have ever seen.} \\ \text{which one can visit.} \end{cases}$

B. *Recite in French:*

Poor man! His wife has just bought an expensive dress. She says that it is the only dress that she has bought this year. But the last time that I saw her, she was wearing a new dress. Do you think that she bought it a year ago and that she did not wear it?

C. *Illustrate by original sentences in French the difference in use or meaning* (1) *between* chaque *and* chacun, (2) *between* quelques *and* quelques-uns, (3) *between* quoique *and* quoi que, *and* (4) *between* il faut *and* il ne faut pas.

D. *Illustrate by original sentences in French the construction to be used* (1) *when a partitive noun is the direct object of a negative verb,* (2) *when a partitive noun follows* ne . . . que, (3) *when partitive nouns are used with* ni . . . ni . . ., (4) *when a singular partitive noun is preceded by an adjective* (e.g., bon pain), *and* (5) *when a plural partitive noun is preceded by an adjective.*

E. *Translate the following sentence into French:* "The palace of Versailles was built in the seventeenth century": (1) *with the verb in the passive in formal style,* (2) *with the verb in the passive in informal style,* (3) *with* on *and an active verb in formal style, and* (4) *with* on *and an active verb in informal style.*

F. *Recite in French:*

1. Don't leave Paris without going up to the top of the Eiffel Tower. 2. Let us not leave Paris without going up to the top of the Eiffel Tower. 3. After going up to the top of the Tower, how shall we come down? 4. The last time that I was there, I came down the stairs but my friend came down by (*par*) the elevator.

Part II TEST

A. *Write as your answer an English word which correctly translates the italicized French word in each sentence:*

1. Je veux que vous me *présentiez* à vos amis.
2. Je voudrais que vous me *louiez* souvent.
3. J'espère qu'elle ne vous a pas *entendu*.
4. Jeanne est *souffrante*.
5. Je ne *m'attendais* pas à vous voir.
6. Restez ici *jusqu'à ce que* je revienne.
7. Je m'étonne que vous ne *sachiez* pas cela.
8. Demandez à un *agent* quelle rue il faut prendre.
9. Qu'est-ce que vous me *conseillez* de faire?
10. Je ne veux pas *causer* avec les mêmes personnes tous les jours.
11. Où puis-je *louer* une chambre?
12. Rien d'intéressant n'*est arrivé*.
13. Le jardin était *entouré* d'un mur.
14. Je *vis* quelque chose d'obscur.
15. La femme portait un enfant sur son *dos*.
16. Les *boulangers* ne vendent plus de pain.
17. Les deux hommes ne *se* connaissent pas.
18. Ils ne se connaissent *guère*.
19. Où les petits *gâteaux* se vendent-ils?
20. Qu'est-ce qu'on vend au *guichet?*
21. Cela se dit *partout*.
22. Ce que j'aime *surtout*, c'est le café.
23. Une maxime est l'expression d'une *vérité* générale.
24. La Rochefoucauld *se moque de* la nature humaine.
25. Avez-vous une chambre *meublée* à louer?
26. Oui; elle est au deuxième *étage*.
27. *Quoi qu*'elle dise, je ferai ce que je voudrai.
28. Cet enfant est malheureux; je le *plains*.
29. Le franc *valait* vingt sous.
30. On pouvait acheter un *complet* pour cent francs.
31. Où avez-vous acheté ce *parapluie?*
32. Le chien a rapporté le *bâton* à son maître.
33. Le chien ne sait pas *nager*.
34. Garçon, l'*addition*, s'il vous plaît!
35. Tous *se mettent à* sourire.
36. Pourquoi *sourient*-ils?
37. Vous avez *caché* les zéros!

38. L'Hôtel Carnavalet est l'*ancienne* demeure de Mme de Sévigné.
39. Renée est partie le jour *même* de son arrivée.
40. Quel *journal* avez-vous acheté?
41. Quel est le nom *véritable* de Molière?
42. Qui *se rappelle* le nom de l'Empereur?
43. Pierre m'*ennuie*.
44. J'ai vu le chien de mes *propres* yeux.
45. Avez-vous vu les *vitraux* de la Sainte-Chapelle?
46. Il n'y a pas d'*étiquette* sur la robe.
47. Paris est la capitale de la *mode*.
48. Combien d'*épiciers* y a-t-il à Paris?
49. Il y a des choses qu'il est *inutile* de savoir.
50. J'ai *réussi* à apprendre le français!

(*Deduct ½ point for each mistake.   Perfect Score:* 25)

B. *Translate the English words in the following sentences:*

1. (*Let's go out*) de ce salon.   2. Je ne connais (*nobody*) ici.   3. Je (*am bored*).   4. On ne m'a (*nothing*) donné à boire.   5. J'ai parlé à (*several*) dames mais elles ne m'ont pas répondu. — 6. Elles ne vous (*know*) pas. 7. Elles ne vous parleront pas sans vous (*knowing*). — 8. Je n'aime pas (*be bored*).   9. (*Let's leave*)!   10. Je ne vais (*never*) revenir ici.

(*Deduct 1 point for each mistake.   Perfect Score:* 10)

C. *Supply the proper form of the past participle of each verb in parentheses:*

1. L'été dernier nous sommes (rester) à Paris.   2. Beaucoup d'Américains sont (venir) à Paris.   3. Nous en avons (voir) partout.   4. Ils ont (visiter) tous les quartiers de la ville.   5. Ils se sont (promener) partout. 6. Ils ont (monter) l'avenue des Champs-Élysées, ils ont (descendre) les boulevards.   7. Ils sont (entrer) dans Notre-Dame de Paris, ils sont (monter) au sommet d'une des tours.   8. Ils n'ont jamais (être) fatigués. 9. Un jour j'en ai (suivre) quelques-uns; au moins j'ai (essayer) de les suivre.   10. Qu'ils m'ont (faire) courir!   11. J'ai demandé au chauffeur d'un taxi de les suivre, mais, bien qu'il ait (conduire) très vite, il les a (perdre).   12. Ah, ces Américains à Paris!   Quelle énergie ils ont (avoir)!

(*Deduct ½ point for each wrong form.   Perfect Score:* 8)

D. *Translate the interrogative or relative pronouns in the following sentences:*

1. A (*what*) pensez-vous?   2. A (*whom*) pensez-vous?   3. (*Who*) est arrivé?   4. (*What*) est arrivé?   5. (*What*) il y a dans cette bouteille? 6. (*What*) voulez-vous savoir?   7. Je ne comprends pas (*what*) vous dites. 8. Je ne sais pas de (*what*) vous avez besoin.   9. (*What*) vend-on dans cette boutique-là?   10. Dans (*which*) de ces boutiques voulez-vous entrer?

(*Deduct 1 point for each mistake.   Perfect Score:* 10)

E. *Give the present participle of* (1) avoir, (2) être, (3) faire, (4) prendre, (5) voir, (6) finir.

(Deduct 1 point for each mistake. Perfect score: 6)

F. *Give the proper form of each verb in parentheses:*

1. Finissez d'écrire ces phrases avant de (sortir). 2. Après (finir) d'écrire ces phrases, est-ce que je pourrai sortir? 3. Oui, sortez sans (parler) à personne.

(Deduct 1 point for each mistake. Perfect Score: 3)

G. *Give the proper form of each verb in parentheses:*

1. Cette femme a la plus belle voix que j'(avoir) jamais (entendre). — 2. Je suis heureuse que vous l'(entendre). 3. Je regrette que vous ne (pouvoir) pas comprendre ce qu'elle dit. 4. C'est dommage que vous n'(avoir) pas (lire) les mots des chansons (*songs*) avant de (venir) au concert. — 5. Croyez-vous qu'elle (aller) chanter encore en français? — 6. Oui. Restez ici. Il faut que je (sortir). — 7. Pourquoi faut-il que vous (sortir)? — 8. Il faut que je (téléphoner) à un de mes amis. — 9. J'(espérer) que vous (aller) revenir bientôt. — 10. Oui, restez ici jusqu'à ce que je (revenir). — 11. Quoi que mon ami (dire), je vais revenir. — 12. Si vous n'(être) pas de retour dans quelques minutes, j'(aller) vous chercher. — 13. Non, il vaudra mieux que vous (rester) ici. 14. J'ai peur que si vous (sortir), je ne (pouvoir) pas vous retrouver.

(Deduct 1 point for each mistake. Perfect Score: 20)

H. *Give proper forms of words in parentheses:*

Ne (se lever) pas! Si vous êtes malade, j'(envoyer, *fut.*) chercher un médecin. — Je ne suis pas malade. Il faut que je (se lever).

(Deduct 1 point for each mistake. Perfect Score: 3)

I. *Write as your answer the number of the word which correctly fills the blank in each sentence:*

1. —— la bonté de me conduire chez moi. (1) Ayez, (2) Soyez, (3) Avez.

2. Ne —— pas trop de vin. (1) boirez, (2) buvez, (3) boive.

3. Qui ——-vous voir? (1) rappelle, (2) espérez, (3) veuillez.

4. Où a-t-il —— les bâtons? (1) jeté, (2) jetées, (3) jetés.

5. Je vous —— mon adresse. (1) envoyez, (2) enverriez, (3) enverrai.

6. Si vous y allez, vous ——. (1) vous ennuierez, (2) vous ennuyiez, (3) ennuyez.

7. M. Lacarte est ——. (1) musicien, (2) un musicien, (3) le musicien.

8. Il faut que vous —— de bonne heure.   (1) venez, (2) veniez, (3) viendrez.

9. Avez-vous suivi des cours ——?   (1) français, (2) de français, (3) du français.

10. Elle a peur que vous ——.   (1) ne vous en ayez allé, (2) ne vous en alliez, (3) ne vous en êtes allé.

11. Quoi que vous ——, vous n'êtes plus mon ami.   (1) dites, (2) disez, (3) disiez.

12. On craint que quelqu'un ne l'——.   (1) ait tué, (2) eût tué, (3) avait tué.

13. Quoique vous l'——, je ne le crois pas.   (1) aurez dit, (2) auriez dit, (3) ayez dit.

14. Qu'il ——!   (1) sort, (2) sorte, (3) sortît.

15. Au revoir! Revenez ici ——.   (1) la prochaine année, (2) l'année prochaine, (3) la fois prochaine.

(*Deduct* 1 *point for each mistake.   Perfect Score:* 15)
(*Total Perfect Score:* 100)

EIGHTH CULTURAL DIALOGUE

LA LITTÉRATURE FRANÇAISE

As movie theaters give previews of coming attractions, so this essay gives a preview of what students may find in the further study of French after the foundation course, either in other courses or in independent reading. Just as the movie preview gives only suggestions of what is to come, so this survey by no means even mentions all the important names in French literature.

Philippe est assis avec M. Asmodée et ses amis américains à une table du Café des Deux Magots. Il est neuf heures du soir. Il fait très beau. Sur la table les tasses de café sont vides.

— Depuis quand étudiiez-vous le français quand vous êtes venue en France? demande Philippe à Charlotte.

— Depuis deux ans.

— Qu'est-ce que vous avez appris dans vos cours de français?

— Nous avons appris à lire, à écrire, à comprendre et à parler votre belle langue. Mais pas très bien!

— Quels livres français avez-vous lus?

— Un livre bleu dans lequel il y avait quelques contes, un livre vert dans lequel il y avait quelques pièces de théâtre, un livre rouge dans lequel il y avait un roman. Ne me demandez ni les titres de ces ouvrages [1] ni les noms des auteurs! Je les ai déjà oubliés!

[1] ouvrage *m. work (artistic or literary).*

— J'espère que, quand vous retournerez en Amérique, vous étudierez la littérature française. Et j'espère que vous n'oublierez ni les noms de nos grands écrivains ni les titres de leurs chefs-d'œuvre.

— Quels ouvrages nous conseillez-vous de lire? demande Robert. J'ai acheté une histoire de la littérature française que je n'ai pas encore eu le temps de lire. Mais dans cette histoire j'ai trouvé une quantité énorme de noms propres. Comment doit-on commencer à étudier cette littérature qui est si riche?

— Chaque élève, répond Philippe, après avoir appris à lire le français, devrait acheter, comme vous, une histoire de la littérature française. Il devrait suivre des cours de littérature. Si cela n'est pas possible, il devrait lire autant de livres que possible.

— Je vous ai déjà demandé de nous dire les titres des livres que nous devrions lire.

— Eh bien, commençons au commencement! Le premier chef-d'œuvre de la littérature française est *la Chanson de Roland*, qui est une « chanson de geste », c'est-à-dire un poème épique, écrit en ancien français. Personne ne sait la date de la composition de ce beau poème: est-ce 1060? 1080? 1120? Personne ne sait le nom du poète qui montre dans cet ouvrage son patriotisme, sa piété et

R dit li comptes que
auaut se departeut
de teue aur les mamn
cus auoieut la appauel
lies toutes les choses
que il leur commuoit
le temps estoit beau et li aus puu
et lamer saus ue et saus tourment

TRISTAN ET ISEUT

son imagination épique. Si les problèmes littéraires vous intéressent,
vous en trouverez beaucoup dans la
littérature du moyen âge. Vous
savez, peut-être, que ce poème raconte la mort héroïque de Roland,
neveu de Charlemagne.

— Est-ce que *la Chanson de Roland*
est facile à lire? demande Charlotte.

— L'ancien français est difficile

mais vous pouvez lire le poème en
français moderne. Presque tous les
chefs-d'œuvre du moyen âge ont été
mis en français moderne. Lisez quelques « romans bretons »,[2] qui racon-
tent des légendes celtiques. Les
héros de ces poèmes sont les cheva-
liers [3] de la Table ronde et, bien
entendu, le roi Arthur lui-même.
Vous connaissez déjà, peut-être,
Lancelot et Perceval, mais il est possible que vous ne sachiez pas que
c'est un Français, Chrétien de Troyes,
qui a introduit les légendes celtiques
dans la littérature européenne. Chrétien a écrit aussi le premier poème
qui existe sur le Saint-Graal. Vous
devriez faire la connaissance aussi de
Tristan et d'Iseut, héros et héroïne
d'une légende populaire. Marie de
France a écrit de courts poèmes qu'on
appelle « lais »; ils sont charmants.
Lisez aussi *le Roman de Renard;* [4] dans
cette collection de poèmes, les personnages sont des animaux qui ressemblent à des hommes par leurs qualités
— et par leurs vices.

Si vous aimez le théâtre, vous vous
intéresserez à l'origine du théâtre au
moyen âge. D'abord, à Pâques [5] et à
Noël, les prêtres [6] ont ajouté aux
textes latins de la liturgie des vers en
latin. Ainsi le drame liturgique est
né. Quel immense progrès ce drame

[2] romans bretons *Breton Tales (the French
medieval* romans *are long narrative poems. The*
romans bretons *use legends that originated in
Brittany).* [3] chevalier *m. knight.* [4] « *le
Roman de Renard » : this so-called* roman *is
a collection of stories, in verse, about a fox,*
Renard, *and other animals.* [5] Pâques *m.
Easter.* [6] prêtre *m. priest.*

LA FARCE DE MAÎTRE PATHELIN

a fait, en passant par *le Jeu d'Adam* du douzième siècle, *le Jeu de Saint Nicolas* et *le Miracle de Théophile* du treizième siècle, les *Miracles de Notre-Dame* du quatorzième siècle jusqu'aux *Mystères* des quinzième et seizième siècles!

— Un des plus beaux spectacles que j'aie jamais vus, dit Charlotte, a été la représentation du *Vrai Mystère de la Passion*, un soir, devant Notre-Dame de Paris!

— J'ai déjà lu *la Farce de Maître Pierre Pathelin*, dit Robert.

— C'est le chef-d'œuvre du théâtre comique du moyen âge, dit Philippe. Il y a d'autres farces amusantes. N'oublions pas les ouvrages en prose du moyen âge. Villehardouin a écrit une histoire de la quatrième croisade; Joinville a écrit une vie de Saint-Louis; Froissart, dans ses *Chroniques*, raconte des épisodes de la guerre de Cent ans et toutes sortes d'événe-

FRANÇOIS VILLON

ments du quatorzième siècle. Enfin, on a conservé deux mille poèmes lyriques du moyen âge.

— Écrits par des troubadours? demande Charlotte.

— Non, mademoiselle. Les troubadours étaient des poètes du Midi,[7] qui écrivaient en provençal. Les poètes du Nord étaient des trouvères. Il est vrai que les trouvères ont souvent imité les troubadours.

— Qui est le plus grand poète du moyen âge?

— Le plus grand poète du moyen âge est en même temps le premier grand poète moderne. C'est François Villon. Lisez quelques-uns de ses poèmes! Villon parle surtout du temps et de la mort, qui détruisent la beauté des femmes. Où sont les

[7] Midi *m. South (southern part of France).*

Sermon des repeus fraiches de Maître Francoys villon.

belles femmes du passé? demande-t-il. « Mais où sont les neiges d'antan? »[8]

Quand vous étudierez la littérature de la Renaissance, vous trouverez trois écrivains qui sont beaucoup plus importants que leurs contemporains: Rabelais, Ronsard et Montaigne. Rabelais s'est intéressé à tous les problèmes de son siècle. Sur la guerre, l'éducation, la justice, le mariage, les superstitions, la nature humaine il a eu des idées hardies,[9] qu'il a cachées sous une histoire de deux géants, Gargantua et Pantagruel.

Ronsard, imitant les poètes grecs

MONTAIGNE

et latins, a écrit quelques-uns des meilleurs poèmes de la langue française. Il parle admirablement de la nature et de l'amour. Je suis sûr que ses poèmes vous plairont.

Montaigne est un des plus grands philosophes français. Dans ses *Essais*, il parle d'une grande variété de sujets: la mort, l'éducation, l'amitié,[10] les livres classiques, les mœurs des cannibales, le remords, l'expérience, et bien d'autres choses. Surtout, il parle de lui-même! En s'analysant, il fait de la philosophie introspective. Sur tous ces sujets il a eu des idées originales et sages.

Dans la première moitié du dix-septième siècle les auteurs les plus importants sont Malherbe, Corneille, Descartes et Pascal. Vous devriez connaître les théories de Malherbe; vous les trouverez dans votre histoire de la littérature. Vous devriez lire son chef-d'œuvre, *Consolation à M. du Périer sur la mort de sa fille*, que vous trouverez dans toutes

[8] antan (*archaic*) "*yesteryear*."   [9] hardi *bold*.

[10] amitié *f. friendship*.

LES GÉANTS DE RABELAIS

les anthologies. Malherbe a voulu simplifier la langue française et établir les règles de la composition littéraire. Un poème, croit-il, doit être raisonnable. Dans son chef-d'œuvre il n'exprime pas la douleur [11] de M. du Périer mais il donne à son ami des raisons pour oublier la douleur que la mort de sa fille lui a causée. Dans le classicisme la raison doit vaincre les émotions.

CORNEILLE

Les chefs-d'œuvre de Corneille sont des tragédies en vers: *le Cid* (1637), *Horace, Polyeucte*. Dans ces pièces, qu'on représente de temps en temps à la Comédie-Française, Corneille montre des conflits entre l'amour et l'honneur, ou le patriotisme, ou la foi. Ces conflits ont lieu dans l'âme [12] des personnages principaux.

Descartes est l'auteur du *Discours de la Méthode*. Dans cet ouvrage « le

[11] douleur *f. sorrow*.   [12] âme *f. soul*.

père de la philosophie moderne » affirme qu'il faut chercher la vérité partout de la même manière qu'on la cherche dans les mathématiques, en se servant de la raison.

Pascal a moins de confiance que Descartes dans la raison humaine. Pour les problèmes religieux, au moins, il trouve plus raisonnable d'avoir confiance dans le cœur, car « Le cœur a ses raisons que la raison ne connaît pas. » Pascal a fait des découvertes dans les mathématiques et dans la physique; [13] il a inventé une machine arithmétique. Dans ses *Pensées*, un des livres les plus remarquables de la littérature française, il analyse les rapports entre l'homme et l'univers, entre l'homme et Dieu.

La littérature française de la seconde moitié du dix-septième siècle est extrêmement riche. Pensez donc ! Il faudra que vous lisiez les œuvres de Molière, de La Rochefoucauld, de La Fontaine, de Racine, de La Bruyère, de Boileau, de madame

[13] physique *f. physics*.

DESCARTES

de Sévigné, de madame de La Fayette — et je passe sous silence quelques-uns des meilleurs auteurs!

— Je commence à comprendre, dit Charlotte, pourquoi on appelle le dix-septième siècle l'âge d'or de la littérature française.

— De quelques-uns de ces auteurs, dit Robert, nous savons déjà quelque chose. Molière a écrit des comédies, La Rochefoucauld des maximes, La Fontaine des fables, La Bruyère des maximes et des portraits.

— Très bien, Robert. Je dirai donc seulement que dans les comédies de Molière il faut remarquer [14] le réalisme de ses personnages et la modération raisonnable de sa philosophie. Il faut admirer l'art de La Rochefoucauld et l'art de La Fontaine. Dans les tragédies de Racine, vous trouverez des êtres faibles, victimes de leurs passions. Lisez *Andromaque*, lisez *Phèdre!* Si vous voulez savoir les principes du classicisme français, lisez l'*Art Poétique* de Boileau. « Aimez la raison! » dit-il. « Avant d'écrire, apprenez à penser! » Quels bons conseils pour les jeunes gens d'aujourd'hui! Boileau veut que les poètes obéissent à la raison, au bon sens. Il s'intéresse plus aux vers qu'à la prose.

— Boileau savait mieux que M. Jourdain, n'est-ce pas? la différence entre la prose et les vers, dit Robert.

— Vous avez raison, Robert.

— Est-ce que les comédies de Molière sont en prose ou en vers?

— Les unes sont en vers, les autres sont en prose. Il faut lire quelques-unes des lettres — écrites en prose — d'une femme charmante et intelligente, madame de Sévigné. Au moyen de ces lettres nous pouvons savoir ce qu'on pensait, disait et faisait dans la société aristocratique de l'époque, à Versailles et à Paris. Il y a un roman qu'il faut lire: *la Princesse de Clèves*, de madame de La Fayette. On l'appelle le premier roman moderne parce que madame de La Fayette, comme Corneille et Racine, s'intéresse plus à la psychologie de ses personnages qu'à leurs actions.

Chacun des auteurs classiques avait son propre génie

[14] remarquer *to notice, observe.*

DEUX PERSONNAGES DE MOLIÈRE

414

mais ils acceptaient tous une discipline littéraire, ils obéissaient tous à une autorité raisonnable. Une révolte contre le principe de l'autorité se fait voir dans la littérature du dix-huitième siècle. Montesquieu, Voltaire, Diderot et Rousseau sont les chefs de cette révolte.

— Montesquieu a écrit les *Lettres persanes*, n'est-ce pas? Dans ce livre il a peint le portrait d'un homme qui sait tout.

— Vous avez raison, Robert. Ce portrait montre son esprit satirique. Montesquieu se moque des femmes, des médecins et des poètes, il se moque même du roi et du pape.[15] Il veut faire perdre aux Français leur admiration pour les croyances [16] et les usages établis. Dans un des livres les plus importants du dix-huitième siècle, *l'Esprit des Lois*, Montesquieu analyse tous les systèmes politiques.

Peu de personnes ont lu tout ce que Voltaire a écrit: poèmes épiques, lyriques, philosophiques, tragédies, comédies, romans, contes, histoires, essais, lettres. Voltaire s'est distingué dans tous les genres [17] littéraires. Un étudiant d'aujourd'hui devrait lire d'abord quelques romans ou contes — il n'est pas toujours possible de faire une distinction entre ces deux genres — par exemple, *Zadig, la Vision de Babouc ou le Monde comme il va, Candide*. Dans ces ouvrages amusants Voltaire veut faire rire et faire penser ses lecteurs.[18] Ensuite, l'étudiant pourra lire une tragédie (*Zaïre* ou *Mérope*), un poème philosophique, un essai sérieux, des lettres. Au service de sa raison Voltaire possédait l'esprit le plus mordant [19] qui ait jamais existé. Ce que Voltaire détestait surtout, c'était le fanatisme; ce qu'il voulait surtout, c'était la tolérance et la justice.

Diderot a été un des plus grands ennemis du fanatisme et de l'injustice, un des philosophes les plus hardis de son siècle. De ses œuvres l'étudiant pourra lire les extraits qu'il trouvera dans une anthologie.

[15] pape *m. Pope*. [16] croyance *f. belief*.

[17] genre *m. form, kind, variety*. [18] lecteur *m. reader*. [19] mordant *biting*.

HOUDON: MOLIÈRE, VOLTAIRE ET DIDEROT

ROUSSEAU

Le dix-huitième siècle, qu'on appelle souvent l'Age de la Raison, était aussi l'Age du Sentiment, une époque où on admirait les gens tourmentés de passions fortes. L'abbé Prévost nous présente, dans *Manon Lescaut*, un héros qui souffre et pleure [20] parce qu'il aime une femme frivole. Marivaux nous présente dans ses comédies des jeunes gens et des jeunes filles qui se rencontrent et qui commencent tout de suite à s'aimer. A la fin l'amour renverse tous les obstacles qui les séparent.

— Ces pièces, dit Charlotte, doivent être les premières de la littérature française où « boy meets girl ».

— C'est vrai, dit Philippe, en sou-

[20] pleurer *to cry, weep.*

riant. A la fin de chaque pièce on sait bien que le jeune homme et la jeune fille vont se marier et « live happily ever after ». Mais Jean-Jacques Rousseau était plus sentimental que Prévost ou que Marivaux. Si vous aimez les histoires d'amour, lisez *Julie ou la Nouvelle Héloïse.* Ce roman est extrêmement long; Rousseau raconte une histoire d'amour et en même temps discute tous les problèmes de son temps.

— Rousseau s'intéressait beaucoup à l'éducation, n'est-ce pas?

— Oui, *Émile* est un traité de l'éducation sous la forme d'une biographie. L'œuvre la plus célèbre de Rousseau est son autobiographie, qu'il appelle ses *Confessions.* L'auteur y raconte sa vie avec une franchise [21] surprenante. Dans *le Contrat Social* Rousseau proclame la souveraineté du peuple. Jean-Jacques a écrit tous ses livres d'une manière si sincère et si éloquente que son influence a été et reste encore énorme.

Bernardin de Saint-Pierre, qui a écrit un roman sentimental, *Paul et Virginie,* est un disciple de Rousseau.

Je devrais mentionner les deux drames célèbres de Beaumarchais, *le Barbier de Séville* et *le Mariage de Figaro.* Vous aurez peut-être l'occasion de voir ces pièces au théâtre . . .

— Ou d'entendre les opéras qu'on en a faits.

— On parle souvent du caractère révolutionnaire de ces drames. C'est que le rôle le plus brillant est celui de

[21] franchise *f. frankness.*

BEAUMARCHAIS

Figaro, homme du peuple, qui par son intelligence est le supérieur de son maître, le comte Almaviva. Mais Beaumarchais a plus fait pour aider les Américains à gagner leur guerre d'Indépendance que pour aider les Français à faire une révolution.

Pendant la Révolution personne n'a écrit de chefs-d'œuvre. Il est donc temps de parler des grands écrivains du dix-neuvième siècle et de mentionner les œuvres que vous devriez lire.

— Il est temps de nous reposer un peu, dit M. Asmodée. J'ai peur que vous n'ennuyiez nos jeunes amis. Les Américains, dit-on, n'aiment pas, autant que les Français, le travail intellectuel.

— Monsieur Asmodée! Vous n'êtes pas poli! Nous ne sommes pas fatigués! Mais commandons quelque chose à boire, si vous voulez. Que Philippe boive un verre de Coca-Cola, s'il a soif!

(Cinq minutes passent. Nos amis ont vidé leurs verres. Philippe se remet à parler. Charlotte et Robert l'écoutent. M. Asmodée s'ennuie et s'endort.)

— Au commencement du dix-neuvième siècle, le romantisme de Géricault et de Delacroix se retrouve dans les ouvrages de Chateaubriand. Géricault nous transporte sur un radeau au milieu de la mer, Delacroix nous conduit en Afrique; Chateaubriand nous fait faire un voyage en Amérique, où nous faisons la connaissance, dans la forêt primitive, de deux jeunes Peaux-Rouges,[22] Chactas et Atala. Chateaubriand nous présente aussi un jeune Français, René, qui ressemble aux héros de Prévost et

[22] Peau-Rouge *m. Redskin, Indian.*

COMBOURG, OÙ CHATEAUBRIAND A VÉCU

de Rousseau mais qui ressemble davantage à Chateaubriand lui-même.
Lisez donc *Atala* et *René*.

Les théories de Malherbe avaient
presque tué la poésie en France.
Trop de règles étouffaient [23] le génie
lyrique. Avec Lamartine, en 1820,
la poésie renaît. Ce grand poète
exprime la douleur profonde de son
âme dans des vers d'une harmonie
exquise. Lisez *le Lac*, son poème le
plus populaire, lisez d'autres poèmes
des *Méditations Poétiques;* mais lisez
d'abord l'histoire de l'aventure qui a
rendu le poète si triste. [24]

Alfred de Vigny exprime des idées
philosophiques dans de beaux poèmes
(*Moïse,* [25] *la Mort du Loup* [26]). Alfred
de Musset, un des meilleurs poètes

[23] étouffer *to stifle, smother.* [24] triste *sad.*
[25] Moïse *Moses.* [26] « la Mort du Loup »
"*The Death of the Wolf.*"

du siècle, parle seulement de l'amour;
mais il en parle merveilleusement
bien.

Victor Hugo, au contraire, traite
tous les thèmes poétiques. Quel
génie universel! Sa carrière poétique s'étend sur toute sa vie. Il a
écrit plusieurs volumes de poèmes
lyriques. Ses deux drames en vers,
Hernani et *Ruy Blas*, sont les chefs-
d'œuvre du théâtre romantique.
Poète épique, il a composé six volumes où il raconte des épisodes de
l'histoire de la race humaine. Ses
romans sont célèbres: *Notre-Dame de
Paris, les Misérables, Quatre-vingt-treize,
les Travailleurs de la mer.* Quel était
le secret de son art? C'est qu'il possédait une maîtrise parfaite de la
langue française. En vers ou en
prose, Hugo était au-dessus des autres

RODIN: VICTOR HUGO

RODIN: BALZAC

écrivains par son don [27] de l'expression et de l'image.

— Croyez-vous que Hugo ait été le plus grand écrivain du dix-neuvième siècle?

— Du siècle entier, oui, si on pense à la diversité aussi bien qu'à la qualité de son génie. Cependant, Hugo n'a pas été le plus grand romancier [28] du siècle. Dans le roman Honoré de Balzac lui est supérieur. Lisez quelques-uns des meilleurs romans de Balzac : *Eugénie Grandet, le Père Goriot*, par exemple. Quelle vérité! Quelle vigueur dans la peinture de la nature humaine et de la société! Que ses personnages sont vivants! Il est vrai que Stendhal analyse mieux le cœur humain que Balzac (lisez *le Rouge et le Noir, la Chartreuse de Parme*) mais pour la qualité aussi bien que pour la quantité de son œuvre, je préfère Balzac.

— Est-ce que les romans de Balzac sont aussi intéressants que ceux de Dumas — *les Trois Mousquetaires, le Comte de Monte Cristo*, par exemple?

— Dumas est un bon auteur pour les jeunes gens; il amuse ses lecteurs, il ne leur demande pas de penser. Si vous aimez les aventures extraordinaires et impossibles, les héros merveilleux et impossibles . . .

— Je les aime, dit Charlotte.

— Eh bien, alors, lisez Dumas! Mais si vous aimez le réalisme, en art et en littérature, regardez les tableaux de Gustave Courbet et lisez les romans de Gustave Flaubert.

[27] don *m. gift.*   [28] romancier *m. novelist.*

FLAUBERT

— Tout le monde sait que Flaubert a écrit *Madame Bovary*.

— C'est le plus grand roman réaliste du siècle. Flaubert peint une femme qui est la victime de ses rêves d'amour; en même temps il décrit la vie de tous les jours d'un petit village de la Normandie. Flaubert est le grand romancier du Second Empire. Les meilleurs auteurs dramatiques de cette époque sont Émile Augier et Alexandre Dumas fils. *Le Gendre* [29] *de Monsieur Poirier*, d'Augier, est une comédie excellente, où l'on voit le conflit entre les nobles qui sont devenus pauvres et les bourgeois qui sont devenus riches. Le chef-d'œuvre de Dumas fils, *la Dame aux camélias*, a ému [30] des millions de spectateurs, non seulement au théâtre mais aussi au cinéma. Les meilleurs

[29] gendre *m. son-in-law.*   [30] ému *pp. of* émouvoir *to move, stir, touch, affect.*

MATISSE: BAUDELAIRE

Éléphants); et Baudelaire, qui, dans *les Fleurs du mal*, parle avec une franchise étonnante de ses péchés [31] — et des nôtres! Le poète nous invite à quitter ce monde, à voyager aux pays lointains ou bien à voler [32] vers le ciel [33] bleu et pur! Ces trois poètes étaient des « Parnassiens »; ils donnaient une grande importance à la perfection du style.

Leurs successeurs, entre 1870 et 1900, étaient Verlaine, Rimbaud et Mallarmé. Par la sincérité de son inspiration, Verlaine ressemble à François Villon; il veut dans la poésie de la musique avant toute chose. Rimbaud a écrit tous ses poèmes avant d'avoir 21 ans! Puis il a abandonné complètement la poésie et est devenu homme d'affaires! Ses poèmes sont difficiles à lire;

poètes de l'époque sont Théophile Gautier, qui aime à décrire tout ce qui est beau; Leconte de Lisle, qui révèle la poésie des choses simples (*Midi*) et des animaux sauvages (*les*

[31] péché *m. sin.* [32] voler *to fly.* [33] ciel (*pl.* cieux) *m. sky, heavens.*

MANET: MALLARMÉ

il essaie de pénétrer, par l'hallucination, dans le surnaturel et de peindre ce qu'il y trouve. Pour cela il se sert de symboles. La poésie symboliste, de Rimbaud, de Mallarmé ou de leurs successeurs, est aussi difficile à comprendre que l'art moderne.

— Est-ce que cette poésie ressemble à la musique?

— Oui, un poème de Rimbaud ou de Mallarmé fait sur l'esprit du lecteur le même effet qu'un tableau de Monet sur son œil ou que la musique de Debussy sur son oreille. Paul Valéry a écrit les meilleurs poèmes symbolistes du vingtième siècle.

— Si la poésie symboliste est très difficile à comprendre, dit Charlotte, n'en parlons plus! Qu'est-ce que vous nous conseillez de lire?

— Vous connaissez déjà peut-être le *Cyrano de Bergerac* d'Edmond Rostand. C'est un drame romantique qu'un contemporain de Victor Hugo aurait pu écrire. Si vous aimez les pièces qui font penser, lisez *la Nouvelle Idole* et *le Repas du lion* de François de Curel. Lisez le *mystère* moderne de Paul Claudel, *l'Annonce faite à Marie.*[34] Lenormand a écrit des drames émouvants; Jules Romains une comédie amusante, *Knock;* Jean Giraudoux des pièces poétiques (*Ondine, Intermezzo*) et des drames (*Siegfried, La Guerre de Troie n'aura pas lieu*).

Au dix-septième siècle il n'y a eu qu'un seul roman français qui soit un chef-d'œuvre: *la Princesse de Clèves.*

[34] « l'Annonce faite à Marie » "*Tidings Brought to Mary.*"

Depuis 1870 les auteurs français ont écrit des centaines de romans qu'on devrait lire. Émile Zola, en essayant d'écrire des romans « scientifiques », a inventé le naturalisme. Maupassant a écrit des contes et des romans; tout le monde doit connaître *la Parure,*[35] le plus fameux de ses contes. Alphonse Daudet a écrit des contes charmants (*Lettres de mon moulin*) et des romans réalistes. Pierre Loti a décrit [36] dans ses romans des âmes simples (*Pêcheur d'Islande* [37]) et des pays lointains (le Japon, Tahiti, l'Afrique). Anatole France a raconté son enfance (*le Livre de mon ami*) et a créé un vieux savant aimable dans *le Crime de Sylvestre Bonnard.* Au vingtième siècle les romanciers étudient

[35] parure *f.* ornament (*in Maupassant's story, a necklace*). [36] décrire *to describe.* [37] « Pêcheur d'Islande » "*Iceland Fisherman.*"

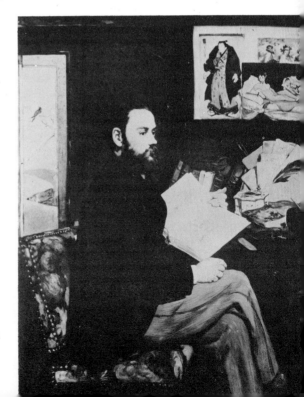

MANET: ÉMILE ZOLA

les profondeurs de l'âme. Marcel Proust analyse la mémoire et en même temps peint la société aristocratique. André Gide, en créant des personnages morbides, révèle les perplexités et les tourments de sa propre âme. Vous lirez avec plaisir les dix volumes de *la Chronique des Pasquier*, de Duhamel; vous trouverez que les personnages désagréables des romans de Mauriac sont intéressants; vous trouverez que les romans et les biographies d'André Maurois sont agréables à lire. Vous pourrez alors faire un choix entre les livres agréables et les livres désagréables, entre les auteurs optimistes et les auteurs pessimistes, — ou vos professeurs, si vous suivez des cours, feront le choix pour vous.

Eh bien, M. Asmodée, est-ce que j'ai donné de bons conseils à nos amis américains?

— Comment! s'écrie M. Asmodée, en se réveillant. Qu'est-ce que vous

avez dit? Vous voulez que je donne des conseils aux étudiants américains? Une des meilleures règles à suivre quand on lit un livre français, c'est de le lire en français, sans essayer de le traduire en anglais, même mentalement. Ce que Philippe vous a dit prouve qu'il faut consacrer bien des années à l'étude du français et de la littérature française.

— Et à la culture française, dit Robert.

— Oui, s'écrie Charlotte, nous allons continuer à étudier la langue et la culture françaises. Nous espérons revenir en France pour revoir les châteaux, les palais, les églises, les cathédrales et les musées. Seulement, je ne sais pas comment nous pourrons le faire . . .

— Vouloir, c'est pouvoir, dit Philippe.

— J'espère que M. Asmodée voudra se servir de son bâton magique pour nous aider à revenir en France. Au revoir, M. Asmodée! Au revoir, Philippe!

— Au revoir, Charlotte! Au revoir, Robert.

ANDRÉ GIDE

APPENDIX

Appendix

I. REGULAR VERBS

Regular verbs are conjugated in their simple tenses as follows:

I	II	III

INFINITIVE

donn **er,** *to give*	fin **ir,** *to finish*	perd **re,** *to lose*

PRESENT PARTICIPLE

donn **ant,** *giving*	fin **iss ant,** *finishing*	perd **ant,** *losing*

PAST PARTICIPLE

donn **é,** *given*	fin **i,** *finished*	perd **u,** *lost*

INDICATIVE MOOD

PRESENT

I give, am giving, etc.	*I finish, am finishing, etc.*	*I lose, am losing, etc.*
je donn **e** — nous donn **ons**	je fin **is** — nous fin **iss ons**	je perd **s** — nous perd **ons**
tu donn **es** — vous donn **ez**	tu fin **is** — vous fin **iss ez**	tu perd **s** — vous perd **ez**
il donn **e** — ils donn **ent**	il fin **it** — ils fin **iss ent**	il perd — ils perd **ent**

IMPERFECT

I was giving, used to give, etc.	*I was finishing, used to finish, etc.*	*I was losing, used to lose, etc.*
je donn **ais** — nous donn **ions**	je fin **iss ais** — nous fin **iss ions**	je perd **ais** — nous perd **ions**
tu donn **ais** — vous donn **iez**	tu fin **iss ais** — vous fin **iss iez**	tu perd **ais** — vous perd **iez**
il donn **ait** — ils donn **aient**	il fin **iss ait** — ils fin **iss aient**	il perd **ait** — ils perd **aient**

FUTURE

I shall give, etc.	*I shall finish, etc.*	*I shall lose, etc.*
je donner **ai** — nous donner **ons**	je finir **ai** — nous finir **ons**	je perdr **ai** — nous perdr **ons**
tu donner **as** — vous donner **ez**	tu finir **as** — vous finir **ez**	tu perdr **as** — vous perdr **ez**
il donner **a** — ils donner **ont**	il finir **a** — ils finir **ont**	il perdr **a** — ils perdr **ont**

CONDITIONAL

I would give, etc.		*I would finish, etc.*		*I would lose, etc.*	
je donner **ais**	nous donner **ions**	je finir **ais**	nous finir **ions**	je perdr **ais**	nous perdr **ions**
tu donner **ais**	vous donner **iez**	tu finir **ais**	vous finir **iez**	tu perdr **ais**	vous perdr **iez**
il donner **ait**	ils donner **aient**	il finir **ait**	ils finir **aient**	il perdr **ait**	ils perdr **aient**

PAST DEFINITE

I gave, etc.		*I finished, etc.*		*I lost, etc.*	
je donn **ai**	nous donn **âmes**	je fin **is**	nous fin **îmes**	je perd **is**	nous perd **îmes**
tu donn **as**	vous donn **âtes**	tu fin **is**	vous fin **îtes**	tu perd **is**	vous perd **îtes**
il donn **a**	ils donn **èrent**	il fin **it**	ils fin **irent**	il perd **it**	ils perd **irent**

IMPERATIVE MOOD

Give, etc.	*Finish, etc.*	*Lose, etc.*
donn **e**	fin **is**	perd **s**
(qu'il donn **e**)	(qu'il fin **iss e**)	(qu'il perd **e**)
donn **ons**	fin **iss ons**	perd **ons**
donn **ez**	fin **iss ez**	perd **ez**
(qu'ils donn **ent**)	(qu'ils fin **iss ent**)	(qu'ils perd **ent**)

SUBJUNCTIVE MOOD

PRESENT

(that) I (may) give, etc.		*(that) I (may) finish, etc.*		*(that) I (may) lose, etc.*	
je donn **e**	nous donn **ions**	je fin **iss e**	nous fin **iss ions**	je perd **e**	nous perd **ions**
tu donn **es**	vous donn **iez**	tu fin **iss es**	vous fin **iss iez**	tu perd **es**	vous perd **iez**
il donn **e**	ils donn **ent**	il fin **iss e**	ils fin **iss ent**	il perd **e**	ils perd **ent**

IMPERFECT

je donn **asse**	nous donn **assions**	je fin **isse**	nous fin **issions**	je perd **isse**	nous perd **issions**
tu donn **asses**	vous donn **assiez**	tu fin **isses**	vous fin **issiez**	tu perd **isses**	vous perd **issiez**
il donn **ât**	ils donn **assent**	il fin **ît**	ils fin **issent**	il perd **ît**	ils perd **issent**

II. AUXILIARY VERBS

The auxiliary verbs **avoir,** *to have,* and **être,** *to be,* are conjugated in their simple tenses as follows:

INFINITIVE

avoir, *to have*   **être,** *to be*

PRESENT PARTICIPLE

ayant, *having*   étant, *being*

PAST PARTICIPLE

eu, *had*   été, *been*

INDICATIVE MOOD

PRESENT

I have, am having, etc.		*I am, etc.*	
j'ai	nous avons	je suis	nous sommes
tu as	vous avez	tu es	vous êtes
il a	ils ont	il est	ils sont

IMPERFECT

I had, was having, etc.		*I was, etc.*	
j'avais	nous avions	j'étais	nous étions
tu avais	vous aviez	tu étais	vous étiez
il avait	ils avaient	il était	ils étaient

FUTURE

I shall have, etc.		*I shall be, etc.*	
j'aurai	nous aurons	je serai	nous serons
tu auras	vous aurez	tu seras	vous serez
il aura	ils auront	il sera	ils seront

CONDITIONAL

I would have, etc.		*I would be, etc.*	
j'aurais	nous aurions	je serais	nous serions
tu aurais	vous auriez	tu serais	vous seriez
il aurait	ils auraient	il serait	ils seraient

PAST DEFINITE

I had, etc.		*I was, etc.*	
j'eus	nous eûmes	je fus	nous fûmes
tu eus	vous eûtes	tu fus	vous fûtes
il eut	ils eurent	il fut	ils furent

IMPERATIVE MOOD

Have, etc.		*Be, etc.*	
	ayons		soyons
aie	ayez	sois	soyez
(qu'il ait)	(qu'ils aient)	(qu'il soit)	(qu'ils soient)

SUBJUNCTIVE MOOD

PRESENT

(that) I (may) have, etc.		*(that) I (may) be, etc.*	
j'aie	nous ayons	je sois	nous soyons
tu aies	vous ayez	tu sois	vous soyez
il ait	ils aient	il soit	ils soient

IMPERFECT

(*that*) *I* (*might*) *have, etc.*		(*that*) *I* (*might*) *be, etc.*	
j'eusse	nous eussions	je fusse	nous fussions
tu eusses	vous eussiez	tu fusses	vous fussiez
il eût	ils eussent	il fût	ils fussent

III. COMPOUND TENSES

Compound tenses are formed from the past participle of the principal verb with an auxiliary verb (usually **avoir,** sometimes **être**).

Formed with **avoir**   *Formed with* **être**

PERFECT INFINITIVE

avoir donné, *to have given*   être allé, *to have gone*

PERFECT PARTICIPLE

ayant donné, *having given*   étant allé, *having gone*

INDICATIVE MOOD

PAST INDEFINITE

I have given, etc.   *I have gone, etc.*

j'ai donné   je suis allé
etc.   etc.

PLUPERFECT

I had given, etc.   *I had gone, etc.*

j'avais donné   j'étais allé
etc.   etc.

FUTURE PERFECT

I shall have given, etc.   *I shall have gone, etc.*

j'aurai donné   je serai allé
etc.   etc.

CONDITIONAL PERFECT

I would have given, etc.   *I would have gone, etc.*

j'aurais donné   je serais allé
etc.   etc.

PAST ANTERIOR

I had given, etc.

j'eus donné

etc.

I had gone, etc.

je fus allé

etc.

SUBJUNCTIVE MOOD

PERFECT

(that) I (may) have given, etc.

(que) j'aie donné

etc.

(that) I (may) have gone, etc.

(que) je sois allé

etc.

PLUPERFECT

(that) I (might) have given, etc.

(que) j'eusse donné

etc.

(that) I (might) have gone, etc.

(que) je fusse allé

etc.

IV. FORMATION OF TENSES

(PRINCIPAL PARTS)

By the following principles, the various tenses of all regular verbs and of most irregular verbs may be known from the five forms of the verb which are called "principal parts."

1. The Infinitive gives the Future by adding –ai, –as, –a, –ons, –ez, –ont, and the Conditional by adding –ais, –ais, –ait, –ions, –iez, –aient — dropping the final –e of the infinitive of the third conjugation for both tenses.

2. The Present Participle gives the Imperfect Indicative by dropping –ant and adding –ais, –ais, –ait, –ions, –iez, –aient, and the Present Subjunctive by dropping –ant and adding –e, –es, –e, –ions, –iez, –ent.

3. The Past Participle gives the Compound Tenses, with the auxiliary **avoir** or **être,** and the Passive, with **être.**

4. The First Person Singular of the Present Indicative indicates the remaining forms of the present tense. The second person singular (the –s of the first conjugation being dropped) and the first and second persons plural are the forms of the Imperative.

5. The First Person Singular of the Past Definite indicates the remaining forms of the past definite. By changing the final letter of the first singular (–i or –s) into –sse, –sses, –t, –ssions, –ssiez, –ssent, and putting a circumflex accent over the last vowel of the third singular, one has the Imperfect Subjunctive.

NOTE

The tenses, except the future and conditional, are not really *derived from* the principal parts; the principles given are merely an aid to memory.

V. IRREGULAR VERBS

A. VERBS IN –ER

1. aller, *to go:* PRES. PART. allant; PAST PART. allé

PRES. IND.	IMPERF.	FUT.	PAST DEF.	PRES. SUBJ.	IMPERF. SUBJ.
vais	allais	irai	allai	aille	allasse
vas	etc.	etc.	allas	ailles	allasses
va	——	——	alla	aille	allât
allons	IMPERAT.	CONDL.	allâmes	allions	allassions
allez	va	irais	allâtes	alliez	allassiez
vont	allons	etc.	allèrent	aillent	allassent
	allez				

2. envoyer, *to send:* PRES. PART. envoyant; PAST PART. envoyé

PRES. IND.	IMPERF.	FUT.	PAST DEF.	PRES. SUBJ.	IMPERF. SUBJ.
envoie	envoyais	enverrai	envoyai	envoie	envoyasse
envoies	etc.	etc.	envoyas	envoies	envoyasses
envoie	——	——	envoya	envoie	envoyât
envoyons	IMPERAT.	CONDL.	envoyâmes	envoyions	envoyassions
envoyez	envoie	enverrais	envoyâtes	envoyiez	envoyassiez
envoient	envoyons	etc.	envoyèrent	envoient	envoyassent
	envoyez				

Like **envoyer:** renvoyer, *to send away, send back*

B. VERBS IN –IR

3. conquérir, *to conquer:* PRES. PART. conquérant; PAST PART. conquis

PRES. IND.	IMPERF.	FUT.	PAST DEF.	PRES. SUBJ.	IMPERF. SUBJ.
conquiers	conquérais	conquerrai	conquis	conquière	conquisse
conquiers	etc.	etc.	conquis	conquières	conquisses
conquiert	——	——	conquit	conquière	conquît
conquérons	IMPERAT.	CONDL.	conquîmes	conquérions	conquissions
conquérez	conquiers	conquerrais	conquîtes	conquériez	conquissiez
conquièrent	conquérons	etc.	conquirent	conquièrent	conquissent
	conquérez				

4. courir, *to run:* PRES. PART. courant; PAST PART. couru

PRES. IND.	IMPERF.	FUT.	PAST DEF.	PRES. SUBJ.	IMPERF. SUBJ.
cours	courais	courrai	courus	coure	courusse
cours	etc.	etc.	courus	coures	courusses
court	——	——	courut	coure	courût
courons	IMPERAT.	CONDL.	courûmes	courions	courussions
courez	cours	courrais	courûtes	couriez	courussiez
courent	courons	etc.	coururent	courent	courussent
	courez				

5. **dormir,** *to sleep:* PRES. PART. dormant; PAST PART. dormi

PRES. IND.	IMPERF.	FUT.	PAST DEF.	PRES. SUBJ.	IMPERF. SUBJ.
dors	dormais	dormirai	dormis	dorme	dormisse
dors	etc.	etc.	dormis	dormes	dormisses
dort	——	——	dormit	dorme	dormît
dormons	IMPERAT.	CONDL.	dormîmes	dormions	dormissions
dormez	dors	dormirais	dormîtes	dormiez	dormissiez
dorment	dormons	etc.	dormirent	dorment	dormissent
	dormez				

Like **dormir:** endormir, *to put to sleep*   sentir, *to feel*
s'endormir, *to go to sleep*   servir, *to serve*
partir, *to leave*   se servir, *to use*
ressortir, *to stand out*   sortir, *to go* or *come out*

Observe particularly the Present Indicative of the following verbs, which are like **dormir:**

partir	sentir	servir	sortir
pars	sens	sers	sors
pars	sens	sers	sors
part	sent	sert	sort
partons	sentons	servons	sortons
partez	sentez	servez	sortez
partent	sentent	servent	sortent

6. **fuir,** *to flee, fly:* PRES. PART. fuyant; PAST PART. fui

PRES. IND.	IMPERF.	FUT.	PAST DEF.	PRES. SUBJ.	IMPERF. SUBJ.
fuis	fuyais	fuirai	fuis	fuie	fuisse
fuis	etc.	etc.	fuis	fuies	fuisses
fuit	——	——	fuit	fuie	fuît
fuyons	IMPERAT.	CONDL.	fuîmes	fuyions	fuissions
fuyez	fuis	fuirais	fuîtes	fuyiez	fuissiez
fuient	fuyons	etc.	fuirent	fuient	fuissent
	fuyez				

Like **fuir:** s'enfuir, *to flee, escape*

7. **mourir,** *to die:* PRES. PART. mourant; PAST PART. mort

PRES. IND.	IMPERF.	FUT.	PAST DEF.	PRES. SUBJ.	IMPERF. SUBJ.
meurs	mourais	mourrai	mourus	meure	mourusse
meurs	etc.	etc.	mourus	meures	mourusses
meurt	——	——	mourut	meure	mourût
mourons	IMPERAT.	CONDL.	mourûmes	mourions	mourussions
mourez	meurs	mourrais	mourûtes	mouriez	mourussiez
meurent	mourons	etc.	moururent	meurent	mourussent
	mourez				

NOTE
The stem vowel becomes **eu** whenever it bears the stress.

8. **ouvrir,** *to open:* PRES. PART. ouvrant; PAST PART. ouvert

PRES. IND.	IMPERF.	FUT.	PAST DEF.	PRES. SUBJ.	IMPERF. SUBJ.
ouvre	ouvrais	ouvrirai	ouvris	ouvre	ouvrisse
ouvres	etc.	etc.	ouvris	ouvres	ouvrisses
ouvre	———	———	ouvrit	ouvre	ouvrît
ouvrons	IMPERAT.	CONDL.	ouvrîmes	ouvrions	ouvrissions
ouvrez	ouvre	ouvrirais	ouvrîtes	ouvriez	ouvrissiez
ouvrent	ouvrons	etc.	ouvrirent	ouvrent	ouvrissent
	ouvrez				

Like **ouvrir:** couvrir, *to cover* (*pp.* couvert)
découvrir, *to discover, uncover* (*pp.* découvert)
offrir, *to offer* (*pp.* offert)
souffrir, *to suffer* (*pp.* souffert)

9. **venir,** *to come:* PRES. PART. venant; PAST PART. venu

PRES. IND.	IMPERF.	FUT.	PAST DEF.	PRES. SUBJ.	IMPERF. SUBJ.
viens	venais	viendrai	vins	vienne	vinsse
viens	etc.	etc.	vins	viennes	vinsses
vient	———	———	vint	vienne	vînt
venons	IMPERAT.	CONDL.	vînmes	venions	vinssions
venez	viens	viendrais	vîntes	veniez	vinssiez
viennent	venons	etc.	vinrent	viennent	vinssent
	venez				

NOTE

The stem vowel becomes **ie** whenever it bears the stress.

Like **venir:** devenir, *to become;* redevenir, *to become again;* revenir, *to come back, return*

C. VERBS IN –RE

10. **boire,** *to drink:* PRES. PART. buvant; PAST PART. bu

PRES. IND.	IMPERF.	FUT.	PAST DEF.	PRES. SUBJ.	IMPERF. SUBJ.
bois	buvais	boirai	bus	boive	busse
bois	etc.	etc.	bus	boives	busses
boit	———	———	but	boive	bût
buvons	IMPERAT.	CONDL.	bûmes	buvions	bussions
buvez	bois	boirais	bûtes	buviez	bussiez
boivent	buvons	etc.	burent	boivent	bussent
	buvez				

11. conduire, *to conduct, drive:* PRES. PART. conduisant; PAST PART. conduit

PRES. IND.	IMPERF.	FUT.	PAST DEF.	PRES. SUBJ.	IMPERF. SUBJ.
conduis	conduisais	conduirai	conduisis	conduise	conduisisse
conduis	etc.	etc.	conduisis	conduises	conduisisses
conduit			conduisit	conduise	conduisît
conduisons	IMPERAT.	CONDL.	conduisîmes	conduisions	conduisissions
conduisez	conduis	conduirais	conduisîtes	conduisiez	conduisissiez
conduisent	conduisons	etc.	conduisirent	conduisent	conduisissent
	conduisez				

Like **conduire**: construire, *to construct*   produire, *to produce*
cuire, *to cook*   reconstruire, *to reconstruct*
détruire, *to destroy*   reproduire, *to reproduce*
introduire, *to introduce*   traduire, *to translate*

12. connaître, *to know:* PRES. PART. connaissant; PAST PART. connu

PRES. IND.	IMPERF.	FUT.	PAST DEF.	PRES. SUBJ.	IMPERF. SUBJ.
connais	connaissais	connaîtrai	connus	connaisse	connusse
connais	etc.	etc.	connus	connaisses	connusses
connaît			connut	connaisse	connût
connaissons	IMPERAT.	CONDL.	connûmes	connaissions	connussions
connaissez	connais	connaîtrais	connûtes	connaissiez	connussiez
connaissent	connaissons	etc.	connurent	connaissent	connussent
	connaissez				

Like **connaître**: reconnaître, *to recognize*

13. craindre, *to fear:* PRES. PART. craignant; PAST PART. craint

PRES. IND.	IMPERF.	FUT.	PAST DEF.	PRES. SUBJ.	IMPERF. SUBJ.
crains	craignais	craindrai	craignis	craigne	craignisse
crains	etc.	etc.	craignis	craignes	craignisses
craint			craignit	craigne	craignît
craignons	IMPERAT.	CONDL.	craignîmes	craignions	craignissions
craignez	crains	craindrais	craignîtes	craigniez	craignissiez
craignent	craignons	etc.	craignirent	craignent	craignissent
	craignez				

Like **craindre**: peindre, *to paint;*   plaindre, *to pity;*   se plaindre, *to complain*

14. croire, *to believe:* PRES. PART. croyant; PAST PART. cru

PRES. IND.	IMPERF.	FUT.	PAST DEF.	PRES. SUBJ.	IMPERF. SUBJ.
crois	croyais	croirai	crus	croie	crusse
crois	etc.	etc.	crus	croies	crusses
croit			crut	croie	crût
croyons	IMPERAT.	CONDL.	crûmes	croyions	crussions
croyez	crois	croirais	crûtes	croyiez	crussiez
croient	croyons	etc.	crurent	croient	crussent
	croyez				

15. **dire,** *to say,* *tell:* PRES. PART. disant; PAST PART. dit

PRES. IND.	IMPERF.	FUT.	PAST DEF.	PRES. SUBJ.	IMPERF. SUBJ.
dis	disais	dirai	dis	dise	disse
dis	etc.	etc.	dis	dises	disses
dit	———	———	dit	dise	dît
disons	IMPERAT.	CONDL.	dîmes	disions	dissions
dites	dis	dirais	dîtes	disiez	dissiez
disent	disons	etc.	dirent	disent	dissent
	dites				

16. **écrire,** *to write:* PRES. PART. écrivant; PAST PART. écrit

PRES. IND.	IMPERF.	FUT.	PAST DEF.	PRES. SUBJ.	IMPERF. SUBJ.
écris	écrivais	écrirai	écrivis	écrive	écrivisse
écris	etc.	etc.	écrivis	écrives	écrivisses
écrit	———	———	écrivit	écrive	écrivît
écrivons	IMPERAT.	CONDL.	écrivîmes	écrivions	écrivissions
écrivez	écris	écrirais	écrivîtes	écriviez	écrivissiez
écrivent	écrivons	etc.	écrivirent	écrivent	écrivissent
	écrivez				

Like **écrire:** décrire, *to describe*

17. **faire,** *to do, make:* PRES. PART. faisant; PAST PART. fait

PRES. IND.	IMPERF.	FUT.	PAST DEF.	PRES. SUBJ.	IMPERF. SUBJ.
fais	faisais	ferai	fis	fasse	fisse
fais	etc.	etc.	fis	fasses	fisses
fait	———	———	fit	fasse	fît
faisons	IMPERAT.	CONDL.	fîmes	fassions	fissions
faites	fais	ferais	fîtes	fassiez	fissiez
font	faisons	etc.	firent	fassent	fissent
	faites				

18. **lire,** *to read:* PRES. PART. lisant; PAST PART. lu

PRES. IND.	IMPERF.	FUT.	PAST DEF.	PRES. SUBJ.	IMPERF. SUBJ.
lis	lisais	lirai	lus	lise	lusse
lis	etc.	etc.	lus	lises	lusses
lit	———	———	lut	lise	lût
lisons	IMPERAT.	CONDL.	lûmes	lisions	lussions
lisez	lis	lirais	lûtes	lisiez	lussiez
lisent	lisons	etc.	lurent	lisent	lussent
	lisez				

19. **mettre,** *to put:* PRES. PART. mettant; PAST PART. mis

PRES. IND.	IMPERF.	FUT.	PAST DEF.	PRES. SUBJ.	IMPERF. SUBJ.
mets	mettais	mettrai	mis	mette	misse
mets	etc.	etc.	mis	mettes	misses
met	———	———	mit	mette	mît
mettons	IMPERAT.	CONDL.	mîmes	mettions	missions
mettez	mets	mettrais	mîtes	mettiez	missiez
mettent	mettons	etc.	mirent	mettent	missent
	mettez				

Like **mettre:** se mettre (à), *to begin;* permettre, *to permit, allow;* remettre, *to put back, deliver*

20. **naître,** *to be born:* PRES. PART. naissant; PAST PART. né

PRES. IND.	IMPERF.	FUT.	PAST DEF.	PRES. SUBJ.	IMPERF. SUBJ.
nais	naissais	naîtrai	naquis	naisse	naquisse
nais	etc.	etc.	naquis	naisses	naquisses
naît	———	———	naquit	naisse	naquît
naissons	IMPERAT.	CONDL.	naquîmes	naissions	naquissions
naissez	nais	naîtrais	naquîtes	naissiez	naquissiez
naissent	naissons	etc.	naquirent	naissent	naquissent
	naissez				

NOTE
Stem vowel **i** has a circumflex accent everywhere before **t.**
Like **naître:** renaître, *to be born again, reappear*

21. **plaire,** *to please:* PRES. PART plaisant; PAST PART. plu

PRES. IND.	IMPERF.	FUT.	PAST DEF.	PRES. SUBJ.	IMPERF. SUBJ.
plais	plaisais	plairai	plus	plaise	plusse
plais	etc.	etc.	plus	plaises	plusses
plaît	———	———	plut	plaise	plût
plaisons	IMPERAT.	CONDL.	plûmes	plaisions	plussions
plaisez	plais	plairais	plûtes	plaisiez	plussiez
plaisent	plaisons	etc.	plurent	plaisent	plussent
	plaisez				

22. **prendre,** *to take:* PRES. PART. prenant; PAST PART. pris

PRES. IND.	IMPERF.	FUT.	PAST DEF.	PRES. SUBJ.	IMPERF. SUBJ.
prends	prenais	prendrai	pris	prenne	prisse
prends	etc.	etc.	pris	prennes	prisses
prend	———	———	prit	prenne	prît
prenons	IMPERAT.	CONDL.	prîmes	prenions	prissions
prenez	prends	prendrais	prîtes	preniez	prissiez
prennent	prenons	etc.	prirent	prennent	prissent
	prenez				

Like **prendre:**   apprendre, *to learn*   reprendre, *to take back, repeat*
comprendre, *to understand*   surprendre, *to surprise*

23. **rire,** *to laugh:* PRES. PART. riant; PAST PART. ri

PRES. IND.	IMPERF.	FUT.	PAST DEF.	PRES. SUBJ.	IMPERF. SUBJ.
ris	riais	rirai	ris	rie	risse
ris	etc.	etc.	ris	ries	risses
rit	———	———	rit	rie	rît
rions	IMPERAT.	CONDL.	rîmes	riions	rissions
riez	ris	rirais	rîtes	riiez	rissiez
rient	rions	etc.	rirent	rient	rissent
	riez				

Like **rire:** sourire, *to smile*

24. **suivre,** *to follow:* PRES. PART. suivant; PAST PART. suivi

PRES. IND.	IMPERF.	FUT.	PAST DEF.	PRES. SUBJ.	IMPERF. SUBJ.
suis	suivais	suivrai	suivis	suive	suivisse
suis	etc.	etc.	suivis	suives	suivisses
suit	———	———	suivit	suive	suivît
suivons	IMPERAT.	CONDL.	suivîmes	suivions	suivissions
suivez	suis	suivrais	suivîtes	suiviez	suivissiez
suivent	suivons	etc.	suivirent	suivent	suivissent
	suivez				

25. **vaincre,** *to conquer:* PRES. PART. vainquant; PAST PART. vaincu

PRES. IND.	IMPERF.	FUT.	PAST DEF.	PRES. SUBJ.	IMPERF. SUBJ.
vaincs	vainquais	vaincrai	vainquis	vainque	vainquisse
vaincs	etc.	etc.	vainquis	vainques	vainquisses
vainc	———	———	vainquit	vainque	vainquît
vainquons	IMPERAT.	CONDL.	vainquîmes	vainquions	vainquissions
vainquez	vaincs	vaincrais	vainquîtes	vainquiez	vainquissiez
vainquent	vainquons	etc.	vainquirent	vainquent	vainquissent
	vainquez				

NOTE
Stem **c** becomes **qu** before any vowel except **u.**

26. **vivre,** *to live:* PRES. PART. vivant; PAST PART. vécu

PRES. IND.	IMPERF.	FUT.	PAST DEF.	PRES. SUBJ.	IMPERF. SUBJ.
vis	vivais	vivrai	vécus	vive	vécusse
vis	etc.	etc.	vécus	vives	vécusses
vit	———	———	vécut	vive	vécût
vivons	IMPERAT.	CONDL.	vécûmes	vivions	vécussions
vivez	vis	vivrais	vécûtes	viviez	vécussiez
vivent	vivons	etc.	vécurent	vivent	vécussent
	vivez				

D. VERBS IN −OIR

27. **asseoir,** *to seat:* PRES. PART. asseyant *or* assoyant; PAST PART. assis

PRES. IND.	IMPERF.	FUT.	PAST DEF.	PRES. SUBJ.	IMPERF. SUBJ.
assieds	asseyais	assiérai	assis	asseye	assisse
assieds	etc. *or*	etc. *or*	assis	asseyes	assisses
assied	assoyais	asseyerai	assit	asseye	assît
asseyons	etc.	etc. *or*	assîmes	asseyions	assissions
asseyez	———	assoirai	assîtes	asseyiez	assissiez
asseyent		etc.	assirent	asseyent	assissent

or	IMPERAT.	CONDL.		*or*	
assois	assieds	assiérais		assoie	
assois	asseyons	etc. *or*		assoies	
assoit	asseyez	asseyerais		assoie	
assoyons	*or*	etc. *or*		assoyions	
assoyez	assois	assoirais		assoyiez	
assoient	assoyons	etc.		assoient	
	assoyez				

Like **asseoir:** s'asseoir, *to sit down*

28. **devoir,** *to owe, ought:* PRES. PART. devant; PAST PART. dû (*f.* due)

PRES. IND.	IMPERF.	FUT.	PAST DEF.	PRES. SUBJ.	IMPERF. SUBJ.
dois	devais	devrai	dus	doive	dusse
dois	etc.	etc.	dus	doives	dusses
doit	———	———	dut	doive	dût
devons	IMPERAT.	CONDL.	dûmes	devions	dussions
devez	(*none*)	devrais	dûtes	deviez	dussiez
doivent		etc.	durent	doivent	dussent

29. **falloir,** *to be necessary, must:* PRES. PART. (*none*); PAST PART. fallu

PRES. IND.	IMPERF.	FUT.	PAST DEF.	PRES. SUBJ.	IMPERF. SUBJ.
il faut	il fallait	il faudra	il fallut	il faille	il fallût
	———	———			
	IMPERAT.	CONDL.			
	(*none*)	il faudrait			

30. **pleuvoir,** *to rain:* PRES. PART. pleuvant; PAST PART. plu

PRES. IND.	IMPERF.	FUT.	PAST DEF.	PRES. SUBJ.	IMPERF. SUBJ.
il pleut	il pleuvait	il pleuvra	il plut	il pleuve	il plût
	———	———			
	IMPERAT.	CONDL.			
	(*none*)	il pleuvrait			

31. **pouvoir,** *to be able, can:* PRES. PART. pouvant; PAST PART. pu

PRES. IND.	IMPERF.	FUT.	PAST DEF.	PRES. SUBJ.	IMPERF. SUBJ.
peux (puis)	pouvais	pourrai	pus	puisse	pusse
peux	etc.	etc.	pus	puisses	pusses
peut	————	————	put	puisse	pût
pouvons	IMPERAT.	CONDL.	pûmes	puissions	pussions
pouvez	(none)	pourrais	pûtes	puissiez	pussiez
peuvent		etc.	purent	puissent	pussent

NOTE
The first sing. pres. indic. in negation is usually **je ne peux pas** or **je ne puis;** in questions, only **puis-je?** otherwise **puis** or **peux.**

32. **recevoir,** *to receive:* PRES. PART. recevant; PAST PART. reçu

PRES. IND.	IMPERF.	FUT.	PAST DEF.	PRES. SUBJ.	IMPERF. SUBJ.
reçois	recevais	recevrai	reçus	reçoive	reçusse
reçois	etc.	etc.	reçus	reçoives	reçusses
reçoit	————	————	reçut	reçoive	reçût
recevons	IMPERAT.	CONDL.	reçûmes	recevions	reçussions
recevez	reçois	recevrais	reçûtes	receviez	reçussiez
reçoivent	recevons	etc.	reçurent	reçoivent	reçussent
	recevez				

NOTE
Stem vowel becomes **oi** wherever it receives the stress.   Stem **c** is written with cedilla (**ç**) before **o** or **u.**

33. **savoir,** *to know:* PRES. PART. sachant; PAST PART. su

PRES. IND.	IMPERF.	FUT.	PAST DEF.	PRES. SUBJ.	IMPERF. SUBJ.
sais	savais	saurai	sus	sache	susse
sais	etc.	etc.	sus	saches	susses
sait	————	————	sut	sache	sût
savons	IMPERAT.	CONDL.	sûmes	sachions	sussions
savez	sache	saurais	sûtes	sachiez	sussiez
savent	sachons	etc.	surent	sachent	sussent
	sachez				

34. **valoir,** *to be worth:* PRES. PART. valant; PAST PART. valu

PRES. IND.	IMPERF.	FUT.	PAST DEF.	PRES. SUBJ.	IMPERF. SUBJ.
vaux	valais	vaudrai	valus	vaille	valusse
vaux	etc.	etc.	valus	vailles	valusses
vaut	————	————	valut	vaille	valût
valons	IMPERAT.	CONDL.	valûmes	valions	valussions
valez	vaux	vaudrais	valûtes	valiez	valussiez
valent	valons	etc.	valurent	vaillent	valussent
	valez				

35. **voir,** *to see:* PRES. PART. voyant; PAST PART. vu

PRES. IND.	IMPERF.	FUT.	PAST DEF.	PRES. SUBJ.	IMPERF. SUBJ.
vois	voyais	verrai	vis	voie	visse
vois	etc.	etc.	vis	voies	visses
voit	————	————	vit	voie	vît
voyons	IMPERAT.	CONDL.	vîmes	voyions	vissions
voyez	vois	verrais	vîtes	voyiez	vissiez
voient	voyons	etc.	virent	voient	vissent
	voyez				

Like **voir:** revoir, *to see again*

36. **vouloir,** *to will, wish:* PRES. PART. voulant; PAST PART. voulu

PRES. IND.	IMPERF.	FUT.	PAST DEF.	PRES. SUBJ.	IMPERF. SUBJ.
veux	voulais	voudrai	voulus	veuille	voulusse
veux	etc.	etc.	voulus	veuilles	voulusses
veut	————	————	voulut	veuille	voulût
voulons	IMPERAT.	CONDL.	voulûmes	voulions	voulussions
voulez	veux	voudrais	voulûtes	vouliez	voulussiez
veulent	voulons	etc.	voulurent	veuillent	voulussent
	voulez				

NOTE

The stem vowel becomes **eu** whenever it is stressed. — The regular imperative **veux, voulons, voulez** is rare; **veuillez,** *have the kindness to, please,* generally serves as second person plural imperative.

E. REFERENCE LIST OF IRREGULAR VERBS

Each verb in the following list, which includes only verbs used in this book, is referred to the number of the section under V in which its forms are given.

A		F		R	
aller	1	faire	17	recevoir	32
apprendre	22	falloir	29	reconnaître	12
asseoir	27			reconstruire	11
		I		redevenir	9
B		introduire	11	remettre	19
boire	10			renaître	20
				reprendre	22
C		**L**		reproduire	11
comprendre	22	lire	18	ressortir	5
conduire	11			revenir	9
connaître	12	**M**		revoir	35
conquérir	3			rire	23
construire	11	mettre	19		
courir	4	mourir	7	**S**	
couvrir	8			savoir	33
craindre	13	**N**		sentir	5
croire	14	naître	20	servir	5
cuire	11			sortir	5
		O		souffrir	8
D		offrir	8	sourire	23
découvrir	8	ouvrir	8	suivre	24
décrire	16			surprendre	22
détruire	11	**P**			
devenir	9			**T**	
devoir	28	partir	5	traduire	11
dire	15	peindre	13		
dormir	5	permettre	19	**V**	
		plaindre	13	vaincre	25
E		plaire	21	valoir	34
écrire	16	pleuvoir	30	venir	9
endormir	5	pouvoir	31	vivre	26
enfuir	6	prendre	22	voir	35
envoyer	2	produire	11	vouloir	36

VI. VERBS REQUIRING NO PREPOSITION, À, OR DE BEFORE INFINITIVE [1]

No Preposition

aimer, [2] *to like*
aller, *to go*
croire, *to think*
désirer, *to desire, wish*
devoir, *ought, to be (to)*
envoyer, *to send*

espérer, *to hope*
faire, *to make, cause*
falloir, *to be necessary*
laisser, *to allow, let*
oser, *to dare*
pouvoir, *can, may*

préférer, *to prefer*
savoir, *to know how to*
valoir mieux, *to be better*
venir, *to come*
voir, *to see*
vouloir, *to will, wish*

Verbs Requiring à

aider, *to help*
amuser (s'), *to amuse oneself (in, by)*
apprendre, *to learn, teach*
arrêter (s'),[3] *to stop*
attendre (s'), *to expect*
chercher, *to seek, try*

commencer, *to begin*
concourir, *to coöperate*
condamner, *to condemn*
continuer, *to continue*
enseigner, *to teach*
exercer, *to practice*
hésiter, *to hesitate*

inviter, *to invite*
mettre (se), *to begin*
obliger,[3] *to oblige*
passer, *to spend (time)*
penser, *to think*
réussir, *to succeed*

Verbs Requiring de

cesser, *to cease*
conseiller, *to advise*
craindre, *to fear*
décider, *to decide*
demander, *to ask*
dépêcher (se), *to hurry*
dire, *to tell*
empêcher, *to prevent*

essayer, *to try*
finir, *to finish*
menacer, *to threaten*
mériter, *to deserve*
négliger, *to neglect*
obliger,[2] *to oblige*
offrir, *to offer*
ordonner, *to order*

oublier, *to forget*
prier, *to beg*
proposer, *to propose*
refuser, *to refuse*
regretter, *to regret*
résoudre, *to resolve*
risquer, *to risk*
venir, *to have just*

---

[1] These lists are neither exhaustive nor absolute. They have been compiled for the benefit of elementary students and are not intended to reproduce lists found in advanced or reference grammars.   [2] Sometimes **à**.   [3] Sometimes **de**.

VOCABULARIES

PRELIMINARY NOTE

The French-English Vocabulary is designed to give a translation of all the French words, except proper nouns, used in Lessons 1–40 and to indicate, by phonetic symbols, the correct pronunciation of these words.

Proper nouns listed in the lesson vocabularies of the first 19 lessons, those occurring for the first time in Lessons 20–40 but not listed in lesson vocabularies, and those used in the eight cultural dialogues are included in the general French-English Vocabulary only when they have different spellings or meanings in French and in English or when they offer some particular difficulty of pronunciation.

The English-French Vocabulary is intended to provide all the assistance needed by students when they do the English-French exercises of Lessons 1–40.

The following abbreviations are used:

abbrev.	abbreviation	n.	noun
adj.	adjective	pl.	plural
adv.	adverb	poss.	possessive
art.	article	pp.	past participle
conj.	conjunction	prep.	preposition
demonstr.	demonstrative	pron.	pronoun
exclam.	exclamation	refl.	reflexive
f.	feminine	rel.	relative
indef.	indefinite	sing.	singular
interrog.	interrogative	theat.	theater
m.	masculine	vb.	verb

442

Vocabulary FRENCH-ENGLISH

A

à [a] at, in, to
abandonner [abɑ̃dɔne] to abandon
abbaye [abɛi] *f.* abbey, monastery
abbé [abe] *m.* abbot, priest; *as a title in* **l'abbé Prévost,** *do not translate*
abdiquer [abdike] to abdicate
abord: *see* **d'abord**
abriter [abrite] to shelter, house
absence [apsɑ̃ːs] *f.* absence
absent [apsɑ̃] absent
absolu [apsɔly] absolute
absolument [apsɔlymɑ̃] absolutely, entirely
accent [aksɑ̃] *m.* accent
accepter [aksɛpte] to accept
accident [aksidɑ̃] *m.* accident
accompagner [akɔ̃paɲe] to accompany
accomplir [akɔ̃pliːr] to accomplish
accord [akɔːr] *m.* agreement; **d'—,** agreed; **être d'— avec** to agree with
accordée [akɔrde] *f.* bride, betrothed, fiancée
accuser [akyze] to accuse
acheter [aʃte] to buy
acier [asje] *m.* steel
acte [akt] *m.* (*theat.*) act
acteur [aktœːr] *m.* actor
actif, active [aktif, aktiːv] active
action [aksjɔ̃] *f.* action, deed, influence
actrice [aktris] *f.* actress
adaptation [adaptasjɔ̃] *f.* adaptation
adapter [adapte] to adapt
addition [adisjɔ̃] *f.* bill, check
adieu [adjø] *m.* farewell, good-bye
admirable [admirabl] admirable
admirablement [admirabləmɑ̃] admirably
admirer [admire] to admire
affaire [afɛːr] *f.* affair; **homme d'—s** businessman
affermir [afɛrmiːr] to strengthen
affirmer [afirme] to affirm, assert
affluent [aflyɑ̃] *m.* tributary

affreux, affreuse [afrø, -øːz] frightful
afin que [afɛ̃kə] in order that
Afrique [afrik] *f.* Africa
âge [ɑːʒ] *m.* age; **quel — avez-vous?** how old are you? **le moyen —,** the Middle Ages
agent [aʒɑ̃]: **— de police** *m.* policeman
agité [aʒite] agitated, excited
agiter [aʒite] to agitate, shake, wave
agrandir [agrɑ̃diːr] to enlarge
agréable [agreabl] agreeable, pleasant
agriculture [agrikyltyːr] *f.* agriculture
aide [ɛd] *f.* aid, help
aider [ɛde] to aid, help
aiguiser [ɛg(ɥ)ize] to sharpen
aile [ɛl] *f.* wing
ailleurs [ajœːr] elsewhere; **d'—,** besides, moreover
aimer [ɛme] to like, love
aîné [ɛne] elder, eldest
ainsi [ɛ̃si] so, thus, in a like manner; **et — de suite** and so on, and so forth; **pour — dire** so to speak
air [ɛːr] *m.* air, appearance; **en plein —,** in the open air
ajouter [aʒute] to add
Allemagne [almaɲ] *f.* Germany
allemand [almɑ̃] *adj.* German
aller [ale] to go; (*of health*) to be; **s'en —,** to go away; **allons!** come!
allié [alje] allied
allô [alo] hello
allumette [alymɛt] *f.* match
alors [alɔːr] then
ambassadeur [ɑ̃basadœːr] *m.* ambassador
ambitieux, ambitieuse [ɑ̃bisjø, -øːz] ambitious
ambition [ɑ̃bisjɔ̃] *f.* ambition
âme [ɑːm] *f.* soul
amèrement [amɛrmɑ̃] bitterly
Américain [amerikɛ̃] *n.* American
américain [amerikɛ̃] *adj.* American
Amérique [amerik] *f.* America

443

ami [ami] *m.* friend
amie [ami] *f.* friend
amitié [amitje] *f.* friendship
amour [amuːr] *m.* love
amoureux, amoureuse [amurø, -øːz] loving, in love (**de,** with); *n.m., n.f.,* lover
amphithéâtre [ãfiteaːtr] *m.* lecture hall
amusant [amyzã] amusing
amuser [amyze] to amuse; **s'—,** to enjoy oneself, have a good time
an [ã] *m.* year; **le Jour de l'—,** New Year's Day
analyser [analize] to analyze
ancêtre [ãsɛːtr] *m.* ancestor
ancien, ancienne [ãsjɛ̃, -ɛn] ancient, old, former
âne [aɪn] *m.* donkey
anecdote [anɛgdɔt] *f.* anecdote
ange [ãːʒ] *m.* angel
angélus [ãʒelyːs] *m.* the Angelus bell (*call to prayers morning, noon, and evening*)
Anglais [ãglɛ] *n.* Englishman
anglais [ãglɛ] *adj.* English; *n.m.* English (*language*)
Anglaise [ãglɛːz] *f.* English girl
Angleterre [ãglətɛːr] *f.* England
animal, animaux [animal, -o] *m.* animal
animation [animasjɔ̃] *f.* animation
année [ane] *f.* year
anniversaire [anivɛrsɛːr] *m.* anniversary
annonce [anɔ̃ːs] *f.* tidings
antan [ãtã] *m.* (*archaic*) yesteryear
anthologie [ãtɔlɔʒi] *f.* anthology
antiquité [ãtikite] *f.* antiquity
antithèse [ãtitɛːz] *f.* antithesis, contrary
août [u] *m.* August
Apollon [apɔllɔ̃] *m.* Apollo
apparence [aparãːs] *f.* appearance
appartement [apartəmã] *m.* apartment
appeler [aple] to call; **s'—,** to be named
appliquer [aplike] to apply
apporter [apɔrte] to bring
apprécier [apresje] to appreciate
apprendre [aprãːdr] to learn, teach
approcher [aprɔʃe]: (**s'**)— **de** to approach
après [aprɛ] *prep.* after; *adv.* afterwards
après-demain [aprɛdəmɛ̃] the day after tomorrow
après-midi [aprɛmidi] *m. or f.* afternoon
aqueduc [akədyk] *m.* aqueduct
arbre [arbr] *m.* tree

arc [ark] *m.* arch
Arcadie [arkadi] *f.* Arcadia (*idealized land*)
arc-boutant [arkbutã] *m.* flying buttress
architecte [arʃitɛkt] *m.* architect
architecture [arʃitɛktyːr] *f.* architecture
arènes [arɛn] *f.pl.* arena
argent [arʒã] *m.* money
aristocratique [aristɔkratik] aristocratic
arithmétique [aritmetik] arithmetical
armée [arme] *f.* army
armoire [armwaːr] *f.* wardrobe
arracher [araʃe] to extract, pull out
arrêt [arɛ] *m.* stop, stopping place
arrêter [arɛte] to arrest; **s'—,** to stop
arrière-petit-fils [arjɛrpətifis] *m.* great-grandson
arrivée [arive] *f.* arrival
arriver [arive] to arrive, happen
art [aɪr] *m.* art
artificiel, artificielle [artifisjɛl] artificial
artiste [artist] *m.* artist
artistique [artistik] artistic
ascenseur [asãsœːr] *m.* elevator
aspect [aspɛ] *m.* aspect, appearance
aspirine [aspirin] *f.* aspirin
assassin [asasɛ̃] *m.* murderer
assassiner [asasine] to assassinate
asseoir [aswaːr]: **s'—,** to sit down
assez [ase] enough
assiette [asjɛt] *f.* plate
assis [asi] *pp. of* **asseoir;** seated
assistance [asistãːs] *f.* assistance, help
atelier [atəlje] *m.* shop, studio
Atlantique [atlãtik] *adj. and n. m.* Atlantic
attaquer [atake] to attack
attendre [atãːdr] to wait, wait for; **s'— à** to expect; **en attendant** meanwhile
attention [atãsjɔ̃] *f.* attention
attentivement [atãtivmã] attentively
attirer [atire] to attract
attraper [atrape] to catch
audacieux, audacieuse [odasjø, -øːz] bold, daring
au-delà de [odəladə] beyond
au-dessus de [odsydə] above, over
augmenter [ɔgmãte] to increase
Auguste [ogyst] *m.* Augustus (*Roman emperor*)
aujourd'hui [oʒurdɥi] today
aussi [osi] also, too; **— ... que** as ... as
aussitôt que [ositokə] as soon as
autant [otã] as much, as many

auteur [otœɪr] *m.* author
autobiographie [otɔbiɔgrafi] *f.* autobiography
autobus [otɔbyːs] *m.* ˌbus
automne [otɔn] *m.* autumn
automobile [ɔtɔmɔbil] *f.* automobile
autoritaire [otɔritɛɪr] authoritative, dictatorial
autorité [otɔrite] *f.* authority
autour de [oturdə] around
autre [otr] other
autrefois [otrəfwa] formerly
avancé [avɑ̃se] advanced
avancement [avɑ̃smɑ̃] *m.* promotion
avant [avɑ̃] *prep.* before; — **que** *conj.* before; — **Jésus-Christ** B.C.
avantage [avɑ̃taːʒ] *m.* advantage
avare [avaɪr] *m.* miser
avec [avɛk] with
aventure [avɑ̃tyɪr] *f.* adventure, experience
avenue [avny] *f.* avenue
avion [avjɔ̃] *m.* airplane, plane; **en** —, by plane; **par** —, by airmail
avis [avi] *m.* opinion; **à mon** —, in my opinion
avoir [avwaɪr] to have; to be the matter (with); **qu'y a-t-il? qu'est-ce qu'il y a?** what's the matter?; — **(20) ans** to be (20) years old; **y** —, to be (**il y a** there is, there are); **il y a** ago
avril [avril] *m.* April
azur [azyɪr] *m.* azure, blue; **la Côte d'**—, the French Riviera (*coast of Mediterranean Sea from Saint-Raphaël to Italian border*)

B

baccalauréat [bakalɔrea] *m.* bachelor's degree
bain [bɛ̃] *m.* bath; **salle de** —, bathroom
bal, bals [bal] *m.* dance
banane [banan] *f.* banana
banc [bɑ̃] *m.* bench
barbare [barbaɪr] *adj.* barbarous; *n.m.* barbarian
barbe [barb] *f.* beard; **faire la** —, to shave
barbier [barbje] *m.* barber
baron [barɔ̃] *m.* baron
bas, basse [ba, baɪs] *adj.* low
bas [ba] *m.* stocking
basilique [bazilik] *f.* basilica (*church*)

bassin [basɛ̃] *m.* pool
Bastille [bastiːj] *f.* prison fortress destroyed in 1789
bataille [batɑːj] *f.* battle
bateau, -x [bato] *m.* boat
bâtiment [batimɑ̃] *m.* building
bâtir [batiːr] to build
bâton [batɔ̃] *m.* stick
beau (bel), belle; *pl.* **beaux, belles** [bo, bɛl] beautiful, fine
beaucoup [boku] much, many, a great deal, a lot, very, very much, very well
beauté [bote] *f.* beauty
beaux-arts [bozaɪr] *m.pl.* fine arts
Belgique [bɛlʒik] *f.* Belgium
berger [bɛrʒe] *m.* shepherd
besoin [bəzwɛ̃] *m.* need; **avoir** — **de** to need
bête [bɛɪt] *n.f.* beast, animal; *adj.* foolish, stupid
bêtise [betiːz, bɛtiːz] *f.* nonsense, stupidity
beurre [bœɪr] *m.* butter
bibliothèque [bibliɔtɛk] *f.* library
bicyclette [bisiklɛt] *f.* bicycle
bien [bjɛ̃] *adv.* fine, well, comfortable; much, very; — **que** *conj.* although; **eh** —! well! **ou** —, or else; *n.m.* good, something good
bienfait [bjɛ̃fɛ] *m.* benefit
bientôt [bjɛ̃to] soon
bière [bjɛɪr] *f.* beer
bifteck [biftɛk] *m.* beefsteak
billet [bijɛ] *m.* bill, note, ticket, letter
biographie [biɔgrafi] *f.* biography
bison [bizɔ̃] *m.* bison
bizarre [bizaɪr] odd, peculiar, queer, strange
blanc, blanche [blɑ̃, blɑ̃ːʃ] white
blanchisseuse [blɑ̃ʃisøːz] *f.* laundress
blé [ble] *m.* wheat
blesser [blɛse] to wound
bleu [blø] blue
bloc [blɔk] *m.* block
blond [blɔ̃] blond, light
boire [bwaɪr] to drink
boisson [bwasɔ̃] *f.* drink, beverage
boîte [bwat] *f.* box; — **de nuit** night club
bon, bonne [bɔ̃, bɔn] good, kind
bonheur [bɔnœɪr] *m.* happiness
bonjour [bɔ̃ʒuɪr] good morning, good day
bonnet [bɔnɛ] *m.* cap
bonsoir [bɔ̃swaɪr] good evening
bonté [bɔ̃te] *f.* kindness; **avec** —, kindly

bord [bɔːr] *m.* coast, shore, edge; — **de la mer** seashore
border [bɔrde] to border, line
bouche [buʃ] *f.* mouth
boucher [buʃe] *m.* butcher
boue [bu] *f.* mud
boulanger [bulɑ̃ʒe] *m.* baker
boulangerie [bulɑ̃ʒri] *f.* bakery
boulevard [bulvaːr] *m.* boulevard
bourgeois [burʒwa, burʒwɑ] *adj.* middle-class; *n.m.* middle-class man
Bourgogne [burgɔɲ] *f.* Burgundy
Bourguignon [burgiɲɔ̃] *m.* Burgundian
bourse [burs] *f.* scholarship; **la Bourse** the Stock Exchange
bout [bu] *m.* end
bouteille [butɛij] *f.* bottle
boutique [butik] *f.* shop
bras [bra] *m.* arm
brave [braːv] brave, fine, good, worthy
Bretagne [brətaɲ] *f.* Brittany
breton, bretonne [brətɔ̃, -ɔn] Breton (*of Brittany*)
brillant [brijɑ̃] brilliant
brisé [brize] broken, pointed
brosse [brɔs] *f.* brush
brosser [brɔse] to brush
bruit [brɥi] *m.* noise
brûler [bryle] to burn
brun [brœ̃] brown
bulle [byl] *f.* bubble
bureau, -x [byro] *m.* desk, office, store
buste [byst] *m.* bust (*statuary*)
byzantin [bizɑ̃tɛ̃] Byzantine

C

ça [sa] that
cabinet [kabinɛ] *m.* office, study
cacher [kaʃe] to hide
cachot [kaʃo] *m.* dungeon, cell
cadeau, -x [kado] *m.* gift, present
cadre [kɑːdr] *m.* frame
café [kafe] *m.* café, coffee; — **au lait** coffee with (hot) milk
cage [kaːʒ] *f.* cage
cagnotte [kaɲɔt] *f.* pool, kitty
cahier [kaje] *m.* notebook
calembour [kalɑ̃buːr] *m.* pun
calme [kalm] calm
camarade [kamarad] *m. or f.* comrade, friend; — **de chambre** roommate

camélia [kamelja] *m.* camellia (*flower*)
camembert [kamɑ̃bɛːr] *m.* camembert (*a kind of cheese*)
campagne [kɑ̃paɲ] *f.* country; **à la —,** in the country
canadien, canadienne [kanadjɛ̃, -jɛn] *adj.* Canadian
canne [kan] *f.* cane, walking stick
cannibale [kanibal] *m.* cannibal
canon [kanɔ̃] *m.* cannon
capétien, capétienne [kapesjɛ̃, -jɛn] Capetian
capitaine [kapitɛn] *m.* captain
capitale [kapital] *f.* capital
car [kar] *conj.* for
caractère [karaktɛːr] *m.* character
cardinal [kardinal] *m.* cardinal
carnet [karnɛ] *m.* book
carotte [karɔt] *f.* carrot
carré [kare] square
carrière [karjɛːr] *f.* career
carte [kart] *f.* card, map; — **postale** postcard; — **du jour** bill of fare
cas [kɑ] *m.* case; **en tout —,** in any case
casquette [kaskɛt] *f.* cap
casseur [kɑsœːr] *m.* breaker
cathédrale [katedral] *f.* cathedral
catholique [katɔlik] Catholic
cause [koːz] *f.* cause; **à — de** on account of, because of
causer [koze] to converse, talk
cavalier [kavalje] *m.* partner
caverne [kavɛrn] *f.* cave, cavern
ce [sə] *demonstr. pron.* it; **ce qui, ce que** that which, what
ce (cet), cette; *pl.* **ces** [sə, sɛt, se] *demonstr. adj.* this, that; *pl.* these, those
ceci [səsi] this
ceinture [sɛ̃tyːr] *f.* belt
cela [səla] that
célèbre [selɛbr] celebrated, famous
celtique [sɛltik] Celtic
celui, celle; *pl.* **ceux, celles** [səlɥi, sɛl, sø, sɛl] this one, that one, the one; *pl.* these, those
cent [sɑ̃] hundred; **pour —,** per cent
centaine [sɑ̃tɛn] *f.* a hundred
centième [sɑ̃tjɛm] hundredth
centime [sɑ̃tim] *m.* centime ($\frac{1}{100}$ *of a franc*)
centimètre [sɑ̃timɛtr] *m.* centimeter (*about $\frac{2}{5}$ of an inch*)

central, centraux [sãtral, –o] central
centraliser [sãtralize] to centralize
centre [sãːtr] m. center, middle
cependant [səpãdã] however
cérémonie [seremɔni] f. ceremony
cerise [səriːz] f. cherry
certain [sɛrtɛ̃] certain, sure
certainement [sɛrtɛnmã] certainly
ces see ce (adj.)
César [sezaːr] Caesar; Jules —, Julius Caesar (Roman emperor)
cesser [sɛse] to cease, stop
chacun [ʃakœ̃] each (one)
Chaillot [ʃaːjo] a modern palace in Paris
chaîne [ʃɛːn] f. chain
chaise [ʃɛːz] f. chair
chaleur [ʃalœːr] f. heat
chambre [ʃãːbr] f. room
champ [ʃã] m. field
Champs-Élysées [ʃãzelize] famous avenue in Paris
chance [ʃãːs] f. luck
changement [ʃãʒmã] m. change
changer [ʃãʒe] to change
chanson [ʃãsɔ̃] f. song
Chantilly [ʃãtiji] famous château north of Paris
chapeau, –x [ʃapo] m. hat
chapelle [ʃapɛl] f. chapel
chaque [ʃak] each, every
Charlemagne [ʃarləmaɲ] crowned emperor of Holy Roman Empire in 800 A.D.
charmant [ʃarmã] charming, delightful
charme [ʃarm] m. charm
charmer [ʃarme] to charm, delight
charte [ʃart] f. charter
Chartreuse [ʃartrøːz] a monastery (Carthusian)
chasser [ʃase] to drive, hunt
château, –x [ʃato] m. château; — fort fortified castle
châteaubriant [ʃatobriã] m. a kind of steak
chaud [ʃo] warm, hot; avoir —, (of person) to be warm
chauffeur [ʃofœːr] m. driver (of auto)
chauve [ʃoːv] bald
chef [ʃɛf] m. chief, leader
chef-d'œuvre, pl. chefs-d'œuvre [ʃɛdœːvr] m. masterpiece
chemin [ʃəmɛ̃] m. road, way; — de fer railroad
cher, chère [ʃɛːr] dear, expensive

chercher [ʃɛrʃe] to seek, look for; aller —, to go for, go and get; envoyer —, to send for; venir —, to come for, come and get
cheval, chevaux [ʃəval, –o] m. horse; à —, on horseback
chevalier [ʃəvalje] m. knight
cheveu, –x [ʃəvø] m. hair
chez [ʃe] at, in, or to the house, store, office, etc. of; — moi, etc. (at) home
chic [ʃik] smart, stylish
chien [ʃjɛ̃] m. dog
chocolat [ʃɔkɔla] m. chocolate
choisir [ʃwaziːr] to choose
choix [ʃwa, ʃwɑ] m. choice
chose [ʃoːz] f. thing; autre —, something else
chrétien, chrétienne [kretjɛ̃, –jɛn] Christian
Christ [krist]: le —, Christ
chronique [krɔnik] f. chronicle
ciel, pl. cieux [sjɛl, sjø] m. sky
cigarette [sigarɛt] f. cigarette
cinéma [sinema] m. cinema, "movies"
cinq [sɛ̃ːk] five
cinquante [sɛ̃kãːt] fifty
cinquième [sɛ̃kjɛm] fifth
circulation [sirkylasjɔ̃] f. traffic
ciseaux [sizo] m.pl. scissors, shears
cité [site] f. city; Cité Universitaire group of dormitories and a "Maison Internationale," on southern edge of Paris
civil [sivil] civil
civilisation [sivilizasjɔ̃] f. civilization
civiliser [sivilize] to civilize
classe [klɑːs] f. class; salle de —, classroom
classicisme [klasisism] m. classicism
classique [klasik] classic
clef [kle] f. key; fermer à —, to lock
client [kliã] m. customer
climat [klima] m. climate
cloche [klɔʃ] f. bell
Clovis [klɔviːs] king of France, 466–511
cœur [kœːr] m. heart; Richard Cœur-de-Lion Richard the Lion-Hearted
coiffe [kwaf] f. headdress
coiffeur [kwafœːr] m. barber, hairdresser
coiffure [kwafyːr]: salon de —, barber shop
coin [kwɛ̃] m. corner
colère [kɔlɛːr] f. anger; mettre en —, to make angry
collection [kɔlɛksjɔ̃] f. collection
collège [kɔlɛːʒ] m. school (secondary)

colonial, coloniaux [kɔlɔnjal, -o] colonial
colonne [kɔlɔn] f. column
combien [kɔ̃bjɛ̃] how much, how many
combiner [kɔ̃bine] to combine, unite
comédie [kɔmedi] f. comedy
comique [kɔmik] comic
commander [kɔmɑ̃de] to order (a meal, etc.)
comme [kɔm] as, like; exclam. how!; — ça
like that, that way
commencement [kɔmɑ̃smɑ̃] m. beginning
commencer [kɔmɑ̃se] to begin
comment [kɔmɑ̃] how; exclam. what!
commerce [kɔmɛrs] m. commerce
commercial, commerciaux [kɔmɛrsjal, -o]
commercial
commissaire [kɔmisɛːr]: — de police m. chief
of police, police commissioner
commutateur [kɔmytatœːr] m. switch (electric)
compagnie [kɔ̃paɲi] f. company, troupe
compagnon [kɔ̃paɲɔ̃] m. companion
comparer [kɔ̃pare] to compare
complet, complète [kɔ̃plɛ, -ɛt] adj. complete;
n.m. suit (of clothes, for men)
complètement [kɔ̃plɛtmɑ̃] completely
compliment [kɔ̃plimɑ̃] m. compliment
composer [kɔ̃poze] to compose; se — de to
be composed of
composition [kɔ̃pozisjɔ̃] f. composition
comprendre [kɔ̃prɑ̃ːdr] to understand; pp.
compris included, understood
comprimé [kɔ̃prime] m. tablet (aspirin, etc.)
compris see comprendre
compromis [kɔ̃prɔmi] m. compromise
compter [kɔ̃te] to count
comte [kɔ̃ːt] m. count
comtesse [kɔ̃tɛs] f. countess
concert [kɔ̃sɛːr] m. concert
concis [kɔ̃si] concise
concorde [kɔ̃kɔrd] f. concord, harmony
condamner [kɔ̃dane] to condemn
conduire [kɔ̃dɥiːr] to conduct, lead, drive
conférence [kɔ̃ferɑ̃ːs] f. lecture
confession [kɔ̃fɛsjɔ̃] f. confession
confiance [kɔ̃fjɑ̃ːs] f. confidence
confier [kɔ̃fje] to entrust
conflit [kɔ̃fli] m. conflict
confortable [kɔ̃fɔrtabl] comfortable
connaissance [kɔnɛsɑ̃ːs] f. acquaintance,
knowledge
connaître [kɔnɛːtr] to know, be acquainted
with

conquérir [kɔ̃keriːr] to conquer
consacrer [kɔ̃sakre] to devote
conscience [kɔ̃sjɑ̃ːs] f. conscience
consciencieux, consciencieuse [kɔ̃sjɑ̃sjø, -øːz]
conscientious
conseil [kɔ̃sɛij] m. advice
conseiller [kɔ̃sɛje] to advise
conséquent [kɔ̃sekɑ̃]: par —, therefore
conserver [kɔ̃sɛrve] to preserve
consolation [kɔ̃sɔlasjɔ̃] f. consolation
constitutionnel, constitutionnelle [kɔ̃sti-
tysjɔnɛl] constitutional
construction [kɔ̃stryksjɔ̃] f. construction
construire [kɔ̃strɥiːr] to construct, build
consul [kɔ̃syl] m. consul
conte [kɔ̃ːt] m. story, short story
contemporain [kɔ̃tɑ̃pɔrɛ̃] contemporary
content [kɔ̃tɑ̃] content, glad, happy, satisfied
(de, with)
contentement [kɔ̃tɑ̃tmɑ̃] m. contentment,
satisfaction
continuel, continuelle [kɔ̃tinɥɛl] continual
continuer [kɔ̃tinɥe] to continue
contraire [kɔ̃trɛːr]: au —, on the contrary
contrat [kɔ̃tra] m. contract
contre [kɔ̃ːtr] against
convenance: see mariage
conversation [kɔ̃vɛrsasjɔ̃] f. conversation
coquette [kɔkɛt] f. flirt
corps [kɔːr] m. body
correct [kɔrɛkt] correct
correctement [kɔrɛktəmɑ̃] correctly
corridor [kɔridɔːr] m. hall
corriger [kɔriʒe] to correct
costume [kɔstym] m. suit (for women)
côte [koːt] f. coast; la — d'Azur the French
Riviera (coast of Mediterranean Sea from
Saint-Raphaël to Italian border)
côté [kote] m. side; à — de beside, by the
side of
cou [ku] m. neck
coucher [kuʃe]: se —, to go to bed
couleur [kulœːr] f. color
coup [ku] m. blow; d'un seul —, at a single
blow; tout à —, suddenly
coupable [kupabl] guilty
couper [kupe] to cut
cour [kuːr] f. court, courtyard
courage [kuraːʒ] m. courage
courageux, courageuse [kuraʒø, -øːz] courageous, brave

courir [kuriːr] to run
couronne [kurɔn] f. crown
couronner [kurɔne] to crown
cours [kuːr] m. course
course [kurs] f.: faire des —s to go shopping, do errands
court [kuːr] short
cousin [kuzɛ̃] m. cousin
cousine [kuzin] f. cousin
couteau, –x [kuto] m. knife
coûter [kute] to cost
coutume [kutym] f. custom
couturier [kutyrje] m. dressmaker, dress designer
couturière [kutyrjɛ:r] f. dressmaker
couverture [kuvɛrtyːr] f. blanket
couvrir [kuvriːr] to cover
craie [krɛ] f. chalk
craindre [krɛ̃:dr] to fear
crainte [krɛ̃t] f. fear
cravate [kravat] f. necktie
crayon [krɛjɔ̃] m. pencil
créer [kree] to create
crier [krije] to cry, shout
crime [krim] m. crime
critique [kritik] m. critic; f. criticism, judgment; adj. critical
critiquer [kritike] to criticize
croire [krwaːr, krwaːr] to believe
croisade [krwazad, krwazad] f. crusade
croisé [krwaze, krwaze] crossed
croiser [krwaze, krwaze] to cross
croix [krwa, krwa] f. cross
croyance [krwajã:s, krwajã:s] f. belief
cruel, cruelle [kryɛl] cruel
Cubiste [kybist] m. Cubist (in art)
cuillère [kɥijɛ:r] f. spoon
cuire [kɥiːr] to cook
cuisine [kɥizin] f. kitchen, cooking
cuit [kɥi] pp. of cuire, to cook
cultivé [kyltive] cultivated
cultiver [kyltive] to cultivate
culture [kyltyːr] f. culture
curieux, curieuse [kyrjø, –ø:z] curious, odd, strange

D

d'abord [dabɔːr] first
dame [dam] f. lady
dangereux, dangereuse [dãʒrø, –ø:z] dangerous

dans [dã] in, within, inside of, into
danse [dã:s] f. dance
danser [dãse] to dance
danseuse [dãsø:z] f. dancer, ballet girl
date [dat] f. date
dater [date] to date
dauphin [dofɛ̃] m. dauphin, crown prince
davantage [davãta:ʒ] more
de [də] from, of, than
debout [dəbu] standing
décembre [desã:br] m. December
décider [deside] to decide
décisif, décisive [desizif, –i:v] decisive
décision [desizjɔ̃] f. decision
déclarer [deklare] to declare
décorateur [dekɔratœr] m. decorator
décoration [dekɔrasjɔ̃] f. decoration
décorer [dekɔre] to decorate
découragé [dekuraʒe] discouraged
découverte [dekuvɛrt] f. discovery
découvrir [dekuvriːr] to discover, uncover
décrire [dekriːr] to describe
décrocher [dekrɔʃe] to take down or off (telephone receiver)
déesse [dees] f. goddess
défectueux, défectueuse [defɛktɥø, –ø:z] defective
défendre [defã:dr] to defend
définir [definiːr] to define
définition [definisjɔ̃] f. definition
déguiser [degize] to disguise
déjà [deʒa] already
déjeuner [deʒøne] m. lunch, luncheon; le petit —, breakfast
déjeuner [deʒøne] vb. to lunch, have lunch, take lunch
delà: au-delà de [odəladə] beyond
délicat [delika] delicate
délicieux, délicieuse [delisjø, –ø:z] delicious
demain [dəmɛ̃] tomorrow; à —, see you tomorrow
demander [dəmãde] to ask, ask for; se —, to wonder
demeure [dəmœːr] f. residence
demeurer [dəmœre] to live
demi [dəmi] half
demi-heure [dəmiœːr] f. half an hour
démocratie [demɔkrasi] f. democracy
démocratique [demɔkratik] democratic
dent [dã] f. tooth
dentiste [dãtist] m. dentist

départ [depaɪr] *m.* departure
département [departəmā] *m.* department
dépêcher [depɛʃe]: **se —**, to hasten, hurry
dépense [depãɪs] *f.* expenditure, expense
dépenser [depãse] to spend (*money*)
depuis [dəpɥi] since
déranger [derãʒe] to disturb
dérision [derizjɔ̃] *f.* derision, mockery
dernier, dernière [dɛrnje, –ɛɪr] last
derrière [dɛrjɛɪr] behind
dès que [dɛkə] as soon as
désagréable [dezagreabl] disagreeable
descendant [desãdã] *m.* descendant
descendre [desãɪdr] to descend, come *or* go down; to bring, carry *or* take down; (*at a hotel*) to stay, stop
désert [dezɛɪr] deserted
désespérer [dezɛspere] to lose hope
désignation [deziɲasjɔ̃] *f.* designation
désigner [deziɲe] to designate
désir [deziɪr] *m.* desire
désirer [dezire] to desire, want
dessert [desɛɪr] *m.* dessert
dessin [desɛ̃] *m.* drawing
dessiner [desine] to design, lay out (*gardens or a park*)
destinée [dɛstine] *f.* destiny
destruction [dɛstryksjɔ̃] *f.* destruction
détacher [detaʃe] to detach
détail [detaɪj] *m.* detail
détester [detɛste] to detest, dislike
détruire [detrɥiɪr] to destroy
dette [dɛt] *f.* debt
deux [dø] two
deuxième [døzjɛm] second
devant [dəvã] before, in front of
développer [devlɔpe] to develop
devenir [dəvniɪr] to become
devoir [dəvwaɪr] *vb.* owe, ought, should, must, have to, be to
devoir [dəvwaɪr] *n.m.* exercise, homework
diable [djaɪbl] *m.* devil
dictateur [diktatœɪr] *m.* dictator
dictionnaire [diksjɔnɛɪr] *m.* dictionary
dieu, –x [djø] *m.* god; God; **Mon Dieu!** Good Heavens!
différence [diferãɪs] *f.* difference
différent [diferã] different
difficile [difisil] difficult, hard
difficulté [difikylte] *f.* difficulty
digne [diɲ] worthy

dimanche [dimãɪʃ] *m.* Sunday
dimension [dimãsjɔ̃] *f.* dimension
diminuer [diminɥe] to diminish, lessen
dîner [dine] *m.* dinner; *vb.* to dine, have dinner
dire [diɪr] to say, tell; **c'est-à-—**, that is to say
directeur [dirɛktœɪr] *m.* director
direction[dirɛksjɔ̃] *f.* direction
Directoire [dirɛktwaɪr] *f. French government, 1794–1799*
disciple [disipl] *m.* disciple, follower
discipline [disiplin] *f.* discipline
discours [diskuɪr] *m.* discourse, essay
discuter [diskyte] to discuss
dispute [dispyt] *f.* dispute
distance [distãɪs] *f.* distance
distinct [distɛ̃kt] distinct
distinctement [distɛ̃ktəmã] distinctly
distinctif, distinctive [distɛ̃ktif, –iɪv] distinctive
distinction [distɛ̃ksjɔ̃] *f.* distinction
distinguer [distɛ̃ge] to distinguish
diversité [divɛrsite] *f.* diversity
diviser [divize] to divide
division [divizjɔ̃] *f.* division
dix [dis] ten
dix-huit [dizɥit] eighteen
dix-huitième [dizɥitjɛm] eighteenth
dixième [dizjɛm] tenth
dix-neuf [diznœf] nineteen
dix-neuvième [diznœvjɛm] nineteenth
dix-sept [dissɛt] seventeen
dix-septième [dissɛtjɛm] seventeenth
docteur [dɔktœɪr] *m.* doctor
doigt [dwa] *m.* finger
dollar [dɔlaɪr] *m.* dollar
domaine [dɔmɛn] *m.* domain
dôme [doɪm] *m.* dome
domestique [dɔmɛstik] *m. or f.* servant
domination [dɔminasjɔ̃] *f.* domination
dominer [dɔmine] to dominate
dommage [dɔmaɪʒ]: **c'est —**, that's a pity, that's too bad; **c'est — que** it's a pity that, it's too bad that
don [dɔ̃] *m.* gift
donc [dɔ̃k] therefore, then; **dites —,** say now
donner [dɔne] to give
dont [dɔ̃] of whom, of which, whose
dormir [dɔrmiɪr] to sleep

dos [do] *m.* back
dot [dɔt] *f.* dowry
douleur [dulœɪr] *f.* sorrow, suffering
doute [dut] *m.* doubt; **sans —,** doubtless
douzaine [duzɛn] *f.* dozen
douze [duɪz] twelve
douzième [duzjɛm] twelfth
drame [dram] *m.* drama
droit [drwɑ, drwɑ] *adj.* right; **à droite** on *or*
　to the right; *n.m.* right
dû, due [dy] due
duc [dyk] *m.* duke
duchesse [dyʃɛs] *f.* duchess
dur [dyɪr] hard
durable [dyrabl] durable, lasting
durer [dyre] to last, go on
dynastie [dinasti] *f.* dynasty

E

eau [o] *f.* water
échecs [eʃɛk] *m.pl.* chess
échiquier [eʃikje] *m.* chessboard
éclair [eklɛɪr] *m.* éclair (*pastry*); flash
éclatant [eklatɑ̃] brilliant
éclater [eklate] to break out, begin (*war or
　revolution*)
école [ekɔl] *f.* school; **à l'—,** at school
économique [ekɔnɔmik] economical
écouler [ekule] **s'—,** to pass, elapse
écouter [ekute] to listen to
écrier [ekrije] **s'—,** to exclaim
écrire [ekriɪr] to write
écriteau, –x [ekrito] *m.* notice, sign
écrivain [ekrivɛ̃] *m.* writer
édifice [edifis] *m.* building, edifice
édit [edi] *m.* edict, proclamation
Édouard [edwaɪr] Edward
éducation [edykasjɔ̃] *f.* education
effet [efɛ] *m.* effect; **en —,** indeed, in fact
effort [efɔɪr] *m.* effort
effroyable [efrwajabl] dreadful, frightful
égal, égaux [egal, –o] equal; **cela m'est —,**
　that's all the same to me
également [egalmɑ̃] equally
égalité [egalite] *f.* equality
église [egliɪz] *f.* church
égyptien, égyptienne [eʒipsjɛ̃, –ɛn] Egyp-
　tian
eh [e]: **— bien,** well (*interjection*)
Eiffel [efɛl] Eiffel

élégant [elegɑ̃] elegant
élément [elemɑ̃] *m.* element
élémentaire [elemɑ̃tɛɪr] elementary
éléphant [elefɑ̃] *m.* elephant
élève [elɛɪv] *m. or f.* student, pupil
élevé [elve] high
élever [elve] to raise
elle [ɛl] *f.* she, her, it
elles [ɛl] *f.pl.* they, them
éloquent [elɔkɑ̃] eloquent
embarrassé [ɑ̃barase] embarrassed
émeute [emøɪt] *f.* riot
émotion [emosjɔ̃] *f.* emotion
émouvant [emuvɑ̃] moving, stirring, touch-
　ing, thrilling
émouvoir [emuvwaɪr] to move, stir, affect,
　touch
emparer [ɑ̃pare]: **s'— de** to take possession
　of, seize
empêcher [ɑ̃peʃe] to prevent
empereur [ɑ̃prœɪr] *m.* emperor
empire [ɑ̃piɪr] *m.* empire
employer [ɑ̃plwaje] to employ, use
emporter [ɑ̃pɔrte] to carry away, carry off
emprunter [ɑ̃prœte] to borrow
ému [emy] *pp. of* **émouvoir;** moved, stirred,
　affected, touched
en [ɑ̃] *prep.* in; *pron.* of it, of them; *partitive*
　some, any
enchanté [ɑ̃ʃɑ̃te] delighted, glad
encore [ɑ̃kɔɪr] still, yet
encourager [ɑ̃kuraʒe] to encourage
encre [ɑ̃ɪkr] *f.* ink
encyclopédie [ɑ̃siklɔpedi] *f.* encyclopedia
endormir [ɑ̃dɔrmiɪr]: **s'—,** to go to sleep
endroit [ɑ̃drwɑ, ɑ̃drwɑ] *m.* place, spot
énergie [enɛrʒi] *f.* energy
enfance [ɑ̃fɑ̃ɪs] *f.* childhood
enfant [ɑ̃fɑ̃] *m. or f.* child
enfantin [ɑ̃fɑ̃tɛ̃] childish
enfermer [ɑ̃fɛrme] to shut up (*within a place*),
　confine
enfin [ɑ̃fɛ̃] at last, finally
enfoncer [ɑ̃fɔ̃se] to break in, smash in
enfuir [ɑ̃fɥiɪr]: **s'—,** to flee
ennemi [ɛnmi] *m.* enemy
ennuyer [ɑ̃nɥije] to bore; **s'—,** to be bored
énorme [enɔrm] enormous
enrichir [ɑ̃riʃiɪr] to enrich
enseigne [ɑ̃sɛɲ] *f.* sign
enseigner [ɑ̃sɛɲe] to teach

ensemble [āsɑ̃ːbl] together
ensuite [āsɥit] next, then
entendre [ātāːdr] to hear; **bien entendu** of course; **c'est entendu** it's agreed
enthousiasme [ātuzjasm] *m.* enthusiasm
entier, entière [ātje, -ɛr] entire
entièrement [ātjɛrmā] entirely
entourer [āture] to surround
entre [āːtr] between
entrer [ātre] to enter
envahir [āvaiːr] to invade
envers [āvɛir] towards, to
envie [āvi] *f.* desire
environ [āvirɔ̃] *adv.* about
environs [āvirɔ̃] *m.pl.* surroundings, vicinity
envoyer [āvwaje] to send
épaule [epoːl] *f.* shoulder
épicerie [episri] *f.* grocery store
épicier [episje] *m.* grocer
épine [epin] *f.* thorn
épique [epik] epic
épisode [epizɔd] *m.* episode
époque [epɔk] *f.* epoch
épouser [epuze] to marry
escalier [ɛskalje] *m.* stairway, stairs
escrime [ɛskrim] *f.* fencing
espace [ɛspɑs] *m.* space
Espagne [ɛspaɲ] *f.* Spain
espagnol [ɛspaɲɔl] *adj.* Spanish; *n.m.* Spanish *(language)*
espèce [ɛspɛs] *f.* kind
espérer [ɛspere] to hope
esprit [ɛspri] *m.* spirit, mind, wit
essai [esɛ] *m.* essay *(literary)*
essayer [eseje] to try, *(of clothes)* try on
essentiel, essentielle [ɛsāsjɛl] essential
est [ɛst] *m.* east
esthétique [ɛstetik] aesthetic
et [e] and
étable [etabl] *f.* stable
établir [etabliːr] to establish, set up
étage [etaːʒ] *m.* floor, story *(of building)*
état [eta] *m.* state, condition; **État** state *(political)*
États-Unis [etazyni] *m.pl.* United States
été [ete] *m.* summer
été *pp. of* être
étendre [etāːdr]: **s'—,** to extend
éternel, éternelle [etɛrnɛl] eternal
étiquette [etikɛt] *f.* label
étoile [etwal] *f.* star

étonnant [etɔnā] astonishing, surprising
étonner [etɔne] to ˋastonish, surprise; **s'—,** to be astonished, be surprised
étouffer [etufe] to smother, stifle
étranger, étrangère [etrāʒe, -ɛir] foreign
être [ɛitr] to be
être [ɛitr] *m.* being
étroit [etrwɑ, etrwa] narrow
étude [etyd] *f.* study; **faire des —s** to study, carry on studies
étudiant [etydjā] *m.* student
étudiante [etydjāt] *f.* student
étudier [etydje] to study
eu [y] *pp. of* **avoir**
européen, européenne [œrɔpeɛ̃, -ɛn] European
eux [ø] they, them
événement [evɛnmā] *m.* event
évêque [evɛik] *m.* bishop
évoquer [evɔke] to evoke, call to mind
exact [ɛgzakt] exact
exactement [ɛgzaktəmā] exactly
exagérer [ɛgzaʒere] to exaggerate
examen [ɛgzamɛ̃] *m.* examination
examiner [ɛgzamine] to examine
excellent [ɛksɛlā] excellent
excepté [ɛksɛpte] except
excuse [ɛkskyiz] *f.* excuse
exemplaire [ɛgzāplɛir] *m.* copy *(of a book)*
exemple [ɛgzɑ̃ipl, ɛgzāipl] *m.* example; **par —,** for example
exercer [ɛgzɛrse] to exercise, practice
exister [ɛgziste] to exist
expérience [ɛksperjāis] *f.* experience
expérimentation [ɛksperimātasjɔ̃] *f.* experimentation
explication [ɛksplikasjɔ̃] *f.* explanation
expliquer [ɛksplike] to explain
exposition [ɛkspozisjɔ̃] *f.* exhibition
expression [ɛksprɛsjɔ̃] *f.* expression
exprimer [ɛksprime] to express
exquis [ɛkski] exquisite
extérieur [ɛksterjœir] *m.* exterior
extrait [ɛkstrɛ] *m.* extract
extraordinaire [ɛkstrɔrdinɛir] extraordinary
extrêmement [ɛkstrɛməmā] extremely
extrémité [ɛkstremite] *f.* end

F

fable [faibl] *f.* fable
fabriquer [fabrike] to manufacture

façade [fasad] *f.* façade, front
face [fas]: en — de across from, opposite
fâché [faʃe] angry, sorry
facile [fasil] easy
facilement [fasilmā] easily
faciliter [fasilite] to facilitate, make easy
facteur [faktœɪr] *m.* postman, letter carrier
faible [fɛɪbl] feeble, weak
faim [fɛ̃] *f.* hunger; avoir —, to be hungry
faire [fɛɪr] to do, make; (*of weather*) to be;
— une promenade to take a walk *or* ride;
— un voyage to take a trip; qu'est-ce que
cela vous fait? what difference does that
make to you? cela ne fait rien that
doesn't matter, that makes no difference;
cela ne me fait rien that makes no difference to me, that is all the same to me
fait [fɛ] *m.* fact; en —, in fact, as a matter of
fact
falloir [falwaɪr] to be necessary, must
fameux, fameuse [famø, -øɪz] famous
familial, familiaux [familjal, -o] *adj.* family
famille [famiɪj] *f.* family
fanatisme [fanatism] *m.* fanaticism
farce [fars] *f.* farce
fatigué [fatige] tired
faute [foɪt] *f.* fault, mistake
fauteuil [fotœɪj] *m.* armchair
favorable [favɔrabl] favorable
favori, favorite [favɔri, -it] favorite
favoriser [favɔrize] to favor
féliciter [felisite] to congratulate
féminin [feminɛ̃] feminine
femme [fam] *f.* woman; wife; — de
chambre maid
fenêtre [fənɛɪtr] *f.* window
féodal, féodaux [feodal, -o] feudal
fer [fɛɪr] *m.* iron
ferme [fɛrm] firm
fermer [fɛrme] to close
fermier [fɛrmje] *m.* farmer
féroce [ferɔs] ferocious
fertile [fɛrtil] fertile
fête [fɛt] *f.* festival, holiday
fêter [fɛte] to celebrate
feuille [fœɪj] *f.* leaf; sheet (*of paper*)
février [fevrije] *m.* February
fiancée [fjāse] *f.* fiancée
fier, fière [fjɛɪr] proud
fierté [fjɛrte] *f.* pride
figure [figyɪr] *f.* figure, face

fille [fiɪj] *f.* daughter; jeune —, girl
film [film] *m.* film; picture (*at movies*)
fils [fis] *m.* son
fin [fɛ̃] *f.* end
fin [fɛ̃] *adj.* fine
financier, financière [finãsje, -ɛɪr] financial
finir [finiɪr] to finish
fixer [fikse] to fix
flatter [flate] to flatter
fleur [flœɪr] *f.* flower
fleuve [flœɪv] *m.* river
flotter [flɔte] to float
foi [fwa, fwā] *f.* faith; par ma —! upon my
word!
fois [fwa] *f.* time (*occasion*)
folie [fɔli] *f.* folly
fonction [fɔ̃ksjɔ̃] *f.* function
fondation [fɔ̃dasjɔ̃] *f.* foundation
fonder [fɔ̃de] to found, establish
Fontainebleau [fɔ̃tɛnblo] *town and palace south
of Paris*
forêt [fɔrɛ] *f.* forest
formation [fɔrmasjɔ̃] *f.* formation
forme [fɔrm] *f.* form, shape
former [fɔrme] to form
formidable [fɔrmidabl] formidable, terrific
fort [fɔɪr] *adj.* strong; château —, fortified
castle; *adv.* very
fortune [fɔrtyn] *f.* fortune
fou (fol), folle [fu, fɔl] crazy, insane, mad
fou [fu] *m.* madman, maniac
four [fuɪr] *m.* oven
franc [frã] *m.* franc (*monetary unit*)
Franc [frã] *m.* Frank (*member of Frankish tribe*)
français [frãsɛ] *adj.* French; *n.m.* French
(*language*)
Français [frãsɛ] *m.* Frenchman
Française [frãsɛɪz] *f.* Frenchwoman, French
girl
franchise [frãʃiɪz] *f.* frankness
François [frãswa] *m.* Francis
Françoise [frãswaz] *f.* Frances
franco-prussien, franco-prussienne [frãko-
prysjɛ̃, -jɛn] Franco-Prussian
frappant [frapã] striking
frapper [frape] to strike, knock
fraternité [fratɛrnite] *f.* fraternity
Frédéric [frederik] *m.* Frederick
frère [frɛɪr] *m.* brother
fresque [frɛsk] *f.* fresco
frivole [frivɔl] frivolous

froid [frwɑ, frwa] cold; **avoir —,** to be cold
froideur [frwadœːr] *f.* coldness
fromage [frɔmaːʒ] *m.* cheese
front [frɔ̃] *m.* forehead
frontière [frɔ̃tjɛːr] *f.* frontier, border
fruit [frɥi] *m.* fruit
fugitif, fugitive [fyʒitif, -iːv] fugitive, fleet-
ing, passing
furieux, furieuse [fyrjø, -øːz] furious, raging

G

gagner [gaɲe] to earn, win
galant [galɑ̃] gallant
galerie [galri] *f.* gallery, hall
gallo-romain [gallɔrɔmɛ̃] *adj.* Gallo-Roman
gant [gɑ̃] *m.* glove
garçon [garsɔ̃] *m.* boy, fellow, waiter
garder [garde] to keep
gare [gaːr] *f.* station (*railroad*)
gargouille [garguːj] *f.* gargoyle
gâteau, –x [gɑto] *m.* cake
gauche [goːʃ] left; **à —,** on *or* to the left
Gaule [goːl] *f.* Gaul (*country*)
gaulois [golwɑ, golwa] *adj.* Gallic; *n.m.* Gaul
(*inhabitant of Gaul*)
géant [ʒeɑ̃] *m.* giant
gendre [ʒɑ̃ːdr] *m.* son-in-law
général, généraux [ʒeneral, -o] *adj.* general;
n.m. general
généralement [ʒeneralmɑ̃] generally
généreux, généreuse [ʒenerø, -øːz] generous
générosité [ʒenerɔzite] *f.* generosity
génie [ʒeni] *m.* genius
genre [ʒɑ̃ːr] *m.* form, kind (*of literature*)
gens [ʒɑ̃] *m.pl.* people; **jeunes —,** young
people, young men
gentil, gentille [ʒɑ̃ti, -iːj] nice
gentilhomme [ʒɑ̃tijɔm] *m.* nobleman
géographie [ʒeɔgrafi] *f.* geography
géographique [ʒeɔgrafik] geographical
géométrique [ʒeɔmetrik] geometrical
Georges [ʒɔrʒ] *m.* George
geste [ʒɛst]: **chanson de —,** epic poem
glace [glas] *f.* mirror; ice, ice cream
glaneuse [glanœːz] *f.* gleaner
gloire [glwaːr] *f.* glory
gothique [gɔtik] Gothic
goût [gu] *m.* taste
gouvernement [guvɛrnəmɑ̃] *m.* government

gouverner [guvɛrne] to govern
grâce [grɑːs] *f.* grace, gracefulness; **— à**
thanks to
gracieux, gracieuse [grasjø, -øːz] graceful
grammaire [gramɛːr] *f.* grammar
grand [grɑ̃] large, great
grandeur [grɑ̃dœːr] *f.* greatness, grandeur,
size
grand-père [grɑ̃pɛːr] *m.* grandfather
grec, grecque [grɛk] Greek
Grèce [grɛs] *f.* Greece
gris [gri] gray
gros, grosse [gro, -os] big
grotte [grɔt] *f.* grotto
groupe [grup] *m.* group
guère [gɛːr]: **ne . . . —,** hardly, scarcely
guérir [geriːr] to cure
guerre [gɛːr] *f.* war; **— de Cent ans** Hundred Years' War
guichet [giʃɛ] *m.* ticket window
guide [gid] *m.* guide
guillotine [gijɔtin] *f.* guillotine
guillotiner [gijɔtine] to guillotine, execute

H

(*Words beginning with an aspirate* **h** *are shown
by the sign:* ')

habiller [abije] to dress; **s'—,** to get dressed
habit [abi] *m.* coat
habitant [abitɑ̃] *m.* inhabitant
habiter [abite] to live in
habitude [abityd] *f.* habit, custom
'halle [al] *f.* market
hallucination [alysinasjɔ̃] *f.* hallucination
'hardi [ardi] bold
'haricot [ariko] *m.* bean; **— vert** string bean
harmonie [armɔni] *f.* harmony
'haut [o] *adj.* high, tall; *adv.* high, loud
'hauteur [otœːr] *f.* height
hélas [elɑːs] alas!
Hélène [elɛn] *f.* Helen
héréditaire [ereditɛːr] hereditary
hérédité [eredite] *f.* heredity
hermite [ɛrmit] *m.* hermit (*also spelled in
French* **ermite**)
héroïne [erɔin] *f.* heroine
héroïque [erɔik] heroic
'héros [ero] *m.* hero
hésiter [ezite] to hesitate

heure [œɪr] *f.* hour, o'clock; **de bonne —,** early; **de si bonne —,** so early; **tout à l' —,** just now, in a little while

heureusement [œrøzmɑ̃] happily, fortunately

heureux, heureuse [œrø, -øɪz] happy

hier [jɛɪr] yesterday; **— soir** last night

histoire [istwaɪr] *f.* history, story

historien [istɔrjɛ̃] *m.* historian

historique [istɔrik] historic, historical

hiver [ivɛɪr] *m.* winter

homme [ɔm] *m.* man

honneur [ɔnœɪr] *f.* honor

honorer [ɔnɔre] to honor

'honte [ɔ̃ɪt] *f.* shame; **avoir — de** to be ashamed of

'honteux, 'honteuse [ɔ̃tø, -øɪz] ashamed

hôpital, hôpitaux [ɔpital, -o] *m.* hospital

horizon [ɔrizɔ̃] *m.* horizon

horizontal, horizontaux [ɔrizɔ̃tal, -o] horizontal

horloge [ɔrlɔɪʒ] *f.* clock

horloger [ɔrlɔʒe] *m.* watchmaker

hors-d'œuvre [ɔrdœɪvr] *m.* hors-d'œuvre (*appetizer*)

hôtel [ɔtɛl] *m.* hotel; **—-de-ville** city hall, town hall

hôtelier [otəlje] *m.* hotelkeeper

'houe [u] *f.* hoe

'hue [y] giddap!

Huguenot [ygno] *m.* Huguenot (*French Protestant*)

'huit [ɥit] eight

'huitième [ɥitjɛm] eighth

humain [ymɛ̃] *m.* human

'Huns [œ̃] *m.pl.* Huns

hypocrite [ipɔkrit] *m.* hypocrite

I

ici [isi] here; **par —,** this way

idéal [ideal] *m.* ideal

idéaliser [idealize] to idealize

idée [ide] *f.* idea

identique [idɑ̃tik] identical

idole [idɔl] *f.* idol

ignorant [iɲɔrɑ̃] ignorant

il, ils [il] he, it; they

île [il] *f.* island

illuminer [illymine] to light up

illustre [illystr] illustrious, famous

image [imaɪʒ] *f.* image, picture, imagery

imaginaire [imaʒinɛɪr] imaginary

imagination [imaʒinasjɔ̃] *f.* imagination

imaginer [imaʒine] to imagine; (*vb. often used reflexively in French*)

imitation [imitasjɔ̃] *f.* imitation

imiter [imite] to imitate

immense [imɑ̃ɪs] immense

impatient [ɛ̃pasjɑ̃] impatient

impératrice [ɛ̃peratris] *f.* empress

impertinent [ɛ̃pɛrtinɑ̃] impertinent

importance [ɛ̃pɔrtɑ̃ɪs] *f.* importance

important [ɛ̃pɔrtɑ̃] important

impossible [ɛ̃pɔsibl] impossible

impression [ɛ̃prɛsjɔ̃] *f.* impression

Impressionniste [ɛ̃prɛsjɔnist] *m.* Impressionist (*in painting*)

imprimer [ɛ̃prime] to print

imprimerie [ɛ̃primri] *f.* printing

inconscient [ɛ̃kɔ̃sjɑ̃] *m.* unconscious, subconscious

inconvénient [ɛ̃kɔ̃venjɑ̃] *m.* disadvantage

indemnité [ɛ̃dɛmnite] *f.* indemnity

indépendance [ɛ̃depɑ̃dɑ̃ɪs] *f.* independence

indépendant [ɛ̃depɑ̃dɑ̃] independent

indice [ɛ̃dis] *m.* indication, sign

indiquer [ɛ̃dike] to indicate

individualiste [ɛ̃dividɥalist] individualistic

individualité [ɛ̃dividɥalite] *f.* individuality

industrie [ɛ̃dystri] *f.* industry

industriel, industrielle [ɛ̃dystrijɛl] industrial

influence [ɛ̃flyɑ̃ɪs] *f.* influence

ingénieur [ɛ̃ʒenjœɪr] *m.* engineer

injuste [ɛ̃ʒyst] unjust

injustice [ɛ̃ʒystis] *f.* injustice

innombrable [innɔ̃brabl] innumerable

inspiration [ɛ̃spirasjɔ̃] *f.* inspiration

inspirer [ɛ̃spire] to inspire; **s'— de** to be inspired by, find inspiration in

instant [ɛ̃stɑ̃]: **à l'—,** at once

instituteur [ɛ̃stitytœɪr] *m.* teacher (*in elementary school*)

institutrice [ɛ̃stitytris] *f.* teacher (*in elementary school*)

intellectuel, intellectuelle [ɛ̃tɛllɛktɥɛl] intellectual

intelligence [ɛ̃teliʒɑ̃ɪs] *f.* intelligence

intelligent [ɛ̃teliʒɑ̃] intelligent, bright

intense [ɛ̃tɑ̃ɪs] intense

intensité [ɛ̃tɑ̃site] *f.* intensity, force

intention [ɛ̃tɑ̃sjɔ̃] *f.* intention; **avoir l'— de** to intend to

intéressant [ɛ̃terɛsɑ̃] interesting
intéresser [ɛ̃terɛse] to interest; **s'— à** to be or become interested in
intérêt [ɛ̃terɛ] *m.* interest, selfishness
intérieur [ɛ̃terjœːr] *m.* interior
interpréter [ɛ̃tɛrprete] to interpret
interrompre [ɛ̃tɛrɔ̃ːpr] to interrupt
introduire [ɛ̃trɔdɥiːr] to introduce
introspectif, introspective [ɛ̃trɔspɛktif, –iːv] introspective
inutile [inytil] useless
invalide [ɛ̃valid] *m.* disabled soldier, veteran
inventer [ɛ̃vɑ̃te] to invent
invention [ɛ̃vɑ̃sjɔ̃] *f.* invention
invincible [ɛ̃vɛ̃sibl] invincible
invitation [ɛ̃vitasjɔ̃] *f.* invitation
inviter [ɛ̃vite] to invite
ironie [irɔni] *f.* irony
ironique [irɔnik] ironical
Islande [islɑ̃ːd] *f.* Iceland
Italie [itali] *f.* Italy
italien, italienne [italjɛ̃, –ɛn] *adj.* Italian; *n.m.* Italian (*language*)

J

Jacques [ʒaːk, ʒɑːk] James, Jack, Jim
jamais [ʒamɛ] (*alone*) never; **ne . . .** (*vb.*) **—,** never; (*with vb., without* **ne**) ever
janvier [ʒɑ̃vje] *m.* January
Japon [ʒapɔ̃] *m.* Japan
jardin [ʒardɛ̃] *m.* garden, park
jaune [ʒoːn] yellow
Jean [ʒɑ̃] *m.* John
Jeanne [ʒɑːn] *f.* Jean, Joan; **— d'Arc** Joan of Arc
Jérusalem [ʒeryzalɛm] Jerusalem
Jésus [ʒezy] Jesus; **avant Jésus-Christ** B.C.
jeter [ʒəte] to throw
jeu [ʒø] *m.* play
jeudi [ʒødi] *m.* Thursday
jeune [ʒœn] young
jeunesse [ʒœnɛs] *f.* youth
joli [ʒɔli] pretty
joue [ʒu] *f.* cheek
jouer [ʒwe] to play
jour [ʒuːr] *m.* day; **tous les jours** every day; **le Jour de l'an** New Year's Day
journal, journaux [ʒurnal, –o] *m.* newspaper
journée [ʒurne] *f.* day
judicieux, judicieuse [ʒydisjø, –øːz] judicious

juge [ʒyːʒ] *m.* judge
juillet [ʒɥijɛ] *m.* July
juin [ʒɥɛ̃] *m.* June
jus [ʒy] *m.* juice
jusqu'à [ʒyska] until, up to, as far as
jusqu'à ce que [ʒyskas(ə)kə] until
juste [ʒyst] just
justice [ʒystis] *f.* justice

K

kilogramme [kilɔgram] *m.* kilogram (*about 2.2 pounds; often abbreviated to* **kilo**)
kilomètre [kilɔmɛtr] *m.* kilometer (1000 *meters, about* ⅝ *of a mile*)

L

là [la] there
là-bas [labɑ] over there
lac [lak] *m.* lake
lai [lɛ] *m.* lay
laid [lɛ] homely, ugly
laisser [lɛse] to let, allow, leave
lait [lɛ] *m.* milk
laitue [lɛty] *f.* lettuce
lampe [lɑ̃ːp] *f.* lamp
langage [lɑ̃gaːʒ] *m.* language, style
langue [lɑ̃ːg] *f.* tongue, language
large [larʒ] broad, wide
largeur [larʒœːr] *f.* width
larme [larm] *f.* tear
latin [latɛ̃] *adj.* Latin; *n.m.* Latin (*language*); **le Quartier —,** the Latin Quarter
lavabo [lavabo] *m.* washstand
laver [lave] to wash
leçon [ləsɔ̃] *f.* lesson
lecteur [lɛktœːr] *m.* reader
légende [leʒɑ̃ːd] *f.* legend
légèreté [leʒɛrte] *f.* lightness
légume [legym] *m.* vegetable
lendemain [lɑ̃dmɛ̃] next day; **le — matin** the next morning
lent [lɑ̃] slow
lentement [lɑ̃tmɑ̃] slowly
lequel, laquelle; *pl.* **lesquels, lesquelles** [ləkɛl, lakɛl, lekɛl] *rel. pron.* who, whom, which; *interrog. pron.* which (one), which (ones)
lettre [lɛtr] *f.* letter
leur [lœːr] *adj.* their; *pers. pron.* to them; *poss. pron.* theirs
lever [ləve] to raise, lift; **se —,** to rise, get up

libéral, libéraux [liberal, –o] liberal
libéralement [liberalmã] liberally, generously
libéralité [liberalite] *f.* liberality, generosity
libérer [libere] to liberate, free
liberté [liberte] *f.* liberty; **mettre en —,** to set free
libraire [librɛɪr] *m.* bookseller
librairie [libreri] *f.* bookstore
libre [libr] free, vacant, unoccupied
lieu, –x [ljø] *m.* place; **avoir —,** to take place; **au — de** in place of, instead of
ligne [liɲ] *f.* line
linge [lɛ̃ːʒ] *m.* linen, underwear
lion [ljɔ̃] *m.* lion
lire [liːr] to read
lit [li] *m.* bed
litre [litr] *m.* liter (*about 1 quart*)
littéraire [literɛɪr] literary
littérature [literatyːr] *f.* literature
liturgie [lityrʒi] *f.* liturgy (*religious service*)
livre [liːvr] *m.* book
logis [lɔʒi] *m.* home, house
loi [lwɑ, lwa] *f.* law
loin [lwɛ̃] far; **de —,** from afar, from a distance
lointain [lwɛ̃tɛ̃] distant
long, longue [lɔ̃, lɔ̃ːg] long
longtemps [lɔ̃tɑ̃] a long time
longueur [lɔ̃gœːr] *f.* length
lorsque [lɔrskə] when
louange [lwɑ̃ːʒ] *f.* praise
louer [lwe, lue] to hire, rent
louer [lwe, lue] to praise
loup [lu] *m.* wolf
lourdeur [lurdœːr] *f.* heaviness
lumière [lymjɛɪr] *f.* light
lumineux, lumineuse [lyminø, –øːz] luminous
lundi [lœ̃di] *m.* Monday
lunettes [lynɛt] *f.pl.* eyeglasses, spectacles
Lutèce [lytɛs] *f.* Lutetia (*original name of Paris*)
lycée [lise] *m.* lycée (*secondary school*)
Lyon [ljɔ̃] *m.* Lyons
lyrique [lirik] lyric
lys [lis] *m.* lily

M

machine [maʃin] *f.* machine
madame [madam] (*abbrev.* **Mme;** *pl.* **mesdames**) madam; *pl.* ladies

mademoiselle [madmwazɛl] (*abbrev.* **Mlle;** *pl.* **mesdemoiselles**) Miss; *pl.* young ladies
magasin [magazɛ̃] *m.* store; **grand —,** department store
magique [maʒik] magic
magnificence [maɲifisɑ̃ːs] *f.* magnificence
magnifique [maɲifik] magnificent
magot [mago] *m.* Chinese porcelain figure
mai [mɛ] *m.* May
main [mɛ̃] *f.* hand
maintenant [mɛ̃tnɑ̃] now
mairie [mɛri] *f.* town hall
mais [mɛ] but; **— oui!** why yes! **— non!** why no!
maison [mɛzɔ̃] *f.* house; **à la —,** at home
maître [mɛtr] *m.* master, teacher
maîtrise [mɛtriːz] *f.* mastery
majesté [maʒeste] *f.* majesty
majestueux, majestueuse [maʒestɥø, –øːz] majestic
mal, maux [mal, mo] *n.m.* evil, harm; **avoir — à** to have an ache *or* pain in; **faire (du) — à** to hurt
mal [mal] *adv.* badly
malade [malad] *adj.* sick; *n.m.* sick person, invalid
malédiction [malediksjɔ̃] *f.* curse
malgré [malgre] in spite of
malheureusement [malœrøzmɑ̃] unfortunately
malheureux, malheureuse [malœrø, –øːz] unfortunate, unhappy
malsain [malsɛ̃] unhealthy, unwholesome
maman [mamɑ̃] *f.* mama
Manche [mɑ̃ːʃ] *f.* English Channel
manger [mɑ̃ʒe] to eat
manière [manjɛɪr] *f.* manner
manquer [mɑ̃ke] to fail
manteau, –x [mɑ̃to] *m.* cloak, coat
manuscrit [manyskri] *m.* manuscript
marbre [marbr] *m.* marble
marchand [marʃɑ̃] *m.* dealer, merchant
marchander [marʃɑ̃de] to bargain, haggle
marchandise [marʃɑ̃diːz] *f.* merchandise
marché [marʃe] *m.* market; **— aux fleurs** flower market; **Marché aux Puces** Flea Market; **(à) bon marché** cheap; **Bon Marché** *name of department store in Paris*
marcher [marʃe] to walk, run, work
mardi [mardi] *m.* Tuesday
maréchal [mareʃal] *m.* marshal (*military title*)

mari [mari] *m.* husband
mariage [marjaːʒ] *m.* marriage; — de convenance *marriage arranged by parents for
practical, not sentimental, reasons*
Marie [mari] *f.* Mary
marié [marje] *adj.* married
marier [marje]: se —, to get married
marque [mark] *f.* make (*of auto*)
marquer [marke] to mark
marquis [marki] *m.* marquis (*title of nobility*)
marquise [markiːz] *f.* marchioness (*a title*)
mars [mars] *m.* March
Marseille [marsɛːj] *f.* Marseilles
massacre [masakr] *m.* massacre
masse [mas] *f.* mass
massif [masif] *m.* mountain mass; Massif
Central *mountain chain in south central France*
mathématiques [matematik] *f.pl.* mathema-
tics
matin [matɛ̃] *m.* morning
mauvais [movɛ] bad, poor
maxime [maksim] *f.* maxim
méchant [meʃã] mean
médecin [metsɛ̃] *m.* doctor
médecine [metsin] *f.* medicine
Médicis [medisis] *name of Italian family*
méditation [meditasjɔ̃] *f.* meditation
Méditerranée [mediterane] *adj. and n. f.*
Mediterranean
meilleur [mɛjœːr] better; le —, best
mêler [mɛle] to mingle, mix, blend
membre [mãːbr] *m.* member
même [mɛːm] even, same, self, very
mémoire [memwaːr] *f.* memory
menace [mənas] *f.* threat
menacer [mənase] to threaten
mendiant [mãdjã] *m.* beggar
mener [məne] to lead
mentalement [mãtalmã] mentally
mentionner [mãsjɔne] to mention
mépriser [meprize] to scorn
mer [mɛr] *f.* sea
merci [mɛrsi] thanks (de, for); — bien thank
you very much
mercredi [mɛrkrədi] *m.* Wednesday
mère [mɛr] *f.* mother
mériter [merite] to merit, deserve
merveilleusement [mɛrvɛjøzmã] marvel-
ously, wonderfully
merveilleux, merveilleuse [mɛrvɛjø, -øːz]
marvelous

mesdames *see* madame
mesdemoiselles *see* mademoiselle
messieurs *see* monsieur
méthode [metɔd] *f.* method
métier [metje] *m.* trade, profession
mètre [mɛtr] *m.* meter (*about 39 inches*)
Métro [metro] *m.* subway (*in Paris*)
mettre [mɛtr] to put; (*of clothes*) to put on;
se — à to begin, start; se — debout to
stand up
meuble [mœbl] *m.* (piece of) furniture; *pl.*
furniture
meublé [mœble] furnished
Mexique [mɛksik] *m.* Mexico
midi [midi] *m.* noon
mien, mienne (le, la) [mjɛ̃, mjɛn] mine
mieux [mjø] better; le —, best
milieu, -x [miljø] *m.* middle
mille [mil] thousand
million [miljɔ̃] *m.* million
millionnaire [miljɔnɛːr] *m. or f.* millionaire
miniature [minjatyːr] *f.* miniature
ministre [ministr] *m.* minister (*political*)
minuit [minɥi] *m.* midnight
minute [minyt] *f.* minute
miracle [miraːkl] *m.* miracle
misanthrope [mizãtrɔp] *m.* misanthropist
misérable [mizerabl] miserable, wretched
mixte [mikst] (*of schools*) coeducational
mode [mɔd] *f.* fashion
modération [mɔderasjɔ̃] *f.* moderation
moderne [mɔdɛrn] modern
modeste [mɔdɛst] modest, simple
modestie [mɔdɛsti] *f.* modesty
modiste [mɔdist] *f.* milliner
mœurs [mœrs] *f.pl.* manners
moi [mwa] I, me; —-même myself
moins [mwɛ̃] less, fewer; au —, at least; à
— que unless
mois [mwa] *m.* month
Moïse [mɔiːz] *m.* Moses
moitié [mwatje] *f.* half
moment [mɔmã] *m.* moment; en ce —, just
now
mon, ma, mes [mɔ̃, ma, me] my
monarchie [mɔnarʃi] *f.* monarchy
monarchique [mɔnarʃik] monarchical
monarchiste [mɔnarʃist] *m.* monarchist
monde [mɔ̃ːd] *m.* world; tout le —, everybody, everyone
mondial [mɔ̃djal] *adj.* world

monétaire [mɔnetɛɪr] monetary
monnaie [mɔnɛ] *f.* money, change, currency
monotone [mɔnɔtɔn] monotonous
monsieur, *pl.* **messieurs** [məsjø, mesjø] sir, gentleman
montagne [mɔ̃taɲ] *f.* mountain
monter [mɔ̃te] to go *or* come up; to get in *or* on (*a vehicle*); to bring, carry, *or* take up
montre [mɔ̃ːtr] *f.* watch
montrer [mɔ̃tre] to show
monument [mɔnymɑ̃] *m.* monument, historic building
moquer [mɔke]: **se — de** to make fun of
morbide [mɔrbid] morbid
morceau, –x [mɔrso] *m.* piece
mordant [mɔrdɑ̃] biting
mort [mɔːr] *pp. of* **mourir**; *adj.* dead; *n.f.* death
mot [mo] *m.* word; **bon —**, witty remark, witticism
motif [mɔtif] *m.* motive
mouche [muʃ] *f.* fly
mouchoir [muʃwaɪr] *m.* handkerchief
moulin [mulɛ̃] *m.* mill
mourir [muriːr] to die
mousquetaire [muskətɛɪr] *m.* musketeer
moustache [mustaʃ] *f.* moustache
mouvement [muvmɑ̃] *m.* movement, motion
moyen [mwajɛ̃] *m.* means, way; **au — de** by means of; **le — âge** the Middle Ages
mule [myl] *f.* mule
multiplier [myltiplie] to multiply
mur [myr] *m.* wall
muraille [myraɪj] *f.* wall
musée [myze] *m.* museum
musicien [myzisjɛ̃] *m.* musician
musique [myzik] *f.* music
mystère [mistɛɪr] *m.* mystery; mystery play

N

nager [naʒe] to swim
naissance [nɛsɑ̃ːs] *f.* birth
naître [nɛːtr] to be born
nation [nasjɔ̃] *f.* nation
national, nationaux [nasjɔnal, –o] national
naturalisme [natyralism] *m.* naturalism
nature [natyːr] *f.* nature
naturel, naturelle [natyrɛl] natural
naturellement [natyrɛlmɑ̃] naturally

naufrage [nofraːʒ] *m.* shipwreck; **faire —**, to be shipwrecked
navire [naviːr] *m.* ship
ne [nə]: **— . . . pas** not
nécessaire [nesesɛɪr, nesesɛɪr] necessary
négliger [negliʒe] to neglect
neige [nɛːʒ] *f.* snow
néo-classique [neoklasik] neo-classic
nervure [nɛrvyːr] *f.* rib (*architecture*)
neuf [nœf] nine
neuf, neuve [nœf, nœːv] new
neuvième [nœvjɛm] ninth
neveu, –x [nəvø] *m.* nephew
nez [ne] *m.* nose
ni [ni]: **ni . . . ni** neither . . . nor
nièce [njɛs] *f.* niece
noble [nɔbl] *adj.* noble; *n.m.* noble, nobleman
Noël [nɔɛl] *m.* Christmas
noir [nwaɪr] black, dark
nom [nɔ̃] *m.* name, noun
nombre [nɔ̃ːbr] *m.* number
nombreux, nombreuse [nɔ̃brø, –øːz] numerous
nommer [nɔme] to name, appoint
non [nɔ̃] no, not
nord [nɔːr] *m.* north
nord-est [nɔr(d)ɛst] *m.* northeast
nord-ouest [nɔr(d)wɛst] *m.* northwest
normand [nɔrmɑ̃] *adj. and n.m.* Norman
note [nɔt] *f.* bill; grade, mark
notre, nos [nɔtr, no] our
nôtre (le, la) [noːtr] ours
nourriture [nurityːr] *f.* food
nous [nu] we, us
nouveau (nouvel), nouvelle; *pl.* **nouveaux, nouvelles** (nuvo, nuvɛl) new
nouvelle (nuvɛl) *f.* (piece of) news
novembre [nɔvɑ̃ːbr] *m.* November
nuance [nɥɑ̃ːs] *f.* shade, hue
nuit [nɥi] *f.* night; **cette —**, last night
numéro [nymero] *m.* number

O

obéir [ɔbeiːr] to obey
obélisque [ɔbelisk] *m.* obelisk (*four-sided, tapering pillar*)
objet [ɔbʒɛ] *m.* object; **— d'art** artistic object
obligatoire [ɔbligatwaːr] compulsory
obligé [ɔbliʒe] obliged, grateful
obliger [ɔbliʒe] to oblige, compel, force

obscur [ɔpskyɪr] obscure, dark
obscurité [ɔpskyrite] f. obscurity, darkness
obstacle [ɔpstakl] m. obstacle
obus [ɔby(ɪs)] m. shell
occasion [ɔkɑzjɔ̃] f. occasion, opportunity
occupé [ɔkype] busy
occuper [ɔkype] to occupy
océan [ɔseɑ̃] m. ocean
octobre [ɔktɔbr] m. October
œil, pl. yeux [œɪj, jø] m. eye
œuf [œf, pl. ø] m. egg
œuvre [œɪvr] f. work
officiel, officielle [ɔfisjɛl] official
officier [ɔfisje] m. officer
offre [ɔfr] f. offer
offrir [ɔfriɪr] to offer
ogival [ɔʒival] adj. ogival, broken, pointed
   (of Gothic arch)
ogive [ɔʒiɪv] f. ogive (Gothic arch)
oignon [ɔɲɔ̃] m. onion
ombre [ɔ̃ɪbr] f. shadow
on [ɔ̃] one, they, we, people, someone
oncle [ɔ̃ɪkl] m. uncle
onze [ɔ̃ɪz] eleven
onzième [ɔ̃zjɛm] eleventh
opéra [ɔpera] m. opera
opposer [ɔpoze]: s'— à to be opposed to
opticien [ɔptisjɛ̃] m. optician
optimiste [ɔptimist] optimistic
or [ɔɪr] m. gold; âge d'—, golden age
orange [ɔrɑ̃ɪʒ] f. orange; — pressée squeezed
   orange, orange juice
ordinaire [ɔrdinɛɪr] ordinary, usual; d'—,
   usually, usual
ordonner [ɔrdɔne] to order, command
ordre [ɔrdr] m. order
oreille [ɔrɛɪj] f. ear
organisation [ɔrganizasjɔ̃] f. organization
organiser [ɔrganize] to organize
original, originaux [ɔriʒinal, –o] original
origine [ɔriʒin] f. origin
ornementation [ɔrnəmɑ̃tasjɔ̃] f. ornamenta-
   tion
orner [ɔrne] to ornament, adorn
os [ɔs, pl. o] m. bone
oser [ɔze] to dare
ôter [ote] to take off
ou [u] or
où [u] where
oublier [ublije] to forget
ouest [wɛst] m. west

oui [wi] yes
ouvert [uvɛɪr] pp. of ouvrir; adj. open
ouvrage [uvraɪʒ] m. work
ouvrier [uvrije] m. worker
ouvrir [uvriɪr] to open

P

pacifique [pasifik] pacific
page [paɪʒ] f. page (of a book)
païen, païenne [pajɛ̃, –jɛn] pagan
pain [pɛ̃] m. bread; — rôti toast; petit —,
   roll
paire [pɛɪr] f. pair
paix [pɛ] f. peace
palais [palɛ] m. palace
palette [palɛt] f. palette
panier [panje] m. basket; — à papier
   wastebasket
pantoufle [pɑ̃tufl] f. slipper
papa [papa] m. papa
pape [pap] m. pope
papier [papje] m. paper; — à lettres letter
   paper
Pâques [paɪk] m. Easter
paquet [pakɛ] m. package
par [par] by, through, per
parapet [parapɛ] m. parapet, wall
parapluie [paraplɥi] m. umbrella
parc [park] m. park
parce que [parskə] because
pardessus [pardəsy] m. overcoat
pardon [pardɔ̃] m. pardon
parent [parɑ̃] m. parent, relative
paresseux, paresseuse [parɛsø, –øɪz] lazy
parfait [parfɛ] perfect
parfum [parfœ̃] m. perfume
parisien, parisienne [parizjɛ̃, –ɛn] adj. Parisian
Parisien [parizjɛ̃] m. Parisian
parler [parle] to speak, talk
parmi [parmi] among
Parnassien [parnasjɛ̃] m. Parnassian (a poet)
parole [parɔl] f. word
part [paɪr] f. part, share; à —, aside
partie [parti] f. part, game
partir [partiɪr] to leave, go away
partout [partu] everywhere
parure [paryɪr] f. ornament
parvis [parvi] m. square (in front of a church)
pas [pɑ] m. step

pas [pɑ] *adv.* not
passage [pɑsaːʒ] *m.* passage
passant [pɑsɑ̃] *m.* passer-by
passé [pɑse] *n.m.* past; *adj.* past, last
passer [pɑse] to pass; (*of time*) to spend
passion [pɑsjɔ̃] *f.* passion; **Mystère de la —,** Passion Play
paternel, paternelle [pɑtɛrnɛl] paternal
patience [pɑsjɑːs] *f.* patience
pâtisserie [pɑtisri] *f.* pastry, pastry shop
patriotisme [pɑtriɔtism] *m.* patriotism
patron [pɑtrɔ̃] *m.* boss
patronne [pɑtrɔn] *f.* patron saint
patte [pɑt] *f.* paw
pauvre [poːvr] poor
paver [pɑve] to pave
payer [pɛje] to pay, pay for
pays [pei] *m.* country
paysage [peizaːʒ] *m.* landscape, scenery, view
paysan [peizɑ̃] *m.* peasant
paysanne [peizan] *f.* peasant woman
Peau-Rouge [poruːʒ] *m.* Redskin (*Indian*)
péché [peʃe] *m.* sin
pêcher [peʃe] to fish
pêcheur [peʃœːr] *m.* fisherman
peigner [pɛɲe] to comb
peindre [pɛ̃ːdr] to paint
peintre [pɛ̃ːtr] *m.* painter
peinture [pɛ̃tyːr] *f.* painting
pendant [pɑ̃dɑ̃] during; **— que** while
pendre [pɑ̃ːdr] to hang
pendule [pɑ̃dyl] *m.* pendulum
pénétrer [penetre] to penetrate
pensée [pɑ̃se] *f.* thought
penser [pɑ̃se] to think
penseur [pɑ̃sœːr] *m.* thinker
pension [pɑ̃sjɔ̃] *f.* boarding-house; board (*meals*)
perdre [pɛrdr] to lose; (*of time*) to waste
père [pɛːr] *m.* father
perfection [pɛrfɛksjɔ̃] *f.* perfection
période [perjɔd] *f.* period
permettre [pɛrmɛtr] to permit, allow
perplexité [pɛrplɛksite] *f.* perplexity
Persan [pɛrsɑ̃] *m.* Persian; **persan** *adj.* Persian
Perse [pɛrs] *f.* Persia (*now Iran*)
personnage [pɛrsɔnaːʒ] *m.* personage; (*in a play*) character
personne [pɛrsɔn] *f.* person

personne [pɛrsɔn] *indef. pron. m.* nobody, no one, not anyone
perspective [pɛrspɛktiːv] *f.* view, vista
pessimisme [pɛsimism] *m.* pessimism
pessimiste [pɛsimist] pessimistic
petit [pəti] small, little
petit-fils [pətifis] *m.* grandson
peu [pø] little, few; **— à —,** little by little
peuple [pœpl] *m.* people
peuplé [pœple] thickly settled
peur [pœːr] *f.* fear; **avoir — (de)** to be afraid (of)
peut-être [pøtɛːtr] perhaps
pharmacie [farmasi] *f.* pharmacy, drugstore
pharmacien [farmasjɛ̃] *m.* druggist, pharmacist
Philippe [filip] *m.* Philip
philosophe [filɔzɔf] *m.* philosopher
philosophique [filɔzɔfik] philosophical
photographe [fɔtɔgraf] *m.* photographer
photographie [fɔtɔgrafi] *f.* photography
phrase [frɑːz] *f.* sentence
physique [fizik] *f.* physics
piano [pjano] *m.* piano
pièce [pjɛs] *f.* piece; room; (*theater*) play
pied [pje] *m.* foot; **à —,** on foot
pierre [pjɛːr] *f.* stone
Pierre [pjɛːr] *m.* Peter
piété [pjete] *f.* piety
pilier [pilje] *m.* pillar, column
pin [pɛ̃] *m.* pine tree
pis [pi] worse
pittoresque [pitɔrɛsk] picturesque
place [plas] *f.* place, seat; square
placer [plase] to place
plafond [plafɔ̃] *m.* ceiling
plage [plaːʒ] *f.* beach
plaindre [plɛ̃ːdr] to pity; **se —,** to complain
plaire [plɛːr] to please; **s'il vous plaît** (if you) please
plaisance [plɛzɑ̃ːs] *f.* pleasure
plaisir [plɛziːr] *m.* pleasure; **faire — à** to please
plan [plɑ̃] *m.* plan; (*of city*) map
plat [pla] *m.* dish
plateau, -x [plato] *m.* plateau, tray
plein [plɛ̃] full
pleurer [plœre] to weep
pleuvoir [plœvwaːr] to rain; **il pleut** it is raining
plupart [plypaːr] *f.* most

plus [ply] more; **ne ... —,** no more, no longer
plusieurs [plyzjœːr] several
Plutarque [plytark] *m.* Plutarch (*ancient Greek writer*)
poche [pɔʃ] *f.* pocket
poème [pɔɛim] *m.* poem
poésie [pɔezi] *f.* poetry
poète [pɔɛt] *m.* poet
poétique [pɔetik] poetic
poids [pwɑ] *m.* weight
poil [pwal] *m.* hair
point [pwɛ̃] *m.* point; **être sur le — de** to be on the point of, be about to
pois [pwɑ] *m.* pea
poison [pwazɔ̃] *m.* poison
poisson [pwasɔ̃] *m.* fish
pôle [poːl] *m.* pole
poli [pɔli] polished, polite
police [pɔlis] *f.* police; *see also* **agent** *and* **préfet**
policier [pɔlisje]: **roman —,** detective novel
politesse [pɔlitɛs] *f.* politeness
politique [pɔlitik] political; **homme —,** politician
pomme [pɔm]: **— de terre** *f.* potato; **pommes frites** French fried potatoes
pont [pɔ̃] *m.* bridge
populaire [pɔpylɛir] popular
porcelaine [pɔrsəlɛn] *f.* porcelain, china
porche [pɔrʃ] *m.* porch
port [pɔir] *m.* port; **— de mer** seaport
portail, *pl.* **portails** [pɔrtaːj] *m.* portal
porte [pɔrt] *f.* door, gate
porter [pɔrte] to carry, wear; **se —,** (*of health*) to be
portier [pɔrtje] *m.* porter, doorkeeper, gatekeeper, guard
portrait [pɔrtrɛ] *m.* portrait
portraitiste [pɔrtrɛtist] *m.* portrait painter
pose [poiz] *f.* pose, posture
poser [poze] to place, put, set; **— une question** to ask a question
posséder [pɔsede] to possess
possible [pɔsibl] possible
poste [pɔst] *m.* station; **— de radio, — de T.S.F.** radio; **— de télévision** TV set
pot [po] *m.* pot; **—-de-fer** iron pot
potage [pɔtaːʒ] *m.* soup
potager [pɔtaʒe] *m.* vegetable garden
poulet [pulɛ] *m.* chicken

pour [pur] for, in order to; **— cent** per cent; **— que** in order that, so that
pourboire [purbwaɪr] *m.* tip
pourquoi [purkwa] why
poursuite [pursɥit] *f.* pursuit
pousser [puse] to push
pouvoir [puvwaɪr] to be able, can
pratique [pratik] *adj.* practical; *n.f.* practice, application
pré [pre] *m.* meadow
précédent [presedɑ̃] preceding
prêcher [prɛʃe] to preach
précis [presi] precise, exact
préféré [prefere] favorite
préférer [prefere] to prefer
préfet [prefɛ] *m.* prefect; **— de police** police commissioner
premier, première [prəmje, –jɛir] first; **— ministre** prime minister
prendre [prɑ̃ːdr] to take
préparer [prepare] to prepare
près [prɛ] *adv.:* **de —,** near, from close to; **à peu —,** nearly, about, approximately, almost; *prep.* **— de** near, nearly
présence [prezɑ̃ːs] *f.* presence
présenter [prezɑ̃te] to present, introduce
président [prezidɑ̃] *m.* president
presque [prɛsk] almost
prestige [prɛstiːʒ] *m.* prestige
prêt [prɛ] ready
prêter [prete] to lend
prêtre [prɛitr] *m.* priest
preuve [prœiv] *f.* proof
prier [prije] to beg
primaire [primɛir] primary
primitif, primitive [primitif, –iiv] primitive, original
prince [prɛ̃ːs] *m.* prince
princesse [prɛ̃sɛs] *f.* princess
principal, principaux [prɛ̃sipal, –o] principal
principe [prɛ̃sip] *m.* principle
printemps [prɛ̃tɑ̃] *m.* spring
prise [priːz] *f.* capture, taking
prison [prizɔ̃] *f.* prison
prisonnier [prizɔnje] *m.* prisoner
prisonnière [prizɔnjɛir] *f.* prisoner
prix [pri] *m.* price, prize
probable [prɔbabl] probable
probablement [prɔbabləmɑ̃] probably
problème [prɔblɛm] *m.* problem
procès [prɔsɛ] *m.* trial

prochain [prɔʃɛ̃] next
proclamation [prɔklamasjɔ̃] *f.* proclamation
proclamer [prɔklame] to proclaim
production [prɔdyksjɔ̃] *f.* production
produire [prɔdɥiːr] to produce, cause
produit [prɔdɥi] *m.* product
professeur [prɔfɛsœːr] *m.* professor, teacher
profit [prɔfi] *m.* profit, benefit
profond [prɔfɔ̃] profound, deep
profondeur [prɔfɔ̃dœːr] *f.* depth
progrès [prɔgrɛ] *m.* progress
promenade [prɔmnad] *f.* walk, ride, excursion
promener [prɔmne]: **se —,** to take a walk *or* ride
prononcer [prɔnɔ̃se] to pronounce
proportion [prɔpɔrsjɔ̃] *f.* proportion
propos [prɔpo]: **à — de** about, concerning
proposer [prɔpoze] to propose
proposition [prɔpozisjɔ̃] *f.* proposition
propre [prɔpr] proper, own, exact, very, clean
proprement [prɔprəmɑ̃]: **à — parler** properly speaking
propriétaire [prɔprietɛːr] *m.* owner
prosaïque [prɔzaik] prosaic
prose [proːz] *f.* prose
prospérité [prɔsperite] *f.* prosperity
protestant [prɔtɛstɑ̃] *adj. and n.m.* Protestant
prouver [pruve] to prove
provençal, provençaux [prɔvɑ̃sal, -o] Provençal
province [prɔvɛ̃ːs] *f.* province
psychologie [psikɔlɔʒi] *f.* psychology
public, publique [pyblik] *adj. and n.m.* public
publier [pyblie] to publish
puce [pys] *f.* flea; **Marché aux Puces** Flea Market
puis [pɥi] then, next
pur [pyːr] pure
purement [pyrmɑ̃] purely
pyjama [piʒama] *m.* pyjamas

Q

qualité [kalite] *f.* quality
quand [kɑ̃] when; **— même** all the same, just the same
quant [kɑ̃]: **— à** as for, as to
quantité [kɑ̃tite] *f.* quantity
quarante [karɑ̃ːt] forty

quart [kaːr] *m.* quarter, fourth; **— d'heure** quarter of an hour
quartier [kartje] *m.* quarter, district, section (*of a city*)
quatorze [katɔrz] fourteen
quatorzième [katɔrzjɛm] fourteenth
quatre [katr] four
quatre-vingt-dix [katrəvɛ̃dis] ninety
quatre-vingts [katrəvɛ̃] eighty
quatre-vingt-treize [katrəvɛ̃trɛːz] ninety-three
quatrième [katrijɛm] fourth
que [kə] *rel. pron.* whom, which, that; **ce —,** that which, what; *interrog. pron.* what? *conj.* that, than, as; **ne . . . —,** only; *in exclam.* how . . .! **— de . . .!** how much! how many! **qu'est-ce qui** [kɛski] what? (*as subject*); **qu'est-ce que** [kɛskə] what? (*as object*); **qu'est-ce que c'est que . . .** [kɛskəsɛkə] what (sort of a thing) is . . .?
quel, quelle [kɛl] what, which
quelconque [kɛlkɔ̃ːk] any, whatsoever
quelque [kɛlkə] *adj.* some; *pl.* a few; **— chose** something, anything
quelquefois [kɛlkəfwa] sometimes
quelqu'un, quelqu'une, quelques-uns, quelques-unes [kɛlkœ̃, kɛlkyn, kɛlkəzœ̃, kɛlkəzyn] *pron.* someone; *pl.* a few, some
querelle [kərɛl] *f.* quarrel
question [kɛstjɔ̃] *f.* question; **poser une —,** to ask a question
qui [ki] *rel. pron.* who, whom, which, that; **ce —,** that which, what; *interrog. pron.* who, whom; **à —, de —,** whose
quinze [kɛ̃ːz] fifteen
quinzième [kɛ̃zjɛm] fifteenth
quitter [kite] to leave
quoi [kwa] what; **il n'y a pas de —,** don't mention it; **— que** whatever
quoique [kwakə] although

R

raccrocher [rakrɔʃe] to hang up
race [ras] *f.* race
raconter [rakɔ̃te] to relate, tell, tell about
radeau, -x [rado] *m.* raft
radio [radjo] *f.* radio; *see* **poste**
radiodiffusion [radjodifyzjɔ̃] *f.* broadcast
raffiné [rafine] refined
raide [rɛd] stiff

raisin [rɛzɛ̃] *m.* grape
raison [rɛzɔ̃] *f.* right; **avoir** —, to be right
raisonnable [rɛzɔnabl] reasonable
rapide [rapid] rapid, fast
rapidement [rapidmã] rapidly, fast
rappeler [raple]: **se rappeler** to remember
rapport [rapɔːr] *m.* relation
rapporter [rapɔrte] to bring back, bring in
rasoir [rɑzwaːr] *m.* razor
rationaliste [rasjɔnalist] rationalistic
rayon [rɛjɔ̃] *m.* ray; **— de soleil** sunbeam
rayon [rɛjɔ̃] *m.* shelf
réalisme [realism] *m.* realism
réaliste [realist] realistic
réalité [realite] *f.* reality
récepteur [resɛptœːr] *m.* receiver
réception [resɛpsjɔ̃] *f.* reception, receiving
receveur [rəsəvœːr] *m.* conductor (*of bus*)
recevoir [rəsəvwaːr] to receive
récolter [rekɔlte] to harvest
réconcilier [rekɔ̃silje] to reconcile
reconnaissance [rəkɔnɛsãːs] *f.* gratitude
reconnaître [rəkɔnɛːtr] to recognize
reconstruire [rəkɔ̃strɥiːr] to reconstruct, rebuild
redevenir [rədəvniːr] to become again
réel, réelle [reɛl] real, actual
réfléchir [refleʃiːr] to reflect
refus [rəfy] *m.* refusal
refuser [rəfyze] to refuse
regagner [rəgaɲe] to regain, recover
regarder [rəgarde] to look at, watch
région [reʒjɔ̃] *f.* region
règle [rɛːgl] *f.* rule
règlement [rɛgləmã] *m.* regulation(s)
règne [rɛɲ] *m.* reign
régner [reɲe] to reign
regretter [rəgrɛte] to regret, be sorry
régulier, régulière [regylje, –ɛːr] regular
Reims [rɛ̃ːs] *m.* Reims
reine [rɛn] *f.* queen
relation [rəlasjɔ̃] *f.* relation
relier [rəlje] to connect, join
religieux, religieuse [rəliʒjø, –øːz] religious
religion [rəliʒjɔ̃] *f.* religion
relique [rəlik] *f.* relic
remarquable [rəmarkabl] remarkable
remettre [rəmɛtr] to deliver; **se** —, to get well; **se — à** to begin again to
remords [rəmɔːr] *m.* remorse

rempart [rãpaːr] *m.* rampart
remplacer [rãplase] to replace
remplir [rãpliːr] to fill (up)
remporter [rãpɔrte] to win (*a victory*)
Renaissance [rənɛsãːs] *f.* Renaissance
renaître [rənɛːtr] to be born again, reappear
rencontrer [rãkɔ̃tre] to meet
rendez-vous [rãdevu] *m.* appointment
rendre [rãːdr] to render, return, give back, take back, restore
renne [rɛn] *m.* reindeer
renommée [rənɔme] *f.* renown, fame
rentrer [rãtre] to enter again, go in again, return, come *or* go back
renverser [rãvɛrse] to overthrow
réparer [repare] to repair
repas [rəpɑ] *m.* meal
répéter [repete] to repeat
répondre [repɔ̃ːdr] to answer, reply
réponse [repɔ̃ːs] *f.* answer, response
reposer [rəpoze]: **se** —, to rest
reprendre [rəprãːdr] to take again, repeat, resume
représentant [rəprezãtã] *m.* representative
représentation [rəprezãtasjɔ̃] *f.* performance
représenter [rəprezãte] to represent, perform
reprocher [rəprɔʃe] to reproach
reproduction [rəprɔdyksjɔ̃] *f.* reproduction, copy
reproduire [rəprɔdɥiːr] to reproduce
Républicain [repyblikɛ̃] *m.* Republican
république [repyblik] *f.* republic
réputation [repytasjɔ̃] *f.* reputation
résister [reziste] to resist
respect [rɛspɛ] *m.* respect
respecter [rɛspɛkte] to respect
respectueux, respectueuse [rɛspɛktɥø, –øːz] respectful
ressembler [rəsãble] to resemble, look like
ressortir [rəsɔrtiːr] to bring out, stand out
ressource [rəsurs] *f.* resource
restaurant [rɛstɔrã] *m.* restaurant
restauration [rɛstɔrasjɔ̃] *f.* restoration
restaurer [rɛstɔre] to restore
reste [rɛst] *m.* rest, remainder
rester [rɛste] to remain, stay
résultat [rezylta] *m.* result
résumer [rezyme] to sum up; **se** —, to be summed up
rétablir [retabliːr] to re-establish
retard [rətaːr]: **en** — , late

retour [rətuːr] *m.* return; **être de** —, to be back; **aller et** —, round-trip
retourner [rəturne] to return, go back
retrouver [rətruve] to find again
réunir [reyniːr]: **se** —, to meet, assemble, gather
réussir [reysiːr] to succeed
rêve [rɛːv] *m.* dream
réveiller [revɛje] to wake up; **se** —, to wake up
révéler [revele] to reveal
revenir [rəvniːr] to return, come back
rêver [rɛve] to dream
revoir [rəvwaːr] to see again; **au** —, goodbye
révolte [revɔlt] *f.* revolt
révolter [revɔlte]: **se** —, to revolt, rebel
révolution [revɔlysjɔ̃] *f.* revolution
révolutionnaire [revɔlysjɔnɛːr] revolutionary
rez-de-chaussée [redʃose] *m.* ground floor
Rhin [rɛ̃] *m.* Rhine
riche [riʃ] rich
richement [riʃmɑ̃] richly
richesse [riʃɛs] *f.* richness, wealth
ridicule [ridikyl] ridiculous
rien [rjɛ̃] nothing, not anything
rigoureusement [rigurøzmɑ̃] strictly
rire [riːr] to laugh
risquer [riske] to risk
rival, rivaux [rival, -o] *adj. and n.m.* rival
rive [riːv] *f.* bank, shore
rivière [rivjɛːr] *f.* river
robe [rɔb] *f.* dress
robuste [rɔbyst] robust, strong
roi [rwɑ, rwa] *m.* king
rôle [roːl] *m.* role, part
romain [rɔmɛ̃] *adj.* Roman
Romain [rɔmɛ̃] *m.* Roman
roman [rɔmɑ̃] *adj.* Romanesque
roman [rɔmɑ̃] *m.* novel
romancier [rɔmɑ̃sje] *m.* novelist
romantique [rɔmɑ̃tik] *adj.* Romantic
Romantique [rɔmɑ̃tik] *m.* Romanticist
romantisme [rɔmɑ̃tism] *m.* Romanticism
rond [rɔ̃] round
rose [roːz] *f.* rose
Rouen [rwɑ̃] *m.* Rouen
rouge [ruːʒ] red
route [rut] *f.* road, route; **en** —, on the way
roux, rousse [ru, rus] red

royal, royaux [rwɑjal, -o; rwajal, -o] royal
royaume [rwɑjoːm, rwajoːm] *m.* kingdom
rue [ry] *f.* street
ruine [rɥin] *f.* ruin
ruiner [rɥine] to ruin

S

sac [sak] *m.* bag; — **à main** handbag
sacre [sakr] *m.* coronation
sacré [sakre] sacred
sage [saːʒ] wise
saint [sɛ̃] *adj.* holy; *n.m.* saint
Saint Graal [sɛ̃gral] Holy Grail
saisir [seziːr] to seize
saison [sezɔ̃] *f.* season
salade [salad] *f.* salad
salle [sal] *f.* hall, large room; — **de bain** bathroom; — **de classe** classroom; — **à manger** dining room
salon [salɔ̃] *m.* drawing room, living room; — **de coiffure** barber shop
saluer [salɥe] to bow to
samedi [samdi] *m.* Saturday
sans [sɑ̃] *prep.* without; — **que** *conj.* without
santé [sɑ̃te] *f.* health; **maison de** —, insane asylum
satirique [satirik] satirical
sauf [sof] except
sauter [sote] to jump, leap
sauvage [sovaːʒ] savage, wild
sauver [sove] to save; **se** —, to run away
savant [savɑ̃] *adj.* learned; *n.m.* scientist, scholar
savoir [savwaːr] to know
savon [savɔ̃] *m.* soap
scène [sɛn] *f.* scene
science [sjɑ̃ːs] *f.* science
scientifique [sjɑ̃tifik] scientific
scolaire [skɔlɛːr] academic
sculpteur [skyltœːr] *m.* sculptor
sculpture [skyltyːr] *f.* sculpture
se [sə] *refl. pron.* oneself, himself, herself, itself, themselves, each other, one another
second [səgɔ̃] second
secondaire [səgɔ̃dɛːr] secondary
secret, secrète [səkrɛ, səkrɛt] *adj. and n.m.* secret
seigneur [sɛɲœːr] *m.* lord, noble
Seine [sɛn] *f.* Seine (*a river*)
seize [sɛːz] sixteen

seizième [sɛzjɛm] sixteenth
selle [sɛl] *f.* saddle
semaine [səmɛn] *f.* week
sembler [sāble] to seem
sens [sāɪs] *m.* sense; **le bon —,** common sense
sensation [sāsasjɔ̃] *f.* sensation
sentiment [sātimā] *m.* feeling
sentimental, sentimentaux [sātimātal, –o] sentimental
sentir [sātiːr] to feel
séparer [separe] to separate
sept [sɛt] seven
septembre [sɛptāːbr] *m.* September
septième [sɛtjɛm] seventh
sérieux, sérieuse [serjø, –øɪz] serious
serment [sɛrmā] *m.* oath
service [sɛrvis] *m.* service
serviette [sɛrvjɛt] *f.* towel
servir [sɛrviːr] to serve; **se — de** to use
seul [sœl] alone, only, single
seulement [sœlmā] only
sévère [sevɛːr] severe
si [si] *conj.* if, whether; *adv.* so
siècle [sjɛkl] *m.* century
sien, sienne (le, la) [sjɛ̃, sjɛn] his, hers, its
signer [siɲe] to sign
signification [siɲifikasjɔ̃] *f.* meaning
silence [silāːs] *m.* silence
simple [sɛ̃pl] simple
simplicité [sɛ̃plisite] *f.* simplicity
simplifier [sɛ̃plifje] simplify
sincère [sɛ̃sɛːr] sincere
sincérité [sɛ̃serite] *f.* sincerity
sire [siːr] sir
site [sit] *m.* spot, place
situation [sitɥasjɔ̃] *f.* situation
situer [sitɥe] to place, locate, situate
six [sis] six
sixième [sizjɛm] sixth
ski [ski] *m.* ski
sobriété [sɔbriete] *f.* sobriety, soberness
social, sociaux [sɔsjal, –o] social
société [sɔsjete] *f.* society, league
sœur [sœr] *f.* sister
soif [swaf] *f.* thirst; **avoir —,** to be thirsty
soin [swɛ̃] *m.* care
soir [swaɪr] *m.* evening; **ce —,** tonight; **hier —,** last night
soirée [sware] *f.* evening
soixante [swasāɪt] sixty
soixante-dix [swasātdis] seventy

soldat [sɔlda] *m.* soldier
soleil [sɔlɛɪj] *m.* sun, sunshine
solide [sɔlid] solid, strong
solitaire [sɔlitɛɪr] solitary
sombre [sɔ̃ːbr] dark, sombre
somme [sɔm] *f.* sum, amount
sommet [sɔmɛ] *m.* summit, top
son, sa, ses [sɔ̃, sa, se] his, her, its
sonner [sɔne] to ring
sonnerie [sɔnri] *f.* ringing
Sorbonne [sɔrbɔn] *f. divisions of humanities and sciences of University of Paris*
sorcellerie [sɔrsɛlri] *f.* sorcery, witchcraft
sorte [sɔrt] *f.* sort, kind
sortir [sɔrtiːr] to go *or* come out
sou [su] *m.* cent
souci [susi] *m.* care, concern (**de,** for)
souffrant [sufrā] indisposed, not well
souffrir [sufriːr] to suffer
souhaiter [swete] to wish
soulier [sulje] *m.* shoe
soupe [sup] *f.* soup; **— à l'oignon** onion soup
sourire [suriːr] *vb.* to smile; *n.m.* smile
sous [su] under
souvenir [suvniːr] *m.* memory
souvent [suvā] often
souveraineté [suvrɛnte] *f.* sovereignty
specialité [spesjalite] *f.* specialty
spectacle [spɛktakl] *m.* spectacle, sight
spectateur [spɛktatœːr] *m.* spectator
sport [spɔɪr] *m.* sport(s)
Stanislas [stanislas] *m.* Stanislas
statue [staty] *f.* statue
style [stil] *m.* style
stylo [stilo] *m.* fountain pen
subjonctif [sybʒɔ̃ktif] *m.* subjunctive
substance [sybstāɪs] *f.* substance
successeur [syksesœːr] *m.* successor
sucre [sykr] *m.* sugar
sud [syd] *m.* south
sud-est [sydɛst] *m.* southeast
sud-ouest [sydwɛst] *m.* southwest
suffisant [syfizā] sufficient
Suisse [sɥis] *f.* Switzerland
suite [sɥit] *f.*: **tout de —,** at once, immediately; **et ainsi de —,** and so forth, and so on
suivant [sɥivā] following, next
suivre [sɥiːvr] to follow; (*of courses of study*) to take
sujet [syʒɛ] *m.* subject

superficiel, superficielle [sypɛrfisjɛl] super-
ficial
supérieur [syperjœːr] *adj.* superior, higher;
n.m. superior
superstition [sypɛrstisjɔ̃] *f.* superstition
supporter [sypɔrte] to support
sur [syr] on, upon, over
sûr [syr] sure; **bien —!** of course! certainly!
surface [syrfas] *f.* surface
surnaturel, surnaturelle [syrnatyrɛl] super-
natural
surprenant [syrprənɑ̃] surprising
surprendre [syrprɑ̃ːdr] to surprise
surpris [syrpri] surprised
surréaliste [syrrealist] *m.* surrealist
surtout [syrtu] above all, especially
survivant [syrvivɑ̃] *m.* survivor
symbole [sɛ̃bɔl] *m.* symbol
symboliste [sɛ̃bɔlist] *m.* symbolist
symétrie [simetri] *f.* symmetry
système [sistɛm] *m.* system

T

tabac [taba] *m.* tobacco
table [tabl] *f.* table
tableau, –x [tablo] *m.* picture; **— noir** blackboard
tache [taʃ] *f.* spot
tailleur [tajœːr] *m.* tailor
tant [tɑ̃] so much, so many; **— que** as long
as
tante [tɑ̃ːt] *f.* aunt
tantôt [tɑ̃to]: **— ... —,** now ... now
tapis [tapi] *m.* rug
tapisserie [tapisri] *f.* tapestry
tard [taːr] late
tarif [tarif] *m.* rate
tasse [tɑs] *f.* cup; **— à thé** teacup
taxi [taksi] *m.* taxi
technique [tɛknik] technical
tel, telle [tɛl] such
téléphone [telefɔn] *m.* telephone
téléphoner [telefɔne] to telephone
télévision [televizjɔ̃] *f.* television; **poste de
—,** television set, TV set
temple [tɑ̃ːpl] *m.* temple
temps [tɑ̃] *m.* time, weather; **de — en —,**
from time to time; **en même —,** at the
same time
tennis [tɛnis] *m.* tennis

tentation [tɑ̃tasjɔ̃] *f.* temptation
terrasse [tɛras] *f.* pavement (*in front of a café*);
part of café on sidewalk or pavement
terre [tɛːr] *f.* earth; **par —,** on the ground,
on the floor
terreur [tɛrœr] *f.* terror
terrible [tɛribl] terrible
territoire [tɛritwaːr] *m.* territory
tête [tɛt] *f.* head
texte [tɛkst] *m.* text
thé [te] *m.* tea
théâtre [teaːtr] *m.* theater
thème [tɛm] *m.* theme, subject
théorie [teɔri] *f.* theory
Thérèse [terɛːz] *f.* Theresa
thèse [tɛz] *f.* thesis
Thomas [tɔma] *m.* Thomas (*used in French
either as given name or family name*)
ticket [tikɛ] *m.* ticket
tien, tienne (le, la) [tjɛ̃, tjɛn] yours
timide [timid] timid
tirer [tire] to shoot; **se — d'affaire** to get
along, manage
tiroir [tirwaːr] *m.* drawer
titre [titr] *m.* title
toi [twa] you
toile [twal] *f.* canvas
toilette [twalɛt] *f.* dressing table
toit [twa, twa] *m.* roof
tolérance [tɔlerɑ̃ːs] *f.* tolerance
tombeau, –x [tɔ̃bo] *m.* tomb
tomber [tɔ̃be] to fall
ton, ta, tes [tɔ̃, ta, te] your
ton [tɔ̃] *m.* tone
tort [tɔːr] *m.* wrong; **avoir —,** to be wrong
tôt [to] soon, early; **plus —,** earlier
total, totaux [tɔtal, –o] total
toujours [tuʒuːr] always
tour [tuːr] *f.* tower
tour [tuːr] *m.* turn
touriste [turist] *m. or f.* tourist
tourment [turmɑ̃] *m.* torment
tourmenté [turmɑ̃te] tormented
tourner [turne] to turn
Toussaint [tusɛ̃] *f.* All Saints' Day
tout, toute, tous, toutes [tu, tut, tu(s), tut]
adj. all, every, whole, entire; *pron.* all,
everything; **pas du —,** not at all; *adv.* **—
à fait** altogether, entirely, quite; **— de
suite** at once, immediately
trace [tras] *f.* trace

tracer [trase] to trace
tradition [tradisjɔ̃] f. tradition
traduire [tradɥiːr] to translate
tragédie [traʒedi] f. tragedy
train [trɛ̃] m. train
trait [trɛ] m. feature, characteristic
traité [trɛte] m. treatise, treaty
traiter [trɛte] to treat, discuss, deal with
tranquille [trɑ̃kil] tranquil, quiet
tranquillement [trɑ̃kilmɑ̃] quietly
transformation [trɑ̃sfɔrmasjɔ̃] f. transformation
transformer [trɑ̃sfɔrme] to transform
transition [trɑ̃zisjɔ̃] f. transition
transporter [trɑ̃spɔrte] to transport
travail, travaux [travaɪj, –o] m. work
travailler [travaje] to work
travailleur, travailleuse [travajœːr, –øːz] *adj.* hard-working, industrious; *n.m.* toiler
traverser [travɛrse] to cross, go *or* pass through
treize [trɛːz] thirteen
treizième [trɛzjɛm] thirteenth
trente [trɑ̃ːt] thirty
trentième [trɑ̃tjɛm] thirtieth
très [trɛ] very
tribu [triby] f. tribe
triomphe [triɔ̃f] m. triumph
triste [trist] sad
Troie [trwa, trwɑ] f. Troy
trois [trwɑ] three
troisième [trwɑzjɛm] third
tromper [trɔ̃pe] to deceive, cheat; **se —,** to be mistaken, make a mistake
trône [troɪn] m. throne
trop [tro] too, too much, too many
trottoir [trɔtwaːr] m. sidewalk
trou [tru] m. hole
troubadour [trubaduːr] m. troubadour (*poet of southern France in Middle Ages*)
trouble [trubl] m. trouble, disorder
troupe [trup] f. troupe, company
trouver [truve] to find; **se —,** to be, be located, be situated
trouvère [truvɛːr] m. trouvère (*poet of northern France in Middle Ages*)
T.S.F. [teɛsɛf] f. radio
tu [ty] you
tuer [tɥe] to kill
Tuileries [tɥilri] f.pl. palace in Paris (*destroyed in 1871*); park in Paris

typique [tipik] typical
tyrannie [tirani] f. tyranny

U

un, une [œ̃, yn] a, an, one
union [ynjɔ̃] f. union
unir [yniːr] to unite
unité [ynite] f. unit
univers [ynivɛːr] m. universe
universel, universelle [ynivɛrsɛl] universal
université [ynivɛrsite] f. university
usage [yzaːʒ] m. usage, custom
usine [yzin] f. factory
utile [ytil] useful

V

va, vas [va] *from* **aller**
vache [vaʃ] f. cow
vaincre [vɛ̃kr] to conquer, defeat, overcome
vais [ve,vɛ] *from* **aller**
valet [valɛ] m. valet
valeur [valœːr] f. value
valise [valiːz] f. valise
vallée [vale] f. valley
valoir [valwaːr] to be worth; **— mieux** to be better
vanité [vanite] f. vanity
vaniteux, vaniteuse [vanitø, –øːz] vain, conceited
variété [varjete] f. variety
vaste [vast] vast
vaut [vo] *from* **valoir**
veau [vo] m. veal
veille [vɛːj] f. eve
vendeuse [vɑ̃døːz] f. clerk, salesgirl
vendre [vɑ̃ːdr] to sell
vendredi [vɑ̃drədi] m. Friday
venir [vəniːr] to come; **— de** to have just
Venise [vəniz] f. Venice
vent [vɑ̃] m. wind
verbe [vɛrb] m. verb
Vercingétorix [vɛrsɛ̃ʒetɔriks] Vercingetorix
véritable [veritabl] real, true
vérité [verite] f. truth
verre [vɛːr] m. glass
vers [vɛːr] m. line (*of poetry*); pl. poetry
vers [vɛːr] *prep.* about, towards
Versailles [vɛrsaɪj] m. city, palace
verser [vɛrse] to pour
vert [vɛːr] green

vertical, verticaux [vɛrtikal, –o] vertical
vertu [vɛrty] *f.* virtue
vertueux, vertueuse [vɛrtɥø, –øːz] virtuous
vestibule [vɛstibyl] *m.* vestibule, hall
vestige [vɛstiːʒ] *m.* trace
vêtements [vɛtmɑ̃] *m.pl.* clothes, clothing
veuillez [vœje] (*from* **vouloir**) please
viande [vjɑ̃ːd] *f.* meat
vice [vis] *m.* vice
vicomte [vikɔ̃ːt] *m.* viscount
victime [viktim] *f.* victim
victoire [viktwaːr] *f.* victory
victorieux, victorieuse [viktɔrjø, –øːz] victorious
vide [vid] empty
vider [vide] to empty
vie [vi] *f.* life, living, cost of living
vieillard [vjɛjaːr] *m.* old man
Vierge [vjɛrʒ] *f.* the Virgin Mary
vieux (vieil), vieille; *pl.* **vieux, vieilles** [vjø, vjɛːj] old
vigne [viɲ] *f.* vine
vignoble [viɲɔbl] *m.* vineyard
vigueur [vigœːr] *f.* vigor
village [vilaːʒ] *m.* village
villageois [vilaʒwa, vilaʒwa] rustic, country
ville [vil] *f.* city
vin [vɛ̃] *m.* wine
vingt [vɛ̃] twenty
vingtième [vɛ̃tjɛm] twentieth
violent [vjɔlɑ̃] violent
violon [vjɔlɔ̃] *m.* violin
visage [vizaːʒ] *m.* face
vision [vizjɔ̃] *f.* vision
visite [vizit] *f.* call (*social*), caller
visiter [vizite] to visit
visiteur, visiteuse [vizitœːr, –øːz] *m. and f.* visitor
vitalité [vitalite] *f.* vitality
vite [vit] rapidly, fast, quickly
vitrail, vitraux [vitraːj, –o] *m.* stained glass window
vivacité [vivasite] *f.* vivacity, liveliness
vivant [vivɑ̃] alive, living; **de son —,** in his lifetime

vivre [viːvr] to live
voici [vwasi] here is, here are
voilà [vwala] there is, there are
voir [vwaːr] to see
voisin [vwazɛ̃] *m.* neighbor
voiture [vwatyːr] *f.* car
voix [vwa, vwɑ] *f.* voice; **à haute —,** out loud; **à — basse** in a low voice, in a whisper
voler [vɔle] to fly
voler [vɔle] to steal, rob
voleur [vɔlœːr] *m.* thief; **au —!** stop thief!
volonté [vɔlɔ̃te] *f.* will, will power
volume [vɔlym] *m.* volume
Vosges [voːʒ] *f.pl. mountains in eastern France; name of square in Paris*
votre, vos [vɔtr, vo] your
vôtre (le, la) [voːtr] yours
vouloir [vulwaːr] to want, wish, like; **— bien** to be willing
vous [vu] you, to you
voûte [vut] *f.* vault
voyage [vwajaːʒ] *m.* trip; **faire un —,** to take a trip; **Bon —!** Have a good trip!
voyager [vwajaʒe] to travel
voyageur [vwajaʒœːr] *m.* traveler
vrai [vrɛ] true
vraiment [vrɛmɑ̃] truly, really
vue [vy] *f.* view
vulgaire [vylgɛːr] vulgar

W

Waterloo [vatɛrlo] Waterloo (*scene of Napoleon's defeat,* 1815)

Y

y [i] there
yeux [jø] *see* **œil**

Z

zéro [zero] *m.* zero

Vocabulary ENGLISH-FRENCH

A

a *indef. art.* un, une
abandon abandonner
able: to be —, pouvoir
about *prep.* de; **to think —,** penser à
absence absence *f.*
academic scolaire
accent accent *m.*
accept accepter
accompany accompagner
accuse accuser (de)
acquaintance connaissance *f.*
action action *f.*
add ajouter
admirable admirable
admire admirer
adopt adopter
advice conseil *m.*
afraid: to be —, avoir peur, craindre
after après
afternoon après-midi *m. or f.*
again encore, de nouveau
age âge *m.*; **the Middle Ages** le moyen âge
ago il y a
airplane avion *m.*; **by —,** en avion, par avion
all tout (*m.pl.* tous)
allow laisser, permettre; **to — some one to do something** permettre à quelqu'un de faire quelque chose
almost presque
alone seul
Alps Alpes *f.pl.*
already déjà
also aussi
although bien que, quoique

always toujours
A.M. du matin
am suis
America Amérique *f.*; **North —,** l'Amérique du Nord; **South —,** l'Amérique du Sud
American *n.* Américain *m.*; *adj.* américain
amuse amuser
amusing amusant
an *indef. art.* un, une
and et
angry fâché, en colère
anniversary anniversaire *m.*
answer répondre (à)
any *partitive* de, du, de la, de l', des; *pron.* en
anyone quelqu'un; **not —,** ne . . . personne
anything quelque chose; **not —,** ne . . . rien
apartment appartement *m.*
appointment rendez-vous *m.*
approach s'approcher de
April avril *m.*
arch arc *m.*
are sont
armchair fauteuil *m.*
army armée *f.*
arrive arriver
art art *m.*
as comme; **— . . . —,** aussi . . . que
ashamed: to be —, avoir honte
ask demander; **to — for** demander; **to — a question** poser une question, faire une question
aspirin aspirine *f.*; **— tablet** comprimé (*m.*) d'aspirine

astonished: to be —, être étonné, s'étonner
at à
Atlantic *n. and adj.* Atlantique *m.*
attract attirer
August août *m.*
aunt tante *f.*
author auteur *m.*
automobile *n. and adj.* automobile *f.*
autumn automne *m.*
avenue avenue *f.*
away: to go —, s'en aller

B

back *adv.*; **to be —,** être de retour; *see also* **come** *and* **go**
bad mauvais
bakery boulangerie *f.*
bald chauve
ball bal *m.* (*pl.* bals)
bank rive *f.*, bord *m.*
barber coiffeur *m.*
bath bain *m.*
bathroom salle (*f.*) de bain(s)
battle bataille *f.*
be être; (*of health*) aller; (*of weather*) faire; (*in arithmetic*) faire; (*of location*) se trouver; **How are you? I am fine** je vais bien; **to — cold** (*of persons*) avoir froid, (*of weather*) faire froid; **there is, there are** il y a
bean: string beans haricots verts *m.pl.*
beard barbe *f.*
beast bête *f.*
beautiful beau (bel), belle, beaux, belles

beauty beauté *f.*
because parce que
become devenir
bed lit *m.*; to go to —, se coucher
bedroom chambre (*f.*) à coucher
beefsteak bifteck *m.*
beer bière *f.*
before (*of time*) avant; (*of place*) devant
begin commencer (à), se mettre à
beginning commencement *m.*
believe croire
best *adj.* le meilleur; *adv.* le mieux
better *adj.* meilleur; *adv.* mieux
between entre
big grand; gros, grosse
black noir
blackboard tableau noir *m.*
blanket couverture *f.*
blond blond
blow *n.* coup *m.*; at a single —, d'un seul coup
blue bleu
boarding-house pension *f.*
boat bateau, –x *m.*; by —, en bateau
body corps *m.*
book livre *m.*
bookseller libraire *m.*
bookstore librairie *f.*
bored: to be *or* become —, s'ennuyer
born: to be —, naître
bottle bouteille *f.*
boulevard boulevard *m.*
bow saluer
box boîte *f.*
boy garçon *m.*
bread pain *m.*
breakfast petit déjeuner *m.*
bring apporter: to — back rapporter
brother frère *m.*
brown brun
brush brosser
build bâtir, construire

building bâtiment *m.*, édifice *m.*
businessman homme d'affaires *m.*
but mais
butter beurre *m.*
buy acheter
by par

C

café café *m.*
call appeler
can pouvoir
Capetian capétien, capétienne
capital capitale *f.*
car voiture *f.*, automobile *f.*, auto *f.*
carrot carotte *f.*
carry porter; to — out (*a principle*) appliquer
case: in any —, en tout cas
cathedral cathédrale *f.*
ceiling plafond *m.*
celebrate célébrer
century siècle *m.*
certain certain
chair chaise *f.*
chalk craie *f.*
chambermaid femme de chambre *f.*
character (*in literature*) personnage *m.*
charming charmant
château château, –x *m.*
cheap (à) bon marché
check addition *f.*
cheek joue *f.*
cheese fromage *m.*
child enfant *m. or f.*
Chile Chili *m.*
chin menton *m.*
chocolate chocolat *m.*
choose choisir
church église *f.*
city ville *f.*
class classe *f.*
classic classique
classroom salle de classe *f.*
close fermer

clothes vêtements *m.pl.*
coffee café *m.*; black —, café noir; — with milk café au lait
cold froid; to be —, (*of persons*) avoir froid, (*of weather*) faire froid
comb peigner
come venir; to — back revenir; to — down descendre; to — in entrer; to — out sortir
comedy comédie *f.*
comfortable confortable
compare comparer
complete complet, complète
comrade camarade *m.*
conceited vaniteux, vaniteuse
concert concert *m.*
concise concis
construct construire, bâtir
construction construction *f.*
continue continuer (à)
conversation conversation *f.*
converse causer
copy (*of a publication*) exemplaire *m.*
corner coin *m.*
coronation sacre *m.*
correctly correctement
cost coûter
count comte *m.*
countess comtesse *f.*
country pays *m.*, campagne *f.*
courageous courageux, courageuse
course cours *m.*; to take a —, suivre un cours; of —, bien entendu
court cour *f.*
cousin cousin *m.*
cover couvrir (with, de)
crazy fou, folle
cross *n.* croix *f.*
cross *vb.* traverser
crown couronne *f.*
crusade croisade *f.*
cup tasse *f.*
cure guérir
cut couper

D

dangerous dangereux, dangereuse
dark noir, sombre
darkness obscurité f.
date date f.
daughter fille f.
day jour m., journée f.
dead mort
deal: a great —, beaucoup
death mort f.
debt dette f.
December décembre m.
deed action f.
delicious délicieux, délicieuse
delighted enchanté
dentist dentiste m.
departure départ m.
designate désigner
desk bureau, –x m.
dessert dessert m.
detective: — novel roman policier m.
detest détester
dictionary dictionnaire m.
die mourir
difference différence f.; **what — does that make to you?** qu'est-ce que cela vous fait?
difficult difficile
dine dîner
dining room salle à manger f.
dinner dîner m.
disagreeable désagréable
discover découvrir
disguise déguiser
disturb déranger
do faire
doctor (profession) médecin m.; (title) docteur m.
dog chien m.
donkey âne m.
door porte f.
downstairs en bas; **to come** or **go —,** descendre
dowry dot f.
dozen douzaine f.
drawing room salon m.
dress n. robe f.
dress vb. s'habiller; **to get dressed** s'habiller

dressmaker couturier m., couturière f.
drink vb. boire
drive (away) chasser; (a car) conduire
drugstore pharmacie f.
duchess duchesse f.
duke duc m.
during pendant
dynasty dynastie f.

E

each chaque; **— other** l'un l'autre, l'un à l'autre
ear oreille f.
early de bonne heure; **earlier** de meilleure heure, plus tôt
earn gagner
easily facilement
easy facile
eat manger
éclair éclair m.; **chocolate —,** éclair au chocolat
Edward Édouard
egg œuf m.
eight huit
eighteen dix-huit
eighteenth dix-huitième
eighth huitième
eighty quatre-vingts
eldest aîné
elegant élégant
elevator ascenseur m.
eleven onze
eleventh onzième
emperor empereur m.
empress impératrice f.
end n. fin f.
end vb. finir
enemy ennemi m.
engineer ingénieur m.
England Angleterre f.
English n. (language) anglais m.; adj. anglais
enormous énorme
enough assez (de)
enter entrer (dans)
entire entier, entière
Europe Europe f.
even même

evening soir m., soirée f.; **good —,** bonsoir
ever jamais
every tout (m.pl. tous); **— day** tous les jours
everybody tout le monde
everyone tout le monde
everything tout
everywhere partout
examination examen m.
example exemple m.; **for —,** par exemple
excellent excellent
exclaim s'écrier
expensive cher, chère
exposition exposition f.
expression expression f.
eye œil m. (pl. yeux)

F

face figure f., visage m.
fact fait m.
fall tomber
family famille f.
famous célèbre; fameux, fameuse
far loin; **as — as** jusqu'à
fast vite, rapidement
father père m.
favorite préféré
February février m.
fellow garçon m.
few peu de; **a —,** adj. quelques, pron. quelques-uns (unes)
fifteen quinze
fifteenth quinzième
fifth cinquième
fiftieth cinquantième
fifty cinquante
finally enfin
find trouver
fine beau (bel), belle, beaux, belles; fin; **to be —,** (of health) aller bien, (of weather) faire beau
finger doigt m.
finish finir
first adj. premier, première; adv. d'abord

fish poisson *m.*
five cinq
floor (*story*) étage *m.*
Florida Floride *f.*
flower fleur *f.*
fly *n.* mouche *f.*
follow suivre
foot pied *m.*; **on —**, à pied
for pour; (*during*) pendant; (*since*) depuis
forehead front *m.*
forest forêt *f.*
forget oublier (de)
form former
formerly autrefois
fortieth quarantième
fortune fortune *f.*
forty quarante
found fonder
fountain pen stylo *m.*
four quatre; **—-thirty** quatre heures et demie, seize heures et demie
fourteen quatorze
fourteenth quatorzième
fourth quatrième
franc franc *m.*
France France *f.*
Frederick Frédéric
French *n.* (*language*) français *m.*; *adj.* français
Frenchman Français *m.*
Frenchwoman Française *f.*
Friday vendredi *m.*
friend ami *m.*, amie *f.*
frightful affreux, affreuse; épouvantable
from de
front: in — of devant
fruit fruit *m.*
full plein
fun: to make — of se moquer de
furnish meubler
furniture meubles *m.pl.*

G

garden jardin *m.*
general *n.m. and adj.* général, généraux

generosity générosité *f.*
generous généreux, généreuse
gentleman monsieur *m.* (*pl.* messieurs)
George Georges
Germany Allemagne *f.*
get (*of tickets*) prendre; **to go and —**, aller chercher; **to — married** se marier; **to — up** se lever
giant géant *m.*
giddap! hue!
girl jeune fille *f.*
give donner; **to — back** rendre
glad content; heureux, heureuse
glass verre *m.*
glove gant *m.*
go aller; **to — away** s'en aller, partir; **to — back** retourner; **to — in, into** entrer (dans); **to — out** sortir; **to — up** monter; **to — with** aller avec, accompagner
good bon, bonne; **— morning** bonjour; **— evening** bonsoir
good-bye au revoir
grandson petit-fils *m.*
grape raisin *m.*
gray gris
great grand
green vert
groceries (*foodstuffs*) articles (*m.pl.*) d'épicerie
grocery (**store**) épicerie *f.*
guide guide *m.*

H

hair cheveu *m.*; **the —**, les cheveux
half demi; **— past four** quatre heures et demie, seize heures et demie
hall corridor *m.*
hand main *f.*
handbag sac (*m.*) à main
handkerchief mouchoir *m.*

handsome beau (bel), belle, beaux, belles
happen arriver, se passer
happy heureux, heureuse
hard difficile
hardly à peine, ne . . . guère
hat chapeau, –x *m.*
have avoir; **to —** (**something done**) faire
he il, lui
head tête *f.*
headache: to have a —, avoir mal à la tête
hear entendre
heaven: good —s! mon Dieu!
height hauteur *f.*
Helen Hélène
help aider (à)
Henry Henri
her *pron.* la, lui; *poss. adj.* son, sa, ses
here ici; **— is, — are** voici
heredity hérédité *f.*
hero héros *m.*
hers *pron.* le sien, la sienne, les siens, les siennes
hide cacher
high haut, élevé
him le, lui
himself lui-même; (*reflexive*) se
his *adj.* son, sa, ses; *pron.* le sien, la sienne, les siens, les siennes
history histoire *f.*
hit frapper
home, at home à la maison, chez + *pron.;* **to get —**, rentrer
homely laid
honor honorer
hope espérer
horse cheval, chevaux *m.*
hot chaud; **to be —**, (*of persons*) avoir chaud
hotel hôtel *m.*
hotelkeeper hôtelier *m.*
hour heure *f.*
house maison *f.*; **at, to, in the — of** chez

how comment; — **much,** — **many** combien de; (*in exclam.*) comme, que
however cependant, pourtant
hundred cent
hundredth centième
hungry: to be —, avoir faim
hurry, hurry up se dépêcher
husband mari *m.*

I

idea idée *f.*
if si
imitate imiter
immediately tout de suite
important important
impossible impossible
in dans, en, à; — **France** en France; — **Paris** à Paris
include comprendre; **included** compris
increase augmenter
indisposed souffrant
ink encre *f.*
intelligence intelligence *f.*
intelligent intelligent
interest *vb.* intéresser
interesting intéressant
into dans
invitation invitation *f.*
invite inviter (à)
ironical ironique
it *subject* il, elle, ce; *object* le, la
Italy Italie *f.*

J

January janvier *m.*
Joan of Arc Jeanne d'Arc
Josephine Joséphine
July juillet *m.*
June juin *m.*
just *adv.:* **to have —,** venir de
justice justice *f.*

K

kill tuer
kilogram kilogramme *m.*
kilometer kilomètre *m.*

kind *adj.* bon, bonne; gentil, gentille
kindly avec bonté
kindness bonté *f.*
king roi *m.*
kitchen cuisine *f.*
knife couteau, –x *m.*
know savoir, connaître

L

lady dame *f.*
lamp lampe *f.*
large grand
last dernier, dernière; passé; — **night** hier soir; — **week** la semaine dernière, la semaine passée; — **year** l'an dernier, l'année dernière
late en retard, tard; **later** plus tard
lazy paresseux, paresseuse
leader chef *m.*
leaf feuille *f.*
learn apprendre (à)
least *adv.* le moins
leave laisser, partir, quitter, sortir, s'en aller
lecture conférence *f.*
lecture hall amphithéâtre *m.*
left gauche
lend prêter
less moins
lesson leçon *f.*
let laisser, permettre (à quelqu'un de faire quelque chose)
letter lettre *f.*
library bibliothèque *f.*
lie down se coucher
like *prep.* comme
like *vb.* aimer, vouloir
lion lion *m.*; **Lion-Hearted** Cœur-de-Lion
listen écouter; **to — to** écouter
literature littérature *f.*
little *adj.* petit; *adv.* (un) peu (de)
live (*reside*) demeurer; (*be alive*) vivre

living room salon *m.*
loan prêter
located: to be —, être situé, se trouver
London Londres *f.*
long *adj.* long, longue; *adv.* longtemps; **no longer, not any longer** ne . . . plus
look: to — at regarder; **to — for** chercher; **to — like** ressembler (à)
lose perdre
lot: a — of beaucoup de
loud *adv.* haut, à haute voix; **out —,** à haute voix
Louisiana Louisiane *f.*
Louvre (*museum*) Louvre *m.*
love *n.* amour *m.*; **to be in — with** être amoureux (amoureuse) de
love *vb.* aimer
lunch *n.* déjeuner *m.*; **to have —,** déjeuner
lunch *vb.* déjeuner

M

machine machine *f.*
madam madame (*abbrev.* Mme)
magnificent magnifique
maid femme de chambre *f.*
make faire; **to —** (*money*) gagner
man homme *m.*; **old —,** vieillard *m.*
many beaucoup (de); **a great —,** beaucoup (de); **how —?** combien (de)? **as —,** autant (de); **so —,** tant (de); **too —,** trop (de)
map carte *f.*; (*of a city*) plan *m.*
March mars *m.*
marquis marquis *m.*
marriage mariage *m.*
marry épouser; **to get married** se marier
Marseilles Marseille *f.*
Mary Marie
master maître *m.*

masterpiece chef-d'œuvre *m.* (*pl.* chefs-d'œuvre)

matter: to be the — with (*a person*) avoir

maxim maxime *f.*

may pouvoir

May mai *m.*

meal repas *m.*

meat viande *f.*

Mediterranean *n. and adj.* Méditerranée *f.*

meet rencontrer

mention: don't — it il n'y a pas de quoi, de rien

merchant marchand *m.*

meter mètre *m.*

Mexico Mexique *m.*

middle milieu *m.*; **in the — of** au milieu de

midnight minuit *m.*

milk lait *m.*; **coffee with —,** café au lait

milliner modiste *f.*

million million *m.*

mine le mien, la mienne, les miens, les miennes

minute minute *f.*

miser avare *m.*

Miss mademoiselle *f.* (*abbrev.* Mlle)

mistake: to make a —, se tromper

mistaken: to be —, se tromper, avoir tort

modesty modestie *f.*

moment moment *m.*

monarchy monarchie *f.*

Monday lundi *m.*

money argent *m.,* monnaie *f.*

month mois *m.*

more plus

moreover d'ailleurs

morning matin *m.*; **good —,** bonjour

most *adv.* le plus; *pron.* la plupart

mother mère *f.*

motive motif *m.*

mouth bouche *f.*

movies cinéma *m.*

Mr. monsieur (*abbrev.* M.)

Mrs. madame (*abbrev.* Mme)

much beaucoup; **very —,** beaucoup; **as —,** autant (de); **so —,** tant (de); **too —,** trop (de); *as intensive adv.* beaucoup, bien, très

mud boue *f.*

museum musée *m.*

music musique *f.*

musician musicien *m.*

must falloir, devoir

my mon, ma, mes

myself moi-même; (*reflexive*) me

N

name nom *m.*; **to be named** s'appeler

narrow étroit

near près de

nearly près de, presque

necessary nécessaire; **to be —,** être nécessaire, falloir

neck cou *m.*

necktie cravate *f.*

need avoir besoin (de)

neighbor voisin *m.*

nephew neveu, –x *m.*

never (ne . . .) jamais

new nouveau (nouvel), nouvelle, nouveaux, nouvelles

news nouvelles *f.pl.*; **a piece of —,** une nouvelle

newspaper journal, journaux *m.*

New York New-York *m.*

next prochain

nice gentil, gentille

niece nièce *f.*

night nuit *f.*; **last —,** hier soir; **good —!** bonsoir!

nine neuf

nineteen dix-neuf

nineteenth dix-neuvième

ninth neuvième

no *adv.* non; **no one** *pron.* personne (ne)

nobody personne (ne)

noise bruit *m.*

noon midi *m.*

Normandy Normandie *f.*

north nord; **North America** l'Amérique du Nord

nose nez *m.*

not ne . . . pas; **— at all** (ne . . .) pas du tout

notebook cahier *m.*

nothing rien (ne)

novel roman *m.*

November novembre *m.*

now maintenant

numerous nombreux, nombreuse

O

obey obéir (à)

object objet *m.*

occupy occuper

ocean océan *m.*

o'clock heure *f.*

October octobre *m.*

of de

offer *n.* offre *f.*

offer *vb.* offrir

often souvent; **most —,** le plus souvent

oh ô, oh; **— no!** mais non! **— yes!** mais oui!

old vieux (vieil), vieille, vieux, vieilles; **— man** vieillard *m.*

on sur

once une fois; **at —,** tout de suite

one un, une; *pron.* on; **no —,** personne (ne); **the —,** celui, celle; **the ones** ceux, celles

only seulement, ne . . . que

open *adj.* ouvert

open *vb.* ouvrir

oppose s'opposer à

optician opticien *m.*

or ou

orange orange *f.*

order: in — to pour

order *vb.* commander

organize organiser

original original, originaux; primitif, primitive

other autre
ought devoir
our notre, nos
ours le nôtre, la nôtre, les
nôtres
out: to come *or* go —, sortir;
— loud à haute voix
over sur
owe devoir
own propre

P

package paquet *m.*
page page *f.*
palace palais *m.*
papa papa *m.*
paper papier *m.*
Paris Paris *m.*
park parc *m.*
part partie *f.*
pass passer
paw patte *f.*
pay payer; to — for payer
peasant paysan *m.*
pen stylo *m.*, plume *f.*
pencil crayon *m.*
people peuple *m.*; gens *m.pl.*;
indef. pron. on; the French
—, le peuple français, les
Français
perform accomplir
perhaps peut-être
person personne *f.*
pessimistic pessimiste
Peter Pierre
Philip Philippe
piano piano *m.*
picture tableau, -x *m.*; (*in
movies*) film *m.*
piece morceau, -x *m.*
pine tree pin *m.*
pity: it's a — that c'est dommage que
place: to take —, avoir lieu,
se passer
place *vb.* poser, placer, mettre
plane avion *m.*; by —, en
avion, par avion
plate assiette *f.*
play (*theat.*) pièce (*f.*) (de
théâtre)

play *vb.* jouer; to — the
piano jouer du piano; to
— cards jouer aux cartes
please plaire (à); veuillez;
if you —, s'il vous plaît
pleased content
P.M. de l'après-midi, du soir
poet poète *m.*
poetry poésie *f.*; to write —,
écrire des vers
point *vb.* montrer du doigt
polite poli
politeness politesse *f.*
poor pauvre; (*of quality*)
mauvais
possible possible
postman facteur *m.*
pot pot *m.*
potato pomme de terre *f.*
pour verser
praise louer
prepare préparer
present *vb.* présenter
prestige prestige *m.*
pretty joli
prevent empêcher (de)
price prix *m.*
prince prince *m.*
princess princesse *f.*
principle principe *m.*
probable probable
produce produire
professor professeur *m.*
proud fier, fière
province province *f.*
public *n.* public *m.*
pull out (*a tooth*) arracher
put mettre, poser; to — on
(*clothing*) mettre

Q

quarter quart *m.*; a — of an
hour un quart d'heure
queen reine *f.*
question question *f.*; to ask
a —, poser une question,
faire une question
quick vite
quickly vite
quietly tranquillement

quite assez, entièrement, tout
à fait

R

radio radio *f.*, poste (*m.*) de
radio
rain *vb.* pleuvoir; it rains, it
is raining il pleut
rapidly rapidement, vite
rather assez
ray rayon *m.*
read lire
really vraiment
reason raison *f.*
reasonable raisonnable
receive recevoir
recognize reconnaître
recover (*from illness*) guérir,
se remettre; recovered
remis
red rouge; (*of hair*) roux
re-enter rentrer
refuse refuser (de)
reign *n.* règne *m.*
reign *vb.* régner
Reims Reims *m.*
relate raconter
relic relique *f.*
remain rester
render rendre
rent *vb.* louer
repeat répéter
reply *vb.* répondre (à)
republic république *f.*
reputation réputation *f.*
respect *vb.* respecter
restaurant restaurant *m.*
return (*come back*) revenir,
rentrer; (*go back*) retourner,
rentrer
revolution révolution *f.*
Rhine Rhin *m.*
rich riche
ride *n.* promenade *f.*; to take
a —, faire une promenade
ridiculous ridicule
right droit; to be —, avoir
raison; — away tout de
suite
ring sonner

rival rival, rivaux *m.*
river fleuve *m.*; rivière *f.*
rob voler
Robert Robert
roll petit pain *m.*
Roman *adj.* romain
Rome Rome *f.*
room pièce *f.*; chambre *f.*, salle *f.*
roommate camarade (*m.*) de chambre
rose rose *f.*
Rouen Rouen *m.*
round rond
rug tapis *m.*
ruin ruine *f.*
rule règle *f.*
run courir

S

saddle selle *f.*
saint *n.* saint *m.*; *adj.* saint
same même
satisfied content
Saturday samedi *m.*
say dire
school école *f.*; **at —,** à l'école
scorn mépriser
sea mer *f.*
season saison *f.*
seated assis
second deuxième, second
secret secret *m.*
secretly secrètement
see voir; **to — again** revoir
self même
selfishness égoïsme *m.*, intérêt *m.*
sell vendre
send envoyer; **to — for** envoyer chercher
sentence phrase *f.*
September septembre *m.*
servant domestique *m. or f.*
serve servir
service service *m.*
set poser
seven sept
seventeen dix-sept

seventeenth dix-septième
seventh septième
seventy soixante-dix; **seventy-five** soixante-quinze
several plusieurs
sheet feuille *f.*
shelter abriter
shoe soulier *m.*
shop boutique *f.*
short court
shoulder épaule *f.*
shout crier
show montrer
sick malade
sidewalk trottoir *m.*
sign écriteau, –x *m.*
simple simple, modeste
since depuis
single seul
sir monsieur
sister sœur *f.*
six six
sixteen seize
sixteenth seizième
sixth sixième
sixty soixante
sleep dormir; **to go to —,** s'endormir
slipper pantoufle *f.*
slowly lentement
small petit
smile *n.* sourire *m.*; *vb.* sourire
snow neige *f.*
so si; **— many, — much** tant
soap savon *m.*
soldier soldat *m.*
some *partitive* de, du, de la, de l', des; *adj.* quelque(s); *pron.* en, quelques-un(e)s
somebody, someone quelqu'un(e)
something quelque chose *m.*; **— to drink** quelque chose à boire
sometimes quelquefois
son fils *m.*
soon bientôt; **as — as** aussitôt que, dès que
Sorbonne Sorbonne *f.*
sorry: to be —, regretter
soup potage *m.*

south sud; **South America** l'Amérique du Sud
Spain Espagne *f.*
Spanish (*language*) espagnol *m.*
speak parler
spectator spectateur *m.*
spend (*of time*) passer; (*of money*) dépenser
spite: in — of malgré
spoon cuillère *f.*
spring printemps *m.*
square *n.* place *f.*; *adj.* carré
stained glass window vitrail *m.* (*pl.* vitraux)
stairs escalier *m.*
stand être debout; **to — up** se mettre debout
standing debout
star étoile *f.*
starve mourir de faim
state état *m.*; **United States** États-Unis *m.pl.*
station gare *f.*
statue statue *f.*
stay rester
steel acier *m.*
stick bâton *m.*
still encore
stop arrêter; s'arrêter
store magasin *m.*; **department —,** grand magasin
story conte *m.*, histoire *f.*
street rue *f.*
string: see bean
strong fort
student élève *m. or f.*
study *n.* cabinet *m.*
study *vb.* étudier
stupid bête
subjunctive subjonctif *m.*
succeed réussir (à)
successor successeur *m.*
suffer souffrir
sugar sucre *m.*
suit (*for women*) costume *m.*; (*for men*) complet *m.*
sum somme *f.*
summer été *m.*
sun soleil *m.*
Sunday dimanche *m.*

sure sûr, certain
surface surface *f.*
surprise étonner
surprised: to be —, être surpris, être étonné, s'étonner
surround entourer
switch (*electric*) commutateur *m.*
Switzerland Suisse *f.*

T

table table *f.*
tablet comprimé *m.*
tailor tailleur *m.*
take prendre; to — a walk faire une promenade; to — a trip faire un voyage; to — a course suivre un cours; (*of persons*) conduire, mener
talk parler
tall haut, élevé
taxi taxi *m.*
tea thé *m.*
teacher professeur *m.*
telephone *n.* téléphone *m.*; *vb.* téléphoner
television télévision *f.*; — set poste (*m.*) de télévision
tell dire; (*a story*) raconter
temple temple *m.*
ten dix
tenth dixième
than que; (*before number*) de
thank: thank you, thank you very much merci bien, merci beaucoup
that *pron.* cela, ça; celui-là, celle-là; *adj.* ce, cet, cette; *rel. pron.* qui, que; *conj.* que
the le, la, les
theater théâtre *m.*
their *poss. adj.* leur, leurs
theirs le leur, la leur, les leurs
them les, leur; eux, elles
then alors, ensuite, puis
there là, y; — is, — are il y a, voilà
therefore donc, par conséquent

these *adj.* ces; *pron.* ceux-ci, celles-ci
they ils, ce; (*indef.*) on
thief voleur *m.*
thing chose *f.*
think penser, croire
third troisième
thirsty: to be —, avoir soif
thirteen treize
thirteenth treizième
thirtieth trentième
thirty trente; —-fifth trente-cinquième
this *adj.* ce, cet, cette; *pron.* ce, celui-ci, celle-ci, ceci
thorn épine *f.*
those *adj.* ces; *pron.* ceux-là, celles-là
thousand mille
three trois
through par
throw jeter
Thursday jeudi *m.*
thus ainsi
ticket billet *m.*
time temps *m.*, fois *f.*, moment *m.*, époque *f.*; a long —, longtemps; to have — to avoir le temps de; at that —, à ce moment-là; at the same —, en même temps; to have a good —, s'amuser
timid timide
tip pourboire *m.*
tired fatigué
title titre *m.*
to à
today aujourd'hui
together ensemble
tomorrow demain
tongue langue *f.*
too trop; — much, — many trop (de)
tooth dent *f.*
toothache mal (*m.*) aux dents
top sommet *m.*
Touraine Touraine *f.*
tourist touriste *m.*
towel serviette *f.*, essuie-mains *m.*
tower tour *f.*

train train *m.*; by —, par le train
travel voyager
traveler voyageur *m.*
tray plateau, –x *m.*
tree arbre *m.*
trip voyage *m.*; to take a —, faire un voyage
triumph triomphe *m.*
true vrai
truth vérité *f.*
try essayer (de)
Tuesday mardi *m.*
twelfth douzième
twelve douze; — o'clock midi *m.*, minuit *m.*; half past —, midi et demi, minuit et demi
twentieth vingtième
twenty vingt
twice deux fois
two deux

U

uncle oncle *m.*
under sous
understand comprendre
unfortunately malheureusement
unhappy malheureux, malheureuse
united: the United States les États-Unis *m.pl.*
universal universel, universelle
university université *f.*
unless à moins que
until *prep.* jusqu'à; *conj.* jusqu'à ce que
up *adj.* levé; to get —, se lever
use employer, se servir de
usually d'ordinaire

V

valet valet *m.*
vegetable légume *m.*
Venice Venise *f.*

very très, bien, fort; **at that — moment** à ce moment même

vice vice *m.*

victory victoire *f.*

violin violon *m.*

virtue vertu *f.*

visit *n.* visite *f.*

visit *vb.* visiter

visitor visiteur *m.*

W

wait attendre; **to — for** attendre

waiter garçon *m.*

wake up réveiller, se réveiller

walk *n.*: **to take a —,** faire une promenade, se promener

walk *vb.* marcher; (*for pleasure*) se promener

wall mur *m.*

want désirer, vouloir

war guerre *f.*; **Hundred Years' War** guerre de Cent ans

wardrobe armoire *f.*

warm chaud; **to be —,** (*of persons*) avoir chaud, (*of weather*) faire chaud

wash laver

washstand lavabo *m.*

waste (*of time*) perdre

watch *n.* montre *f.*

watch *vb.* regarder

water eau *f.*

we nous

wear porter

weather temps *m.*; **what kind of — is it?** quel temps fait-il? **to be fine (weather)** faire beau (temps)

Wednesday mercredi *m.*

week semaine *f.*

well *adv.* bien; *interj.* eh bien; **— then** eh bien alors

what *rel. pron.* ce qui, ce que, ce . . . quoi; *interrog. pron.* qu'est-ce qui? que? qu'est-ce que? quoi? *interrog. adj.* quel, quelle; *exclam.* comment! **—'s that?** qu'est-ce que c'est que cela?

whatever quoi que

when quand

where où

whether si

which *rel. pron.* qui, que, lequel, laquelle, lesquels, lesquelles; **of —,** dont; *interrog. pron.* lequel, *etc.; interrog. adj.* quel, quelle

white blanc, blanche

who qui

whom qui, que, lequel, *etc.;* **of —,** dont

whose *rel. pron.* de qui, duquel, de laquelle, desquels, desquelles, dont; *interrog. pron.* à qui, de qui

why pourquoi

wide large

width largeur *f.*

wife femme *f.*

willing: to be —, vouloir bien

win gagner; (*a victory*) remporter

window fenêtre *f.*; **stained glass —,** vitrail *m.* (*pl.* vitraux)

wine vin *m.*

winter hiver *m.*

wish désirer, vouloir

with avec

without sans

witticism bon mot *m.* (*pl.* des bons mots)

woman femme *f.*

wonder se demander

word mot *m.*

work travailler

world monde *m.*

worse pire, plus mauvais

worth: to be —, valoir

write écrire

writer écrivain *m.*

wrong: to be —, avoir tort

Y

year an *m.*, année *f.*; **last —,** l'an dernier, l'année dernière

yellow jaune

yes oui

yesterday hier

yet encore; **not —,** pas encore

young jeune; **— people** (des) jeunes gens

your votre, vos; ton, ta, tes

yours le vôtre, la vôtre, les vôtres; le tien, la tienne, les tiens, les tiennes

yourself vous-même

Grammatical Index

Photograph Credits